認知行動療法実践ガイド
基礎から応用まで

―ジュディス・ベックの認知行動療法テキスト―
第3版

著
ジュディス・S・ベック

訳
伊藤 絵美,藤澤 大介

星和書店

Cognitive Behavior Therapy

Basics and Beyond

Third Edition

by

Judith S. Beck

Translated from English

by

Emi Ito, Ph.D.

Daisuke Fujisawa, M.D.

English Edition Copyright © 2021 Judith S. Beck
Japanese Edition Copyright © 2023 Seiwa Shoten Publishers, Tokyo

Published by arrangement with the Guilford Press
through Japan UNI Agency, Inc., Tokyo

アーロン・T・ベック博士による巻頭言

『認知行動療法実践ガイド・基礎から応用まで―ジュディス・ベックの認知行動療法テキスト―』の第3版が出版されるのは大変喜ばしいことである。この10年だけでも，認知行動療法（CBT）の分野の進歩にはめざましいものがある。そうしたなかで，この新版はますます価値が高いものとなっている。一つには，本書が，認知モデルの文脈で行われる治療に，様々な心理療法の技法を幅広く取り入れているためである。それはたとえば，アクセプタンス＆コミットメント・セラピー，弁証法的行動療法，マインドフルネスに基づく認知療法などといった重要な介入である。同時に重要なのは，本書が，認知行動療法の基盤の一部として，「リカバリー」および「強み（ストレングス）」への志向を強調していることである。

本書では，うつ病に苦しむ一人のクライアントの経過を追っていく。その過程で，折に触れて治療セッションのビデオを観て，ワークシートをダウンロードできるようになっている。また，本書には，より複雑なクライアントがもう一人登場する。認知行動療法において困難が生じたときにどのように工夫するのか，ということがそのクライアントを通じて描写されている。

私は1960年代から1970年代にかけて認知療法を初めて構築したのだが，概念化や治療に関して私が主に焦点を当てたのは，クライアントが抱える問題，ネガティブな認知，非機能的なコーピング戦略といったものだった。1980年代の半ば頃までには，認知療法は「体系的な心理療法」の地位を獲得したと主張できるまでに成長した。体系的な心理療法とは，以下の3つの構成要素を有する。①パーソナリティおよび精神病理学に関する理論。これらの理論は，その療法の基本仮説を支持する強力な実証的知見に基づくものでなければならない。②ひとつの心理療法としてのモデル。このモデルにおいて，その心理療法における原則と戦略とが一連のセットとして提示される。③そのアプローチを支持する強固な実証的結果。この結果は臨床研究によって導き出されたものでなければならない。

さて，今世紀に入ってすでに20年が過ぎた今，認知行動療法において概念化をしたり治療をしたりする際，我々はこれまでとは異なる視点をさらに広げて持つようになった。もちろん個人の体験のネガティブな側面は今でも重要である。しかし，少なくともそれと同程度に，個人の希望（アスピレーション），価値，目標，強み（ストレングス），リソースを概念化し，そうしたポジティブな特徴も取り込んだうえで，その個人にとっていちばん大切だと感じられることとつながるための具体的なステップを踏み出せるように支援することが重要だと考えるようになった。また，そうしたステップを踏んでいく際の妨害要因を予測し，基本的な認知行動療法のスキル（認知再構成法，問題解決法，スキル訓練）を用いてそれらの妨害要因を克服し，自らの体験が自分自身について何を伝えてきているかについて，その人自身がポジティブな結論を導き出せるように手助けすることも，不可欠であると考えるようになった。

　この領域において基本的なテキストとなっている本書のこの第3版では，21世紀の認知行動療法を新たに紹介するものである。従来の認知行動療法にすでに習熟している人にとっても，今から認知行動療法を新たに学ぼうとする学生にとっても，本書は重要な一冊となるだろう。認知行動療法の領域においては，膨大な量の研究が新たに行われ，アイディアがますます広がり，わくわくするような新たな方向へと絶えず動き続けている。本書の初版および第2版の範囲を広げ，クライアントと共に概念化し治療を進めていくために，これまでとは異なるいくつもの方法を組み込んだ著者の努力を称賛したい。

　今や認知行動療法は，多岐にわたる様々な心理学的そして医学的な障害に広く適用されており，その範囲は，私が抑うつや不安に苦しむ少数のクライアントに認知療法を適用し始めたころには想像しようもなかったほど広がっている。驚くほど多様な対象に適用されている認知行動療法ではあるが，それは本書で概説される基本原則に沿って行われる。本書は，第二世代の認知行動療法の教育者として第一人者であるジュディス・ベック博士によって書かれた。彼女は，私がこの新たな治療法について語るのを初めて聞いた人の

一人であり，その当時彼女はティーンエイジャーであった。本書は，熱意のあるセラピストが，この治療法の最先端の基本を学ぶうえで大いに役立つだろう。従来の認知行動療法を実践するスキルに長けているセラピストにとっても，強みに基づくアプローチを適用し，概念化のスキルをさらに磨き上げ，治療技法のレパートリーを増やし，より効果的な治療計画を策定し，治療における諸問題を乗り越えていくために，本書が極めて有用であることがおわかりいただけることだろう。もちろん，認知行動療法においてスーパービジョンの代わりになるような書籍はない。それでもなお本書が非常に重要であることには変わりなく，本書がスーパービジョンの体験をますます豊かにしてくれることだろう。

ジュディス・ベック博士は，本書のような認知行動療法のガイドブックを出版するのに極めて適した人物である。彼女はこの35年間，認知行動療法に関するワークショップとトレーニングを世界中で，そしてオンラインでも行い，初心者からベテランまで大勢のセラピストに対して数多くのスーパービジョンを実施してきた。また，様々な障害に対する認知行動療法の治療プロトコルの構築に寄与し，認知行動療法に関する調査研究にも積極的に関与してきた。彼女はこのような豊かなバックグラウンドから，認知行動療法の適用に関する膨大な情報を抽出し，本書の初版，そして第2版を執筆した。初版と第2版は，認知行動療法を代表する教科書として，心理学，精神医学，ソーシャルワーク，カウンセリングの領域で，多くの人々に愛読されてきた。

認知行動療法の実践は，それほど単純ではない。あまりにも多くのメンタルヘルスの専門家が，最も基本的な概念化と治療スキルを欠いているにもかかわらず，自らを「認知行動療法セラピスト」と名乗ってしまっている。ジュディス・ベック博士の仕事は，認知行動療法の初心者と熟達者の両者に対して教育や訓練を提供することをその目的としているが，本書を読むと，彼女がこの使命を見事に成し遂げたことがよくわかるだろう。

アーロン・T・ベック博士

序　文

『認知行動療法実践ガイド：基礎から応用まで』の第3版を皆さんにお届けできることを，筆者として心から喜んでいる。私は，この第3版に向けての作業に入る前に，医療とメンタルヘルスに関わる世界中の実践家に対し，前の第2版へのフィードバックを求めた。どこを改善したらよいか？　第2版ではどこがよくて，そしてどこがよくなかったのか？　その結果，すばらしい反応が数多く寄せられ，それらは，第3版に向けての変更点と追加点を検討し，選択するうえで大変役に立った。多くの読者からいただいたフィードバックが取り込まれたこの第3版は，認知行動療法（CBT）の領域における最先端の研究と現在の方向性とを反映したものとなっている。

　読者の方々から一貫していただいたのは，本書を通じて登場する事例として，より複雑なクライアントを登場させてほしいというコメントだった。初版，第2版で登場した「サリー」に比べ，本書に登場する「エイブ」というクライアントは，より深刻な抑うつ症状に苦しんでいる。それに加え，エイブは中程度の不安症状にも悩まされており，さらに失業や最近の離婚といった複雑な問題を抱えてもいる。また，この第3版では，境界性パーソナリティ障害の傾向を有する「マリア」というクライアントも登場する。エイブとのセッションについては，各所にリンクのURLを掲載しており，読者の皆さんにはセッションの動画の全体または一部をご覧いただける。またワークシートもダウンロード可能である。

　もう一つ重要な変更点は，この第3版では，認知行動療法が従来志向している考え方に加えて，リカバリー志向を取り入れた，ということである。「リカバリー志向認知療法（Recovery-Oriented Cognitive Therapy：CT-R）」は，エビデンスに基づく最先端の治療であり，統合失調症などの深刻な精神疾患の診断がつき，その多くがもう数十年にもわたって入院しているような人たちを対象とする。CT-Rは，私の父であるアーロン・T・ベック博士と，研究や訓練を共にする彼のグループ（このグループは，今やベック認知

行動療法研究所の一部となっている）によって開発され，現在も研究が続けられている．私は，ベック研究所に所属する他の臨床家や教育者と共に，CT-R を，入院には至らないものの，幅広い精神医学的問題，心理学的問題，あるいは心理的要因が関わる医学的な症状を有するクライアントにも適用できるよう，工夫を重ねてきた．CT-R では，クライアントが抱く価値と願い（アスピレーション）（および，その意味）に焦点を当て，目標へと向かうステップを毎回のセッションで確認することで，クライアントが人生に対して目的とエンパワメントの感覚を抱けるようになることを手助けする．また，そうしたポジティブな実践の結果として，クライアントが，自分自身と他者について，そして将来についてポジティブな結論にたどりつけるよう手助けし，クライアントが有するポジティブな特性，スキル，リソースを同定して強化する．CT-R は，セッションの場でもそれ以外の場でも，ポジティブな感情を体験することを強調する．我々は，リカバリー志向のこの動きが，認知行動療法と心理療法全般の将来において，今後何十年にもわたって大きな役割を果たすのではないかと見込んでいる．

　最後に，この第3版も，読者にとってより読みやすい様式となるように執筆した．私は，フィラデルフィアのベック研究所でのワークショップやオンラインのコースで認知行動療法を教える際，自分自身の臨床実践におけるエピソードを織り交ぜるようにしている．私はまた，参加者に双方向的に関わるように促し，他の参加者とロールプレイをしてもらったり，数々の質問に答えてもらったり，自らが抱える困難な事例を提示してフィードバックや議論のきっかけにしてもらったりもしている．ほとんどの参加者がこうした双方向的なあり方を，非常に有意義かつ刺激的であると感じてくれるようである．そこでこの第3版でも，私自身のアプローチをさらに追求するだけでなく，臨床実践から得られたコツや，振り返りのための問いを記載し，読者が本書の内容をより実践しやすくするための活動を提案した．

　本書の執筆は私にとって楽しい作業であった．読者にも同様に本書を楽しんで読んでいただけたらと思う．そして，常々述べていることだが，認知行動療法は生涯学び続けるものである．読者の皆さんが認知行動療法を学ぶ旅

のどの地点にいようとも，本書が認知行動療法をさらに学ぶためのきっかけになれば幸いである。

謝　辞

　98 歳となった父，アーロン・ベックからは，今もなお認知行動療法（CBT）を学ばせてもらっている。最近では，父は，フィラデルフィア郊外にあるベック認知行動療法研究所の同僚らと共に，メンタルヘルスにおいて深刻な状態にある人々のための「リカバリー志向認知療法（CT-R）」を開発し，研究を重ねている。私自身は，クリニックに外来で訪れるクライアントの治療に CT-R を適用し，すばらしい成果を得ている。CT-R では，クライアントが抱く願いや価値，意味や目的を同定し，その人の強みとリソースに焦点を当てることを通じて，動機づけを高めていく。そして自らの願いに向けた活動の妨げとなるものをクライアント自身が克服できるよう，毎回のセッションで支援する。さらにクライアントが自らの体験や自分自身についてポジティブな結論を引き出せるよう手助けする。なんとわくわくするような新たな展開だろうか。本書でも記載したこのような CT-R を生み出し，広めてくれたことについて，父，そしてポール・グラントとエレン・インバーソが率いる CT-R チームに深く感謝したい。卓越した臨床家であるロブ・ヒンドマン，ノーマン・コッテレル，フラン・ブロダー，アレン・ミラーのチームと交流できたことに対しても，同様の幸せを感じる。彼らはクライアントを治療し，研究所が開催するワークショップで講師を務め，セラピスト（初心者からベテランまで）のスーパーバイズを行い，プログラムの開発に携わっている。研究所で毎週行われる事例検討会で，私が担当するクライアントについて彼らと話し合うことが，私にとって大きな学びとなっている。彼らとブリアナ・ブリスが，本書をさらによいものにするために手助けしてくれた。

　ベック研究所を世界規模のトレーニングおよびリソースのセンターへと変

えてくれたリサ・ポウトにも，お礼を言いたい。ギルフォード社のキティ・ムーアは，25年来の友人であり担当編集者でもある。夫のリチャード・ブシスは日々私を励ましてくれるだけでなく，本書の原稿を最後に読み，修正してくれた。本当にありがとう。最後に，誰よりも優秀ですばらしいアシスタントのサラ・フレミングには，本書を世に出すにあたって，ありとあらゆる方法で私を助けてくれた。感謝してもしきれないほどである。

皆さん本当にありがとう。

ジュディス・S・ベック博士

目　次

アーロン・T・ベック博士による巻頭言　iii
序　文　vii

第1章　認知行動療法入門 …………………………………… 1
1. 認知行動療法とは何か？　3
2. 認知行動療法の理論モデル　6
3. 認知行動療法に関する研究　7
4. ベックはどのように認知行動療法を構築したか　8
5. リカバリー志向の認知行動療法とは？　10
6. 標準的な認知的介入　12
7. 有能な認知行動療法セラピストになるために　14
8. 本書をどのように有効活用すればよいか？　19
9. まとめ　21

第2章　治療の流れ ……………………………………………… 25
原則1：認知的概念化をたえず修正しながら，それに基づいて治療計画を立てる　26
原則2：安定した治療関係が必須である　27
原則3：クライアントの進歩を継続的に観察する　27
原則4：クライアントの文化や個人に合わせる　28
原則5：ポジティブな側面を強調する　29
原則6：協力関係と積極的な参加を強調する　29
原則7：アスピレーションを大切にし，価値に基づき，目標志向的である　30
原則8：はじめに「今，ここ」を強調する　30
原則9：教育的である　31
原則10：時間を意識する　32
原則11：セッションが構造化されている　33
原則12：誘導による発見を使って，クライアントが非機能的な認知に対応できるようにする　34
原則13：アクション・プラン（ホームワーク）が含まれている　34
原則14：思考，気分，行動を変えるために様々な技法を用いる　36
まとめ　36

第3章 認知的概念化 ･･････････････････････････････････････ 39

1. 認知的概念化入門　39
2. 概念化のプロセスを開始する　42
3. 信念　45
4. 適応的な信念　45
5. 非機能的でネガティブな信念　47
6. 事例　49
7. 媒介信念：構え，ルール，思い込み　52
8. より複雑な認知モデル　54
9. 概念化：エイブの場合　56
10. エイブの中核信念　58
11. エイブの媒介信念と価値　60
12. エイブの行動戦略　60
13. エイブはどのようにして抑うつ状態に陥ったか　61
14. エイブの強み，リソース，個人的資質　64
15. 認知的概念化ダイアグラム　66
16. 強みに基づく認知的概念化ダイアグラム　66
17. 認知的概念化ダイアグラム（標準版）　67
18. まとめ　81

第4章 治療関係 ･･･ 83

1. 4つの大切な指針　84
2. よいカウンセリングスキルを実践する　86
3. クライアントの感情をモニタリングし，フィードバックを引き出す　89
4. クライアントと協働する　90
5. 治療関係を個人に合わせる　91
6. 自己開示の活用　92
7. ほころびを修復する　96
8. セラピストとの関係を他の人間関係へ般化できるよう支援する　100
9. セラピスト自身のクライアントに対するネガティブな反応を管理する　102
10. まとめ　104

第5章 インテークセッション ･････････････････････････････ 106

1. インテークセッションの目的　107
2. インテークセッションの構造　109

パート1：インテークセッションを開始する　109
　　パート2：アセスメントを行う　112
　　パート3：診断について見立てを伝え，目標を大まかに設定し，
　　　　　　全体的な治療計画を示す　119
　　パート4：活動計画を立てる　123
　　パート5：治療の見通しを立てる　125
　　パート6：セッションをまとめ，フィードバックを引き出す　126
　3．まとめ　128

第6章　初回治療セッション　130

　1．気分のチェック　132
　2．薬物療法／その他の治療のチェック　135
　3．最初のアジェンダ設定　136
　4．近況の把握と活動計画の振り返り　137
　5．うつ病の診断と心理教育　142
　6．価値とアスピレーションを同定する　153
　7．目標を設定する（パート1）　158
　8．目標を設定する（パート2）　161
　9．活動スケジュールを行う　164
　10．セッション終了時のまとめ　164
　11．フィードバック　165

第7章　活動スケジュール　169

　1．「不活発」の概念化　170
　2．「達成感と喜びの欠如」の概念化　172
　3．活動スケジュールを作成する　173
　4．活動チャートを用いる　186
　5．活動を評定する　187
　6．活動の種類　188
　7．予測を検証するために活動チャートを用いる　189
　8．まとめ　193

第8章　アクション・プラン（ホームワーク）　195

　1．アクション・プランを作成する　196
　2．アクション・プランの種類　197
　3．アクション・プランを作成するようにクライアントを促す　199
　4．アクション・プランへのアドヒアランスを高める　200

5. 問題を予測して防止する　205
6. ネガティブな結果に備える　213
7. アクション・プランの振り返り　214
8. 困難を概念化する　216
9. まとめ　228

第9章　治療計画　………………………………………………………229

1. 大まかな治療目標を達成する　230
2. セッション間にまたがる治療を計画する　231
3. 治療計画を策定する　233
4. 特定の目標を達成するための治療計画を立てる　235
5. 個別のセッションの計画を立てる　236
6. ある問題や目標を扱うかどうかをどう決めるか　242
7. 問題状況を同定できるよう手助けする　245
8. まとめ　248

第10章　セッションを構造化する　……………………………………250

1. セッションの内容　250
2. セッションの序盤　254
3. セッションの中盤　266
4. セッション最後のまとめ，アクション・プランのチェック，クライアントからのフィードバック　270
5. まとめ　273

第11章　セッションを構造化する際の問題　…………………………275

1. 構造化において一般的にみられる問題　275
2. セッションの構造の各部分においてよくある問題　282
3. セッションの終盤にクライアントが苦痛を感じている場合　300
4. まとめ　301

第12章　自動思考を同定する　…………………………………………303

1. 自動思考の特徴　304
2. 自動思考についてクライアントに説明する　308
3. 自動思考を引き出す　310
4. 拡張された認知モデル　311
5. 自動思考のかたち　313
6. 自動思考をなかなか引き出せないとき　318

7. 自動思考の同定についてクライアントに教える　322
   8. まとめ　324

第13章　感情　325

   1. ポジティブな感情を引き出して，強化する　326
   2. ネガティブな感情にラベルをつける　328
   3. 感情の強さを評価する　330
   4. 自動思考と感情を区別する　332
   5. 自動思考の内容と感情をマッチングさせる　336
   6. ネガティブな感情を増強する　337
   7. ネガティブな感情についての信念を検証する　338
   8. 感情を調整するための技法　339
   9. まとめ　339

第14章　自動思考を検討する　341

   1. 自動思考の種類　341
   2. 鍵となる自動思考の選び方　342
   3. 自動思考を検討するために質問する　344
   4. 自動思考の検討プロセスの結果を評価する　354
   5. 認知再構成法が有効ではない場合は概念化を行う　355
   6. 自動思考を扱うための別な方法　357
   7. 自動思考が正しいときの対応　365
   8. まとめ　368

第15章　自動思考に対応する　369

   1. 治療メモを作成する　370
   2. ワークシートを活用する　375
   3. ワークシートの効果が十分ではないとき　382
   4. まとめ　384

第16章　認知行動療法にマインドフルネスを統合する　386

   1. マインドフルネスとは何か？　386
   2. フォーマルとインフォーマルなマインドフルネス実践　389
   3. 自己実践　390
   4. マインドフルネスを導入する前に使う技法　390
   5. クライアントにマインドフルネスを紹介する　392
   6. マインドフルネス・エクササイズの後に使う技法　394

7．AWARE（気づき）の技法　395
　8．まとめ　396

第17章　信念 ………………………………………… 398

　1．中核信念，スキーマ，モード　399
　2．適応的な中核信念を同定する　407
　3．不適応的な中核信念を同定する　410
　4．不適応的な媒介信念を同定する　414
　5．非機能的な信念を修正するかどうかを判断する　417
　6．非機能的な信念を修正するタイミングを判断する　418
　7．非機能的な信念についてクライアントに心理教育する　419
　8．非機能的な信念を修正する動機づけを高める　425
　9．まとめ　428

第18章　信念を修正する ……………………………… 430

　1．適応的な信念を強化する　430
　2．不適応的な信念を修正する　436
　3．まとめ　453

第19章　その他の技法 ………………………………… 455

　1．感情調節の技法　456
　2．スキルトレーニング　459
　3．問題解決　460
　4．意思決定　463
　5．段階的な課題の割り当てと階段の比喩　466
　6．エクスポージャー　468
　7．ロールプレイ　473
　8．円グラフ法を使う　474
　9．自己比較法　478
　10．まとめ　481

第20章　イメージ技法 ………………………………… 483

　1．ポジティブなイメージを引き出す　483
　2．ネガティブなイメージを同定する　489
　3．苦痛なイメージについてクライアントに心理教育する　490
　4．自発的に浮かぶネガティブなイメージを修正する　492
　5．まとめ　498

第 21 章　終結と再発予防 ………………………………………… 500

1. 治療の初期段階から終結に備える　501
2. 治療の全期間を通じて行うこと　503
3. 終結が近づいたら行うこと　506
4. 自己治療セッション　510
5. 終結後の再燃に備える　511
6. ブースターセッション　515
7. まとめ　515

第 22 章　セラピーで起きる問題 ………………………………… 517

1. 問題の存在を明らかにする　518
2. 問題を概念化する　519
3. 問題の種類　520
4. 行き詰まったとき　528
5. セラピーで起きる問題を解決する　529
6. まとめ　531

付録A　認知行動療法のリソース　533
付録B　ベック研究所ケース報告書：要約と概念化　535
付録C　AWARE（気づき）の技法のステップ　546
付録D　体験的技法を用いて幼少期の記憶の意味を再構成する　548
文　献　557
うつ病のパンフレット　569
不安のパンフレット　577
認知行動療法のリソース　586
認知療法尺度（Cognitive Therapy Rating Scale）　589
訳者あとがき　597
Basic and beyond：概念化とリカバリー　603
索　引　605

第1章　認知行動療法入門

　55歳の男性であるエイブ[注1]は、ヨーロッパ系アメリカ人で、離婚をしており、仕事と結婚生活で大きな困難に直面してからのこの2年間、深刻な抑うつ症状に苦しんでいる。私がエイブの治療を始めた頃には、彼はひどく孤立し、活動をせず、ほとんどの時間を自らのアパートの一室でテレビを観たり、ネットサーフィンをしたり、ときにテレビゲームをして過ごしていた。

　エイブと私は、8か月間にわたり18回の対面セッションを実施し、従来の認知行動療法とリカバリー志向認知療法（CT-R）の両方の概念化を行い、それらに対応する介入を行った。CT-Rについては、本章および本書を通じて詳述する。まず私は診断的評価を行った。治療セッションとしては初回となる次のセッションでは、診断、認知行動療法の理論、治療のプロセス、作成した治療プランについて、情報提供を行った。そしてエイブが抱いている希望（アスピレーション aspiration：どのような人生を望んでいるのか）[注2]と価値（自分自身にとって何が本当に重要なのか）について尋ね、2人で目標を設定した。エイブは、人生をよりよいものにしたいと願っていた。それはすなわち生産的であること、誰かの助けになること、楽観的でレジリエントな状態になること、物事をコントロールできるようになることである。それらをさらに具体的にすると、自宅をきちんと管理し、仕事を見つけ、元妻と子どもたちとの関係を改善し、友人たちとのつながりを取り戻

注1）仮名であり、複数の人物が統合されている。
注2）アスピレーションについての解説は第6章を参照。

し，教会に再び通い始め，身体を引き締めるといったことが彼にとって重要とのことだった。次に私たちは，これからの1週間をよりアクティブに過ごすためにはどうすればよいか，について話し合い，アクション・プラン[注3]（活動計画。いわゆる「ホームワーク」）を一緒に立てた。最後に，このセッションに対するエイブのフィードバックを引き出した。

それ以降のセッションでは，セッションの大部分の時間を使って，エイブがその日のセッションの目的を同定したり，次の1週間で自分がどのようなステップを踏みたいのかを意思決定したり，その際に妨げになりうる問題に対する解決策を考えたり，ネガティブな気分を減らしてポジティブな気分を増やしたりできるよう手助けした。私たちは頻繁に問題解決を行い，特に抑うつ的な思考と行動を変容するためのスキルを構築していった。私は，そうした様々な介入をエイブに対して行うだけでなく，エイブ自身がそれらのスキルを自分自身で使えるようになるよう導いた。それは再発を防ぎ，彼のレジリエンスを強化するためでもある。エイブとのセッションで用いた構造や技法は非常に重要であったが，それと同じくらい本質的に重要なのは，良好な治療関係を構築することであった。読者の皆さんには，本書を通じて，エイブについて，そしてエイブと行った治療について，詳しく学んでいただく。

本書では，マリア[注4]の事例も紹介する。37歳のマリアは，再発を繰り返す重症のうつ病に苦しんでおり，さらに境界性パーソナリティ障害の傾向を有していた。マリアとの治療はエイブに比べてはるかに複雑で，期間も長期にわたるものだった。マリアは自分自身について，無力で，劣っており，誰からも愛されず，感情的に傷つきやすいとみなしていた。そして周囲の人々については，彼女を批判し，ケアせず，むしろ傷つけようとする存在だとみなしていた。これらの信念は，セッション内においても頻繁に活性化した。マリアは，はじめのうちはセラピストである私に対して疑い深く，何らかの

注3）アクション・プラン（活動計画）の詳細は，第8章を参照。本書では「活動計画」「アクション・プラン」を適宜訳し分けている。
注4）仮名であり，複数の人物が統合されている。

形で私に傷つけられるのではないかと警戒していた。そのようなマリアとの間に，強力な治療関係を構築するのはなかなか困難であった。彼女は治療およびセラピスト（私）に対して深い絶望感と不安を抱いており，彼女が治療にしっかりと取り組めるようになるまでにかなりの時間を要した。エイブの治療は標準的な認知行動療法のアプローチを示しているが，マリアの場合，セラピストはかなりの工夫をする必要があった。

本章では，以下の問いについて解説する。

- 認知行動療法とは何か？
- 認知行動療法の背景にはどのような理論があるか？
- 認知行動療法の効果研究からわかることは何か？
- 認知行動療法はどのように構築されたのか？
- CT-R とは何か？
- 典型的な認知的介入とはどのようなものか？
- 有能な認知行動療法セラピストになるにはどうすればよいか？
- 本書をどのように有効活用すればよいか？

1．認知行動療法とは何か？

アーロン・ベックは 1960 年代から 1970 年代にかけて，新たな体系的な心理療法を構築し，それを「認知療法（cognitive therapy）」と名づけた。現在，我々の領域では，「認知療法」という用語は「認知行動療法（cognitive behavior therapy：CBT）」という用語と，ほぼ同義に用いられている。ベックの認知療法は，構造化された，短期の，現在志向的な心理療法である（Beck, 1964）。ベックらはそれ以降，認知療法に様々な工夫を加え，驚くほど多種多様な障害や問題に，様々な状況や形式で適用させることに成功し

た。ときには治療の焦点が変わったり，用いられる技法が異なったり，治療の期間が変容したりはするものの，根底にある治療理論そのものが変化することはなかった。

　ベックのモデルから発展した認知行動療法はすべて，それがどのような形態を取ろうとも，認知的フォーミュレーションに基づいて治療を行い，治療の対象となる特定の障害に特有の不適応的な信念を扱い，それを変容させるための行動的戦略を用いることに変わりはない（Alford & Beck, 1997）。また，認知行動療法の治療は，個々のクライアントの信念および行動パターンを理解し，概念化したものに基づいて進められる。

　エイブの根底には「自分は失敗者だ」というネガティブな信念があった。彼は，自分に能力がなく，失敗ばかりしている（と彼は感じていた）ことが周囲にバレないよう，広範囲にわたって行動を回避していた。しかし皮肉にも，そのような回避が「自分は失敗者だ」という信念をかえって強化していたのである。

　もとは精神分析家としてトレーニングを受けたベックは，多種多様な思想や理論を統合してベックのモデルに基づく心理療法を構築した。それはたとえば古代ギリシャ哲学者のエピクテトスの思想や，カレン・ホーナイ，アルフレッド・アドラー，ジョージ・ケリー，アルバート・エリス，リチャード・ラザルス，アルバート・バンデューラらの理論である。そうしたベックの業績は，今度は逆に，米国内外の最新の研究や理論の多数に組み込まれてさらに広がっていくことになった。認知行動療法についてこれまでの流れを概観すると，ベックのモデルを含む認知行動療法の様々な流派が，いかにして生み出され，成長していったか，その様子がよく理解できるだろう（Arnkoff & Glass, 1992; Beck, 2005; Dobson & Dozois, 2009; Thoma et al., 2015）。

　認知行動療法のアプローチのなかには，ベックの治療法との共通点を有していながらも，概念化や強調点に多少違いがあるものもある。たとえば，論理情動行動療法（Ellis, 1962），弁証法的行動療法（Linehan, 1993），問題解決療法（D'Zurilla & Nezu, 2006），アクセプタンス&コミットメント・セラ

ピー（Hayes et al., 1999），曝露療法（Foa & Rothbaum, 1998），認知処理療法（Resick & Schnicke, 1993），認知行動分析システム精神療法（McCullough, 1999），行動活性化（Lewinsohn et al., 1980; Martell et al., 2001），認知行動変容（Meichenbaum, 1977）といったものである。ベックのモデルに基づく認知行動療法は，これらのアプローチによる技法を統合し，さらに他のエビデンスに基づく心理療法の技法とも併せて，認知的な枠組みのなかで実践される。読者の皆さんは今後，認知行動療法以外のエビデンスに基づく介入を学ぶことがあるだろう。ただし現時点で認知行動療法を学んでいる最中であるのなら，それ以外の介入を同時に学ぶのは荷が重すぎるだろう。私がお薦めするのは，まずは認知行動療法の基礎を身につけ，その後，それ以外の技法を追加で学び，認知的概念化の枠組みの中でそれらを実践する，というやり方である。

　認知行動療法は多様な人々に適用可能である。教育レベルや収入の高低にかかわらず，また文化的背景にもかかわらず，そして子どもから高齢者まで幅広い年齢層の人に適用できる。認知行動療法は実践される場も様々である。病院，クリニック，学校，職業訓練，刑務所など，多様な場で実践されている。個人療法やグループ療法で実践されることもあれば，カップル療法や家族療法で実践されることもある。本書では外来の45〜50分の設定で行われる個人療法としての認知行動療法について解説するが，セッションの時間はもっと短くても構わない。たとえば重症の統合失調症のために入院しているクライアントなどは，長時間のセッションに耐えられないかもしれない。またたとえば，通常の医療やリハビリテーションの場，そして健康診断の場などでは，認知行動療法を通しで行うのではなく，部分的に技法を適用することができるだろう。専門家でない者やピアスタッフも，認知行動療法の技法を活用することは可能である。

2．認知行動療法の理論モデル

「認知モデル（cognitive model）」が提唱するのは，端的に言うと，すべての心理学的問題の背景には非機能的な思考が共通してみられる（そしてそのような思考がクライアントの気分や行動に影響を及ぼす）ということである。自らの思考をより現実的かつ適応的に検討することができるようになれば，その人のネガティブな感情や行動が改善されるだろう。たとえば，ある人は今，気持ちがひどく沈んでおり，集中力に欠け，請求書の支払いもままならないような状態にあるとする。その人には，「自動思考（automatic thought）」といって，頭のなかにポンと浮かぶような，あるいは頭のなかをサッとよぎるような思い（言葉による思考，あるいはイメージ）が生じている。たとえば「私は何一つまともにできない」といった考えである。そのような自動思考は，「悲しみ（感情）」や「ベッドにもぐりこむ（行動）」といった特定の反応を誘発する。

従来の認知行動療法では，セラピストはクライアントが自分の思考の妥当性を検討できるよう手助けし，その人は，自らの思考が過度に一般化されていることや，抑うつ症状にもかかわらずいろいろなことができているという事実に，目を向けられるよう手助けする。このように，新たな視点から自らの体験を眺められるようになると，ネガティブな感情は和らぎ，より機能的な行動（例：支払いをする）が取れるようになる。

リカバリー志向のアプローチでも，セラピストは，その人が自らの自動思考を評価できるように手助けする。ただしその際，すでに生じてしまった認知（自動思考）よりも，これからの1週間において，その人が特定の目標を達成するために新たなステップを踏み出すことの妨げになりそうな認知に焦点を当てる。

認知は，それが適応的であっても不適応的であっても，3つのレベルで発生する。そのうち，最も表面的なレベルで生じるのが「自動思考」（例：「疲れすぎて何もできない」）である。次に，「媒介信念（intermediate belief）」

という認知があるが，これは背景にある思い込みのようなものである（例：「自分から仲良くしようとしても，どうせ拒絶されるだろう」）。最も深いレベルの認知が，「中核信念（core belief）」で，これは自分自身，他者，そして世界に対する認知である（例：「私は無力だ」「みんな，私を傷つけようとしている」「世界は危険だ」）。クライアントの気分や行動の改善をより確実なものにするために，これら3つのレベルの認知のすべてに取り組む必要がある。自動思考のみならず，背景にある非機能的な信念を修正できれば，クライアントの変化はより強固なものとなる。

　たとえば，ある人が事あるごとに自分の能力を過小評価しているとする。その場合，その人には「自分は無能だ」といった中核信念があるかもしれない。一般化されたこのような信念を修正することができれば（すなわち，自分自身をより現実的にとらえられるようになれば），日常生活における個々の状況におけるとらえ方も変わってくる。「自分は無能だ」といった信念による自動思考が頻発することはなくなり，たとえ何かうまくできない状況があっても，「自分はこれ（特定の課題）が得意ではない」といった程度の思考に留まるようになるだろう。さらに，リカバリー志向のアプローチにおいては，ポジティブで現実的な自動思考（例：「私にだって上手にできることはたくさんある」）を生み出し，ポジティブな媒介信念や中核信念（例：「根気よく取り組めば，必要なことを学べるだろう」「他のみんなと同様に，私にも強みと弱みがある」）を育むことを重視する。

3．認知行動療法に関する研究

　認知行動療法は，1977年に最初の効果研究が示されて以来（Rush et al., 1977），多岐にわたってその効果が検証され続けている。現時点で2,000以上もの効果研究が行われ，様々な精神障害，様々な心理学的問題，そして様々な医学的問題における心理学的要因など，幅広い対象への効果が示されている。認知行動療法が将来の精神障害のエピソードを予防したり，その重症度を緩和したりすることを示した研究も多い。たとえば，von Brachelのチー

ムによる研究（2019）では，幅広い範囲の精神医学的な問題で外来治療を受けた患者のうち，定期的に認知行動療法を受けていた人たちは，薬物療法を受けていた人たちに比べて，治療終結後5年から20年の間，症状が改善し続けていることが示された。（認知行動療法に関するメタアナリシスとレビューは，Butler et al., 2006; Carpenter et al., 2018; Chambless & Ollendick, 2001; Dobson et al., 2008; Dutra et al., 2008; Fairburn et al., 2015; Hanrahan et al., 2013; Hofmann et al., 2012; Hollon et al., 2014; Linardon et al., 2017; Magill & Ray, 2009; Matusiewicz et al., 2010; Mayo-Wilson et al., 2014; Öst et al., 2015; and Wuthrich & Rapee, 2013 を参照。認知行動療法の効果が高いことが示されている障害と問題をリスト化したものは，www.div12.org/psychological-treatments/treatments および www.nice.org.uk/about/what-we-do/our-programmes/nice-guidance/nice-guidelines を参照。CT-R に関する研究については，『リカバリーを目指す認知療法』（岩崎学術出版社，Grant et al., 2012, 2017 を参照）

4．ベックはどのように認知行動療法を構築したか

　1950年代後半，アーロン・ベック博士は認定された精神分析家として仕事をしていた。クライアントはカウチで自由連想をし，博士は解釈を行った。ベック博士は，精神分析という心理療法の学派が，科学者たちに真剣に受け止められるには，精神分析の諸概念の妥当性が実証される必要があると考えた。1960年代の前半に，ベック博士は，精神分析におけるうつ病の概念，すなわち「うつ病は自己の内面に向けられた敵意の結果である」という概念を検証しようと思い立った。彼はうつ病のクライアントの夢を調査することにした。彼は，うつ病以外の精神疾患を持つクライアントに比べて，うつ病のクライアントの夢は，敵意に関連するテーマが多いのではないかと予測した。しかし驚いたことに，調査研究を重ねたところ，うつ病のクライアントの夢は他のクライアントの夢に比べ，「敵意」はむしろ少なく，代わりに「欠陥」「剥奪」「喪失」といったテーマのほうがはるかに多いという結果

が導き出された。これらのテーマ（「欠陥」「剥奪」「喪失」）は，うつ病のクライアントにおける覚醒時の思考に類似しているとベック博士は考えた。さらに，ベック博士は，他に行った複数の研究から，「うつ病のクライアントは苦悩への欲求を持つ」といった精神分析的な見解は妥当でないかもしれない，と結論づけた（Beck, 1967）。「精神分析」の長いドミノ倒しが始まったのはそのときである。精神分析における諸概念が妥当でないとしたら，我々はどのようにうつ病を理解すればよいのだろうか？

　カウチに横たわるクライアントたちの話に耳を傾けながら，ベック博士はあることに気づいた。それは，クライアントの報告する思考の流れには2種類あるということである。ひとつは一連の自由連想で，もうひとつは，素早く生じる，主に自分自身に対する評価的な思考である。たとえばある女性は，自らの性的な体験を詳細にわたって語った後に，実はその間不安を感じていたとベック博士に打ち明けた。ベック博士が「私があなたを批判するのではないかと思って不安だったのですね」と解釈したところ，彼女はこう答えた。「いいえ。私の話が先生にとっては退屈なのではないかと思って心配になったのです」。ベック博士は，うつ病のクライアントたちにこのように問い続けた結果，クライアントたちがこの種の「自動的（automatic）」でネガティブな思考を体験し，それらの思考がそのときの感情状態と強く結びついていることに気がついた。ベック博士は，クライアントが自らの非現実的で不適応的な思考を同定し，評価し，そのような思考に対応できるように手助けすることを始めた。するとどうだろう，クライアントたちは速やかに回復に向かったのである。

　ベック博士は次に，ペンシルベニア大学の精神科の研修医たちに，自らが構築したこの新たな治療法について教えることにした。するとそれらの研修医たちが担当するクライアントも，この治療法に対して良好な反応を示した。当時の主任研修医で，現在ではうつ病の認知行動療法の第一人者となったジョン・ラッシュ博士は，ベック博士と共に，この新たな治療法の効果検証を行うことを計画した。2人とも，認知療法の効果を対外的に示すためには，このような研究が不可欠であると考えた。うつ病のクライアントに対す

るランダム化比較試験を通じて，認知療法が当時抗うつ薬として主流だったイミプラミンと同等の効果を示すという結果が得られ，2人は1977年にその論文を発表した。この研究結果は驚くべきものであった。というのも，これは対話による治療（精神療法）が薬物治療に匹敵しうることを示した最初の研究だったからである。また，フォローアップ研究により，認知療法はイミプラミンに比べて，再発予防効果が高いことが示された。その2年後，ベック博士とその共同研究者たちは，認知療法の初の治療マニュアルを出版した（Beck et al., 1979）。

　1970年代の後半には，ベック博士とペンシルベニア大学の共同研究者らは，不安障害，物質使用障害，パーソナリティ障害，カップルの問題，敵意の問題，双極性障害に対して，ある同一のプロセスによる研究を開始した。そのプロセスとは，以下の通りである。まず，対象となる障害を臨床的に観察し，障害の維持要因と鍵となる認知（自動思考，背景にある信念，関連する感情と行動）を同定した。次に，理論を検証し，治療を修正して，ランダム化比較試験を行った。それから数十年が経過し，今もなおベック博士と私，そして世界中の共同研究者たちは研究を続け，理論化を行い，治療効果を検証し続けている。そして認知行動療法が対象とする症状や問題のリストはいまだに増え続けている。認知行動療法は今や，米国や他の多くの国々の大学院教育において必須のカリキュラムとして教えられ，世界中でもっとも多くの場所で実践される治療法となったのである（David et al., 2018; Knapp et al., 2015）。

5．リカバリー志向の認知行動療法とは？

　この数十年のあいだに，メンタルヘルスの分野でイノベーションが起きていた。それはリカバリーを重視する動きである。リカバリー志向は，従来，メンタルヘルスが深刻な状態にあると診断された人々のための，従来の医療モデルに替わるアプローチとして始まった。アーロン・ベックとベック認知行動療法研究所の同僚らと私は，今はリカバリー志向の認知療法（CT-R）

を切磋琢磨して，様々な診断をもつ人たちに対して幅広く活用することを試みている。従来の認知行動療法をいくらか修正して適用するCT-Rでは，個人について概念化し，治療計画を立てそれを実行する際に，従来の認知行動療法の理論的基盤はそのまま維持して用いる。ただ，それに加えて，クライアントの有する**適応的な**信念と行動戦略も認知的フォーミュレーションに組み込んで強調し，さらにポジティブな気分の維持要因についても重視する。そして，症状や精神病理を強調するよりも，クライアントの強み（ストレングス），個人的特性，スキル，リソースに注目していく。

　セラピストである私は，リカバリーを志向するなかで，エイブの内なる願い（アスピレーション）と価値を概念化し，治療計画を立てていった。たとえば，エイブにとっては家族がとても大切で，重い抑うつ症状にもかかわらず，彼は家族との交流を増やすことは厭わなかった。そこで，エイブと私は，次のセッションまでにできそうな役に立つ活動を計画し，**彼がそれらの活動から自分自身についてポジティブな結論を引き出せるようにした**。私たちはまた，ポジティブな認知や記憶を一緒に育みながら，そうした治療関係と様々な技法を通じて，エイブの自己についての適応的な中核信念を強め，セッションの内外でポジティブな感情を体験できるようにしていった。

　従来の認知行動療法とCT-Rでは，時間の方向性に対する視点の違いがある。従来の認知行動療法では，過去の1週間に起きた問題について話し合い，それらの問題に対して認知行動療法の技法を用いる傾向がある。一方，CT-Rでは，これからの1週間において，クライアントの願い，価値，目標に向かって新たに踏み出すステップに着目する。そうしたステップを踏んでいこうとするときに直面する困難や妨害を乗り越えるために，従来の認知行動療法の技法を用いるのである。

6．標準的な認知的介入

　次にエイブとの治療セッションでのやりとりを紹介する。認知行動療法における標準的な介入の様子がよくわかるやりとりである。私たちははじめに，エイブが取り組みたいと思う目標について話し合うことで合意した。次に，彼が実行できるステップについて，そしてその際に妨げとなりそうな障害について話し合った。

セラピスト（ジュディス）：今日は，仕事に就くというあなたの目標に関する話し合いから始めたい，ということですね？
エイブ　　　：はい。私には本当にお金が必要なんです。
セラピスト：これからの１週間で，あなたが実行したいと思うステップをひとつ挙げてみてください。
エイブ　　　：（ため息をつく）職務経歴書を最新のものに更新しなければならないと思います。
セラピスト：それは大切なことですね。［問題解決法を開始しながら］どのように取り組みましょうか？
エイブ　　　：わかりません。もう何年もほったらかしですから。
セラピスト：職務経歴書がどこにあるか，わかりますか？
エイブ　　　：それはわかります。でもそれをどうやって更新したらよいのかが，よくわからないのです。
セラピスト：それを知るための方法を，何か思いつくでしょうか？
エイブ　　　：オンラインで探してみることならできるかもしれません。でも，最近は集中力が落ちてしまっていて。
セラピスト：誰か，あなたより職務経歴書に詳しい人に訊いてみる，というのはどうなんでしょう？
エイブ　　　：そうですね。（考える）息子にだったら話せるかもしれません。
セラピスト：今日，息子さんに電話をかけてみるのはどうでしょう？　それ

をするにあたって，何か妨げになりそうなことがありますか？
エイブ　　：どうでしょうか。でも私は，息子に負担をかけずに，自分一人でできることを考えることができるはずです。
セラピスト：それは興味深い考えですね。自分で考えることができるはず……。あなたはこれまでに他人の職務経歴書を，たくさん見たことがあるのですか？
エイブ　　：いいえ，ないです。他人の職務経歴書なんか，一度も見たことがないと思います。
セラピスト：息子さんに電話をかけることが，彼にどれほど負担をかけることになると思いますか？
エイブ　　：たいした負担ではないかもしれません。
セラピスト：では，息子さんに電話をかける前に，どんなことを自分に言ってあげるとよいでしょうか？
エイブ　　：息子は私よりも職務経歴書について最近の経験がたくさんある。彼はおそらく快く手伝ってくれるだろう。
セラピスト：（エイブを称賛する）すばらしいですね。今日中に息子さんに電話をかけられそうですか？
エイブ　　：夜であれば電話できると思います。

　エイブは，価値に沿った目標を達成するためのステップを踏む際に，妨げになりそうな，助けにならない思考を容易に同定し，その思考に対応することができた。セラピストである私は，息子の手助けを受けながら職務経歴書を首尾よく更新する自分のイメージを，エイブに思い描いてもらった。次に，そのようなイメージにおいてどのように感じるのかを彼に尋ね，セッションの時間のなかで，ポジティブな感覚を少しでも抱いてもらうようにした（クライアントによっては，エイブと似たような状況で，行動につなげられるようになるために，より多くの治療努力を要する場合もあるだろう）。

7．有能な認知行動療法セラピストになるために

　読者の皆さんは，ご自身が認知行動療法の優れた実践者になって，多くの人々を助けたいとの願いをお持ちのことだろう。その願いを忘れずに持ち続けることで，本書を読みながらたとえ不安になったとしても，あなたは持ちこたえられるだろう。もし本書を読んでいるときに心配や不安を感じたら，そういうときには，あなたのなかに何らかのネガティブな思考が生じているという認知モデルを思い出そう。その種の「助けにならない思考」をどのように扱えばよいか，そのためのツールをあなたは本書を通じて学ぶだろう。本書を読むにあたっては，毎週，読書計画を立てるようにしよう。さらに，必要なステップを踏む際に起こりうる妨げについても予め考えておくことが役に立つ。そして自分自身に対し，現実的な期待を抱くようにしてもらいたい。

　認知行動療法を始めた頃の私は，「上手なセラピスト」ではなかった。それは当然のことである。セラピーの経験がなかったからである。「認知行動療法は本書が初めて」「認知行動療法を始めたばかり」という読者は，どうぞゆったりと構えてもらいたい。あなたには大勢の仲間がいる。各章を読み終わるたびに，自分自身を認め，褒めよう。各章の最後にある「振り返りのための問い」に答え，「実践エクササイズ」を行うたびに，さらに自分を認め，褒めよう。熟練した認知行動療法セラピストと自分を比べるのではなく，認知行動療法を学ぶ仲間と切磋琢磨しよう。

　認知行動療法では，たとえ話やメタファーを多用する（Stott et al., 2010）。私たちがクライアントによく話すもののなかから，読者の皆さんにも役立ちそうなものを1つ紹介する。

　「車の運転や楽器の演奏を学んだときのことを覚えていますか？　習い始めは，ぎこちなかったのではないでしょうか？　細かい部分や小さな動きに多くの注意を向けなければならなかったのではないでしょうか？　それが今で

は，なめらかに，自動的にできるようになっているのではないでしょうか？

くじけそうになったときも，あったのではないでしょうか？ とはいえ，続けるうちに，プロセスがどんどん理解できるようになり，取り組むことが次第に心地よくなってきたのではないでしょうか？ そして最終的には，比較的容易に，そして自信をもってタスクに取り組めるようになったのではないでしょうか？ ほとんどの人は，まさにこのような体験をしながらスキルを身につけ，今ではすっかり熟練者になっているのです」

初心者の認知行動療法セラピストの成長の過程も，上記の学習のプロセスが当てはまる。小さく，よく定義された，現実的な目標を設定しよう。ご自身の進歩の程度を何かと比べるのであれば，本書を読み始める前の自分か，認知行動療法を初めて学び始めたときの自分の能力レベルと比べることにしよう。最終的に到達したいレベルと，今の自分のレベルを比べるのはよそう。そんなことをしたら自信を失ってしまうから。

もしあなたがセラピストとして，担当するクライアントに実際に認知行動療法を適用する際に，何か不安を感じるようであれば，まずは自分自身のために「コーピングカード」を作り，活用してみよう。コーピングカードとは，覚えておくと役に立つ数々の言葉を書き留めておくための，紙またはデジタル式のカードである。今後セッションのなかで，クライアントにも同じようなコーピングカードを使ってもらうようになる（私たちセラピストは，クライアントに覚えておいてもらいたいことは，何でも必ず書き出すようにしているため）。私が指導する精神科の研修医たちも，外来で初めて認知行動療法を実施しようとする際に，助けにならない思考が次々と浮かんでくるという例は少なくない。そのような研修医たちも，私と話し合って，そうした思考に焦点を当てたコーピングカードを作成する。コーピングカードは個別に作るものだが，以下のような文言が記載されることが多い。

> 私の目標は，このクライアントを今日中に治すことではない。誰もそんなことを私に求めていない。今，私が目指すべきことは，クライアントと良好な関係を築き，希望を生み出し，「クライアントにとって本当に大事なことは何か」ということを見つけ，目標に向けて次の1週間で踏めそうな最初のステップを見つけることだ。

セラピストは，このようなコーピングカードを読むことで不安が軽減され，目の前のクライアントに集中し，セッションをより効果的なものにすることができるだろう。

認知行動療法の訓練を受けたことがない人が見ると，認知行動療法のセッションは想像よりもシンプルに見えることがある。思考が感情と行動に（ときには身体にも）影響を与えるという認知モデルは，非常に明快でわかりやすい。しかし，経験を積んだ認知行動療法のセラピストは，多くの課題（ラポールの形成，ソーシャライゼーションと心理教育，データ収集，ケースの概念化，クライアントの目標に向けて取り組みつつ障害物を乗り越える，諸スキルを教える，フィードバックを引き出す）を同時並行で実施する。こうした課題に取り組みつつ，それでいて，セラピストとクライアントはまるで会話をしているかのように見える。

一方，認知行動療法の初心者は，もっと意図的に構造に沿ってセッションを進めていく。一度に集中して取り組む要素を少なめにする必要がある。最終的には，諸要素を統合し，できるだけ効果的かつ効率的に認知行動療法を実践できるようになることを目指すが，初心者にとってまず必要なのは，治療関係の築き方を覚え，クライアントを概念化するためのスキルを身につけることである。そのうえで，認知行動療法の諸技法（さらに他のアプローチ

の諸技法）を段階的に習得することをお勧めする。

　認知行動療法セラピストとしての専門的能力を伸ばすには，以下に挙げる4つの段階を踏む必要がある（ここでの議論は，セラピストが基本的なカウンセリングのスキルをすでに習得済みだということが前提である。たとえば，傾聴，共感，気遣い，ポジティブな関心，誠実といったことである。また，クライアントの発言を正しく理解したり，省察したり，要約したりするスキルも含まれる）。第一段階でセラピストが学ぶのは，インテークセッションとその後のセッションで集められたデータに基づいて，ケースを概念化するための基本的なスキルである。強力な治療関係を形成するためのやり方も学ぶ。どのようにセッションを構造化するか，どのようにクライアントの概念化と常識的な感覚を用いて治療計画を立てるか，その際にどのようにクライアントの価値や願いや目標を組み込むか，といったことについても学ぶ。さらに，問題が生じたときに解決策を見つけられるよう，そしてこれまでとは異なるものの見方ができるよう，クライアントを手助けするための方法を学ぶ。認知的技法や行動的技法の使い方について学び，それらの技法の使い方をクライアントにどのように教えるか，ということについても学ぶ。

　第二段階では，セラピストは概念化のスキルと諸技法についての知識をうまく統合できるようになり，セラピーの流れを理解する能力が増す。治療において特に重要な目標を容易に同定できるようになり，クライアントを概念化し，それをさらに精緻化するためのスキルが向上する。介入を行うたびに，概念化を適切にその都度活用できるようになる。戦略のレパートリーが広がり，適切なタイミングで適切な技法を選択，実行し，治療関係をさらに強化することにも長けてくる。

　第三段階にまで進んだセラピストは，新たなデータを概念化に統合することが容易にできる。仮説を立てる能力に磨きがかかり，その仮説を個々のクライアントに適用して，仮説を確証したり修正したりできるようになる。基本的な認知行動療法の構造や技法を柔軟かつ適切に使えるようになり，パーソナリティ障害や他の対応困難な障害や問題にも対応できるようになる。治

療同盟が損なわれるのを予め防止したり，早めに修復したりできるようになる。

　第四段階のセラピストは，専門家としての残りの人生を通じて認知行動療法を学び続ける。私自身，今もなお，クライアントを治療するたびに多くのことを学ばせてもらっている。その他に，毎週行われる事例検討会に参加し，臨床上の問題を同僚やスーパーバイザーたちに相談し，文献を読んで学会に定期的に参加することで，認知行動療法の研究と実践の最前線に居続けようとしている。今日の私は，5年前の私より，セラピストとして成長していると感じる。今から5年後には，今よりさらに成長していたいと思う。人生を通じた学びの大切さへのそうした姿勢を，読者にも育んでいただければなによりである。

　すでに別のアプローチの心理療法を実践していて，そこへ新しく認知行動療法を始めようとしているセラピストの場合，新たに出会うクライアントに対して認知行動療法を取り入れ始めると，より効果的だろう。すでに別のアプローチで取り組んでいるクライアントに認知行動療法を適用しようというのであれば，当該のクライアントと話し合って意思決定することが重要である。その際，認知行動療法がそれまでのセラピーとどう異なるのか，そしてなぜそのように変更するのかについての理論的根拠をきちんと説明し，クライアントから同意を得なければならない。セラピストがそのことをクライアントの利益につながるようポジティブに説明ができれば，ほとんどのクライアントは治療アプローチを変更することに同意するだろう。クライアントが変更に躊躇するようであれば，アプローチを変えること（たとえばアジェンダ設定を行うこと）について，完全に決めるというより，とりあえず「実験」として試してみる，というふうに思ってもらうぐらいがちょうどよいだろう。

セラピスト　　：先日，セラピーをもっと効果的にするためのことが書いてある本を読みました。すると，あなたのことを思い出したのです。

クライアント：そうなんですか？
セラピスト　：ええ。そこで，あなたの回復を早めるために私たちができそうなことを，いくつか考えてみました。［協働的であろうとする］このことについて，もう少し話してもいいですか？
クライアント：わかりました。
セラピスト　：私がその本から学んだのは，「アジェンダ設定」ということです。これは，セッションの初めに，その日のセッションでどういう目標や問題に取り組みたいのか，私があなたにお尋ねする，というものです。たとえば，「もっと社会に出ていくこと」とか「家事ができるようになること」といった目標が挙げられるかもしれません。アジェンダ設定をすることによって，私たちはセッションの時間をより有効に使えるようになると思います。（間を置く）あなたはどう思われますか？

8．本書をどのように有効活用すればよいか？

　本書は，認知行動療法の経験やスキルの程度にかかわらず，認知行動療法における認知的概念化と治療の基本的構成要素を習得したいと望む，そしてCT-Rの原則をセラピーに組み込みたいと考えるすべての臨床家と学生に向けて書かれたものである。その際重要なのは，認知行動療法（そしてCT-R）の基本的な構成要素をしっかりと習得することである。それができてはじめて，個別のクライアントに対して標準的な認知行動療法の手続きをアレンジできるようになるからである。
　本書は基本的に，章立ての順に読み進められるように構成されている。読者のなかには，導入部分を読み飛ばし，「ハウツー」が書いてある章に飛びつきたい，という人がいるかもしれない。しかし，認知的技法や行動的技法を使うだけでは，「認知行動療法」と呼ぶことはできない。認知行動療法は多くの構成要素から成っており，多種多様な介入を巧みに選択したり活用し

たりすることが不可欠である。それは個々のクライアントの概念化ができてはじめて可能になる。ベック研究所のウェブサイト（beckinstitute.org/CBTresources）にアクセスすると，エイブの治療のビデオと治療で用いたワークシートをダウンロードできる。付録Aにも，認知行動療法のリソース一覧を掲載している。

　読者の皆さんには本書を読み進めるうちに，いずれ「思考記録表」や「思考検討ワークシート」（第15章）といったワークシートをプリントアウトしてもらうことになる。というのも，そうしたワークシートには情報がたっぷりと詰まっているからである。また認知行動療法を使い始めたセラピストの場合，他の複数のワークシートもプリントアウトする必要があるだろう。セラピストがそれらのワークシートにひとたび馴染んでから，セッション中にクライアントと一緒にワークシートに手書きで書きこむのがよいだろう。あるいはワークシート自体も手書きにしてしまってもよい。手書きなら，クライアントに合わせて記入することができるし，形式的なワークシートを好まないクライアントによるネガティブな反応を避けることもできる。

　読者の皆さんが本書で学んだことを自分自身に適用すれば，認知行動療法のセラピストとしてさらに成長することができるだろう。「実践エクササイズ」には必ず取り組んでもらいたい。たとえば，本章の最後の「実践エクササイズ」では，本書を読み進めながらどのような自動思考が生じたかを同定するよう求めている。いったん自動思考に注意を向けて，それが終わったら本書を再開することもできるし，自動思考を同定した後に，次のページにある質問を使って自分用のコーピングカードを作成する作業に進むこともできる。このように，自分自身の思考にスポットライトを当て，それらを眺めてみるなかで，認知行動療法のスキルが高まり，非機能的な思考が修正され，気分（と行動）にポジティブな変化が生じ，学ぶ姿勢がより柔軟になるだろう。他には，読者の皆さんに，仲間，友人，同僚，家族とのロールプレイを求めるエクササイズもある。ロールプレイをする相手が見つからないときは，想像上のクライアントとの対話を書き出してもよいだろう。もちろんその両方をすることもできる。認知行動療法の語彙や概念を多く活用すればす

るほど，セラピストの治療はよりよいものになっていく。

　読者の皆さんが認知行動療法を自分自身に教えてみることは，同じスキルをクライアントに教える能力の向上につながる。さらにお得なことに，セラピストが認知行動療法のスキルを使って自分自身が助けられた体験があると，それをクライアントにある程度自己開示することもできる。そのことが同じスキルを実践しようとするクライアントの動機づけを高めるだろう。自分自身に認知行動療法のスキルを実践するための機会を提供してくれるオンラインコースも数多く用意されている。認知行動療法という治療法を真に自分のものとして実践していくには，こうしたコースを利用するのもとてもよい方法である。

　本書がカバーしていない事柄についても知っておいていただく必要がある。本書はうつ病に焦点を当てており，他の精神障害を治療するには，さらなる工夫や修正が重要である。また本書は，児童や思春期の子ども，そして高齢者に対するアプローチについては触れていない。自傷行為，物質使用障害，自殺，他害といったテーマについても触れていない。本書で主に紹介するクライアントのエイブとはかなり異なる個人に認知行動療法を適用する際は，本書で学んだことにプラスしてさらに学びを増やしていただきたい。

9．まとめ

　認知行動療法は1960年代から1970年代にかけてアーロン・ベックにより構築され，それ以来，2,000件以上のアウトカム研究によりその有効性が示されている。今日では，認知行動療法は心理療法の「ゴールドスタンダード」と考えられている（David et al., 2018）。認知行動療法は，思考がその人の感情と行動に影響を及ぼすという理論に基づく。認知行動療法のセラピストは，クライアントが自らの非機能的あるいは有用でない思考を評価して変えられるようになるのを手助けする。その結果，クライアントの気分や行動の変容が持続するようになる。認知行動療法のセラピストは，様々な心理療法アプローチから技法を採用し，認知モデルの文脈のなかで，また一人ひ

とりのクライアントについて行う概念化のなかで，それらの技法を適用していく。最近になり，従来の認知行動療法にリカバリー志向の考え方が加わった。リカバリー志向においては，クライアントの価値と願い（アスピレーション）を重視し，日々の活動からポジティブな結論を引き出すことと，治療セッションの内外でポジティブな感情を体験することを強調する。

振り返りのための問い

- この章を読んで，認知行動療法あるいはCT-Rについて，どのような新たなアイディアを学びましたか？
- 認知行動療法の技法はあなたにとってどのような助けになると思いますか？
- ご自身に認知行動療法のスキルを適用する際に，妨げになりそうな思考が何かありますか？
- そのような思考には，どのように対応するのがよさそうですか？

実践エクササイズ

今から，以下の現象に気づいたら，注意を向けてみましょう。

- 気分がネガティブな方向に変化した。ネガティブな気分がさらに強まった。
- ネガティブな感情と関連した身体感覚がある（不安になると心臓がドキドキする，など）。
- 有益でない行動にハマっている。有益な行動を取ることを回避している。

何らかの感情を体験しているときは，認知療法で特に重要な次の問いを，自分自身に問いかけてみましょう。

> 「たった今，どんなことが頭に浮かんだだろうか？」[訳注1)]
> (What was just going through my mind?)

このように自問すれば，自分で自分の「自動思考（automatic thought）」をつかまえられるようになります。目標を達成するのを妨げる自動思考について，注意を払うようにしてみてください。本書を読み進めたりクライアントに認知行動療法の適用を試みたりする際に生じる妨げとなる思考には，特に気をつけましょう。たとえば次のような自動思考があなたの頭に浮かぶことに気づくかもしれません。

「認知行動療法は難しすぎる」
「認知行動療法を習得するのは，自分には無理だ」
「自分にとって認知行動療法はあまりよいものとは思えない」
「認知行動療法を試してみて，クライアントがよくならなかったらどうしよう？」

あなたがベテランのセラピストで，認知行動療法とは異なる治療法に習熟している場合，次のような自動思考に気づくかもしれません。

「認知行動療法は大して役に立たないのではないか」
「私のクライアントは認知行動療法を好きにならないだろう」

訳注1) これは認知療法で多用される重要な問いであるので，英文を併記した。この問いによって頭に浮かぶ自動思考やイメージを把握するので，英文の mind を「心」ではなく「頭」と訳した。

「認知行動療法はあまりにも表面的すぎる／構造化されすぎている／共感的でない／単純すぎる」

第2章 治療の流れ

　本章では認知行動療法の治療の原則をみていく。認知行動療法は，一人ひとりに合わせて適用するものではあるが，多くのクライアントに当てはまる共通点がある。本章では，認知行動療法の「大体の感じ」をつかんでいただき，詳細は別章で触れる。以下の「認知行動療法の原則」に注目しながら，治療ビデオ*で一つのセッションを通しで見ることをお勧めする。
　(*beckinstitute.org/CBTresources：英語)

認知行動療法の原則

1. 認知的概念化をたえず修正しながら，それに基づいて治療計画を立てる
2. 安定した治療関係が必須である
3. クライアントの進歩を継続的に観察する
4. クライアントの文化や個人に合わせる
5. ポジティブな側面を強調する
6. 協力関係と積極的な参加を強調する
7. アスピレーションを大切にし，価値に基づいており，目標志向的である
8. はじめに「今，ここ」を強調する
9. 教育的である
10. 時間を意識する
11. セッションが構造化されている
12. 誘導による発見を使って，クライアントが非機能的な認知に対応できるようにする

13. アクション・プラン（ホームワーク）が含まれている
14. 思考，気分，行動を変えるために様々な技法を用いる

原則1：認知的概念化をたえず修正しながら，それに基づいて治療計画を立てる

　はじめに，インテーク面接（評価面接）の情報に基づいてクライアントの概念化を行う。その際，認知的フォーミュレーション（クライアントの障害を特徴づける，鍵となる認知，行動戦略，維持要因）を参考にする。クライアントの強み，ポジティブな性質（プラスの側面），リソース（持っている資質や資源）を概念化に組み込む。概念化は，追加の情報を収集しながら修正・改良し続け，治療計画を立てていく。

　エイブの治療計画では，はじめは，現在の認知と問題行動に目を向け，その中で，エイブの目標に向かう取り組みを妨げている事柄に注目した。セラピストとエイブは，価値と願い（アスピレーション）に沿った行為を増やすことについて話し合い，ポジティブな体験を観察し始めるようにした。治療の中盤では，エイブの背景にある，彼の自信を弱めている信念にも注目した。治療の後半では，将来の計画を立て，障壁となる事柄を予想して，それを乗り越えるための計画を立てた。また，治療の終結に関する不適応的な認知に対応し，再発防止に関連する重要な認知や行動に注目した。

　エイブが抱える困難を3つの時間的枠組みから概念化した。一つ目は，エイブの願いの妨げになっている現在の認知（「私はダメな人間だ」「私は何ひとつちゃんとできない」）を同定した。また，うつ病の持続に関与している現在の**行動面の障害**（孤立，不活発）を同定した。第二に，うつ病を発症した時期に，エイブの知覚に影響を与えた，**きっかけとなった要因**を同定した。エイブは職場で苦労した末に職を失い，妻に批判され，最終的に離婚に至った。こうした出来事から，エイブは「自分は無能だ」という信念を持つようになった。第三に，**発達過程で体験した出来事**と，それらの出来事に対する**固定化された解釈のパターン**が，エイブの抑うつ傾向の要因であるとい

う仮説を立てた。エイブは，幼少期に，年齢に見合わない大量の家事を母親から言いつけられ，それをこなせないと叱られた。エイブは，母親の期待が大き過ぎだったと考えるのではなく，母親の批判が妥当だったと解釈していた。

原則2：安定した治療関係が必須である

　セラピー開始時にどの程度良好な治療同盟を築けるかは，クライアントによって異なる。エイブは，はじめはセラピストが助けになるとはあまり思っていなかったが，セラピストとエイブが良好な治療関係を確立することは難しくなかった。セラピストはロジャーズ派（来談者中心療法）のカウンセリングスキルを上手に使って，セラピストが提示した治療計画をどう思うかをエイブに尋ね，治療方針を協働的に決定し，介入の理論的根拠を提供し，セラピストの自己開示を適度に用い，セッションの途中や終わりにフィードバックをもらい，セラピーがうまく進むよう努め，セラピーの成功をエイブ自身が認識できるよう努めた。そういったことを通じて，セラピストとエイブの治療同盟はさらに強くなっていった。

　セラピストは時間をかけて治療関係を育み，クライアントとセラピストが効果的なチームになることを目指す。セラピストは築いた治療関係を用いて，クライアントのネガティブな信念（特に自己，時に他者について）はあまり正しくなく，よりポジティブな信念のほうが妥当であるという証拠を提供していく。治療同盟がしっかりしているほうが，クライアントの問題に取り組む時間を有効活用できる。良好な治療関係の構築に労力や高度な方略が必要なクライアントもいる。パーソナリティ障害のクライアントは特にそうである（J. S. Beck, 2005; Beck et al., 2015; Young, 1999）。

原則3：クライアントの進歩を継続的に観察する

　認知行動療法の最初のマニュアル『Cognitive Therapy of Depression』(Beck et al., 1979)〔邦訳書：アーロン・T・ベック著『うつ病の認知療法』（岩崎学術出版社，2007）〕では，症状チェックリストを毎週使用し，セッション

の終わりにクライアントから口頭と筆記の両方でフィードバックを引き出すことを推奨している。その後，様々な研究によって，定期的な症状観察がクライアントのアウトカムを改善することが示された（Boswell et al., 2015; Lambert et al., 2001, 2002; Weck et al., 2017）。クライアントの前進状況をクライアントとセラピストの両者で眺めることはアウトカム改善に役立つ。最近は，リカバリー志向の考え方が強調されるようになってきているため，多くの認知行動療法家が，クライアントの全般的機能状態，目標に向けた進捗度，満足度，人とのつながり，ウェルビーイングなどを，それぞれ測定するようになっている。

原則 4：クライアントの文化や個人に合わせる

旧来の認知行動療法はアメリカの主流の文化的価値観を反映したものであったが，最近の研究から，クライアントの文化的・民族的な違い，好み，習慣を尊重したほうが治療結果がよいことがわかっている（Beck, 2016; Smith et al., 2011; Sue et al., 2009）。認知行動療法は，論理性，科学的手法，個人主義を重視しているが，他の文化的背景のクライアントにとってはそれが当てはまらない場合もある。たとえば，感情の理由づけ，感情表現の幅，集団主義，相互依存などが文化的価値観として存在する可能性がある。

クライアントの文化がセラピストの文化と異なる場合，セラピストは異文化理解を深める必要があるかもしれない。セラピストが自分の文化的バイアスに気づいていない場合もあるし，クライアントが自身のコミュニティの文化的バイアスに気づいていない場合もある。クライアントがマイノリティ文化に属している場合は特にそうである。そうしたバイアスや偏見が，クライアントの困難に大きく関与している可能性がある。

クライアントとセラピストは，文化以外にも，年齢，宗教，スピリチュアルな志向性，民族性，社会経済的状況，障害，ジェンダー，性的アイデンティティ，性的指向など，様々な事柄で異なる可能性がある（Iwamasa & Hays, 2019）。クライアントの特徴をよく知って，そうした違いがどのように治療に関連しそうかを予測しなければならない。Hays (2009) は，認知行

動療法を用いる際に文化的に柔軟に対応するための戦略を挙げている。クライアントとその家族のニーズをアセスメントする，クライアントの文化を尊重した振る舞いをする，文化に関連した強みと支援を同定する，クライアントの迫害体験を認めて受け止める，などである。もちろん，クライアント個人をよく見て概念化することが大切であり，クライアントがある文化に属しているからといって画一的に決めつけてはならない。

原則5：ポジティブな側面を強調する

最近の研究からは，うつ病治療では，ポジティブな感情や認知に焦点をあてることが大切であることがわかっている（Chaves et al., 2019 などを参照）。セラピストは，クライアントがポジティブな気分や思考を持てるよう積極的に支援をするべきである。希望をかきたてることも非常に大切である。

エイブも，他のうつ病の患者と同様に，ネガティブな事柄に注目する傾向があった。抑うつモードのときには，自動的に（自覚なしに）ネガティブな体験に注意が向いた。ポジティブでもネガティブでもない体験はネガティブに解釈し，ポジティブな体験は大概割り引いて考えたり，気づかなかったりした。ポジティブな情報をありのままに受け止めることが難しかったため，自身に関する歪んだ認識を持つようになった。うつ病にありがちなこうした特徴に対抗するために，セラピストは，クライアントがポジティブな事柄に注意を向けられるよう支援し続けた。クライアントが自分自身のことを，問題を解決し，障壁を乗り越え，満足のいく人生を送る素質を持った人間であると認識できる体験に触れてもらうよう努めた。

原則6：協力関係と積極的な参加を強調する

認知行動療法の治療には，セラピストとクライアントの両者が積極的に参加するものである。セラピストはエイブに「治療はチームワークからなる」と伝え，励ました。セッション中の課題も，セッションの頻度も，次セッションまでのホームワークも，すべて一緒に決めた。治療の当初は，セラピ

ストのほうから積極的に提案したが，クライアントが治療に慣れ，抑うつ症状が軽減してきたら，クライアント側により積極的に参加してもらうようにした——目標に向かって踏むべきステップを決める，問題を解決する，非機能的な認知を評価する，重要なポイントをまとめる，活動計画を設定する，などである。

原則7：アスピレーションを大切にし，価値に基づき，目標志向的である

　最初のセッションでは，セラピストは，クライアントの価値観（人生で真に大切なことは何であると考えているか），希望（アスピレーション）（どのような人でありたいか，どのような人生にしたいか），具体的な治療目標（治療によってどうなりたいか）を尋ねる必要がある。エイブの場合は，「責任感がある」「有能である」「生産的である」「他人を助けることができる」ことが大切な価値であった。また，今よりもよい人生，楽観性と健康感を取り戻すこと，コントロール感覚を持てるようになること，を願っていた。具体的な治療目標としては，よりよい父親であり祖父となること，よい仕事に就くこと，が挙げられた。こういった目標に対して「私はダメな人間だ」や「就職など無理」などの思考が，目標達成に必要なステップを踏むことを阻害する原因になっていた。

原則8：はじめに「今，ここ」を強調する

　認知行動療法では，気分（と人生）を改善するためのスキルの獲得に力点をおく。そうしたスキルを治療中だけでなく，治療終結後も使えるクライアントは，人生上の大きなストレスフルな出来事にぶつかってもうまくそれを乗り越えることができる（Vittengl et al., 2019）。エイブも，状況を現実的に眺め，問題解決を行い，目標に向かった取り組みができるようになることによって，抑うつが和らいだ。また，うまくいっていない事柄よりもうまくいっている事柄に注意を向け，そうした事柄について自分を褒めてよいと考えられるようになるにつれて，気分はより上向きになっていった。

　認知行動療法は，「今，ここ」に関心を向け，それを強調することが原則

である。ただし，以下の3つの状況においては，過去に関心を向けて話しあうこともありうる。

> 1. クライアントが過去について話し合いたいと強く願っているとき
> 2. 現在の問題と将来の願いに取り組むだけでは十分な改善が得られないとき
> 3. 鍵となる非機能的な考えと行動的戦略が，いつどのように生まれ，維持されるようになったかを理解することを，セラピストとクライアントの両方が重要であると判断したとき

　過去に関する検討が終わったら，過去についてクライアントが「今は」どう理解しているかを話し合い，その新しい理解をこれからの生活にどう生かせるかを話し合う。
　エイブの場合は，治療の中盤で，エイブの幼少期の出来事について短く話し合い，子どものころに身につけた信念──「助けを求めたら，自分が無能であることが周囲にわかってしまう」──を同定できるよう支援した。そして，この信念が妥当かどうかを，過去と現在の両方について吟味してもらった。その吟味を通して，エイブは，より機能的でより理にかなった信念を育むことができた。パーソナリティ障害のクライアントに対しては，より多くの時間をかけて，成育歴や，信念や行動的戦略に関する幼少期の起源について話し合う必要がある。

原則9：教育的である
　クライアントに治療のプロセスを理解してもらうことは，認知行動療法の大きな目標の一つである。エイブも，治療に期待できることやセラピストから期待されることを理解し，セラピストとチーム感覚を持ち，治療がどう進んでいくのか（一つのセッションについて，治療全体について）を具体的に理解できるようになってから，ようやく安心して治療に関われるようになった。セラピストは，初回セッションで，エイブの精神疾患の特徴と経過や，

認知行動療法のプロセス，セッションの構造，認知モデルについて心理教育を行った。その後のセッションでも心理教育を行い，改訂された概念化を提示し，感想を尋ねた。イメージ図を多く使って，思考の歪みや非適応的な反応がなぜ生じるかを理解できるよう支援した（心理教育に役立つ様々なイメージ図は Boisvert & Ahmed [2018] を参照）。

セラピストが様々な技法を使ってみせた後で，次に，クライアントがそれを使って自分が自分のセラピストになれるよう支援した。エイブには，セッションのたびに，その週の中でいちばん大切な学びをメモしてもらい，深まった理解を毎日振り返るようにした。治療終結後も，エイブは，古い認知・行動パターンに陥りそうな自分に気づいたら，そうしたメモを見返すようにした。

原則10：時間を意識する

認知行動療法は，従来，短期の治療といわれていた。実際，単純なうつ病や不安障害の場合は 6 〜 16 週間のセッションで治療が完結する。しかし，条件によってはもっと長い時間が必要である。セラピストは，できるだけ短期間で，治療に必要な以下の目標の達成を目指す——障害からのリカバリー，クライアントの希望（アスピレーション）と価値と目標の充足，最も差し迫った問題の解消，人生における満足と喜びを感じられるようにすること，レジリエンスを高めて再発を防止するためのスキルを教えることなどである。

エイブの治療は，毎週1回から開始した（うつ病がさらに深刻だったり，自殺傾向がみられたりしたなら，頻度を増やした可能性がある）。2か月半が経過した時点で，気分がいくらか改善し，セッションとセッションの間にスキルを使えるようになったため，実験的にまずセッションを隔週にし，その後，月1回にした（セラピストとクライアントの間で話し合って決定した）。治療終結後も，3か月ごとの定期的な「ブースターセッション」を1年間計画した。

クライアントの中には長期間の治療が必要な人もいる。人生や生活が混沌

としている人，貧困や暴力などの継続的で深刻な困難に直面している人，慢性・治療抵抗性の精神障害，パーソナリティ障害，重症の物質使用障害，双極性障害，摂食障害，統合失調症などが例である。そうした場合は，1〜2年の治療では不十分な可能性があり，治療終結後も，定期的なセッションや，追加治療（通常は最初の治療より短期）が必要かもしれない。

原則11：セッションが構造化されている

　セラピストは，治療をできるだけ有効かつ迅速にするよう努める。そのためには，セッションの構造化（標準化された形式にすること）が役立つ。クライアントが反対し，構造化の適否について話し合わなければならない場合を除いて，原則としてどのセッションでも標準化された構造を用いる。

　セラピストは，クライアントがセラピールームに入ってくる前から治療計画を立て始める。カルテに目を通し，治療目標と活動計画を特に念入りに見ておく。治療を通じた目標は，今後1週間にクライアントの気分が少しでも改善し，より機能的に行動できるようにすることである。各セッションでセラピストが行うべきことは，クライアントの目標，問題，概念化，治療関係の強さ，クライアントの意向，治療段階によって決まってくる。

　各セッションの最初の部分の目標は，治療同盟の再確立，活動計画（アクション・プラン）の見直し，情報収集，クライアントと協力したアジェンダ設定と優先順位づけである。セッションの中盤では，アジェンダに掲げた問題や目標について話し合う。それが自然に次の活動計画につながる。セッションの最後の部分では，セラピストかクライアントがセッションのまとめを行う。セラピストは活動計画が妥当であることを確かめ，クライアントからフィードバックを引き出し，それに対応する。経験豊かなセラピストは，ときにはこの構造から外れることもあるが，初心者のセラピストはこの構造に従ったほうが効果的に治療を行うことができる。

原則12：誘導による発見を使って，クライアントが非機能的な認知に対応できるようにする

　セラピストは，質問によって，クライアントが非機能的な思考を同定する手助けをする（どのようなことが頭に浮かんだかを尋ねる）。また，質問を通して，クライアントが自分の思考の妥当性や有用性を評価し，活動計画を作ることを支援する。エイブの事例では，セラピストは**ソクラテス式質問法**をやんわりと使いながら，**協働的実証主義**の姿勢を示した。すなわち，クライアントが証拠に基づいて自分の考えを検証することを，セラピストは手助けした。セラピストは，間違いの指摘や説得によってクライアントの**認知を崩す**のではない。不適応的な思考を評価したり対処したりする「認知再構成」のプロセスを通じて支援するのである。

　あるセッションでは，セラピストはエイブに思考の**意味**について質問し，エイブの信念（自分，世界，他者に関して）を明らかにしようとした。質問を通じて，その信念の妥当性と機能性を評価するよう導いた。さらに，治療の当初から，エイブが自分自身に関するポジティブな考えを強められるよう，自分を認めることを教え，目標に向けた自身の取り組みをポジティブに評価するよう導いた。

　取り組む認知の種類によっては，上記以外の技法も活用する。反すう，強迫，持続的な自己批判などといった，非機能的な思考過程が主問題であれば，自動思考を非批判的に（non-judgmentalに）受容して，思考が自然に来ては去るよう支援する場合もある。クライアントの認知を感情的体験も含めて変えるには（「心の底から変える」には），イメージ技法，物語，たとえ話や比喩，体験的技法，ロールプレイ，行動実験などを使うことができる。

原則13：アクション・プラン（ホームワーク）が含まれている

　各セッションの終わりには，そのセッションの始まりよりもクライアントの気分が楽になっていて，次の1週間がさらによいものになるための準備が整っていることが，認知行動療法の大切な目標である。

アクション・プラン（活動計画）は，通常，以下のいずれか，またはすべてから構成される。

> - クライアントの目標を妨げている自動思考を同定し，評価する。
> - この1週間に生じる可能性がある問題や障壁に対する解決策を導入する。
> - セッションで学んだ行動スキルを実践する。

クライアントは，セッションの内容やホームワークの多くを忘れがちであり，そうなると転帰不良になりやすい（Lee et al., 2020）。そのため，次のことが肝心である。

> クライアントに覚えておいて欲しいことは，すべて記録する。

クライアントかセラピストが，治療メモと活動計画を書くようにする。紙でも，クライアントの携帯電話やタブレット端末でも構わない。携帯電話のアプリに録音する方法もある。以下が，エイブとセラピストが協力してつくった治療メモの例である。

> 落ち着いて請求書を処理することなどできない，と考え始めたら，思い出すこと：
> - 請求書処理にかかる時間はせいぜい10分くらい。
> - 少々難しくても，できないわけではない。
> - 初めの1，2分がいちばん大変で，その後は楽になる。
> - できなかったことより，やり遂げたときの達成感に注目しよう。

アジェンダにある目標や問題について一つひとつ話し合うことが，自然に活動計画へとつながる。活動計画は，問題の性質，クライアントの概念化，クライアントに最も役立つことは何か，現実上の問題（時間，エネルギー，機会など），クライアント要因（やる気，集中力，好みなど）などに基づいて，クライアントと一緒に慎重に作成する。クライアントにとって難しすぎる活動計画をセラピストが提案してしまうことが多いので，注意が必要である。

原則14：思考，気分，行動を変えるために様々な技法を用いる

　認知行動療法では，様々な心理療法のアプローチを，認知的枠組みの文脈で応用する。たとえば，クライアントの概念化によっては，アクセプタンス＆コミットメント・セラピーの技法を使うこともある。その他，行動療法，コンパッション・フォーカスト・セラピー，弁証法的行動療法，ゲシュタルト療法，対人関係療法，メタ認知療法，マインドフルネス認知療法，パーソン・センタード心理療法，精神力動的精神療法，スキーマ療法，解決志向型心理療法，ウェルビーイング療法などがある。初学者は，様々な心理療法を応用するよりも，まずは本書の内容をしっかり身につけることを目指すほうがよいだろう。認知行動療法の基礎をしっかり身につけた後で，他の心理療法の技法を認知的概念化に組み込む方法を学ぶのがよい。認知行動療法の臨床家として成長するにつれて，認知行動療法以外の，エビデンスに基づいた治療を勉強する価値が増してくると考えられる。

まとめ

　本章で紹介した基本原則はほとんどのクライアントに共通するものである。実際の治療では，一人ひとりのクライアントについて認知的概念化を行い，それを手引きとして，技法を個人に合わせて変えていく。認知行動療法では，クライアントの文化的背景，生い立ち，その他重要な特徴（問題の性質，目標と願い，治療同盟を築く能力，変化へのやる気，過去の治療経験，

好みなど）を念頭において治療を進める。こうした要素のいちばんの基盤はしっかりとした治療関係であることも念頭においておくことが大切である。

振り返りのための問い
- 認知行動療法の 14 の原則のうち，以前から知っていたものはどれですか？
- 新しく知ったものはどれですか？
- 意外だったものはありますか？

実践エクササイズ

　認知行動療法の原則を見返しましょう。それぞれがなぜ大切か，自分の言葉で説明してみましょう。次に，各原則について他にどんなことを知りたいかを考え，関連する質問を考えてみましょう。

　セッションを始めから最後まで通して見てください。ビデオを観ながら，どの「認知行動療法の原則」が使われているかをチェックするとよいでしょう。

第3章 認知的概念化

認知的概念化（cognitive conceptualization）は，認知行動療法の土台である。読者の皆さんは本書全体を通じて，概念化の様々な要素とプロセスを学んでいくことになる。本章では，以下の問いについて解説する。

- 認知的概念化とは何か？
- 概念化のプロセスをどのように開始するか？
- クライアントの反応の理解に，自動思考はどのように役立つか？
- 中核信念と媒介信念とは何か？
- より複雑な認知モデルとは何か？
- エイブの概念化はどのようなものか？
- 「認知的概念化ダイアグラム」はどのように記入するか？

1．認知的概念化入門

概念化（conceptualization）は，治療の枠組みを与えてくれ，以下の点で役に立つ。

- クライアントを理解し，クライアントの強みと弱点，願い（アスピレーション），抱えている困難を理解できる。

- 非機能的な思考や不適応的な行動を伴う心理学的な問題がどのように形成されたのか，を理解できる。
- 治療関係が強化される。
- セッションの計画を立てやすくなる。治療の流れを組み立てられる。
- 適切な介入を選択できる。必要に応じて治療を柔軟に活用できる。
- 行き詰まったときに乗り越えやすくなる。

　事例を有機的に，そして改訂可能な形で概念化（定式化）することは，効果的かつ効率的な治療計画を立てる助けとなる(Kuyken et al., 2009; Needleman, 1999; Persons, 2008; Tarrier, 2006)。セラピストはクライアントと初めて接したときから，認知的概念化図などを用いて概念化を始め，その後も治療が終わるまで改訂し続ける。重要なのは，クライアントの診断（一つのときも複数のときもある），その診断に伴う典型的な認知，行動戦略，維持要因が，認知的概念化にすべて含まれていることである。次にセラピストが検討しなければならないのは，その概念化が目の前のクライアントにどれだけフィットするかである。セラピストは継続してデータを集め，聞き取ったことを要約し，セラピストの立てた仮説がそのクライアントに当てはまるかを検討し，必要に応じて概念化を修正していく。たとえば私はマリアのケースでは，最初の頃，彼女が「自分には価値がない」といった信念を抱いていることを知らなかった。マリアが母親や妹と怒鳴り合いの口論をしたというエピソードによって初めて，私は彼女の信念を知ることとなった。
　セラピストは，クライアントについて新たなデータが加わるたびに，仮説を確証したり，棄却したり，修正したりする。セラピストは，「今知ったこの新たなデータは，すでに同定したパターンの一部だろうか？　それともそれとは異なる新たな何かだろうか？」ということを自問し続ける。もし「新たな何か」かもしれないということであれば，セラピストはそのことをメモに取り，これまで同定したものとは別のパターンの一部であることを，後のセッションで確認できるようにしておく。

セラピストが作った概念化はクライアントと共有し，クライアントがそれを「その通り！」「だいたいそんな感じ！」と思えるかどうかを確認する。概念化が正確なら，クライアントは一様に「ええ，まさに」といったことを言うだろう。概念化に何か誤りがあるのなら，クライアントは「いいえ，それとはちょっと違う感じです。むしろ○○○かもしれません」といった回答が返ってくるだろう。このようにクライアントからフィードバックを引き出すことは，治療同盟を強化し，より正確な概念化を可能にし，効果的な治療につながる。実際に，概念化を共有すること自体が治療的に機能することが示されている（Ezzamel et al., 2015; Johnstone et al., 2011）。エイブのケースでも，彼が「自分は無能で失敗者だ」とみなしていることが唯一の問題であるという私からの指摘によって，彼の気分が改善された。

> 「私（セラピスト）が思うに，あなたはこのことをあまりにも強烈に信じていて，そのため大変そうに思えることへの取り組みを回避しているようです。確かに気持ちが落ち込んでいるときは，何もかもが大変そうに思えてしまいますよね。（間を置く）このような見方は合っていますか？」

重要なのはクライアントの視点を共有することである。それによってセラピストは，クライアントの体験に共感し，感情を理解し，クライアントの視点から世界がどのように見えるのかがわかるようになる。過去と現在の体験に対するクライアント自身の解釈，強みと脆弱性，価値観と個人的な特性，生物学的特徴，遺伝的要因とエピジェネティクスを考慮に入れることで，クライアントの知覚，思考，感情，行動が，意味が通るように理解できるようになる。

概念化をすると，クライアントのポジティブな特性やスキルも理解しやすくなる。そしてそのような特性やスキルをベースに治療を組み立てることができる。クライアントが自らの強みやリソースにもっと気がつけるよう手助けすることそれ自体が，機能性を高め，気分を改善し，レジリエンスを強化することもあるだろう（Kuyken et al., 2009）。セラピストはまた，概念化を

することによって，クライアントが目標を達成するのを妨げるものが，なぜ，どのようにして生じたのかを理解できるようにもなる。

2．概念化のプロセスを開始する

概念化を構築したり改訂したりするために，セラピストが治療の間ずっと念頭においておくとよい質問が多くある。第5章で詳述するインテークセッションにおいて，セラピストは情報を大量に集め始める。それはたとえば，クライアントの基本情報，主訴，主な症状，精神状態，診断についてである。加えて，現在の精神科の服薬状況，現在受けている治療，重要な人間関係についても情報を集める。また，人生において最も良く機能していたときのこと，そして生活歴における様々な側面についても教えてもらう。これらの情報は，インテーク後も，治療を通じて集め続ける。

★自動思考がクライアントの反応を説明する助けとなる

認知行動療法は認知モデル（cognitive model）に基づく。認知モデルとは，人の感情，行動，身体は，出来事に対するその人の理解の仕方によって影響を受ける，という仮説である（出来事には，「試験に落ちる」といった外的なものもあれば，「身体の苦痛な症状」といった内的なものもある）。

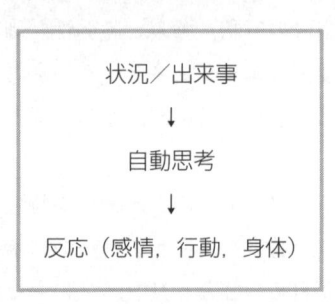

```
状況／出来事
    ↓
  自動思考
    ↓
反応（感情，行動，身体）
```

つまり，人の感じ方や行動を決定するのは，状況それ自体ではなく，状況に対してその人が**どう解釈するか**，ということである（Beck, 1964; Ellis, 1962）。

たとえば，複数の人物が認知行動療法の基礎的なテキストである本書を読んでいる状況をイメージしてみよう。同じ状況であっても，それぞれの読者の頭にどのような思考が浮かぶかによって，感情的そして行動的な反応は全く異なるものになるだろう。

- 読者Bは「このアプローチはあまりにも単純すぎる。うまくいくはずがない」と考え，失望し，本を閉じてしまう。
- 読者Cは「この本は期待外れだ。無駄なお金を使ってしまった」と考え，不快になり，本を捨ててしまう。
- 読者Dは「この本に書いてあることはすべてマスターしなければならない。もし自分が理解できなかったら？ もしマスターできなかったら？」と考え，不安になり，本の中の同じページを何度も読み直す。
- 読者Eは「この本は難しすぎる。なんで私はこんなに頭が悪いのか。私はこれをマスターなんかできないし，セラピストとしてうまくやっていけないに違いない」と考え，悲しくなり，代わりにテレビをつける。

このように，人の感じ方や行動の仕方は，その人が状況をどのように考え解釈するか，ということと結びついている。**状況そのものが，人びとの感じ方や行動の仕方を直接左右するのではない。**

★ 人の反応は，その人が考えていることを知ると，
必ず意味を理解できるようになる

セラピストは，表層的で明確な思考と同時に，別のレベルで生じるもう一つの思考にも関心を向ける。読者のあなたが本書を読むときにも，2つのレベルの思考に気づくだろう。一つめの思考は，本書に記載されている言語的な情報に注意を向け，あなたはそれらの事実的な情報を理解し，統合しようとしている。一方，もう一つのレベルでは，状況に対する評価的な思考が素早く生じている。こうした認知を**自動思考**（automatic thought）と呼ぶ。

自動思考は，熟考や推論の結果として導き出されるのではなく，むしろ自動的に湧き出てくるかのように感じられ，たいていの場合，素早く短い。私たちが普段，このような思考に気づくことはあまりなく，それよりは自動思考によって惹起される感情や，自動思考の後に続く行動のほうに，はるかに気づきやすい。

　私たちはたとえそのような自動思考に**気づいた**としても，私たちはそれらの自動思考を無批判に受け入れがちで，それらが真実であると信じてしまう。自動思考に疑問を呈することなど**思いつきもしない**。しかしながら，自らの感情，行動，身体の変化に注意を向けることで，自動思考を同定できるようになる。次のような場面があれば，こう自問してみよう。「たった今，どんなことが頭に浮かんだだろうか？（What was just going through my mind ?）」

- 不快な気分になりかけたとき
- 非機能的な行動を取りそうになったとき（あるいは，適応的な行動を取るのを避けようとしたとき）
- 心身の不快な変化に気づいたとき（例：息苦しい，ぐるぐる思考）

　自動思考を同定できるようになったら（読者の皆さんは，すでにある程度できるようになっているだろう），今度は思考の**妥当性**を**検討**することができる。たとえば，私の場合，やらなければならないことが多すぎると，ときどき次のような自動思考が浮かぶ。「これらをすべて終わらせるなんて絶対に無理だ」。しかしそのときに現実検討を行い，過去の体験を想起し，こう思い直す。「大丈夫。必要なことから手をつければ，いつかは終えられる。いつもそうやっているじゃない」。

　このように，状況に対する自分の解釈の誤りに気づいて修正すると，気分が改善され行動が機能的になることに気づくだろう。身体的な不快感が軽減することにも気づくかもしれない。認知的な表現をすれば，非機能的な思考を客観的に省察することによって，その人の感情，行動，身体反応がおおむ

ね変化する，ということになる。

それにしても，自動思考はいったいどこから生じるのだろうか？　ある人のある状況に対する見方が，別のある人と異なる場合，何がその違いを生み出すのだろうか？　一人の人間が，時と場合によって，同一の出来事に対して異なる見方をするのはどうしてだろうか？　これらの問いに深く関連するのが，「信念（belief）」という，より継続的な認知的現象である。

★自動思考に内在するテーマは，その人の信念を理解すると，
必ず意味が理解できるようになる

3．信　念

人は幼少期のかなり早い段階から，自分自身について，他者について，そして自分を取り巻く世界について，一定の信念を持つようになる。なかでも最も重要なのが「中核信念（core belief）」で，これはあまりにも深く基底的な層で持続している信念であるため，ほとんどの人は，中核信念について，自分自身に対してさえ明確に説明することはない。人は中核信念を完全なる真実とみなすため，ただ単に「そうとしか言えない」と受け止めるだけである（Beck, 1987）。上手に適応できている人は，だいたいいつでも，現実的でポジティブな信念を抱いている。とはいえ，人は誰しもネガティブな信念も潜在的に抱いており，何らかのテーマに関連する脆弱性やストレッサーがあったときに，そのようなネガティブな信念が部分的あるいは全面的に活性化されることがある。

4．適応的な信念

多くのクライアントは，エイブもそうだったが，何らかの障害を発症する前は，おおむね心理的に健康だった。彼らはそこそこ機能しており，対人関係も基本的に良好であり，おおむね安全な環境で生活していた。彼らのなか

「有能である」に関わる中核信念
- 「私はそこそこ有能で,機能的で,物事をコントロールし,成功し,役に立っている」
- 「私はたいていのことはまあまあちゃんとできる。自分を守れるし,自分の面倒をみることができる」
- 「私には強みと弱みの両方がある(有能性,生産性,達成という視点において)」
- 「私はまあまあ自由でいられる」
- 「私はだいたいにおいて人並みだと言える」

「愛される」に関わる中核信念
- 「私はまあまあ人に愛され,好かれ,望まれ,魅力的で,欲され,気づかわれる」
- 「私は大丈夫。人と異なる部分があっても人間関係が損なわれることはない」
- 「私は今の私のままで他者に愛してもらえる」
- 「私は誰かから見捨てられたり,拒絶されたり,孤立したりすることはないだろう」

「価値がある」に関わる中核信念
- 「私はまあまあ価値がある存在で,人から受容され,道徳観があり,善良で,他者に対しては温厚である」

図3.1 自己についての適応的(ポジティブ)な中核信念
© 2018 CBT Worksheet Packet. ペンシルベニア州フィラデルフィア,ベック認知行動療法研究所

にはおそらく,自分自身や世界や他者や未来に対する柔軟で有効で現実的な信念が形成されていたと考えられる(図3.1)。おそらくこれまでは,自分自身を「そこそこ機能的で,人から好かれ,価値のある存在」とみなしてきたのであろう。他者のことも正確で柔軟な見方ができ,多くの人は基本的に善良かつ中立的であり,自分を傷つける可能性のある人はいたとしても少数にすぎないとみなしてきたのであろう(仮に傷つけられたとしても自分で自分をまあまあ守れるとも思っていただろう)。自分を取り巻く世界を現実的に眺め,世界には予測できることとできないことの両方があること,安全なことと危険なことの両方があることを受け入れていたであろう(たとえ何か問題が生じても,たいていのことには自分で対処できると考えていたであろ

う)。未来については，ポジティブな体験も，ニュートラルな体験も，ネガティブな体験も等しくあるだろうと考えていたであろう（仮に不運なことに遭遇しても，ときには他者の助けを借りてそれに対処でき，最後には何とかなるだろうと信じていたであろう）。

こうした信念とは異なる別の信念（潜在的にネガティブな信念）が，一時的に浮上してくることがある。それはたとえば，自らの機能，対人関係の問題，モラルに反する行動に関連して起きたよくない状況をネガティブに解釈したときである。しかし，そのときに急性の精神障害でも発症しない限り，じきに，もとの現実に即した中核信念に戻ることができるだろう。ただし，もし精神障害を発症してしまうと，もとの適応的な信念を再形成するためには，治療が必要になるかもしれない。一方，特にマリアのようなパーソナリティ障害を有するクライアントなどは，状況が異なる。そうしたクライアントにおいては，幼少期も大人になってからも，ポジティブな信念が非常に小さかったり，そもそも形成されていなかったりする。このようなクライアントにとっては，通常，適応的な信念を形成したり強化したりするための治療を通じた支援が必要である。

ときに，過度にポジティブな信念を持つクライアントがいることにも留意されたい。特にクライアントが躁状態や軽躁状態にある場合がそうである。こうしたクライアントは，自分自身，他者，将来に対して非現実的なほどにポジティブな見方をしているかもしれない。それらの信念が非機能的である場合，クライアントにとって必要なのは，体験をより現実的に，すなわち今よりネガティブな方向で眺められるようになるための手助けである。

5．非機能的でネガティブな信念

心理的に安全ではない状況で育った人や，物理的あるいは対人関係において危険な状態にある人は，機能がさらに落ちてしまっている傾向がある。そのような人は，対人関係においてトラブルを抱えやすく，よりネガティブな中核信念を有している可能性がある。そうした信念は，それらが形成された

「無力である」に関わる中核信念
- 「私は物事にちゃんと取り組めない」
- 「私は無能で，機能できず，無力で，役立たずで，欲しがるばかりで，対処できない」
- 「私は自分を守ることができない」
- 「私は無力で，弱く，脆弱で，囚われやすく，コントロールを失っていて，傷つきやすい」
- 「私は他の人たちと比べて無能だ」
- 「私は劣っており，失敗者で，欠点だらけで，役立たずだ」
- 「(何かを達成するということについて) 私にはできない。人並みにできない」

「愛されない」に関わる中核信念
- 「私は愛されないし，好かれないし，望まれないし，魅力がないし，退屈だし，取るに足らないし，必要ともされない」
- 「(私は周囲の人たちから受け入れられないし，愛してももらえない。なぜなら) 私は皆と違うし，無能だし，悪人だし，欠点だらけだし，足りていないし，人の役に立たないからだ。私には何か問題があるのだ」
- 「私は拒絶され，見捨てられ，孤立するのが関の山だ」

「自分には価値がない」に関わる中核信念
- 「私は道徳観に欠け，悪いモラルの持ち主で，罪深く，価値がない存在で，誰にも受け入れてもらえない」
- 「私は危険で，有害で，邪悪だ」
- 「私には生きる資格がない」

図3.2　自己についての非機能的な中核信念

当初は現実的で有用だったかもしれないし，そうではなかったのかもしれない。いずれにせよ，現在において何らかのエピソードが急に起きると，そうした信念は極端で，非現実的で，非常に不適応的となる傾向がみられる。自己についてのネガティブな中核信念のほとんどは，次の3つのカテゴリーのどれかに当てはまる (図3.2)。

- 「無力である」（機能できていない ── 物事に取り組めない，自分を守ることができない，人並みにできない）
- 「愛されない」（自分自身の性質のせいで，継続的に他者に愛されたり他者と親密な関係を持ったりすることができない）
- 「自分には価値がない」（自分は不道徳な罪深い人間で，他者にとって危険な存在だ）

　クライアントはこれらのカテゴリーのうち1つか2つの信念を持っているかもしれないし，3つすべてに該当する信念を持っているかもしれない。あるいは1つのカテゴリーに属する信念を複数持っているかもしれない。

6．事　例

　「自分は頭が悪いので本書をマスターできない」と考えた読者Eは，何か新たな課題（例：レンタカーを手配する，本棚の組み立て方を理解する，銀行にローンを申し込む）に取り組まなければならないときに，同じような心配をすることがよくある。彼女はおそらく「自分は無能だ」といった中核信念を持っているのだろう。この信念は，読者Eが抑うつ状態にあるときだけ作動するのかもしれないし，ときどき，または始終，活性化され続けているかもしれない。あるいは，わりあい休眠状態が多いかもしれない。いずれにしても，この中核信念が活性化されると，読者Eは，たとえその解釈が合理的に考えれば妥当ではないのが明らかで，事実に反していても，この信念のレンズを通して物事を解釈してしまう。
　読者Eには，自らの中核信念に合致する情報を選択的に取り入れ，それとは異なる情報は無視するか割り引いて受け取ってしまう傾向がある。たとえば，「有能で知的な人でも一読しただけでは本書を完全に理解することはできない」という可能性を考慮しない。あるいは，「著者が本書をわかりやすく書かなかったせいで理解しにくい」という可能性も考えない。本書を理

解しづらいのは頭が悪いからではなく，むしろ集中できていないからだ，と認識することもない。読者Eは，「何か新たなことを身につけるときは，最初は苦労することが多いが，そのうち習熟して上手にできるようになった」という自分の過去の体験も忘れている。「自分には能力がない」という信念が読者Eのなかでひとたび活性化されてしまうと，彼または彼女は状況を過度にネガティブかつ自己批判的な態度で自動的に解釈するようになる。このようにして，たとえそれが正しくなく非機能的であっても，信念は維持されてしまう。重要なのは，読者Eが意図的に情報をこのように処理しているのではない，ということである。これは自動的なプロセスなのである。

　図3.3は，このような偏った情報処理を示している。長方形の取り込み口が右側に開いている大きな円が，読者Eのスキーマである。ピアジェ学派では，スキーマは一種の仮説構成体で，「情報を組織化するもの」と定義されている。そのスキーマの中に，読者Eの「自分には能力がない」という中核信念が含まれる。読者Eが関連した体験をすると，このスキーマが活性化される。そしてこの図の四角枠のなかにあるネガティブな情報が，スキーマの長方形の取り込み口に吸収され，即座に処理され，「自分には能力がない」という中核信念を確証する。そしてその中核信念がさらに強化される。

　ところで読者Eが「うまくいく体験」をすると，別のプロセスが起きる。図3.3では，ポジティブな情報は三角形として示されているが，この三角形はスキーマの取り込み口に入ることができない。その結果，彼または彼女の心はポジティブな情報を割り引いて受け止めるようになる（「確かにクライアントとのセッションはうまくいったように思える。でもそれはクライアントが私を喜ばせようとして頑張ったからだ」）。このような解釈によって，本来はポジティブな三角形もネガティブな長方形に変形されてしまう。このようにして，取り込み口に適合する形となった情報はスキーマに吸収され，ネガティブな中核信念が強化されていく。

　他にも，読者Eが気づいていないポジティブな情報がある。読者Eは，自らの能力を明確に示す情報（例：期日までに請求書の支払いを済ませた，

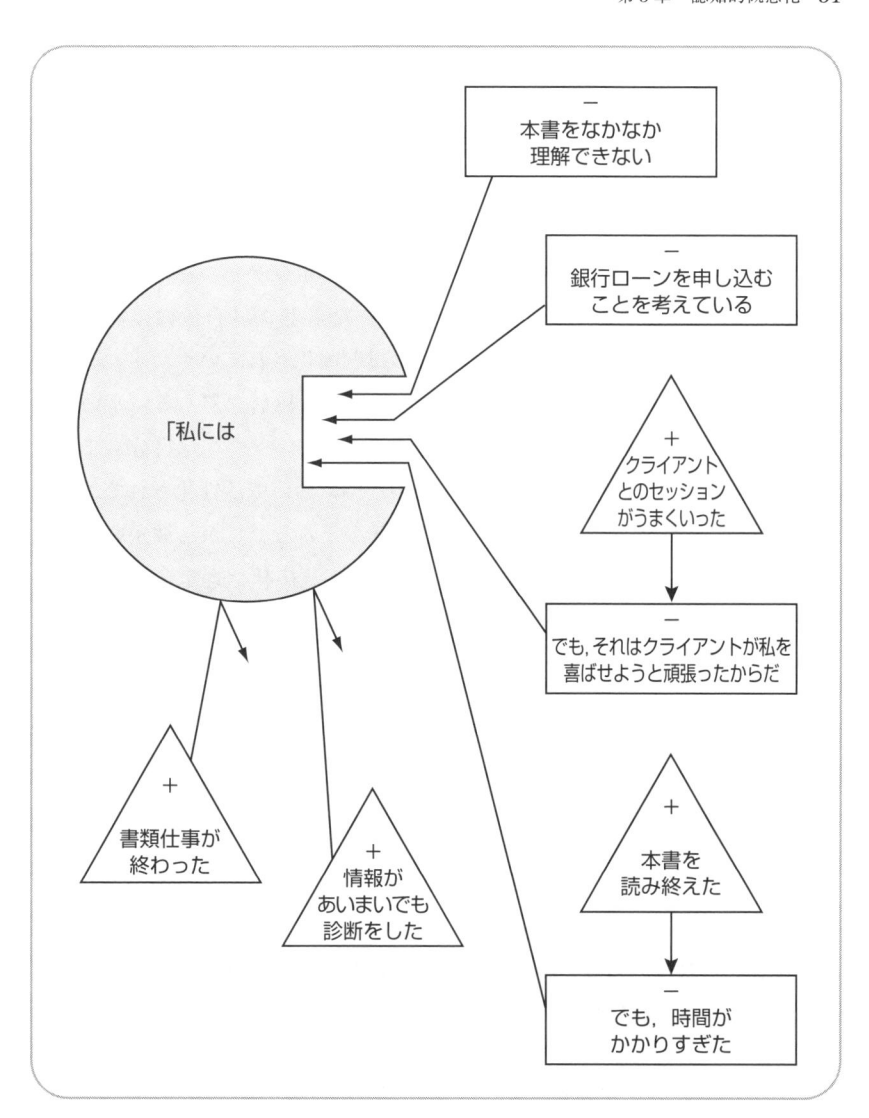

図 3.3 情報処理ダイアグラム。ネガティブな情報が即座に処理されて中核信念を強化する一方で，ポジティブな情報は割り引かれたり（ネガティブな情報に転換されたり），気づかれなかったりする様子を示す。

困っている友だちを助けた）があるときは，その能力を否定するようなことはしないかもしれない。しかし，そこまで明確な行動を起こさなければ，それは「何もできなかった」ことになってしまい，それが読者Eの非機能的な中核信念をさらに確証することになるだろう。読者Eは，ポジティブな情報を割り引くことはしないが，そうした情報が自らの中核信念に関連していることに気がつくことができない。その結果，ポジティブな情報はスキーマに跳ね返されてしまう。このようにして，読者Eの「自分には能力がない」という中核信念は，時間が経てば経つほど強化されていく。

　エイブにも，「自分には能力がない」といった中核信念がある。幸いなことにエイブの場合，抑うつ的でないときには別のスキーマ（「自分もまあまあ有能だ」という中核信念を含む）がだいたいにおいて活性化されており，「自分には能力がない」という信念は奥に潜んでいる。しかし彼がいったん抑うつ的になると，「自分には能力がない」という中核信念を含むスキーマが優勢になってしまう。エイブの治療では，彼が自らの体験（ポジティブなものもネガティブなものも）を，より現実的で適応的な方法で眺められるように支援することが，一つの大きな目標となる。

7．媒介信念：構え，ルール，思い込み

　中核信念は，信念の中でも最も基底的なレベルにある。クライアントが抑うつ状態にあるとき，これらの信念はネガティブで，極端で，固定的で，過度に一般化されていることが多い。それに対して**自動思考**は，特定の状況において頭をよぎる特定の言葉やイメージであり，最も表層的なレベルにある認知である。この2つの間にあるのが**媒介信念**である。中核信念は，中間レベルの信念の形成に影響を与える。それを媒介信念（intermediate belief）と呼ぶが，媒介信念は，構え（attitude），ルール（rule），思い込み（assumption）から構成される。ただしこれらの区分はそれほど明確ではない。構えの多くが，クライアントの有する「価値」を示す点に注目されたい。読者Eの媒介信念を以下に例示する。

- 構え：「失敗するのは恐ろしいことだ」
- ルール：「もし手に負えそうになければ，あきらめるべきだ」
- 思い込み：「難しいことに手を出すと，失敗するだろう。それを避ければ，安全でいられる」

　こうした信念は，状況に対する読者Eのものの見方に影響を与え，今度はそれが読者Eの思考，感情，行動に影響を及ぼす。これらの媒介信念と，中核信念および自動思考との関係は，以下のように図示できる。

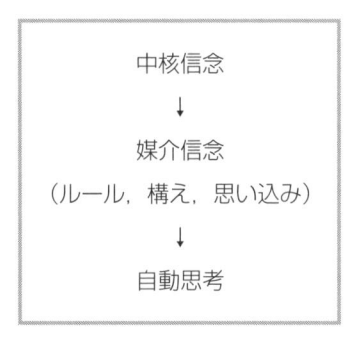

中核信念
↓
媒介信念
（ルール，構え，思い込み）
↓
自動思考

　中核信念や媒介信念は，どのように形成されるのだろうか？　人間は，発達の初期段階から，自らを取り巻く環境を理解しようとする。私たちが適応的に機能するためには，自分が体験したことを一貫したやり方で組織化する必要がある（Rosen, 1988）。世界や他者との交流を通じて，私たちは自分なりの理解や信念を作り上げていく。それには遺伝的素因の影響もある。それらの理解や信念の妥当性や有効性は，人によって様々である。セラピストが覚えておくべきなのは，クライアントの非機能的な信念は学習によって修正可能ということである。つまりクライアントは治療を通じて，より現実的で機能的な新たな信念を形成し，その新たな信念が強化されていく。
　クライアントの気分を改善し，適応的な行動を増やすための近道は，クラ

イアントのなかにあるポジティブで適応的な信念を同定し，強化することと，不正確でネガティブな信念を修正することを手助けすることである。ひとたびそれができるようになれば，クライアントは，現在および未来の状況や問題を，より建設的な方法で解釈できるようになる。ポジティブな信念については，多くの場合，治療開始当初から直接的にも間接的にも取り組むことが可能である。一方，ネガティブな信念については，治療開始当初には間接的にしか扱えないことが多く，治療が進むにしたがって，より直接的に取り組めるようになっていく。なぜなら，ネガティブな中核信念を同定するだけで，それがネガティブな感情を惹起する引き金となり，クライアントが治療を「安全ではない」と感じてしまう恐れがあるからである。

8．より複雑な認知モデル

これまで述べてきた認知の階層を以下に図示する。

```
中核信念
  ↓
媒介信念（ルール，構え，思い込み）
  ↓
状況
  ↓
自動思考
  ↓
反応（感情，行動，身体）
```

重要なのは，状況への一連の知覚が自動思考へと至り，それがその人の反応に影響を与えるが，それらが過度に単純化される場合があるということである。思考，感情，行動，身体反応は互いに影響を与え合っている。

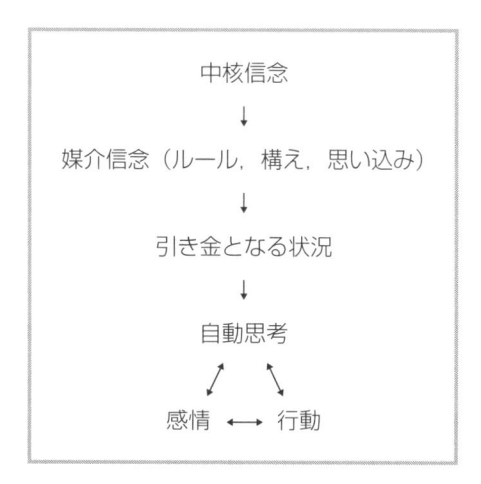

```
         中核信念
           ↓
  媒介信念（ルール，構え，思い込み）
           ↓
        引き金となる状況
           ↓
          自動思考
          ↙   ↘
        感情 ⟷ 行動
```

　他にも，クライアントの自動思考の引き金となる内的・外的な事象には，様々なものがある。

- 個別の出来事（例：仕事に採用されない）
- 思考の流れ（例：失業することについて考える）
- 記憶（例：解雇されたことを思い出す）
- イメージ（例：上司のとがめるような表情）
- 感情（例：強い不快感に気づく）
- 行動（例：ベッドでぐずぐずする）
- 身体的／精神的体験（例：心拍が速まったのに気づく，思考が鈍くなったのに気づく）

　人は誰しも，多様な引き金，様々な自動思考，そしてその他の反応が複雑に絡み合った一連の出来事を体験している。

9．概念化：エイブの場合

　インテークセッションの時点で，エイブが持続する悲しみ，不安，孤独感に苦しんでいることは明らかだった。セラピストである私は，エイブを，不安を伴う重度の大うつ病だと診断した。最初の概念化を行うために，私は彼にいくつか具体的な質問をした。たとえば，どのような状況や時間帯で，気分がひどく悪化するだろうか？　エイブの回答は，「一日中同じような気分だが，夕方になるとさらに悪化するようだ」というものであった。そこで私は，昨晩はどうだったかをエイブに尋ねた。エイブによれば，昨晩もいつも通りだったということである。そこで私は尋ねた。「そのときどんなことが頭に浮かんでいましたか？」。

　私は治療を始めたらすぐに，クライアントにとって重要な自動思考のサンプルを集め始める。エイブが「頻繁に生じる」として報告してくれた思考は，たとえば，「やらなければならないことがたくさんあるのに，自分は疲れ切ってしまっている。（部屋の掃除などをしようとしても）どうせろくにできないだろう」「あまりにも気持ちが滅入っている。何をしたって気分がよくなるはずがない」といったものだった。エイブはまた，心に浮かんだイメージや頭にちらついた映像についても語ってくれた。それは，いつとは定まらない未来のどこかで，暗がりの中に座って，完全に絶望し，無力感でいっぱいになっている自分自身の姿だった。

　私は，エイブの抑うつの持続要因も探ってみた。「回避」が大きな問題だった。アパートの部屋を掃除すること，雑用をこなすこと，友人と交流すること，新たな仕事を探すこと，誰かに助けを求めることなどを，彼は回避していた。そのせいで，もしそれを実行していたら得られたかもしれない達成感，喜び，人とのつながり，といった体験が欠けていた。彼のネガティブな思考のあり方もまた，彼の不活発で受け身的な状態につながっていた。そうした状態が，「自分はコントロールを失っており，無力である」という感覚をさらに強化していた。

エイブは子どもの頃，自分自身や他者や世界について自分なりに理解しようとしていた。彼は，自らの経験と他者との関わりを通じて，そしてさらに自分を取り巻く世界を直接観察することを通じて，様々なことを学習した。もちろん彼の感じ方には，生得的な遺伝特性も影響を与えただろう。また，幼少期における家庭内での体験が，「有能か無能か」に関わる彼の信念の基礎になっていた。

エイブは男の子ばかりの3人きょうだいの長子だった。彼が11歳のとき，父親が家族のもとを去り，二度と戻らず，母親はシングルマザーとなった。母親は2つの仕事を掛け持ちしながら，長男であるエイブを大いに頼りにした。父親が去った後，母親はエイブに対し，困難なことばかり頻繁に言いつけるようになった。それはたとえば，家をきれいに保つとか，洗濯をするとか，弟たちの面倒をみるといったことだった。エイブは，「よい息子でありたい」「言われたことはちゃんと成し遂げたい」「他の人たちを助けたい」といった価値観を強く抱いていた。母親に言いつけられたことはすべてできるはずだとエイブは考えていたが，実際にはすべての課題をこなすことができない場合も多々あった。そこで彼のなかに，「もっとうまく（課題を）こなさなければならない」「お母さんをもっと助けなければならない」「（弟たちが）もっと行儀よくできるよう自分が何とかしなければならない」といった思いが生じるようになった。「弟たちの行儀をよくするためにどうすればよいか」を，母親に相談したことが何度かあったが，母親はイライラしながら「そんなことは自分で考えなさい」と答えるだけだった。

もちろんすべての子どもや思春期の人が，エイブと同様の状況において，エイブのように自らの非を認識するようになるわけではない。たとえば，「母親が自分に多くを期待しすぎる」と考える子どももいるだろう。実際，エイブの母親は，年齢と発達レベルに見合わないほど多くのことをエイブに求めていた。そして，仕事から戻ったときに，弟たちが「好き放題にしている」のを見たり，台所が片付いていないことに気がついたりすると，エイブを非難した。そういうとき，母親は不機嫌になり，「何一つまともにできないのね。そういうお前にはがっかりだ」といったことをエイブに言った。エ

イブは，母親の言うことは「真実」だととらえ，苦痛を感じた。そしてその後はだいたい自室に閉じこもり，自分の至らなさについて反すうした。

10. エイブの中核信念

　時間が経つうちに，エイブの「自分はそこそこ有能だ」という中核信念は，家庭生活という特定の文脈において損なわれ始めた。エイブの注意は，「自分が何かをうまくできなかった」という出来事に向き始める。自らの課題をしっかりとこなせていると思えたときでさえ，彼は自分が達成したことを割り引いて捉えるようになった。それはたとえば，「キッチンはきれいに片付けたけれども，リビングはまだ散らかっている」とか「弟たちの宿題は終わらせたけど，彼らの喧嘩を止められなかった」といったものである。エイブが「自分には能力がない」と思い始めるのは何ら不思議ではない。彼は，自分の「弱み」であると感じる部分を過度に重く受け止める一方で，自らの「強み」については割り引いて考えたり，気がつくことができなくなったりしてしまった。そしてそれらの結果，「自分には能力がない」という中核信念が形成されてしまった。

　とはいえ，エイブのネガティブな信念は，自宅での「失敗」にかなり限定されていた。エイブの学校での成績は平均的なもので，友人たちとさほど変わらなかった。学校の教師たちや母親は，エイブの成績にはおおむね満足しているようだったので，エイブ自身も自分の成績には満足していた。エイブは運動面では平均以上の成績で，コーチたちからも褒められ，サポートされていた。そうしたことから，学校およびスポーツの文脈では，エイブは自分のことを「そこそこ有能だ」とみなしていた。同時に，「自分はまあまあ好かれているし，価値がある存在だ」とも思えていた。

　自分を取り巻く世界や他者についてのエイブの信念は，おおむね現実的なレベルでポジティブかつ適応的だった。基本的に彼は，ほとんどの人が自分にとって無害（少なくとも，自分がちゃんと振る舞ってさえいれば）であると信じていた。そして世界は比較的安全な場所であるとみなしていた。家族

が父親に見捨てられたことの影響もあって，彼は「世界には予測不可能なこともある」とは考えていたが，たいていの状況に自分は対処できるとも考えていた。未来は予測不可能だが，「かなりよいものである」と潜在的に感じることができていた。

　エイブの調子がいちばんよかったのは，高校を卒業したときで，彼は就職し，アパートに引っ越して友人と共同生活を始めた。この時期には彼のなかで，適応的な中核信念が活性化されていることがほとんどであった。仕事で実績を重ね，よき友人たちと頻繁に交流し，運動をして身体を引き締め，将来のために貯金を始めた。彼は誠実で，率直に発言し，責任を引き受け，何事にも一生懸命に取り組んだ。彼は一緒にいて楽しい相手で，家族や友人の手助けを自発的にしていた。彼は 23 歳のときに，知り合って 1 年の女性と結婚した。妻にはエイブを批判しがちな傾向があったが，エイブ自身は依然として，自らを有能で価値があり人に好かれる人間だとみなしていた。ただし，エイブは，自ら設定した高い期待に自分が届かないと，自らを「能力がない」とみなす脆弱性を潜在的に有していた。この脆弱性は，主に，彼が子どもだった頃に母親との間で起きたネガティブな相互作用の結果として形成されたものである。

　子どもたちが生まれると，エイブのストレスは増した。彼は子どもたちと一緒に過ごす時間を自分が十分に取れていないと，ときどき自分を責めるようになった。子育てのストレスは妻も感じており，そのせいで彼女はいっそうエイブに対して批判的になった。それでもまだ，エイブはこの時点では抑うつ的ではなかった。自分が職場と自宅でものごとをうまくこなせていると思えている限り，彼は機能的であり続けた。これに関連する信念は，「ちゃんとできていれば，自分は大丈夫だ」というものである。問題は，彼が「自分はちゃんと機能できていない」と認識するときだった。それは，「うまくできなければ，それは自分が無能だということだ」という彼の信念と関連していた。以前から潜在的にあった，このようなネガティブな中核信念が強く活性化されるようになったのは，エイブが職場で困難を抱え，さらに離婚するという体験を経てからである。加えて，エイブはこのようなとき，自らを

無力でコントロールを失っているとみなすようになった（エイブの説明によれば，それは彼が無能な失敗者であるからだ，ということだった）。

11．エイブの媒介信念と価値

　エイブの媒介信念は，中核信念に比べたら多少は修正の余地がある。彼の有するいくつかの「構え」（例：「一生懸命に取り組むこと，生産的であること，責任を引き受けること，他者からの信頼に値すること，約束を守ること，正しいことをすること，他者にお返しをすること，といったことは重要だ」）は，彼の価値や行動を反映していた。彼の持つルール（例：「一生懸命に取り組まなければならない」）も同様だった。それらの構えやルールは，中核信念と同様に，エイブが自らを取り巻く世界や他者や自分自身を理解しようとするなかで形成されたものである。エイブには，主に家族との相互作用を通じて，そしてそれよりは少なくはあるが他者との相互作用を通じて，以下のような思い込みが形成された。

「一生懸命に取り組むことができれば，自分は大丈夫だ（もしそうできなければ，自分はダメだ）」
「自分自身で問題を解決できれば，自分は大丈夫だ（もし誰かに助けを求めたら，自分は無能だということになる）」

　セラピーを始める前は，エイブはこれらの媒介信念や価値を明確に理解してはいなかった。それでもこれらの信念や価値が，彼の思考や行動に影響を与えていたのである。

12．エイブの行動戦略

　思春期に入ると，エイブには特定の行動パターンが形成され始めた。そのほとんどが機能的で，彼自身の価値に沿ったものであり，彼のネガティブな

中核信念（とそれに関連する感情的苦痛）の活性化を回避するようなものであった。エイブは，自宅にいるときも，スポーツをしているときも，初めての仕事に就いたときも，一生懸命に物事に取り組んだ。職場では自分自身に対して高い基準を設定し，率先して周囲の人たちを手助けした。しかしながら，エイブ自身が助けを必要としているときに，誰かに助けを求めることは滅多になかった。彼は，助けを求めることで，周囲の人から批判されたり「無能だ」とみられたりすることを恐れていた。彼は自らを脆弱であると感じることがときどきあったが，自分の弱みと思われるそのような部分を取り繕おうとした。エイブの思い込みはあまり柔軟ではなかったものの，人生は順調に進んでいた。とはいえ，それは彼が「自分には能力がない」「自分は価値に沿って生きていない」と自らを認識するようになるまでのことである。

13．エイブはどのようにして抑うつ状態に陥ったか

　エイブがこれまで生きてきたなかで，自分自身についてネガティブな思考が生じることが時々あった。特に，取り組んだことが一定の水準に満たないと認識したときに，そのような思考が生じた。特によく浮かんだのは，「もっとうまくやるべきだった」という思考である。このような思考は，成長期において，そして大人になってからの職場や家庭でもときどき浮かび，特に結婚して子どもが生まれてからは頻繁に浮かんだ。そうした思考が軽い抑うつ症状を惹起したが，たいていはエイブが意を決してもっと努力をすれば，そのような抑うつ症状は軽快した。

　うつ病エピソードを発症する頃には，この種の自動思考が，仕事，結婚生活，家庭生活といった文脈において，強くそして頻繁に生じるようになった。その頃，エイブはジョセフという，彼よりも15歳年下の新しい上司のもとで仕事をするようになっていた。ジョセフはエイブの担当業務を変更した。エイブはそれまで，照明を扱う会社で顧客サービスの責任者をしており，彼は，顧客と接する業務も2人の同僚との交流も楽しんでいた。

しかしエイブは、ジョセフによって在庫管理の部署に異動させられた。新たな部署では、人と接する機会がほとんどなく、馴染みのないソフトウェア・プログラムを使うことを求められた。エイブは仕事でミスをするようになり、自己批判することが増えた。彼は、「自分はどうしちゃったんだろう？ それほど難しい作業ではないはずなのに」と思うようになった。新たな業務に伴う困難を、「自分に能力がないからだ」と解釈した。気分がすぐれず、不安になった。それでもこの時点ではまだ、抑うつ的ではなかった。

エイブは上司のジョセフに助けを求めた。ところがジョセフは「そんなことは自分でどうにかするべきだ」と怒ったように言うだけだった。エイブはジョセフに頼ろうとするのを止め、自分自身でさらに頑張ってみようとした。しかし彼は、新たな業務をどうやって遂行したらよいか、どうしても理解しきれなかった。とはいえ、上司に再度助けを求めることについては、「そんなことしたらジョセフに見くびられる。無能だと言われてしまったらどうしよう。解雇されるかもしれない」と考えるようになった。彼の「自分には能力がない」「自分は脆弱だ」といった信念が強化され始めた。

エイブは「自らの失敗」について反すうするようになり、それに伴うネガティブな感情が自宅でも溢れ出すようになった。抑うつ症状（特に、気分の落ち込みと強烈な疲労感）が出始めた頃、彼の活動にも変化が生じた。彼は、周囲の人たち（妻を含む）からひきこもるようになった。夕食のテーブルで妻が彼から話を引き出そうと試みても、彼はほとんど沈黙したまま座っていた。彼は夕食後にも、家の用事をせずに、ソファに座って「自らの失敗」について反すうすることに、ほとんどの時間を費やしていた。週末は、何時間もソファに座ったままテレビを観て過ごしていた。妻は次第にエイブに対してイライラし始めた。というのもエイブは外出を嫌がり、家事もこなさなくなり、会話すらほとんどしなくなったからである。以前に比べ、妻はエイブに対して批判をしたり小言を言ったりすることが増えた。エイブ自身も自己批判的な思考がますます強くなった。そのうえ、彼自身の回避的な行動によって、「自分は有能だ」「自分はコントロールできている」「自分は生産的だ」「自分は周囲の人とつながっている」（どれもが彼にとって大切な価

値である）といったことを感じる機会をほとんど失ってしまった。同時に，これまで彼の気分を持ち上げてくれていた快適で楽しい活動もほとんどできなくなってしまった。

　エイブは抑うつ症状が悪化するにつれて，「自分がうまくこなせないだろう」と感じる課題（例：請求書の支払い，庭仕事）をさらに回避するようになった。多くの様々な場面で，「自分は失敗するだろう」という自動思考が生じるようになった。エイブはそうした思考のせいで，悲しみ，不安，絶望感を抱くようになった。彼は自分の抱える数々の困難を，「抑うつ症状による機能低下」ではなく「本質的に自らに備わった欠陥」であるとみなした。「自分は無能力かつ無力だ」という全般的な感覚が彼のなかに広がり，活動の範囲はさらに狭まった。妻との関係がぎくしゃくし，2人の間の葛藤が明らかになり始めた。こうした夫婦の対立についても，エイブは「自分が結婚生活をちゃんとできない」「自分が夫として能力がない」と解釈した。

　数か月の間に，エイブが職場で抱える問題がどんどん悪化していった。上司のジョセフがエイブに対してかなり批判的になり，年間業績の評価を格下げした。妻が彼との離婚手続きを開始したとき，エイブの抑うつ症状は明らかに悪化した。彼は，「自分はどうして妻や子どもたちや上司を失望させてしまったのか」といった考えに取りつかれるようになった。彼は自分を「無能力な失敗者」であると感じるようになった（そのような信念が形成された）。エイブは，自分が悲しみや絶望といった感情に翻弄されていると感じ（「感情がコントロールできない」と信じ），自らの気分をよくするためにできることは何一つない（「自分は無力だ」）と考えた。そうしたなかで彼は解雇されてしまった。

　この一連の出来事は，「ストレス−脆弱性モデル」の典型例である。エイブはいくつかの特定の脆弱性を有していた。すなわち，生産性と責任に対して強く厳格な価値を持っていること，バイアスのかかった情報処理をしてしまうこと，自分を無能だとみなす傾向があること，なんらかの遺伝的なリスク要因といったものである。そしてこれらの脆弱性に関連するストレッサー（失業や結婚生活の破綻）に曝されたときに，エイブはうつ病になった。

以下の要因とメカニズムが，エイブのうつ病を維持していた。

- 自らの体験をネガティブに解釈し続ける
- 注意バイアス（うまくいかないこと，できていないことばかりに注意が向く）
- 回避と不活発（その結果，喜びや達成や人とのつながりを感じる機会を失う）
- 社会的ひきこもり
- 自己批判が増える
- 問題解決スキルが低下する
- ネガティブな記憶の想起
- 「失敗だ」と感じたことを反すうする
- 未来について心配する

これらの要因がエイブの自己イメージに否定的な影響を与え，うつ病の持続に影響した。どの要因も，治療において重要なターゲットになっていく。

14. エイブの強み，リソース，個人的資質

エイブがセラピストを初めて訪れたとき，すでに抑うつ症状は重症化していたが，彼の生活が完全にネガティブ一色になっていたわけではない。息子たちとその配偶者たちは，エイブをサポートしてくれていた。孫たちと一緒に過ごすとき，特にスポーツがそこに加わると，エイブの気分はいくらか軽くなった。基本的なセルフケアも，当時はまだできていた。いくらか減ってきてはいたものの，多少の預金があった。最低限の家事や食事の用意も自分でこなせていた。もとはといえば，エイブは責任感の強い勤勉な夫であり，父親であり，働き手であったのだ。エイブは仕事で多くのスキルを身につけており，それらは他の仕事でも活用できるはずだった。彼には常識と問題解

決力があった。

　ここまでをまとめてみよう。「自分には能力がない」というエイブの信念は，彼の子ども時代に根差していた。それは特に，彼に批判的な母親との相互作用のなかで，「お前はろくに仕事ができない」（もともとエイブの年齢には難しすぎる課題だった），「お前にはがっかりする」などと言われ続けてきたことによる。それでもなお，学校でのエイブの体験はニュートラルまたは比較的ポジティブなものであり，彼の主たる中核信念は「自分は大丈夫だ」というものだった。その数年後，仕事と家庭の両方で大きなストレスがかかったときに，「自分には能力がない」という中核信念が活性化するようになった。また，そうしたストレスに対して，不適応的なコーピング戦略，なかでも特に「回避」を用いるようになり，その結果「自分は無力だ」といったスキーマも活性化されるようになった。エイブは誰かに助けを求めることも回避し，妻や友人たちからひきこもり，生産的である代わりに何時間もソファに座ったまま無為に過ごすようになった。そして自己批判ばかりするようになった。最終的にエイブはうつ病になり，不適応的な中核信念が全面的に活性化されるに至った。

　これらの信念の影響により，エイブは出来事をネガティブに解釈しやすくなっていた。自らの思考に疑問を抱くことなく，無批判に受け止めた。もちろん，思考や信念がそれだけでうつ病を引き起こすわけではない（うつ病の原因には，心理社会的要因，遺伝的要因，生物学的要因といった様々なものがある）。エイブにも，うつ病にかかりやすい遺伝的傾向が何かあったのかもしれない。とはいえ，エイブがその時々の状況をどのように認識し，その状況においてどのように行動するかといったことが，生物学的および心理学的な脆弱性の発現を促したということは疑いようがない。ひとたびうつ病に罹患すると，こういったネガティブな認知がエイブの気分に強く影響を及ぼし，うつ病が維持されやすくなってしまった。

15. 認知的概念化ダイアグラム

　概念化の際は,「強みに基づく概念化」と「問題に基づく概念化」の両方を行うことが重要である。「認知的概念化ダイアグラム（Cognitive Conceptualization Diagrams：CCDs）を活用することで,クライアントから提供される多くの情報を整理しやすくなる。ダイアグラムは,インテークセッションや初回セッションで関連情報を聴取したら,（セッションとセッションの間の時間を使って）速やかに作成し始めるとよい。セラピストは治療全体を通じて,関連情報を集め続ける。ほとんどのクライアントが,治療開始当初は,ネガティブな情報ばかりを提供しがちである。エイブがまさにそうだった。そこで重要なのは,セラピストがポジティブな情報を引き出すための質問をすることである。そして,クライアントが見逃したり割り引いたりしているポジティブな情報が何かあるのではないか,という視点を持ち続けることも重要である。

16. 強みに基づく認知的概念化ダイアグラム

　「強みに基づく認知的概念化ダイアグラム（SB-CCD）」（図3.4）を用いることで,クライアントの有する「助けになる認知と行動」のパターンに注意を向け,整理をすることが可能になる。ダイアグラムは多様な事象を描写することができる。たとえば,以下の要因間の関連性を提示できる。

- 重要なライフイベントと,適応的な中核信念
- 適応的な中核信念と,クライアントの自動思考の意味
- 適応的な中核信念,関連する媒介信念,適応的なコーピング戦略
- 状況,適応的な自動思考,適応的な行動

図 3.5 に，SB-CCD を記入する際にセラピストが自問するとよい質問をリストした。インテークセッションの際（たとえば，人生においていちばん調子がよかった時期についてクライアントに語ってもらうときなどに），関連する情報を引き出しながらダイアグラムの上部に記入していく。そして，治療を通じてダイアグラム全体に情報を追加していく。図 3.6 のリスト（Gottman & Gottman, 2014 を改変）を活用すると，クライアントのポジティブな資質を具体的に書きやすくなるだろう。

SB-CCD が複雑すぎると感じるクライアントも多い。その場合は白紙を提示して，発症前の生活歴について聞き取りを行いながら，適応的な自動思考や行動がみられた状況を選び，その白紙に一緒に記入するとよい。あるいは，もう少し時期を待つことにして，クライアントが自分自身や体験について，より現実的に捉えられるようになったり，有益なコーピング戦略を取れるようになったりしてから，SB-CCD を作成することもできる。

17. 認知的概念化ダイアグラム（標準版）

従来，標準的に用いられてきた「問題に基づく認知的概念化ダイアグラム」（図 3.7）では，クライアントについて収集された不適応に関する情報を整理する。セラピストは，インテークセッション時に，そしてその後の治療を通じて，情報を集め続ける。セラピストが，クライアントの自動思考や助けにならない行動に関わるテーマのなかに，何らかのパターンを見出したら，それをダイアグラムに記入する。「問題に基づく認知的概念化ダイアグラム」では，たとえば，以下の要素間の関連性を提示する。

- 重要なライフイベントと，中核信念
- 中核信念と，クライアントの自動思考の意味
- 中核信念，媒介信念，非機能的なコーピング戦略
- 引き金となる状況，自動思考，諸反応

関連する生活歴（現在の困難を抱くようになる前の達成，強み，個人的な特性，リソースを含む）──周囲からは「いい子」だと言われた。成長過程でポジティブな交流が，家族，母方の叔父，コーチたちとの間にあった。父親に見捨てられたことを落ち着いて受け止められた。11歳で年齢に見合わない大変な責任を家庭で与えられたときに，責任を果たそうと懸命に努力した。よい友人に恵まれ，平均的な成績で，運動神経は平均以上，最終学歴は高卒。人に好かれ，「家庭を大切にする男」。よい関係を，子どもや孫，いとこの1人，男性の友人2人と構築している。

強みと資質──モチベーションが高く，ユーモアのセンスがあり，周囲の人に好かれやすい。成人した2人の子どもと4人の孫とは頻繁に会い，彼らを何かと助け，親しい関係を築けている。いとこの1人，何人かの男性の友だちとも親しい。収入に見合った無理のない暮らしをしてきた。いつでも予算を立て，預金をしてきた。モチベーションが高い。仕事ではしっかりとした実績を積んでいる。対人的，組織的，監督的スキルを多く身につけている。信頼され，責任を引き受けられる。問題解決力が高く，常識がある。

適応的な中核信念（現在の困難を抱くようになる前）
「私は，責任を引き受け，気づかいをし，有能で，自分の力でできて，周りの人を助け，善良で，人に好かれ，リソースもたくさん持っている。大部分の人は中立的，または無害だ。世界は予測できない部分もあるかもしれないが，比較的安全で安定している。（仮に悪いことが起きても）自分で対処できる」

適応的な媒介信念──ルール，構え，思い込み
（現在の困難を抱くようになる前）
「家族，仕事，地域社会は大切だ。懸命に取り組んで，生産的でいて，自分の力ででき，責任を引き受け，信頼され，最後まで完了し，他の人の気持ちを考え，正しいことをするのが大切だ。言ったことは実行する。物事は自分でなんとかしなければならない。難しい課題は辛抱強く取り組み続ければ，うまくいくだろう。しっかり仕事ができていれば，私には能力があるということだ。私は大丈夫だ」

第3章　認知的概念化　*69*

```
                            ↓
┌─────────────────────────────────────────────────────────────┐
│  適応的な行動パターン（現在の困難を抱くようになる前）          │
│  自分に対して高い基準を設定し，懸命に取り組み，自分の能力を高めようとし，粘り │
│  強く自分で問題解決する。やさしく，周りの人への気づかいがあり，約束を守り， │
│  「正しいこと」とみなす振る舞いをし，周囲の人を助ける。                    │
└─────────────────────────────────────────────────────────────┘
```

状況1	状況2	状況3
友人たちと一緒に朝食をとるために外出することを考えている	隣人の車を修理している	ネットサーフィンをしている

自動思考	自動思考	自動思考
「すごく疲れているけど，友だちをがっかりさせたくない」	「自分はこの車が再び走れるように修理できるのだろうか」	「もっとよいテレビが欲しいけれど，いくつかの請求書の支払いをするために節約しなければ」

感情	感情	感情
中立	中立	いくらか失望している

行動	行動	行動
朝食に出かける	あちこち修理し続ける	テレビを注文しない

図3.4　エイブの「強みに基づく認知的概念化ダイアグラム（SB-CCD）」（© 2018 CBT Worksheet Packet. ペンシルベニア州フィラデルフィア，ベック認知行動療法研究所）

```
┌─────────────────────────────────────────────────────────────┐
│ 関連する生活歴（現在の困難を抱く前の達成，強み，個人特性，リソースを含む） │
│ ──どのような体験が関与して適応的な中核信念が形成され，維持されていたか？ │
│ クライアントの強み，スキル，長所，個人的また物理的資源，ポジティブな人間関係 │
│ は？　内面および周囲のリソースは？                              │
└─────────────────────────────────────────────────────────────┘
                              ↓
┌─────────────────────────────────────────────────────────────┐
│          適応的な中核信念（現在の困難を抱くようになる前）           │
│ クライアントの自己，他者，世界について，中心にある適応的な信念は？      │
└─────────────────────────────────────────────────────────────┘
                              ↓
┌─────────────────────────────────────────────────────────────┐
│       適応的な媒介信念──ルール，構え，思い込み                    │
│              （現在の困難を抱くようになる前）                      │
│ クライアントはどのような全般的思い込み，ルール，構え，価値を持っているか？ │
└─────────────────────────────────────────────────────────────┘
                              ↓
┌─────────────────────────────────────────────────────────────┐
│      適応的な行動パターン（現在の困難を抱くようになる前）            │
│ どのような適応的なコーピング戦略や行動を示しているか？               │
└─────────────────────────────────────────────────────────────┘
```

状況 1 問題となった状況は？	状況 2	状況 3
自動思考 どんなことがクライアントの頭に浮かんだか？	**自動思考**	**自動思考**
感情 どのような感情が自動思考と関連していたか？	**感情**	**感情**
行動 助けになったクライアントの行動は？	**行動**	**行動**

図 3.5　強みに基づく認知的概念化ダイアグラム（SB-CCD）：質問集（© 2018 CBT Worksheet Packet. ペンシルベニア州フィラデルフィア，ベック認知行動療法研究所）

1. 慈しみ深い	25. ほがらか	49. 雄々しい
2. 感受性豊か	26. 調和がとれている	50. 親切
3. 勇敢	27. 優美	51. 穏やか
4. 知的	28. 優雅	52. 現実的
5. 気配りする	29. 丁寧	53. 元気がある
6. 寛大	30. 遊び心がある	54. 機知に富む
7. 忠誠心がある	31. めんどう見がよい	55. リラックスしている
8. 正直	32. よい友人	56. 美しい
9. 強い	33. わくわくする	57. ハンサム
10. エネルギーがある	34. 倹約する	58. 経済的に豊か
11. セクシー	35. 計画性がある	59. 物静か
12. 決断力がある	36. 粘り強く打ち込む	60. 生き生きとしている
13. クリエイティブ	37. 深く関わる	61. よいパートナー
14. 想像力豊か	38. 表現力がある	62. よい親
15. 楽しい	39. 活発	63. 上手に主張できる
16. 魅力的	40. 注意深い	64. 保護的
17. 興味深い	41. 遠慮深い	65. 愛嬌がある
18. 支援的	42. 思いきりがよい	66. ものごしがやわらかい
19. 面白い	43. 受容的	67. 力強い
20. 思慮深い	44. 信頼がある	68. 柔軟
21. 愛情深い	45. 責任感がある	69. 話がわかる
22. 整理されている	46. 頼りがいがある	70. 茶目っ気たっぷり
23. リソースが豊か	47. 滋養的	71. 内気
24. 運動ができる	48. 温かい	72. 繊細

図 3.6　長所のリスト。Gottman and Gottman (2014) より許諾を得て改訂。©2014 J. Gottman and J. S. Gottman

```
┌─────────────────────────────────────────────────────────┐
│              関連する生活歴と先行要因                      │
│ 11歳のときに父親が家族のもとを去って以来，父親と会っていない。すべてを背負 │
│ いきれなくなった母親は，エイブに非現実的な期待を抱き，エイブが期待に沿えない │
│ とひどく批判した。                                         │
│ 現在の障害の先行要因：苦労の末で失業し，離婚した。          │
└─────────────────────────────────────────────────────────┘
                            ↓
┌─────────────────────────────────────────────────────────┐
│           中核信念（現在のエピソードの期間中）              │
│           「自分には能力がない／自分はダメだ」              │
└─────────────────────────────────────────────────────────┘
                            ↓
┌─────────────────────────────────────────────────────────┐
│       媒介信念――条件付きの思い込み／構え／ルール            │
│            （現在のエピソードの期間中）                    │
│  「責任を引き受け，有能で，頼られ，周りの人を助けられることが大切だ」│
│       「懸命に取り組んで，生産的であることが大切だ」         │
│                    うつ病になってから：                    │
│ ⑴「困難なことを避けていれば何とかなる。一方，少しでも難しいことをしようとす │
│    ると，失敗する」                                        │
│ ⑵「助けを求めなければ，自分の無能さはバレない。でも，助けを求めると，私にい │
│    かに能力がないかが周りの人にわかってしまう」             │
└─────────────────────────────────────────────────────────┘
                            ↓
┌─────────────────────────────────────────────────────────┐
│        コーピング戦略（現在のエピソードの期間中）           │
│        助けを求めることを回避し，困難なことも回避する       │
└─────────────────────────────────────────────────────────┘
```

　図3.8に，標準版の認知的概念化ダイアグラムに記入する際に役立つ質問を記載した。記入する際，最初に書く情報は暫定的なものとみなす必要がある。初期段階で集めた情報量には限りがあり，クライアントが報告した自動思考が，その人にとって典型的かつ重要なものであるかを，判断しきれないからである。ダイアグラムの情報を「暫定的」と考えておかないと，クライアントの自動思考のテーマが全体的なパターンから外れている場合，ダイア

| | 状況1
請求書について考えている | 状況2
職務経歴書の改訂作業を息子に助けてもらうことを考える | 状況3
上司に批判されたときの記憶が浮かぶ |

| 自動思考
「お金がなくなったらどうしよう」 | 自動思考
「こんなことは自分独りでできるべきだ」 | 自動思考
「もっと懸命に取り組むべきだった」 |

| 自動思考の意味
「自分はダメだ」 | 自動思考の意味
「自分には能力がない」 | 自動思考の意味
「自分はダメだ」 |

| 感情
不安 | 感情
悲しい | 感情
悲しい |

| 行動
ソファの上に座り続け，自分の失敗について反すうする | 行動
息子に助けを求めることを回避する | 行動
自分のダメさ加減について反すうする |

図3.7 エイブの認知的概念化ダイアグラム（標準版）。©2018 CBT Worksheet Packet。ペンシルベニア州フィラデルフィア，ベック認知行動療法研究所

グラムによってかえって誤った方向に進みかねない。

セラピストは，暫定的に行った概念化をセッションのたびにクライアントと共有し話し合い，クライアントの体験を認知モデルのフォームにまとめていく。ときに，特に治療開始時には，セラピストはダイアグラムを手書きで埋めていく。当初は，いちばん上の欄（生活歴に関する情報）と，下部（認知モデルの3要素）にしか記入できない場合もあるだろう。その他の欄は空

```
┌─────────────────────────────────────────────┐
│         関連する生活歴と先行要因              │
│   中核信念の発展と維持に関連する経験は？      │
└─────────────────────────────────────────────┘
                      ↓
┌─────────────────────────────────────────────┐
│      中核信念（現在のエピソードの期間中）     │
│  クライアントの自己，他者，世界について，     │
│  中心にある非機能的な信念は？                 │
└─────────────────────────────────────────────┘
                      ↓
┌─────────────────────────────────────────────┐
│  媒介信念──条件付きの思い込み／構え／ルール  │
│        （現在のエピソードの期間中）           │
│  こうであれば中核信念に対処できる，という     │
│  思い込み，ルール，信念は？                   │
└─────────────────────────────────────────────┘
                      ↓
┌─────────────────────────────────────────────┐
│   コーピング戦略（現在のエピソードの期間中）  │
│   信念に対処するためにしている非機能的な      │
│   行動は？                                    │
└─────────────────────────────────────────────┘
```

状況1 その状況での問題は何か？	状況2 その状況での問題は何か？	状況3 その状況での問題は何か？
自動思考 そのとき頭をよぎった考えは？	自動思考	自動思考
自動思考の意味 その自動思考はどのような意味を持つか？	自動思考の意味	自動思考の意味
感情 その自動思考に関連する感情は？	感情	感情
行動 そのときどのように行動したか？	行動	行動

図 3.8 認知的概念化ダイアグラム（標準版）：質問集（©2018 CBT Worksheet Packet. ペンシルベニア州フィラデルフィア，ベック認知行動療法研究所）

第 3 章　認知的概念化　75

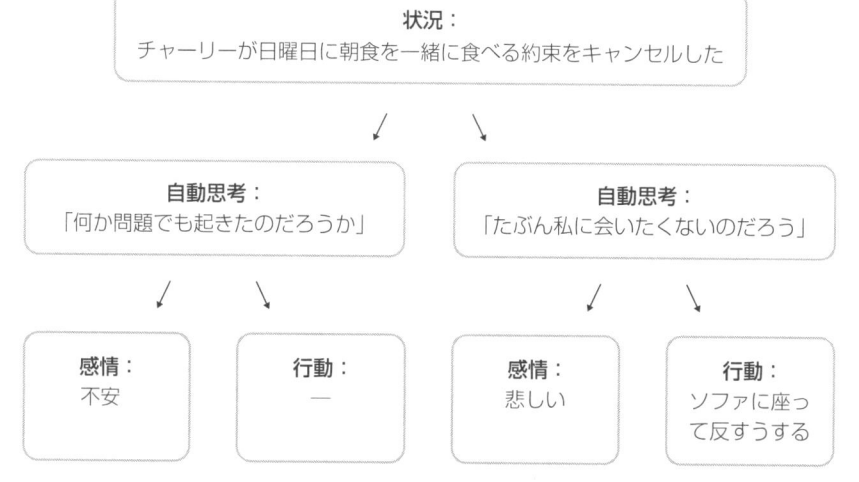

```
                    状況：
         チャーリーが日曜日に朝食を一緒に食べる約束をキャンセルした
                    ↙        ↘
   自動思考：                          自動思考：
 「何か問題でも起きたのだろうか」           「たぶん私に会いたくないのだろう」
    ↙     ↘                         ↙      ↘
 感情：    行動：                    感情：      行動：
 不安      ―                        悲しい     ソファに座っ
                                              て反すうする
```

図 3.9　感情が複数ある場合の認知的概念化ダイアグラムの書き方

白のままにしておくか，セラピストの推測した情報を記入しておく。後者の場合は，それが暫定情報であることがわかるように疑問符をつけておくとよい。空白ないしは推測を記入した欄は，後のセッションで確認する。

　認知的概念化ダイアグラムの下部に記載する際は，クライアントが現在抱えている問題と関連する現在の状況のなかから，典型的なものを，そしてクライアントが苦痛を感じたり有用でない行動を取ったりすることにつながるものを，3つ取り上げることから始める。クライアントの自動思考に複数のテーマが含まれているのであれば，そのようなテーマを反映している状況を必ず選ぶ。次に，鍵となる自動思考を記入し，それに続く感情と行動（もしあれば）と身体反応（不安の強いクライアントにとって時に重要）を記入する。クライアントが特定の状況において2つ以上の感情を体験する場合，それらの感情に対応する鍵となる自動思考をそれぞれ別の欄に記入し，それに続く反応も別々に記入する（図3.9）。

　治療の初期段階においては，ネガティブな思考の**意味**は尋ねないほうがよい。より深いレベルの認知を引き出すこと自体が，クライアントに苦痛をも

たらす可能性があるからである。セラピストがそのような意味について仮説を立てるのは構わない。その場合，その仮説の横に疑問符をつけておき，それが正しいかどうかをいずれクライアントに確認する必要があることを忘れないようにしておく。図3.8で「自動思考の意味」の欄が「自動思考」の欄の下にあるのは，セラピストが先に自動思考を同定する必要があるからである。実際のところは，ある状況で中核信念のトリガーが引かれて活性化され（正確には，中核信念を含むスキーマが活性化される），そこから自動思考が惹起される，という流れである（第17章を参照）。

通常は，治療がもう少し進んだ適切な時点で，セラピストは「下向き矢印法」（p.411）を使って，思考の意味をクライアントに直接尋ねるようにする。それぞれの状況で生じる自動思考の意味は，クライアントの中核信念のどれかと論理的につながっているはずである。ただし，広範囲にわたって過度に一般化されている認知（特定のいくつかの状況だけに当てはまるのではない認知）の場合は，自動思考の意味をあえて尋ねる必要はない。エイブの場合も，「自分はダメだ」という自動思考は，そのまま中核信念でもあった。というのも，たった一つの状況（例：郵便物の山が机の上にあるのを見たとき）のみにおいて，そのような思考が生じるわけではないからである。エイブのそのような思考は，彼が人間として完全にダメであるということを意味していた。

このダイアグラムの上部の欄を埋めるために，セラピスト自身で，あるいはクライアントに対して，以下のような問いかけをしてみるとよいだろう。

- その中核信念はどのように形成され，維持されてきたのだろうか？
- 生活歴におけるどのような出来事（幼少期や思春期にそれが起きていることが多い）が，その中核信念の形成と維持に関連しているだろうか？

幼少期の出来事に関する情報として典型的なのは，両親やその他の家族との継続的または断続的な軋轢，両親の離婚，両親やきょうだいや教師や同級生などとのネガティブな相互作用といったことである。他にも，他者からの

非難や侮辱，重い病気や障害，重要他者の死，いじめ，身体的または性的な虐待，精神的なトラウマなどがある。さらに，頻繁な引っ越し，貧困のなかで育つ，長期にわたって差別を受けるといった逆境体験も含まれる。

これらの情報には，より微細なものも含まれる。たとえば（それがどの程度事実かどうかにかかわらず），重要な事柄に関してきょうだいより劣っていた，出来が悪く同級生についていけなかった，親や教師たちからの期待に応えられなかった，親が自分よりもきょうだいの方を好いていた，などといったことである。

次にセラピストは，「このクライアントにとってもっとも重要な媒介信念（ルール，構え，条件付きの思い込み）は何だろうか？」と自問する。有用でないルールには，「私は……べきだ」「私は……べきでない」で始まるものが多い。または「……するのはよくない」といったものもある。これらのルールや構えは，クライアントの価値につながっているものが多く，なかには中核信念が活性化されることからクライアントを守っているものもある。クライアントの広範にわたる思い込みは，クライアント自身のルールと構えをおおむね反映している。思い込みはまた，クライアントの不適応的なコーピング戦略と中核信念とを結びつけていることが多い。そういった思い込みの多くは，次のようなフレーズになっている。

> 「もし［このコーピング戦略を取ることにしたら］，［中核信念が実現せずに済むかもしれない。ひとまずこの場を無難にやり過ごせるだろう］。しかし，もし［このコーピング戦略を取らなければ］，そのときは［中核信念が実現してしまうだろう］」

図3.10に，読者Eの媒介信念，コーピング戦略，媒介信念とつながっている非機能的な行動のパターンを示す。ほとんどのコーピング戦略が，誰もがときに取りうるごくふつうの行動パターンであることにご注意いただきたい。クライアントが困難を抱えるのは，特定の状況で，適応的な方略を使う代わりに，不適応的なコーピング戦略を頑なに**使い過ぎる**からである。

```
┌─────────────────────────────────────┐
│              中核信念                │
│         「私には能力がない」          │
└─────────────────────────────────────┘
                  ↓
┌─────────────────────────────────────┐
│              媒介信念：               │
│      条件付きの思い込み／構え／ルール  │
│      「失敗するのは恐ろしいことだ」    │
│ 「課題があまりにも難しいなら，あきらめてしまうほうがよい」│
│ 「目標を低く設定しておけば大丈夫だ。でも，高い目標を設定すると失敗する」│
│ 「他の人に頼れば大丈夫だ。でも，自分でやろうとすると失敗する」│
│ 「難しい課題を避けていれば大丈夫だ。でも，そうしないと失敗する」│
└─────────────────────────────────────┘
                  ↓
┌─────────────────────────────────────┐
│            コーピング戦略             │
│ 基準を低く設定する，他者を頼る，大変な取り組みを回避する │
└─────────────────────────────────────┘
                  ↓
┌─────────────────────────────────────┐
│               状況                   │
│      認知行動療法の教科書を読んでいる  │
└─────────────────────────────────────┘
                  ↓
┌─────────────────────────────────────┐
│              自動思考                │
│ 「これは難しすぎる。私はなんて頭が悪いのだろう。絶対に身につけられない。│
│  私は決して認知行動療法のセラピストになれない」│
└─────────────────────────────────────┘
                  ↓
┌─────────────────────────────────────┐
│            自動思考の意味             │
│         「自分には能力がない」        │
└─────────────────────────────────────┘
                  ↓
┌─────────────────────────────────────┐
│               感情                   │
│              悲しい                  │
└─────────────────────────────────────┘
                  ↓
┌─────────────────────────────────────┐
│               行動                   │
│           テレビをつける             │
└─────────────────────────────────────┘
```

図 3.10 読者 E の認知的概念化

```
          中核信念
            ↓
  媒介信念(ルール,構え,思い込み)
            ↓
           状況
            ↓
          自動思考
            ↓
     反応(感情,行動,身体)
```

図3.11　簡略化された認知的概念化ダイアグラム

　セラピストは，治療経過のなかで，クライアントの広い視野での自己理解を手助けしようとする際に，ダイアグラムの上の部分と下の部分とを合わせてクライアントと共有する。セラピストは概念化についてクライアントに説明しながら，簡単なダイアグラム（図3.11）を描いて，それに対するフィードバックをクライアントから引き出す。場合によっては，白紙にダイアグラムを一緒に記入してもよい（その場合，既製のダイアグラムはクライアントに提供しない。クライアントの学習体験にとって望ましくないからである）。一方，認知的概念化ダイアグラムをわかりにくいと感じるクライアントも多い（あるいは，セラピストが自分をダイアグラムの型にはめようとしていると感じ，快く思わないクライアントもいる）。ダイアグラムに記入するために必要なデータを得るには，クライアントに質問するとよい。仮説を提示するときは，それが「暫定的なもの」であると必ず伝え，クライアント自身が「その通り！」であると感じられるかどうかを尋ねる。一般に，仮説が的を射ていると，クライアント自身がそれによく共鳴するものである。

　まとめると，認知的概念化ダイアグラムは，クライアントから得られたデータ，すなわちクライアントが実際に発した言葉に基づいて作成される。

セラピストが示す仮説は，クライアントがそれを確証するまでは，あくまでも「暫定版」であることに留意しなければならない。セラピストは，データが新たに追加されるたびに，ダイアグラムを改訂し，精緻化していく。概念化はクライアントとの治療が終結するまで改訂され続ける。セラピストは，初回セッションから，クライアントの体験を言語的に（そして紙に書く形で）概念化し，ダイアグラムをクライアントに提示して，クライアントの現在の反応や状況が意味のあるものとしてとらえられるよう手助けする。クライアントの理解を促すために，以下のような，より包括的な視点を示すこともある。

- 幼少期の体験が，現在の信念の形成にどのような影響を及ぼしたのか？
- 特定の思い込みや生活上のルールは，どのように形成されたのか？
- これらの思い込みが，どのように特定のコーピング戦略や行動パターンを形成したのか？

クライアントによっては，治療の初期段階で，知的にも情緒的にもより包括的な視点から自らをとらえることができる人がいる。しかしそうでないクライアントに対しては，概念化の提示を急ぐべきでない（とりわけ，治療関係がまだ強固ではない段階，あるいは認知モデルをまだしっかりと理解していないか，納得できていないクライアントの場合）。すでに述べたが，概念化をクライアントに示すときは常に，それに納得できるのか，できないのか，修正が必要なのか，といったことをクライアントに尋ねる必要がある。

最後に，オンラインコース（beckinstitute.org/CBTresources）を利用すると，概念化の複雑なプロセスを習得しやすくなる。また，映画や小説の登場人物を使って，概念化の練習をするのも有用である。

18. まとめ

　効果的かつ効率的に治療のあり方を見極めるうえで，認知的視点に基づいてクライアントを概念化することは不可欠である。概念化はまた，良好な治療関係を確立するうえで不可欠な共感力も養ってくれる。概念化は，セラピストがクライアントと初めて接したときから開始され，その後もずっと継続されるべきプロセスである。そして，新たな情報が加わり，これまでの概念化が確証されたり却下されたりするたびに，常に修正されていく。セラピストは実際に収集したデータに基づいて概念化を行うべきであり，概念化は極力，クライアントが納得できるようシンプルなものにする必要がある。データに基づかない推論や解釈は避ける必要がある。セラピストはクライアントに対し，概念化について絶えず確認を求める。それにはいくつかの理由がある。一つは，セラピストの概念化が合っているかどうかを確認するためであり，もう一つは，セラピストが正確に理解していることをクライアントに示すためである。さらに別の理由は，クライアントの自己理解と，クライアントが自らの体験や体験に付与した意味を理解することを手助けするためである。概念化が継続するべきプロセスであること，そして概念化をクライアントに提示する技法については，本書を通じて強調していく。

振り返りのための問い

・人はどのようにしてうつ病になるのでしょうか？
・概念化はなぜ重要なのでしょうか？

実践エクササイズ

　標準型の認知的概念化ダイアグラムをコピーし，クライアントのマリアについて記入を始めてみましょう。マリアの情報は p.2，40，47 に記載されて

います。マリアについて新たな情報を得るたびに，ダイアグラムに書き加えます。推測に過ぎない内容については必ず疑問符を付けておきましょう。

第4章　治療関係

　多くのクライアントにとって，治療を受けることは勇気がいる行為である。「セラピーはどんなことをするのだろう？」「本当に効果があるのだろうか？」「かえって具合が悪くならないだろうか？」「何をしないといけないのだろう？」「セラピストに無理なことを言われるのでは？」「セラピストの期待に応えられなかったり，批判されたりしたらどうしよう？」などの自動思考が湧く人も多い。

　セラピストは，治療中一貫して，親切で温かく，現実的かつ楽観主義的な姿勢でクライアントに接するが，治療の最初はとりわけ配慮する。

　アーロン・ベックらは，1979年にはすでに，最初の治療マニュアルである Cognitive Therapy of Depression〔邦訳書：『うつ病の認知療法』（岩崎学術出版社，2007）〕で，一章を割いて治療関係を解説している。ベックらは，ロジャーズのカウンセリングスキルである温かさ，正確性，共感，誠実さに加えて，基本的な信頼とラポールの大切さを強調している。その他，治療関係をクライアント個人に合わせて仕立てる，クライアントと目標設定や課題設定について合意をはかる，対人的な絆を共有する，セラピストに対するクライアントのネガティブな反応に注意を払う，といったことも記述している。

　本章では以下の問いについてみていく。

- 毎セッションで必ず念頭に置くべき4つの大切な指針とは？
- よいカウンセリングスキルをどのように実践するか？

- クライアントの感情をどのようにモニタリングし，クライアントからフィードバックを引き出すか？
- どのようにしてクライアントと協働していくか？
- 治療関係を各クライアントに合わせて仕立てるにはどうするか？
- セラピストの自己開示をどのように活用するか？
- セラピストとクライアントの関係性のほころびをどう修復するか？
- クライアントが，セラピストとの関係性を，他の人との人間関係にも一般化できるよう支援するにはどうするとよいか？
- セラピスト自身のネガティブな反応をどう管理するか？

1．4つの大切な指針

　筆者は，精神科レジデントの教育では，まず初めに，クライアントとの良好な治療関係の築き方について話し合うことにしている。以下の4つの指針（考え方）を伝えたうえで，レジデント各自の言葉でカードに書き出してもらう（紙でも電子的にでもよい）。以下が典型例である。

どのセッションでも，自分がクライアントだったらこう接してほしいと思う方法でクライアントに接する。
一人の人間として親切に振る舞い，クライアントに安心・安全と感じてもらえるようにする。
クライアントがセラピストにとって難題なのは当然である。だからこそ，クライアントは治療を必要としているのだ。
クライアントに対しても，自分自身に対しても，妥当な期待を持つこと。

レジデントには，毎回の治療セッションの前にカードを必ず読んでもらう。クライアントと初めて接するときから信頼とラポールを構築し始めることが極めて重要だからである。ポジティブな治療同盟がポジティブな治療アウトカムと相関することが研究でも示されている（Norcross & Lambert, 2018; Norcross & Wampold, 2011; Raue & Goldfried, 1994 など）。セラピストが最初に目指す目標は，クライアントに，安全で，尊重され，理解され，気遣われている，と感じてもらうことである。クライアントと良好な人間関係を築くために十分な時間をかける。ただし，クライアントの目標達成，苦痛軽減，日常生活機能や気分の改善のための時間も，同時に十分に確保する必要がある。セッションとセッションの間に改善の手応えをクライアントが感じられると，セラピストとクライアントとの治療同盟が強くなることが，研究によって示されている（DeRubeis & Feeley, 1990; Zilcha-Mano et al., 2019）。

クライアントが強い非機能的なパーソナリティ特性を有していたり，重篤な精神疾患を有していたりする場合は，良好な治療関係の構築に通常以上に配慮する必要がある。そういったクライアントは，自分自身や他者に対して極端にネガティブな信念を抱いており，その信念を治療の場にも持ち込みがちである。そういったクライアントは，（治療外の場面でクライアントをそう扱う人たちと同じように）目の前のセラピストも自分をネガティブに見ていると考えがちである。そうではないことを強力に示さなければ，そういったクライアントの認識は払拭されにくい（J. S. Beck, 2005; Beck et al., 2015; Young, 1999）。こういった問題を避けるうえで，適切なケースの概念化が役立つ。

たとえば，エイブは，失業しているので周囲の人たちから見下されると信じており，セラピストからも同様に見られているだろうと心配していた。セラピストは，インテークセッションの際に，失業中だと語る瞬間にエイブの表情が少し変化したことに気がついた。そこで，セラピストはすかさずエイブの気持ちを尋ねた。エイブは「少し不安です」と答えた。セラピストが，エイブの頭の中にどのような考えが浮かんでいるかを尋ねると，エイブは「セラピストに否定的に見られているのではないかと心配しています」と話

した。セラピストは，エイブが気持ちを打ち明けてくれたことを褒め，就職活動がうまくいかなかったのはうつ病のせいであることを理解していると伝えた。それを聞いたエイブはほっとした。セラピストは，セラピストに批判されているという考えが治療中に湧いたときには，今後も遠慮なく教えてほしいとエイブに伝えた。また，こうしたことが先々の治療の中でも起きるかもしれないことに注意する必要があると考えた。

2. よいカウンセリングスキルを実践する

Norcross and Lambert (2018) は，研究のレビューにより，治療関係について以下のように結論している。

- 協働，目標についての合意，共感，ポジティブな関心，肯定，クライアントからフィードバックを引き出しフィードバックを返すこと，がよい治療関係の構築に有効である。
- 自己一致／誠実，感情の表出，ポジティブな期待の育成，治療の信頼度の向上，逆転移の管理，治療関係のほころびの修復，は有効と考えられる。
- セラピストの自己開示と反応の迅速性は有効性が期待できるが，それを裏付ける研究は不十分である。
- セラピストのユーモア，自己に疑問をもつこと（謙虚さ），意図的な実践については，有効性に関して結論を出すための研究が不足している。

認知行動療法では，ロジャーズのカウンセリングスキルである，共感，誠実，ポジティブな関心，が特に重要である（Elliott et al., 2011）。セラピストは，共感的な発言，選ぶ言葉，声の調子，表情，ボディーランゲージを通して，クライアントへの熱意とクライアントへの理解を，治療を通じて絶えず示し続けなくてはならない。次のようなメッセージを潜在的（ときには顕在的）にクライアントに伝える。

- 私は，あなたのことを気にかけ，大切に思っています。
- 私は，あなたの体験を理解し，あなたを助けたいと思っています。
- 私たちがうまく協力できること，そして，認知行動療法が役立つことを信じています。
- あなたにとってどうしようもないと思える問題に対しても，私は対応ができます。
- あなたと同じような問題を抱えた多くのクライアントを，これまで私は手助けしてきました。

もしセラピストが，これらのメッセージに素直に同意できないのであれば，スーパーバイザーの手助けを借りて，セラピスト自身の自動思考（クライアント，認知行動療法，自分自身に対する）を同定し，それに対応する必要がある。セラピストとしての能力を高めるためにさらなるトレーニングやスーパービジョンを受ける必要があるかもしれない。

重要な基本的なカウンセリングスキルを以下に示す。

- 共感
「奥さんに怒られるのはつらいですよね」

- クライアントに対する受容
「それほど動揺していたのであれば，[非機能的なコーピング戦略に従事]してしまったのも無理もないですね」

- 承認
「やっかいな話を切り出すのは本当に大変だったと思います」

- 正確な理解
「おっしゃったことを私は正しく理解できているでしょうか？　つまり，奥さんが_____とおっしゃったのですね；それに対して，あなたは_____と感じ，_____したのですね」

- 希望を与える
「大丈夫ですよ。なぜなら_____」

- 心からの温かさ
  「今週はたくさん外出できて本当によかったです！」
- クライアントに対する関心
  「お孫さんについて，もっと教えていただけませんか？」
- 賞賛
  「ご近所の人をそのように助けるとは，本当に親切ですね！ そこまでしてあげる人はなかなかいらっしゃらないと思います」
- 気遣い
  「あなたに合った治療を提供することは，私にとってとても大切なことです」
- 励まし
  「お友だちと過ごしたときに気持ちが軽くなったのは，うつ病がよくなるよいサインですよ」
- 正の強化
  「ついに確定申告を終えたのですね。すばらしい！」
- クライアントに対するポジティブな見方の提供
  「修理に時間がかかったのは，あなたの能力が足りないせいではなくて，故障の原因が複雑だったせいではないでしょうか。そんな複雑な修理ができるなんてすごいですね！」
- 思いやり
  「離婚した奥さんとの対話はだいぶおつらかったようですね。お気の毒です」
- ユーモア
  「私の大失態，お見せしたかったですよ」

こうしたカウンセリングスキルを，いつ，どの程度使うかは，セラピストの重要な判断である。適切な時期と程度に用いることができれば，こういったスキルは次のようなことに役立つ。

- セラピストが，あたたかく，親しみやすく，クライアントに興味を持って関わることで，セラピストに対するクライアントの好感が高まる。

- セラピストとクライアントがチームを組み，互いに協力しながら，問題を解決し，目標を達成していくことを説明することで，クライアントの孤独感が軽減される。
- 治療がうまくいく現実的な見通しをセラピストが示すことで，クライアントは前向きになれる。
- クライアント自身が問題を解決し，計画を遂行し，活動に取り組めたことを，セラピストがクライアントに示すことができると，クライアントの自己効力感が高まる。

3. クライアントの感情をモニタリングし，フィードバックを引き出す

　セラピストはセッション中，クライアントの感情的反応に注意を向け続ける必要がある。クライアントの表情，ボディーランゲージ，言葉の選び方，声のトーンなどを観察する。クライアントが何がつらい気持ちになっていると感じたら，その瞬間にそれを話題にする（例：「おつらそうですね？」「今，どのようなお気持ちでいらっしゃいますか？」「今，どんなことが頭をよぎりましたか？」など）。
　クライアントが，自分自身，治療，セラピストに関する否定的な思考を報告してくることもある。そうしたときは，必ずはじめに，クライアントのその発言自体に正の強化を与える（「話してくださってよかったです」）。
　そのうえで，問題を整理して解決策を検討する（詳細は本章で後述）。否定的な発言を恐れてクライアントからフィードバックを引き出すことに及び腰になってはいけない。問題を解決するためには，まずどのような問題があるかを知らなければ解消しようがない。セラピストが言葉につまったときには，とりあえず次のように回答しておき（「お話しくださってよかったです。私ももう少し考えてみたいと思います。次のセッションでお話しさせていただけますか？」），次のセッションまでに，スーパーバイザーや同僚にアドバイスをもらうようにする。クライアントへの対応をロールプレイで練習

しておくのもよい。

クライアントからの否定的なフィードバックは，真摯に扱う必要がある。そうしないと，クライアントは次のセッションに前向きになれず，場合によっては治療からの脱落につながる。

クライアントとの治療同盟がしっかりしていそうな場合も，セッションの最後ではフィードバックを求める必要がある。初めの数回のセッションでは，「今日のセッションの感想はいかがですか？」「戸惑ったことはありませんか？」「私が誤解していたことはありませんか？」「次回は違う進め方がいいと思うことはありますか？」など。

何回かセッションを重ね，クライアントが率直にフィードバックしてくれるようになったら，シンプルに「今日のセッションはいかがでしたか？」と聞くだけでよくなる。

こういった質問を通じて治療同盟をさらに強くすることができる。認知行動療法以外の治療において，メンタルヘルスの専門家からこのようにフィードバックを求められることは稀である。このような質問を受けることで，クライアントは，セラピストがクライアントの気持ちに心から関心を持っていて，大切にされていると感じるだろう。

とはいえ，クライアントがネガティブな反応をするたびに**毎回**フィードバックを引き出さなければならないわけではない。たとえば，子どもの治療では，はじめの何回かは静観してよいだろう。筆者も頻繁にため息をつくクライアントを治療した経験がある。治療の当初は，ため息の背景にある自動思考に対応する支援を行ったが，ため息がクライアントの癖に近いものであるとわかってからは，ため息自体にはあまり反応せず，話し合っているテーマに集中するようにした。

4．クライアントと協働する

「協働」は認知行動療法の大きな特徴の一つである（第6章では，初回セッションでの協働的プロセスの始め方を詳述する。また，ベック研究所のホー

ムページには協働に関するビデオがたくさん掲示されている）。セラピストは，治療を通じて，様々な方法でクライアントとの協働を育んでいく。たとえば，セラピストとクライアントは協働的に次のような事柄を決める。

- 当該セッションでどの目標に取り組むか
- 各目標や障壁にどのくらい時間をかけるか
- 多くの自動思考，感情，行動，身体反応のどれをターゲットにするか
- どの介入を試すか
- どのようなセルフヘルプを試してもらうか
- 面接の頻度をどうするか
- いつからセッションを減らし始め，いつ終結するか

セラピストは，初回セッションで，セラピストとクライアントがチームとして治療を進めることをクライアントに説明する。認知行動療法は透明性が特徴である。セラピストの目標，治療のプロセス，セッションの構造，セラピストが行った概念化と治療計画などをクライアントと共有し，フィードバックをもらう。本書では，そういった「協働的実証主義」の例がたくさん読み取れるだろう。協働的実証主義とは，セラピストとクライアントが科学者のように，認知を裏づける（あるいは否定する）証拠を探し，必要に応じて別の解釈を探索する。

5．治療関係を個人に合わせる

前述のカウンセリングスキルはすべてのクライアントに対して必須であるが，一人ひとりのクライアントに合わせて調節するのがセラピストの力量である。使い過ぎや，使い足りなさに注意する。たとえば，セラピストの温かさや共感をネガティブにとらえて，疑念を抱いたり，庇護者ぶられていると感じたり，かえって落ち着かないと感じたりするクライアントもいる。一方で，温かさや共感が足りないと，セラピストにぞんざいに扱われている，好

かれていない，と感じるクライアントもいる。クライアントの感情反応をセッション中によく観察し，そういった問題に気づくよう努める。セラピストは，セッション中にそういった問題に気づいたら，クライアントにとって心地よい接し方となるよう調整する。

クライアントの文化やその他の特徴（年齢，民族，社会経済的状況，障害，ジェンダー，性的指向など）も治療関係に影響を及ぼす（Iwamasa & Hays, 2019）。クライアントによって，セラピスト，セラピストの役割，クライアント自身の治療における役割をどう眺めるかは異なる。セラピストが専門家としてセッションを引っぱってくれることを心地よく感じるクライアントもいれば，そんなセラピストを偉そうで窮屈に感じるクライアントもいる。あるクライアントにはしっくりくるセラピストから提案された考え方や振る舞いが，別のクライアントには，その人の文化や風習に合わずに気に障るかもしれない。

セラピストも**自分**のバックグラウンドと文化の影響を受けていることを認識しておくことが大切である。**セラピスト自身の**信念，価値感，クライアントと向き合うときの姿勢，話し方，行動などにそうした影響が表れる。セラピストが自分自身の文化的バイアスを理解していると，クライアントの文化に対しても配慮した対応をしやすくなる。自己紹介のあり方，クライアントと接する姿勢，アイコンタクト，選ぶ言葉，敬意の表し方，自己開示の程度なども配慮すべき点の一部である。クライアントの所属する文化を総体としてとらえるのではなく，クライアント一人ひとりについて個別の概念化と治療計画を立てる必要がある。

6. 自己開示の活用

自己開示（セラピストが自分自身について患者に話すこと）をしないよう教わってきたセラピストもいるかもしれない。自己開示を禁止する考えは，「セラピストは"空白のスクリーン"であるべき」という精神分析の考えからきていると考えられる。認知行動療法のセラピストは空白のスクリーンに

はならない。認知行動療法では，クライアントに，セラピストを，クライアントを助けたいと願い，実際に助ける力を持っている温かく生身の人間であると認識してもらう必要がある。配慮の下で行う自己開示は，クライアントのこの認識を強めることに役立つ。もちろん，やみくもに自己開示をすればよいということではなく，明確な目的に沿って行う必要がある。たとえば，治療関係を強めるため，クライアントと同じような困難を他の人（セラピスト）も感じることがあることを伝えて元気づけるため，認知行動療法の技法が役立つことを示すため，スキルを用いるモデルを示すため，役割モデル（ロールモデル）になるため，などがある。

　筆者自身の経験でも，一人の人間としてのセラピストに興味を持ってくれるクライアントは多い。昨今は，ソーシャルメディアを通してセラピストの情報を得ることは容易である。セラピストは，自分がソーシャルメディアに投稿する内容だけでなく，友人や家族の投稿にも注意が必要である。筆者自身は，年齢，婚姻歴，子どもや孫の人数，出身校，研修歴，治療実践歴などは抵抗なく答えられるが，それ以上について聞かれた際は，やんわりと会話をクライアントのことへ戻すようにしている。たとえば，

「私の話を続けることもできますが，あなたにとって大切な事柄，この1週間をもっとよくできるか，について話す時間が少なくなってしまいます。＿＿＿＿＿＿＿に話題を戻しても構いませんか？」

などと伝える。

　セラピストの自己開示の程度は，セラピストそれぞれで決めて構わないし，むしろ，開示しないほうが適切な場合もある。たとえば，交際関係や飲酒量などの質問に答えるのは適切ではないことが多い。そういった質問には次のように言うとよい。

「ご質問にお答えできなくてすみません。今は，あなたの問題をどう解決するかに集中させていただきたいと思います」

　筆者は，ほとんどのクライアントに対して，ほとんどのセッションで若干の自己開示をしている。たとえば，完璧主義のクライアントに，「私のデスクには"ほどほどに"と書いた付箋紙を貼っている」とよく話している。責

任を引き受け過ぎでノーと言えないクライアントには,「ノーと言おう！」と書いてある付箋紙について話している。筆者の場合,こうした軽い自己開示は,クライアントにその週にあった出来事や,気分がよくなった体験を話してもらっているときに行うことが多い。エイブの治療でも,エイブが息子や孫と一緒に野球の試合を観戦したことを話しているときに,セラピストは次のように尋ねた。

セラピスト：どのチームを応援しているのですか？　フィラデルフィア・フィリーズ？
エイブ　　：はい。
セラピスト：私はその試合を見ませんでしたが,どちらが勝ったのですか？
エイブ　　：残念ながら,アトランタ・ブレーブスです。
セラピスト：それは残念。今シーズンのフィリーズは**どんな**調子ですか？

　また,エイブが孫娘を遊園地に連れていった話をしたとき,「うちの孫はまだ遊園地に連れていけるほどの年齢ではありませんが,子どもが10代のときはその遊園地に連れていきましたよ。あれから何年も経っていますから,ずいぶん変わったかもしれませんね」
　と話した。
　クライアントと似たような問題をセラピスト自身も体験したことがあるなら,そのときも自己開示のよい機会である。エイブが,捨てるものと捨てないものを決められないためにクローゼットをなかなか片付けられない,と語ったとき,

セラピスト：私もそれで悩むことがあります。そのときに私がどうするかを,お伝えしましょうか？
エイブ　　：はい。
セラピスト：ものの山を,2つではなく,3つ作るのです。一つは絶対に捨てたくないもの。もう一つは惜しげなく捨てられるもの。3つ

目は迷うものです。迷うものは箱に入れて数か月そのままにします。それから，もう一度，箱の中のものを一つひとつ見ていきます。その数か月で使わなかったものは，たぶん捨てても大丈夫だということです。(間を置く) その方法で，うまくいきそうでしょうか？

　自己開示を使うときも，他の技法を用いるときと同様に，クライアントの言語的・非言語的な反応に注意を払う。たとえば，筆者は，自己愛性パーソナリティ障害のクライアントの多くが，筆者の何について聞いてもたいして喜ばないことを学んだ。
　最後に，セラピストの自己開示には慎重さが必要であり，タイミングがすべてということを強調しておく。たとえば，初回セッションで，クライアントがセラピストの誠実さをまだ信頼していない時期に，
「〇〇さんが，子どものころにお父さんにされたことをお聞きすると，私も悲しい気持ちになります」
　などと言うのは不適切である。その時期には，
「それはなんとおつらかったですね」
　などの発言に留めておくほうが無難である。しかし，信頼関係を確立した**後であれば**，心からの悲しみを伝えることで，絆を強められるだろう。
　セッション内でのクライアントの非効果的な行動に対しても，セラピストが自己開示をうまく使うと役に立つことがある。たとえば，セッション中にセラピストに対して声を荒げたクライアントに対して，クライアントが少し落ちついた後に，「感情が高ぶることはあるかもしれませんが，そのときに大声を出されてしまうと，私もどうしたらよいかわからなくなってしまいます」。セラピストの言葉をクライアントがうまく受け止めることができたら，(その場か，または後からでもよいが) セッション以外でもそのように大きな声を出すことがあるかを尋ね，それに対してクライアント自身はどう考えているか，クライアントが望む結果が手に入っていないのではないか，などと尋ねてもよいだろう。

7. ほころびを修復する

　治療関係の構築が難しいクライアントとそうでないクライアントがいるのはなぜだろうか？　クライアントは，セッションの中に，自分，他者，人間関係全般についての信念のみならず，その人に特徴的な行動的コーピング戦略を持ち込んでくる。多くのクライアントは「人間は基本的に信頼でき，助けてくれるものだ」「人間関係の問題は，普通は解消できる」という信念を持っている。そうしたクライアントは，セラピストが自分を理解し，共感し，受容してくれると認識し，自身の困難，欠点，弱み，心配，好み，意見などを抵抗なく打ち明けてくれる。そうしたクライアントとは協働的なチームをつくりやすい。

　しかし，「他者は私に危害を加える」「人間関係の問題は解決できない」という信念を持っているクライアントもいる。こうしたクライアントは傷つきやすく警戒的で，セラピストを，批判的，気遣ってくれない，操作的，自分を支配しようとする人，などという認識を持っている。クライアントは，自分の短所や好ましくない行動をセラピストに打ち明けようとせず，特定の話題を回避したり，セッションをコントロールして主導権を取ろうとしたりするかもしれない。

　クライアントがネガティブなフィードバックをしてくるとき（「自分のことを理解してもらえていないように思います」「他の人と一緒くたにされています」など）は，こういった問題の存在は明らかである。ところが，問題を**間接的**にほのめかし，ときには自分に責任があるかのような表現で伝えてくるクライアントも多い。たとえば，「私がうまく伝えられていないのかもしれません」と言いながら，実際には「あなたは私を理解してくれていない」と伝えているなどである。そのような場合には，セラピストはさらに質問をして，本当の問題がどこにあるかを探り，それが治療同盟にネガティブな影響を及ぼしていないかを探る。

　治療関係の問題の予防や修復にはケースの概念化を用いる。たとえば，ク

ライアントからネガティブなフィードバックを受けたり（例「この方法は役に立たないです」），クライアントの感情が変化した際に重要な自動思考を同定したり（例「先生は気遣ってくれていない」）したときは，はじめに正の強化を行い（例「話してくださってよかったです」），次に問題を概念化して戦略を立てる。

セラピストはまず「クライアントの言っていることは正しいだろうか？」と自問してみることが大切である。クライアントの発言が正しいと感じたら丁寧に謝罪し（過ちを正す際のよいロールモデルにセラピストがなれるように），そのうえで，解決策を話し合う。セラピストが犯しやすい典型的な間違いには次のようなものがある：わかりにくいワークシートの使用，当該のクライアントに合わない提案，難しすぎる活動計画，クライアントの言葉への誤解，過度に指示的な姿勢（押しつけ），（逆に）指示的な姿勢の不足，クライアントの話を途中でさえぎること，などである（p.277〜279参照）。

あるセッションで，セラピストはエイブの表情が曇ったことに気がついた。

セラピスト：なんだかつらそうですね。活動計画についてお聞きしたとき，どのような考えが頭に浮かびましたか？
エイブ　　：娘のことを元妻と話せると思えません。批判されるだけです。
セラピスト：率直におっしゃってくださってよかったです。適切な提案ではなかったようですね。では，娘さんを助けるための別な方法を考えてみましょうか？

エイブと一緒に別の解決策を考えてから，セラピストはさらに質問をし，他にも誤解があったらセラピストに伝えてもらうよう努めた。

セラピスト：ほかにも，私が理解していないと思うことはないでしょうか？
エイブ：（考えてから）いいえ，ないと思います。

セラピスト：私がまた間違ったら，すぐに教えていただけますか？

　セラピストの側が間違いを犯していない場合は，問題は，クライアント側の不正確な認知に関連している可能性が高い。クライアントがネガティブなフィードバックをくれたことに正の強化を与えた後で，次のように対応できる。

- 共感を伝える
- 認知モデルを念頭に置きながらさらに情報を求める（クライアントに追加で質問する）
- クライアントの同意を得てから，クライアントの考えが妥当かどうかを検証する

　マリアとの治療例をみてみよう。

セラピスト：あなたが私にくださる電話について，少しお話しさせていただけますか？
マリア　　：（防衛的な感じで）構いませんけど。
セラピスト：今週お電話くださったうちの少なくとも1回は，危機というほどの状況ではなかったように思うのです。
マリア　　：先生はわかっていません！　私はすごく動揺していたのです！
セラピスト：お話しくださってよかったです。こうして，電話について話し合うこと自体について，あなたはどのように感じていらっしゃいますか？
マリア　　：先生は私のことをどうでもいいと思っているのだな，と思いました。そうでなければ，何回か電話したくらいで，先生の気に障るはずがありませんから。
セラピスト：私があなたのことをどうでもいいと思っているという考えは気にかかります。その考えの確信度はどのくらいですか？

マリア　　　：100パーセントです。
セラピスト：そのように考えてどのような気持ちになっていますか？
マリア　　　：不愉快です。すごく嫌です。
セラピスト：その考えが100パーセント真実か，0パーセントか，またはその中間のどこかを理解していただくことは，非常に大切なことだと思います。（間を置く）電話の話題以外に，私があなたのことをどうでもよいと思っているとお考えになる根拠はありますか？
マリア　　　：（考えてからくちごもる）思いつきません。
セラピスト：ありがとうございます。では，逆の根拠はありますか？　私があなたのことを気にかけているという根拠です。
マリア　　　：わかりません。
セラピスト：[根拠を提示する] そうですね……私がいつも時間どおりにセッションを始めることは根拠になりそうですか？　いつもお会いするときの私の様子はどうですか？　嬉しそうに見えていませんか？　あなたがつらいお話をなさっているときの私の様子はどうですか？　私自身としては，お話を聞いて心を痛めているつもりなのですが，どう見えていますか？　あなたを助けるために一生懸命になっていませんか？
マリア　　　：そうです……ね。
セラピスト：よかったです。そのうえでもう一度お尋ねするのですが，電話のことを話題にしたことについて，「私があなたをどうでもいいと思っている」という以外の説明はできそうでしょうか？
マリア　　　：わかりません。
セラピスト：あなたが動揺したときに，電話以外の方法でつらさをやわらげるスキルを話し合うために，そのことを話題に出したのですが，それは理解していただけそうですか？
マリア　　　：それは理解できないわけではありません。でも，動揺したときは電話以外に何もできないと思うのです！

セラピスト：それだけおつらいのですね。だからこそ，今日はそのことを話し合いたいのです。つらさをやわらげるスキルを身につけて，自分で自分を助ける自信をつけてほしいのです。そうすれば，私がいないときでも，すぐに誰か他の人に電話しないとならないのか，あるいは，まずは自分で自分を救う方法を試してみて，それでもなおうまくいかない場合に誰かに電話をかけるか，を選べるようになります。
マリア　　：（ため息）わかりました。

8. セラピストとの関係を他の人間関係へ般化できるよう支援する

クライアントがセラピストに対して正確でない認知を抱いている場合，他の人に対しても同様に誤った認識をしている可能性が高い。セラピストとの関係に関する認知の修正を行った後は，それを他の人との関係の文脈でも検証することができる。

セラピスト：今話し合ったことから学んだことを，ご自身の言葉で整理してみていただけますか？
マリア　　：先生は私のことを気遣ってくれているみたいです。
セラピスト：そうなんです。もちろんあなたを気にかけていますよ。（間を置く）どうでしょう，先ほどと似たような考えが，他の人との間でも浮かんだことはありませんか？
マリア　　：（考えてから）友だちのレベッカに浮かびました。
セラピスト：もう少し詳しく教えていただけますか？
マリア　　：昨日，一緒に映画に出かける予定だったのですが，待ち合わせの直前に「体調が悪いから行きたくない」ってメールが来たんです。体調が悪いのは仕方ないと思いますが，映画に行くかわりにレベッカの部屋で映画を観ることもできたはずです！　実

際，前はそうしました。
セラピスト：映画キャンセルのメールが来て，代わりの提案もなかったときに，どのような考えが浮かびましたか？
マリア　　：レベッカは私をどうでもいいと思っている，って考えました。
セラピスト：なるほど。数分前にしたのと同じ質問をここでも使えますね。「レベッカがあなたをどうでもいいと思っている」証拠には他にどんなものがあるでしょうか？　逆に，「レベッカが気遣ってくれている，または多少は気遣ってくれている」ことを示す根拠はあるでしょうか？（間を置く）また「レベッカが昨日そう振る舞った他の理由は考えられないか？」も考えてみていただけますか？
マリア　　：（ため息）よくわからないです……体調がめちゃくちゃ悪かった，とかですかね？
セラピスト：または，すごく疲れていた，とか？
マリア　　：その可能性はありますね。
セラピスト：今，冷静に考えると，どういった可能性がいちばん高いと思いますか？　レベッカは，以前から約束をキャンセルしたり，気遣ってくれなかったりする人でしたか？
マリア　　：（考える）いいえ，そんなことはなかったと思います。
セラピスト：そう思える点がすばらしいですね！　これはとても大切なポイントなのですが，あなたは，何か想定外のことが起こると，「相手は自分のことをどうでもよいと思っている」と思い込むクセがある可能性はありませんか？　たとえ実際には相手があなたのことを気にかけているときでも？
マリア　　：よくわかりません。
セラピスト：そうですね……今の時点ではしっくりこないかもしれませんが，このことを頭の片隅に置いておいていただけますか？　私もメモしておきますね。もしかしたら，同じような状況がまたあるかもしれませんから。

マリア　　：わかりました。

9. セラピスト自身のクライアントに対する
ネガティブな反応を管理する

　セラピストとクライアントは影響を及ぼし合う（Safran & Segal, 1996）。クライアントと同じように，セラピストもまた，自分や他者に関する信念と行動的コーピング戦略を治療セッションに持ち込んでいる。セッション中にセラピスト自身のネガティブな中核信念が刺激されると，セラピストも非機能的な反応をし，それがさらにクライアントの非機能的コーピングを引きおこしてしまいかねない。

　筆者のスーパーバイジーに，「自分は能力がない」と信じているセラピストがいた。治療セッション中に「自分の言動が適切かわからない」という思考が浮かび，受け身で口数が少なくなった。治療を受けていたクライアントは，セラピストの沈黙に心地悪さを感じてセラピストに対して批判的になった。それはセラピストの「自分は能力がない」という信念をさらに強めることになった。

　やはり「自分は能力がない」と信じていた別のスーパーバイジーは，セラピストの提案に合意してくれないクライアントに怒りをぶつけてしまった。クライアントの反応をセラピストとしてダメ出しされたように受け止めたためである。怒られたクライアントは，自分を責め，つらい気持ちに苦しんだ。

　このように，クライアントとセラピストのそれぞれの信念，行動，さらに，それらの相互作用について，正確な認知的概念化を行うことが重要である。

　セラピストは，1日の始めに，スケジュールをチェックしてから，次のような問いを自分にすることをお勧めする。

> 「今日，セッションに来てほしくないクライアントは誰か？」

　思いあたるクライアントがいたら，自分自身に対して以下のような認知行

動療法の技法を使うとよい。

> - そのクライアントに対する自分の認知を同定し，認知再構成を行う。コーピングカードを作る。
> - そのクライアントに自分がどのような期待を抱いているかを確認する。クライアントとクライアントの価値観をありのままに受容するよう心がける。
> - セラピストが自分自身に抱いている期待を確認する。現実的な期待を持つよう留意する。
> - 懸念していることを概念化する。気にかかっているのはクライアントのどういった言動か？　その言動の背景にある信念は何か？
> - 防衛的でない姿勢と，好奇心を育てるよう努める。
> - 問題解決に取り組む（1人で，または，同僚やスーパーバイザーと）。
> - クライアントとの間に適切な境界（限界設定）を設ける。
> - ネガティブな感情を受容できるよう取り組む。
> - 1日を通じて，意識的にセルフケアを行う（深呼吸，散歩，友人に電話，短いマインドフルネス実践，健康的な食事）。

　筆者が忘れられないのは，自己愛性パーソナリティ障害のクライアントを初めて治療し始めたときのことである。筆者自身の問題に取り組む必要があった。セッション前は神経質になり，そのクライアントが来なければいいと願うときもあった。筆者の中に「挑発的なことを言われて，どう反応したらよいかがわからないだろう」という思考があった。クライアントにこき下ろされると考える証拠がすでにそれなりにあった。そのクライアントから，セラピストとしての経験と技量が疑わしいと言われ，自分より頭が悪いとも言われていた。セラピールームの飾りつけまで批判されていた。そうした挑発的な発言がどれもクライアントのコーピング戦略なのだ，と筆者は自分自身に言い聞かせなければならなかった。セラピーが始まってからまだ日が浅かったため，クライアントは，セラピストがクライアントを見下したり，屈辱的な思いをさせたりしない，ということをまだ認識できていなかったため

に，そうしたコーピング戦略を使っていたのだ。つまり，クライアントにとって，筆者との面談はまだ安全に感じられていなかったのである。

やがて，クライアントのそうした挑発的な発言の中にも，「話してくださってよかったです」と反応できるものがあることに気づいた。あるいは，「○○さんがおっしゃる通りかもしれません。ただ，そのことが治療を進めるうえで問題となることはありますか？」と尋ねることもできることに気づいた。もしクライアントが「別に問題はありません」と答えたら，そのことは脇において目下の問題の話し合いに戻ることができる。クライアントがさらに挑発的に「自分よりも頭がよいセラピストでないと役に立たない」などと言った場合は，「この治療が本当に役に立たないか判断するのは，もう何セッションかやってみてからにしませんか？」と言えばよい。いずれにしても，筆者は「自分には能力がない」という信念が活性化させられることに注意し，防衛的でない方法で反応するよう努めた。そうした心の準備を整えることによって，恐れる代わりに，興味を持ってセッションに臨めるようになった（「今日のクライアントは，自分が安全だと感じるためにどんなことをしてくるだろう？」など）。

自分のネガティブな反応を観察しそれをありのままに受容したら，次にどうするかを検討する。ひとたびクライアントにセラピストを安全と感じてもらえたら，クライアントは，セラピストに対して（おそらく他の人に対しても）使う不適応的なコーピング戦略にセッションの中で取り組めるようになる。セラピストは，自分の共感レベルをモニタリングし，自身の非機能的な反応に注意し，スキルを評価し，継続的に内省と自己改善を行う（Bennett-Levy & Thwaites, 2007）。トレーニングを受けたり，定期的にコンサルテーションやスーパービジョンを求めたりして能力を高めていく。場合によっては個人セラピーを受けることも検討するとよい。

10. まとめ

クライアントと良好な関係を持つことは必須事項である。そうした関係を

築くために，セラピストは，治療をクライアント一人ひとりに合わせ，カウンセリングスキルを使いこなし，クライアントと協働的に治療を進め，クライアントからフィードバックを引き出してそれに適切に反応し，関係のほころびを修復して，セラピスト自身のネガティブな反応を管理する。心理的苦痛の中にあるクライアントは，自分自身に対する強いネガティブな中核信念を持っていることがあり，それを治療セッションにも持ち込んでくるかもしれない。他者に対して強いネガティブな信念を持っているクライアントは，セラピストに対しても「誠実に接してもらえていない」と容易に考える傾向がある。だからこそ，クライアントに，セッションが安全な場所と感じてもらうことが大切である。

振り返りのための問い

- セッションが安全だとクライアントに感じてもらいやすくするには，どうするとよいでしょうか？
- クライアントにフィードバックを求めるときに，妨げとなりそうなセラピスト自身の自動思考はありますか？
- そうした思考にどう対応しますか？

実践エクササイズ

　治療関係について，治療セッションの直前に読むと役立ちそうな事項をコーピングカードに書きとめておきましょう。

第5章 インテークセッション

　認知行動療法を効果的に行うためには，インテークセッションをきちんと行うことが不可欠である。インテークセッションによって，ケースフォーミュレーションを正確に行い，クライアント個人を概念化し，治療の計画を立てられるようになる。様々な障害に対する治療には共通する点があるものの，各障害に，認知的定式化（鍵となる認知，行動戦略，維持要因）に基づく重要な変数がそれぞれある。さらに，クライアントが現在抱えている諸問題，現在の日常生活上の機能，症状，生活歴に加え，クライアントの有する価値，ポジティブな特性，強み，諸スキルにも注目することで，最初の概念化がしやすくなり，全般的な治療計画も策定しやすくなる。

　インテークセッションは，初回の治療セッションの前に行う。ただし，アセスメントはインテークセッションのときだけに限らない。セラピストは，すべてのセッションにおいて，アセスメントに関わるデータを集め続け，診断や概念化を確証したり修正したりそれに追加したりする。そしてクライアントが前進していることを継続的に確かめる。以下の場合，診断を誤る可能性がある。

- 集めた情報が不完全であった場合。
- クライアントがあえて情報を提供していない場合（物質使用の問題や，自我親和性の高い摂食障害を有するクライアントでみられる）。
- セラピストが特定の症状（例：社会的孤立）を特定の障害（例：うつ病）に帰属したものの，実は別の障害（例：社交恐怖）であった場合。

別の臨床家がインテークセッションを行った場合，担当セラピストが認知行動療法を始める前に，追加で情報収集をすることが不可欠である。

本章では，以下の問いへの対応を学習する。

- インテークセッションの目的と構造は？
- インテークセッションをどのように行うか？
- パート1（セッションを始める）では何をするか？
- パート2（アセスメントを行う）では何をするか？
- パート3（診断についての見立てを伝える，大目標を設定する，全般的な治療計画を伝える）では何をするか？
- パート4（活動計画を立てる）では何をするか？
- パート5（治療の見通しを立てる）では何をするか？
- パート6（セッションをまとめ，フィードバックを引き出す）では何をするか？
- インテークセッション後，次の初回セッションまでに何をするか？

インテークセッションは，おおむね1時間から2時間（もしかしたらそれ以上）かけて行う。

1. インテークセッションの目的

インテークセッションでは，次のことを行う。

- 情報（ポジティブなものもネガティブなものも両方）を集め，正確な診断をし，最初の認知的概念化を行って治療計画を立てる。
- インテークセッションを行う自分が，そのクライアントのセラピストとして的確かどうかを判断し，自分がセラピストとして適正な「量」のセラピー（ケアのレベル，セッションの頻度，治療の期間）を提供できるかどうか

を検討する。
- 追加の支援や治療（薬物療法など）が必要かどうかを判断する。
- クライアントとの治療同盟を築き始める（必要であればその家族とも）。
- クライアントに対して認知行動療法の心理教育を行う。
- 簡単な「活動計画（アクション・プラン）」を作成する。

インテークセッションの前にも，できるだけ情報を集めておくのが望ましい。現在，あるいは過去の治療者（メンタルヘルスの専門家であれ医療の専門家であれ）からの情報提供書を送ってもらえるよう，クライアントに手配をお願いする。また，クライアントに質問紙や自記式フォームに予め記入しておいてもらえれば，インテークセッションの時間を節約できる。クライアントが直近で身体検査を受けていることは非常に重要である。というのも，クライアントが心理的な問題ではなく器質的な問題を被っている場合がときにあるからである。たとえば，甲状腺機能低下症はうつ病と誤診されることがある。

最初にクライアントと電話で話をする際には，インテークセッションに，家族かパートナーか信頼できる友人に同行してもらうと有用な場合があることを伝えるとよいだろう。それによって追加の情報を入手できたり，クライアントをどのように支えることができるかをその人たちに学んでもらったりすることができるからである。インテークセッションを通じて，セラピストはそのクライアントにとって認知行動療法が役立ちそうか，自分がそのクライアントにとって必要な治療を提供できるか，といったことを判断することができる。そのこと自体をクライアントにしっかりと理解してもらう必要がある。

2. インテークセッションの構造

インテークセッションにおいて，セラピストは以下のことを行う。

- クライアントを迎え入れる。
- 家族や友人にセッションに一緒に参加してもらうかどうかを，協働しながら決める。
- アジェンダを設定し，インテークセッションの流れを示す。
- 心理社会的なアセスメントを行う。
- 全般的な目標を設定する。
- 暫定的な診断とおおまかな治療計画を伝え，認知行動療法について心理教育を行う。
- 活動計画（アクション・プラン）を協働的に作成する。
- 治療の見通しを立てる。
- インテークセッションを要約し，クライアントからフィードバックを引き出す。

インテークセッションか初回の治療セッションの際に，セラピストは自身の所属機関における倫理的そして法的な手順をしっかりと踏んでおく必要がある。そういった手順のない領域で実践するセラピストの場合も，クライアントに，治療への説明・同意書に署名を求めるのがよいだろう。同意書には，治療のリスクとメリット，守秘義務の範囲，報告義務，治療記録のプライバシーといった項目が含まれる。

パート1：インテークセッションを開始する

セラピストは，クライアントを面接室に招き入れる前に，予め提出された

記録のすべてとクライアントが記入した質問票などに，ざっと目を通しておく。最初はクライアントと2人だけで会うのが一般的に望ましい。セッションが始まったら，セラピストは，家族や友人といった同行者がいれば，その人たちにセッション全体に入ってもらいたいか，部分的に入ってもらいたいか，入ってもらいたくないか，といったことをクライアントと話し合う。同行者には，少なくともセッションの最後の時間帯に入ってもらうのが助けになることが多い。その際，セラピストは最初の見立て（暫定的な診断を含む）とおおまかな治療目標をざっと示す。セラピストは，クライアントの抱える問題に対する家族や友人の考えを尋ねることができるし，必要であれば，治療がさらに進んだときにその人に再度同席してもらうことを想定して，その人がクライアントを支えるために何ができるかを学んでもらえるかもしれない。

アジェンダを設定する

　インテークセッションは，セラピストが自己紹介し，アジェンダを設定することから開始する。

セラピスト：電話でお伝えしたように，今日はインテークセッションというものを行います。治療セッションではないので，今日は問題解決に取り組むことはしません。それは次回から行います。（間を置く）今日はたくさんの質問をします。診断のための質問です（理論的根拠を示す）。ご自身に関連する質問もあれば，関連しない質問もあるかと思います。でもどれも大事な質問で，お話をお聞きしながら，あなたが抱えている問題を理解し，抱えていない問題を除外していきます。（協働的な態度で）よろしいでしょうか？
エイブ　　：大丈夫です。
セラピスト：必要な情報を得るために，あなたのお話をさえぎってしまうことがあるかもしれません。もし気に障るようでしたら，おっ

しゃっていただけますか？
エイブ　　　：わかりました。
セラピスト：はじめに，今日のセッションの見通しをあなたにお伝えします。これは「アジェンダを設定する」と呼ばれるものです。私たちは毎回のセッションで，アジェンダを設定します。今日はまず，どうしてあなたがここに来ることになったのか，について理解したいと思います。次に今のあなたの症状について，最近の生活の様子について，さらにこれまでの生活歴についてお聞きします。（間を置く）ここまでよろしいでしょうか？
エイブ　　　：はい。
セラピスト：次に，今の生活でうまくいっていることは何か，そしてこれまでの人生でいちばん調子がよかったのはいつだったか，についてもお聞きします。他にも，私が知っておいたほうがよいことがあれば何でもお話しください。ここまでよろしいですか？
エイブ　　　：（うなずく）
セラピスト：3番目に，私が見立てた診断についてお伝えしますが，これについては，提出していただいた記録と私の記録を全体的に見返して，次のセッションでさらにお話をする必要が出てくるかもしれません。4番目に，治療において何に焦点を当てるべきかについての私の見解をお伝えします。（間を置く）これらの話を進めていくなかで，認知行動療法についてもお伝えし，あなたがそれについてどう思うかについてもお聞きしていきます。（間を置く）最後に，あなたがご自身の人生や生活をどのようにしていきたいのかに基づいて，おおまかな目標を一緒に立てます。そして質問や気になることがあればそれについてもおうかがいします。こういう流れでよろしいでしょうか？
エイブ　　　：大丈夫です。
セラピスト：他に，今日，ここで話し合っておきたいことがありますか？
エイブ　　　：ええと，治療にどれぐらいの時間がかかるか知りたいです。

セラピスト：（メモを取りながら）よい質問ですね。それについてもセッションの最後のほうでお話ししましょう。

エイブ　　：わかりました。

パート２：アセスメントを行う

アセスメントの領域

　セラピストにとって必要なのは，クライアントの現在と過去の体験を多くの側面から把握することである。それによってセラピストは，複数のセッションを通じた治療計画を作成し，セッションごとの治療計画を立て，良好な治療関係を築き，効果的な治療を実践できるようになる。（クライアントに尋ねる必要がある諸領域については，付録Bの「エイブのケース報告書」を参照のこと。また，beckinstitute.org/CBTresources にアクセスすると，質問をしていく際に枠組みとなる資料をダウンロードできる）。

　アセスメントの手順やツールの詳細については，本書の範囲を超えるが，参考になる資源はいろいろとある。たとえば，Antony and Barlow(2010)，Dobson and Dobson(2018)，Kuyken and colleagues(2009)，Lazarus and Lazarus(1991)，Ledley and colleagues(2005)，Persons(2008)等を参照されたい。なお，クライアントの自傷他害に関するリスクの程度については，必ず査定しておく必要がある。Wenzel and colleagues(2009) は，自殺のリスクを有するクライアントに対するアセスメントと実践の指針を提示している。また，自殺傾向に関するオンラインコース（beckinstitute.org/CBTresources）もある。

典型的な１日の様子を描写してもらう

　日常生活においてどのように時間を過ごしているかを尋ねることも，インテークセッション（あるいは初回の治療セッション）においては重要である。１日の様子を描写してもらうことで，クライアントの日々の体験への理解が深まり，目標設定が促進され，クライアントに増やすことを求めるポジ

ティブな活動を絞り込みやすくなる。さらに，クライアントが時間を費やし過ぎている活動や，クライアントにとって足りていない活動を同定する助けにもなる。

典型的な1日についてクライアントに描写してもらう際，セラピストは次の点に注意しながらメモを取るとよいだろう。

- 活動や時間帯によるクライアントの気分の変化
- 家族，友人，職場の人との交流の程度
- 家庭，職場，その他における全般的な機能レベル
- 自由な時間の過ごし方
- 喜び，達成感，人とのつながりを感じられる活動
- セルフケアのための活動
- 回避している活動

セラピスト：日々の生活におけるルーティンについて，教えていただけますか。朝起きたときから夜寝るまでのあいだに，どんなことをして過ごしているのでしょうか？

エイブ：そうですね，（ため息をつく）まあ，普段は朝の7時頃に目が覚めます。

セラピスト：そして，どうするのでしょうか？

エイブ：たいていはベッドの中でゴロゴロと寝返りをうっているうちに数時間が経ってしまいます。うとうとするときもあります。

セラピスト：ベッドから起き上がって，活動を始めるのは何時ごろですか？

エイブ：日によります。10時ぐらいまで起き上がれない日もあります。

セラピスト：ベッドから起き上がると，まず何をしますか？

エイブ：コーヒーを飲んで，朝食を少しだけ食べます。着替える日もあれば，着替えない日もあります。

セラピスト：朝食の後は何をしますか？

エイブ　　　：普段はただ家にいます。テレビを観たり，パソコンの前で時間を過ごしたり。
セラピスト：午後は他にどんなことをしますか？
エイブ　　　：ソファに座ったまま，何もしないときもあります。元気があれば，用事をこなしたり，食料を買いに行ったりするときもあります。でもたいていは何もしません。
セラピスト：昼食はとりますか？
エイブ　　　：軽食で済ませています。
セラピスト：他に午後にすることはありますか？
エイブ　　　：1つぐらいはするかもしれません。たとえば洗濯とか。新聞を読もうとするときもありますが，だいたいは寝てしまいます。
セラピスト：昼寝はほぼ毎日しますか？
エイブ　　　：ええ，1時間か2時間ぐらい。
セラピスト：夕食はどうしていますか？
エイブ　　　：いつも冷凍食品を電子レンジで温めて食べています。
セラピスト：夕食の後は？
エイブ　　　：特に何も。テレビを観るか，ネットサーフィンするか，という感じです。
セラピスト：いつベッドに入りますか？
エイブ　　　：11時ぐらいです。
セラピスト：すぐに眠れますか？
エイブ　　　：いいえ。ものすごく時間がかかる日もあります。
セラピスト：朝の7時まで，ずっと眠り続けるのでしょうか？
エイブ　　　：ときには。3時ごろに目が覚めて2，3時間寝付けないことがよくあります。

セラピストは次に，週末の過ごし方が典型的な平日と同じかどうかをエイブに尋ねた。幸い，エイブは週末にはもう少し活動的だった。彼は孫の試合を見に行ったり，2人の子どもとその家族のどちらかを訪ねたりしていた。

エイブによれば，週末の活動が変化したのは1年ほど前のことだった。それまでは，中程度の抑うつ症状に悩まされていたものの，土曜日には同じ2人の仲間といつも一緒に朝食をとり，日曜日には教会に通っていた。

　このようなやり方でデータを集めることで，セラピストの思考は最初の治療計画を立てることへと自然と導かれる。セラピストはまた，集めた情報を，治療計画や活動スケジュールの作成に役立てる。

絶望感や懐疑心に対応する

　セラピストはインテークセッションを通じて，治療に対するクライアントの決意が揺らいでいるかもしれない徴候に注意を向け続ける。エイブは自らの症状について語るとき，絶望感に関連する思考を示した。セラピストは，エイブのそのような自動思考を活用し，認知モデルをおおまかに提示することで，そのような自動思考を治療のターゲットにすることを示し，同時に，治療同盟を損なわないようにした。

> **臨床のコツ**
>
> 　クライアントがあまりにも多く話し過ぎるときは，セラピストは構造化を行い，必要なことをするための時間を取るようにするとよい。回答の仕方の指針を示すことが助けになることがある。「これからのいくつかの質問に対しては，『はい』または『いいえ』あるいは『わからない』というふうに（あるいは，1つか2つの文章で）答えてください。
>
> 　クライアントが過度に詳細に語り始めたり，話が脱線したりしたときは，優しい態度でさえぎることが重要である。「あなたの話をさえぎってしまってごめんなさい。でも今は・・・について教えていただきたいのです」。

エイブ　　　：あまりにも多くの問題を抱えているように感じます。何をしても無駄なのではないでしょうか。

セラピスト：わかりました。そのことを話してくれてよかったです。「何をしても無駄なのではないか」。そう思うと，どんな気持ちになりますか？　悲しみ？　絶望感？

エイブ　　　：その両方です。

セラピスト：これがまさに抑うつ的な思考であり，私たちが来週から話し合いの対象とするであろう思考です。私たちは，このような思考が100パーセント真実なのか，0パーセントなのか，あるいはその中間か，を判断する必要があります。ところで，私が言ったりしたりしたことのなかに，「この人は自分を手助け**できない**」「**この治療は**役に立たない」とあなたに思わせるようなことが，何かありましたでしょうか？

エイブ　　　：いいえ……。

セラピスト：では，何があなたに対して「何をしても無駄だ」と思わせたのでしょうか？

エイブ　　　：わかりません。問題に圧倒されたように感じてしまうんです。

セラピスト：そうなんですね。あなたの抑うつ症状の重症度を思えば，驚くことではありません。私たちは，あなたの抱える問題に1つずつ取り組み，1つずつ解決していきましょう。あなたはもう1人きりではないことを覚えておいてください。あなたと私はチームなのです。

エイブ　　　：（安堵のため息をつく）そうですか，よかったです。

セラピスト：さて，未来が見える水晶玉を持っているわけではありませんので，100パーセントの保証はできません。でも，お話しいただいたことのなかに，この治療が**うまくいかないだろう**と思わせるようなことは，**何ひとつありませんでした**。（間を置く）逆に，この治療が**うまくいくだろう**と思わせることはたくさんありました。いくつかお伝えしてもいいですか？

エイブ　　：ぜひ。
セラピスト：あなたは明らかに知的で有能です。うつ病になる前には，多くのことを達成し，日常生活をしっかりとこなしていました。仕事でも長年にわたって多くの実績を積んできました。昇進もしました。自分の仕事ぶりに誇りを持っていました。生産的で信頼できる人でした。よい父親であったし，よい夫であろうと努力しました。よい友だちが大勢いて，周りの人たちを助けてきました。これらのすべてが，よい徴候だと言えます。
エイブ　　：なるほど。
セラピスト：どうでしょうか？　治療を始めてみますか？　また来週，ここに来てみたいと思われますか？
エイブ　　：はい，そう思います。

> **臨床のコツ**
>
> 　以前に受けた治療がうまくいかなかったためにクライアントが懸念を示している場合，そうやって治療に対する心配や疑念を伝えてくれたこと自体に，正の強化を与える（「それを話してくれてよかったです」）。そして，これまでのセラピストとよい関係が持てていたと感じるかどうかについて尋ね，さらにそれらのセラピストが**毎回**のセッションで，以下のようなことをしたかどうかを問う。
>
> ・アジェンダを設定する
> ・次の1週間をよりよくするための計画を一緒に考える
> ・セッションにおける重要ポイントを紙などに記録し，クライアントが生活のなかでおさらいできるようにする
> ・クライアントが自らの思考をどのように評価し対応するとよいか，ということについて教えてくれる
> ・行動を変容するための動機づけを適切に高める
> ・セラピーがよい方向に向かっているかどうかについて，クライアン

トにフィードバックを求める

　ほとんどのクライアントはこの種の治療を受けた体験がない。そこでセラピストはこのように言うことができる。「これまでのセラピストがこうしたことをしなかったとお聞きして，ホッとしました。どうやら，これから私たちが一緒に取り組んでいく治療は，これまでのものとは全く違ったものになりそうです。ここでの治療が，あなたがこれまで受けた治療と全く同じものであったら，確かに希望が持てなくなってしまうかもしれません」

　仮に，以前のセラピストが上記のことを毎回のセッションで行っていたとクライアントが報告したとしても，額面通りに受け取る必要はない。その場合，もう少し時間をかけて聞き取りをし，以前の治療がどのようなものだったのかを具体的に理解する必要がある。特に，以前の治療が，クライアントの個別性と特定の障害に適合させたものであったか，そして最新の研究とガイドラインに基づくものであったか，という点について検討することができる。いずれにせよセラピストは，治療セッションを4，5回受けてみることをクライアントに勧め，その時点で治療がどの程度うまくいっているかを一緒に振り返って検討できると伝えるとよいだろう。

追加の情報を求める
　インテークセッションが終わりに近づいたら，次の2つの質問をクライアントにするとよい。それは，「他に，私に知らせておきたい大事なことが何かありますか？」「私に対して話しづらかったことが何かありますか？　内容までお話しにならなくて結構です。今後，あなたが他に話してくれることが何かあるかもしれない，ということだけわかっていれば大丈夫です」というものである。

信頼できる人に関与してもらう

　家族や友人がクライアントに同行している場合，その人をセッションに入れるかどうかを，（最初からその人がセッションに参加していなければ）この時点でクライアントに尋ねることができる。同行者に話してほしくないことがないかを，事前にクライアントに確認しておく必要がある。また，同行の家族や友人に対してセラピストが以下のことを行うことについてクライアントの同意を取っておく。

> - セラピストがクライアントについて何をいちばん知っておくべきか，ということをその人に尋ねる。
> - クライアントの長所，強み，有用なコーピング戦略について尋ねる。
> - セラピストによる診断についての最初の見立てを概説する。
> - 暫定的な治療計画を説明し，フィードバックを引き出す。

　もしクライアントが，これらの話題についてセラピストに話してほしくない場合，あるいは他にも話してもらいたいという話題があれば，そのことについて話し合う。セラピストが，それらのクライアントの意見に同意できない場合は，その理論的根拠を示す。

パート3：診断について見立てを伝え，目標を大まかに設定し，全体的な治療計画を示す

診断についての見立て

　セラピストが診断について確信が持てない場合，さらなる時間を取って，インテークセッションの際のメモ，クライアントが記入したフォーム，そしてこれまでの報告書等を吟味する必要があることを説明する。とはいえ，多くの場合は，セラピストが診断について最初の見立てを伝え，セラピストがクライアントを手助けできる見通しを提示すれば，それで十分である。

セラピスト：たしかにうつ病のようですね。なぜそう言えるのかについては，来週話し合いたいと思います。よろしいでしょうか？
エイブ　　：ええ。
セラピスト：うつ病は治療が可能です。そして認知行動療法がうつ病の治療に有効であることを示す研究が山ほどあります。

目標を設定し，全般的な治療計画を伝える

　目標を設定すると希望がわいてくる（Snyder et al., 1999）。同様に，クライアントにしっくりくる治療計画を説明することは，クライアントに希望を与える。クライアントにとって重要なのは，自分が現状からどのように回復していくのか，それを具体的に考えられるようになることである。セラピストは治療計画を伝えたら，クライアントからのフィードバックを引き出す。

セラピスト：はじめに，大まかな治療目標をいくつか一緒に設定してみましょう。次に，あなたがどのように回復していくのか，私の考えをご説明しますので，それに対する感想をお聞かせください。
エイブ　　：わかりました。
セラピスト：（用紙の上部に「目標」と書き込む。セッション終了時にこの用紙のコピーをエイブに渡す）あなたが話してくれたのは，まず「うつ病を克服する」ということと「不安を軽くしたい」ということでしたね。
エイブ　　：はい。
セラピスト：別の目標としては，「自分が調子よいと感じられるようになる」，というのもよいのではないかと思いますが？
エイブ　　：ええ，それはとても重要なことです。
セラピスト：あなたが話してくださったことによれば，「自宅での生活をより機能的なものにする」というのも目標になりそうですが？そして準備が整えば，「人との関わりを再び持てるようになる」

「仕事を探す」ということも目指すことになるでしょうか？
エイブ　　：とてもいい目標だと思います。
セラピスト：（エイブが圧倒されてしまわないように）これらのことはすべて，一つ一つ段階的に進めていきます。そうすれば圧倒されずに済みますね。（間を置く）どう思われますか？
エイブ　　：（安堵）いいと思います。
セラピスト：来週のセッションでは，あなたにとって何が本当に大事か，あなたがご自身の人生に何を本当に願っているか，について探索しましょう。そして，より具体的な治療目標を立てることにします。そうすれば，毎回のセッションでそれらの目標に向けて一緒に取り組むことができます。たとえば，あなたは次回のセッションで，「友だちともっとつながりたい」「自宅の手入れをもっとできるようになりたい」とおっしゃるかもしれません。それらの妨げになりそうなものがあれば，一緒に問題解決を試みます。（間を置く）よろしいですか？
エイブ　　：はい。
セラピスト：私たちの治療の半分は問題解決なんです。残りの半分は，私からあなたに様々なスキルをお伝えし，思考や行動を変えることを試みます。私たちが特に注目するのは，あなたが物事に取り組むにあたって妨げとなる抑うつ的な思考です。たとえば，あなたは今日のセッションの初めのほうで，「自分は何一つちゃんとできない」とおっしゃいました。そしてそのように考えると抑うつ気分が強まることを私に話してくれました。そうした思考が，ソファから起き上がるかどうかの意欲に影響を与えるのです。そしていかに気分を悪化させるかということにも。その結果，忙しく何かをするよりも，ソファでテレビを観続けることになってしまうのです。
エイブ　　：ええ，その通りのことが起きています。
セラピスト：そのような思考を私たちは一緒に検討していきます。「何一つ

ちゃんとできない」ことの証拠は何でしょうか？ それが真実ではない証拠が何かありますか？ あるいはそれが100パーセント真実であるという証拠がありますか？ この状況を別のやり方で眺めることはできるでしょうか？ たとえば，私たちは「今は抑うつ症状のせいで，問題解決をしたり意欲を高めたりするにあたって，いくらかの手助けが必要なのだ」といった考えを見つけることができるかもしれません。でも，たとえ手助けが必要だとしても，それは「何一つちゃんとできない」ということを意味するわけではありませんね。

エイブ　　：うーん。
セラピスト：今後の治療で，私たちは3つのことに取り組みます。一つ目は，あなたの抑うつ的な思考や不安につながる思考を，より現実的な方向に変えていくことを手助けします。二つ目は，生活を改善し，あなたが欲する人生に近づくために，あなたが試せることは何か，ということを見つけていきます。三つ目は，すぐに使え，今後も使い続けられるスキルを身につけてもらいます。（間を置く）どう思われますか？

エイブ　　：よく理解できます。
セラピスト：これが大まかな治療目標となります。すなわち，目標を設定する，一つひとつに取り組んでいく，そしてスキルを身につける。実際に皆，そのようにして回復していきます。日々，思考と行動を少しずつ変えていくのです。（フィードバックを求める）今私がお話ししたことで，何か**ひっかかる**ことはありませんか？

エイブ　　：いいえ，よくわかりました。

パート4：活動計画を立てる

　インテークセッションの際に，クライアントと一緒に簡単な活動計画（アクション・プラン）を立てると，次のセッションまでの日常生活において，セッションでの取り組みを続けることが重要であるということを，クライアントに伝えることになる。活動計画を作成したら，セラピスト用にコピーを取っておくことを忘れないようにしたい。私（セラピスト）がどのようにして，治療目標の話からエイブの活動計画を立てる話に移行したかを以下に示す。

セラピスト：では，今ここで話し合ったことを，紙に書き出しておきましょう。そうすれば，次のセッションまでの間にあなたはそれを眺めることができますね（図5.1）。セッションとセッションの間にあなたに取り組んでもらうことを，私たちは何と呼んだらいいでしょうか？　活動計画？　セルフヘルプ活動？　それとも？
エイブ　　　：活動計画がいいと思います。
セラピスト：では，この活動計画を，1日に2回，まずは朝に1回，そして日中のどこかでもう1回，読むことができますか？　特に，抑うつ気分が強まったときに読んでもらうとよいでしょう。
エイブ　　　：わかりました。できると思います。
セラピスト：どうすれば忘れずにできると思いますか？
エイブ　　　：この用紙をコーヒーメーカーの横に置いておくようにします。毎朝コーヒーを飲むので，そのときに目に入ります。
セラピスト：そのときにしていただきたいのは，この用紙を読んだら，自分を褒めることです。
エイブ　　　：わかりました。
セラピスト：人はうつ病になると，泥沼の中を歩こうとしているような状態になります。すべてのことが大変になってしまうのです。あな

たもそうですか？
エイブ　　　：はい。
セラピスト：だからこそ，活動計画に書いてあることを実行したら，いつでも自分を褒めるようにしていただきたいのです。さらに，ちょっとでも負担を感じるようなことを実行したら，常に自分を褒めてください。それは「よくやった！」とかそういうシンプルな言葉で十分です。（間を置く）今日からの1週間，そうやって自分を褒めていただけませんか？
エイブ　　　：わかりました。
セラピスト：では，それについても書いておきましょう。自分を褒めることについては，次回さらに話し合いましょう。絶望的な気持ちになり始めたら，どのようなことを思い起こすとよいでしょうか？

エイブとセラピストは，図5.1のようにまとめた。

活動計画

5月6日

この計画をコーヒーメーカーの横に置いて，毎朝1回，日中にも1回読む。

1．治療メモ：抑うつ気分が出てきたら，治療計画は理にかなっていることを思い出す。セラピストに手助けされながら，毎週毎週，一歩一歩，目標に向かって取り組んでいく。自分の思考が，100パーセント真実なのか，まったく真実でないのか，あるいはその間のどこなのか，を評価する方法を学ぶ。思考と行動を毎日少しずつ変えることで，調子がよくなる。
2．孫たちを連れ出して，アイスクリームをご馳走する。
3．上記のどれをしても，自分を褒める。少しでも負担に感じることを実行したときは，とにかくそれをした自分を褒める。

図5.1　インテークセッションで作成したエイブの活動計画

セラピスト：あなたはセッションとセッションの間の多くの時間に，セラピーでの取り組みを実践することができます。（間を置く）次回までに，あなた自身が実行して変化を起こせるような，何か意味のあることが思いつきますか？（間を置く）ここ最近していないことで何かできそうなことはありませんか？　家族と一緒にできることがいいかもしれません。
エイブ　　：（しばらく考える）孫たちを連れ出して，アイスクリームをご馳走することだったらできそうです。
セラピスト：すばらしいですね。そして実際に実行したときに，これがうつ病をよくしていくための最初の一歩だということを自分に言ってあげてください。そして自分を褒めるのです。
エイブ　　：わかりました。
セラピスト：このことも書いておきましょうか？
エイブ　　：ええ。

パート５：治療の見通しを立てる

　合理的な治療の見通しをクライアントに伝えることは重要である（Goldstein, 1962）。それによって，クライアントが治療を中断するリスクを減らし（Swift et al., 2012），より良好な治療のアウトカムにもつながる（Constantino et al., 2012）。セラピストは，治療にどれくらいの時間がかかりそうか，大まかに伝える。典型的な大うつ病のクライアントの場合，２か月から４か月という範囲を示すのがよいが，それより短い場合もある（経済的事情や保険による制約もあるだろう）。大うつ病以外に，慢性の精神病性障害，物質使用障害，パーソナリティ障害などの併存症がある場合は，さらなる治療が必要になるかもしれない。重症度の高い，あるいは再発を繰り返す精神疾患を有するクライアントの場合，症状が強く出ているときに集中的な治療をしたり，長期にわたって定期的にブースターセッションを行ったりする必要があるかもしれない。

多くのクライアントは週に1度のセッションで順調に治療が進んでいく。しかし，重症度が高かったり，機能レベルがかなり落ちたりしているクライアントの場合，特に初期にはより頻繁にセッションを行う必要があるかもしれない。治療が終盤にさしかかると，セッションの間隔を徐々に開けていくことで，クライアント自身で機能できるようになる機会を増やしていく。

セラピーがどのように進行するのかについて，セラピストがエイブに伝える場面を紹介する。

セラピスト：あなたさえよければ，気分が確実に改善されるまでは，週に1度の頻度でお目にかかりたいと思います。改善されたら次は2週間に1度，さらに3，4週間に1度にしていきましょう。セッションの間隔を開けていくことについては，一緒に相談して決めましょう。治療を終えると決めた後にも，しばらくは数か月に1度の頻度で，ブースターセッションにいらしていただきたいと思います。(間を置く) よろしいでしょうか？

エイブ　　：わかりました。

セラピスト：治療がどれぐらいの期間になるのか，予測するのはなかなか難しいのですが，あなたの抑うつ症状が重いことを考えると，おそらく15回から20回のセッションを要するのではないかと思います。もしセラピーの途中で，長年にわたって抱えてきた何らかの問題に取り組む必要が生じたら，さらに時間をかけることになります。いずれにせよ，どうするのがいちばんよいかということについては，**一緒に決めていくことにしましょう**。よろしいでしょうか？

パート6：セッションをまとめ，フィードバックを引き出す

インテークセッションの最後に，セラピストはセッションをまとめる作業をして，そのセッションで何を達成したのかについての見取り図を，クライ

アント自身がイメージできるようにする。その際，治療セッションそれ自体は翌週から始まることを再度クライアントに伝える。そして，セッションに対するクライアントのフィードバックを引き出す。たとえばセラピスト（私）は，エイブに次のように伝えた。

セラピスト：今日のセッションで何をしたかについて，まとめてみたいと思います。今日はインテークセッションであり，治療セッションではないことを私はあなたに伝えました。来週から始まる治療セッションで，私たちはあなたの問題を解決し目標を達成するための取り組みを本格的に始めます。よろしいでしょうか？
エイブ　　：ええ。
セラピスト：私はあなたにたくさんの質問をして，暫定的な診断についてお伝えしました。あなたは，典型的な1日の過ごし方について教えてくださいましたね。私から少しお話ししたのは，あなたの思考が抑うつ気分を引き起こすことがあるということと，うつ病になった人の思考は正しいときもあればそうでないときもある，ということでした。よろしいでしょうか？
エイブ　　：はい。
セラピスト：私はまた，ここでの治療について少しだけ説明しました。そしてあなたとの治療において何に焦点を当てるか，について私の考えをお伝えしました。次に私たちは次週に向けての活動計画を立てました。さらに私たちはこの治療における枠組みについて話をしました。たとえば，お会いする頻度とか，治療に必要な期間といったことでしたね。（間を置く）他にご質問はありませんか？　私が間違っていたり誤解したりしていることが，何かありませんか？
エイブ　　：いいえ，そういうことはありません。先生は私のことをよく理解してくれています。
セラピスト：よかったです。では，来週に，最初の治療セッションでお目に

かかりましょう。

インテークセッションの後，初回の治療セッションまでにすること

　セラピストは初回の治療セッションまでに，インテークセッションの報告書と最初の治療計画を作成する。また，もしまだしていなかったらクライアントを以前に担当していたメンタルヘルスや医療の専門家に連絡し，クライアントに関する報告書をもらったり，質問をしたり，追加の情報を得たりする。必要に応じて，クライアントが現在関わっている専門家とも連絡を取り，互いの知見を交換し，ケアを調整する。これらの専門家たちと電話で話をすると，文書には書かれていなかった重要な情報を得られることが多い。また，認知的概念化の暫定版と最初の治療計画も，この期間に作成を開始する（第3章，9章も参照）。

3. まとめ

　セラピストはインテークセッションにおいて，アセスメントをしっかり行い，データを集め，クライアントを正確に概念化し，診断し，治療計画を立てる。インテークセッションには多くの目的がある。その主なものとしては，治療関係を形成する，クライアントの希望を強化する，認知行動療法と認知モデルについてクライアントに心理教育を行う，絶望や疑念を扱う，大まかな治療目標を立てる，セラピストの大まかな治療計画について伝える，活動計画を立てる，治療の見通しを立てる，セッションをまとめてフィードバックを引き出す，といったものである。インテークセッションが終わったら，次の初回セッションまでの間に，診断を確認するための作業をし，必要であれば，クライアントの以前の，あるいは現在の担当者に連絡を取る。以降は毎回のセッションのたびに，アセスメントを継続し，診断が正しいかどうかを精査し，クライアントの概念化を精緻化し，治療の進捗をモニターする。

第5章　インテークセッション　*129*

振り返りのための問い
・インテークセッションでは，診断のためのデータを収集する他に，どのようなことを実践することが重要でしょうか？

実践エクササイズ

　実際のクライアント，あるいは想像上のクライアントについて，ケース報告書の一部を作成してみましょう（付録Bの第1部と第2部）。

第6章 初回治療セッション

　初回の治療セッションでは，なんといっても，クライアントに希望を持ってもらう必要がある。そのために，心理教育を行い（クライアントの症状に認知行動療法が有効であることが研究によって示されている，など），全般的な治療計画を繰り返し伝え，クライアントの気分を改善できる自信がセラピストにはあることを直接的に伝え，クライアントが抱いている価値や希望（アスピレーション）や目標を同定する。

　また，クライアントとのラポールと信頼を確立し，クライアントが気兼ねなく振る舞えるように治療になじんでもらう。クライアントの気分をチェックし（治療の進み具合をみながら治療を調節するため），概念化のための追加のデータを集め，認知モデルについて心理教育する。活動スケジュールを導入するか，問題解決に取り組む。新しい活動計画を作成し，フィードバックを引き出す。図6.1 に初回治療セッションの構造を示す。先々のセッションの構造は第9章で学ぶ。

　本章では以下の点を解説する。

- 気分のチェックや認知行動療法と併行する治療（薬物療法など）の確認法
- 最初のアジェンダを設定する方法
- 状況報告のあり方，活動計画の振り返り方
- うつ病，ネガティブな思考，治療計画，認知モデルの心理教育の方法
- 価値，希望（アスピレーション），目標の引き出し方
- 活動計画の作成法
- セッションのまとめとフィードバックの引き出し方

> セッション1のはじめ
> 1. 気分をチェックする（薬物療法や他の治療を受けている場合はそれもチェックする）
> 2. アジェンダを設定する
> 3. （インテークセッション以来の）状況を報告してもらい，活動計画を振り返る
> 4. 診断について話し合い，心理教育を行う
>
> セッション1の中盤
> 5. 希望（アスピレーション），価値，目標を同定する
> 6. 活動スケジュールを行う，または，問題に取り組む
> 7. 新しい活動計画を協働的に作成する
>
> セッション1の終わり
> 8. まとめを行う
> 9. 活動計画を完了できる見込みを確認する
> 10. フィードバックを引き出す
>
> その他，心理教育，自動思考の同定と対応，活動計画，目標設定などを織り交ぜる。

図6.1　初回治療セッションの構造

　初回治療セッションの前に，インテーク時に行ったクライアントの評価を見返し，最初の概念化と治療計画を念頭に置いて，初回治療セッションに臨むようにする。治療をクライアントに合わせることが大切であり，必要に応じて治療の方向性を変える準備をしておく。外来での標準的な認知行動療法セッションは45～50分であるが，初回セッションは通常1時間かかるものである。できれば，クライアントの自動思考をセッション中に1つ以上同定する。それが認知モデルを説明するよい機会となる。クライアントの自動思考が同定できない場合には，セラピストから，自動思考の例を示してもよい。また，セッション中に，クライアントにポジティブな感情を持ってもらえるようにするとよい。たとえば，希望（アスピレーション）を達成した場

面を心の中にイメージしてもらったり，興味があることや価値について話し合いをしたり，セラピストの自己開示によってクライアントの気持ちをほぐしたりする。

> **臨床のコツ**
> - セッションの前に，セラピスト用の「セッションメモ」（図 10.1，p.252 〜 253）に，セッションの構造を示すキーワードを書き出しておくと，何をするかを思い出しやすくなる。
> - 初回治療セッションでは心理教育を多く提供する。「うつ病のパンフレット」（巻末に収載）などの冊子は，認知行動療法における大切な概念を説明しているため，一読してもらうことを，クライアントの活動計画として提案してもよい。

1. 気分のチェック

初めにクライアントとの挨拶が済んだら，クライアントの気分をチェックする。セラピストとクライアントとが定期的に治療の進み具合を確認し，クライアントからのフィードバックに基づいて治療を修正することによって，治療成績が改善することが研究からわかっている（Miller et al., 2015）。気分のチェックには，標準化された尺度（例：「ベック抑うつ質問票-Ⅱ」（Beck et al., 1996），「ベック不安尺度」（Beck & Steer, 1993a），「ベック絶望感尺度」（Beck & Steer, 1993b），「こころとからだの質問票（PHQ-9）」や「全般性不安尺度（GAD-7）」を使ってもよい。クライアントが質問票に記入できない，またはしたくないなら，その週の気分を 0 から 10 までの点数で表現してもらうことでも構わない。「これまでに落ち込みをいちばん強く感じたときを 10，まったく感じないときを 0 とすると，この 1 週間の落ち込みはだいたいどれほどの強さでしたか？」などと尋ねる。また，後述するように，幸福感の強さも 0 〜 10 で評価してもらうとよい。

クライアントの自殺念慮のレベル（場合によっては他害的な衝動のレベルも），必ず確かめておかなければならない。評価尺度上で，自殺念慮や絶望の項目の点数が高いときは自殺の高リスクと考えられる。そのような場合には，リスク評価（Wenzel et al., 2009）を行って，セッションの前半（または全体）に，クライアントの安全確保の計画を検討する。その他，睡眠，不安，衝動的な行動など，より具体的な問題のチェックが必要となるかもしれない。こうした問題をアジェンダとして扱うことも考えられる。クライアントに症状チェックリストを記入してもらうと，セラピストから改めて質問せずに問題を素早く同定できるメリットがある。

症状チェックリストを用いる場合は，リストに記入してもらうだけでなく，クライアントから主観的な説明もしてもらい（「今週は，どのような気持ちでしたか？」などと尋ねる），リストや評価尺度と照合する。方法論はともかく，セッションの最初に，その日だけの気分ではなく，その1週間の全体としての気分を報告してもらうことが大切である。このように毎セッションの最初に気分をチェックすることを，クライアントにはしっかりと理解してもらう。たとえば：

「毎回，数分ほど早めに来ていただいて，セッションの前にこうしたチェックリストに記入していただきたいと思います。
［理論的根拠を示す］この1週間，あなたがどのような気分でいらっしゃったか知りたいためです。また，ご自身の言葉でも，どのような具合だったか教えていただきたいと思っています」

以下の対話のように，セラピストは初めにエイブの気分をチェックした。エイブが話している間に，エイブがセッションの直前に記入したPHQ-9とGAD-7にも素早く目を通した。また，エイブに幸福感を評価してもらった（セラピストは，抑うつと不安を減らすだけでなく，全体的により気分がよくなるための支援ができているかも確かめたいと考えている）。

セラピスト：こんにちは。お加減はいかがですか？
エイブ　　：あまりよいとはいえません。
セラピスト：あまりよくない？
エイブ　　：はい。
セラピスト：それは気がかりです。質問票を拝見してよろしいですか？
エイブ　　：もちろん。
セラピスト：書いていただきありがとうございます。

　　　　　　［理論的根拠を繰り返す］先週お伝えしたように，こうした質問票で，治療の進み具合をお互いに確かめることができます。（質問票を眺める）そうですね……ご自身では，先週と比べてご気分はいかがですか？

エイブ　　：だいたい同じだと思います。
セラピスト：質問票からもそのように言えそうですね。この質問票（PHQ-9）はうつ病の症状を測るものですが，先週も今週も18ですね……（間を置く）

　　　　　　不安を測るこちらの質問票（GAD-7）は，まだ8ですね。（間を置く）この1週間全体で，幸福感はどの程度だったでしょうか？　まったく感じなかった状態が0で，これまでで最大の幸福感が10だとしたら？

エイブ　　：1くらいだと思います。

臨床のコツ

　気分のチェックは短く行う。クライアントが詳しく話しすぎるようなら，さえぎることを謝ったうえで，以下のどちらかを伝えるとよい。

「この1週間の気分を，一言か二言にまとめられますか？」
「この1週間の気分［または今説明してくださっていた問題］は，ひとまずアジェンダに載せて，そこで話しましょうか？」

2. 薬物療法／その他の治療のチェック

　クライアントが（精神症状に対する）薬を服用しているなら，アドヒアランスや，問題が起きていないかや，副作用について，簡単にチェックする。アドヒアランスを尋ねる場合は，頻度に関する質問形にすることが大切である。「今週はお薬を飲みましたか？」ではなく，「今週は，何回，処方どおりにお薬を飲むことができましたか？」と尋ねる（薬物療法のアドヒアランスを高めるための提案は，J. S. Beck, 2001 と Sudak, 2011 を参照）。

　薬物療法やその他の治療（電気けいれん療法，経頭蓋磁気刺激法，その他の脳刺激療法）を受けている場合は，クライアントの許可を得たうえで，主治医と定期的に情報交換をする必要がある。認知行動療法のセラピストは，クライアントに対して，そういった治療に関する直接的なコメントはしないが，そういった治療へのアドヒアランスを妨げている問題があれば，それに対する支援や対応は可能である。たとえば，クライアントが副作用，服用量，依存の心配をしていたり，代替医療やサプリメントなどが気にかかっていたりするなら，そういったことを主治医に質問できるよう支援し，主治医からの回答をメモしてくるよう提案するとよい。また，認知行動療法のセラピストが，薬物療法その他の介入が必要だと判断したら，クライアントに対して，そういった治療について主治医に相談するよう提案するとよい。

> **臨床のコツ**
> 　医師の受診をためらうクライアントには，受診予約を入れるメリット・デメリットと，受診予約を入れないメリット・デメリットとをそれぞれ比べてもらってもよい。また，薬を服用したり，別の治療を受けたりしなければならないのではなく，それに関する情報を手に入れるだけであって，判断は後からでよい，と提案するのもよい。

3. 最初のアジェンダ設定

　アジェンダは素早く設定するのが望ましい。セッションの構造を説明すると，多くのクライアントは気持ちが楽になる。構造化を行う理論的根拠を説明すると，セラピーのプロセスを理解してもらいやすくなり，ひいては，クライアントも構造化された生産的な仕方で活発にセッションに参加できるようになる。

セラピスト：［クライアントと協働的に］よろしければ，今からアジェンダを設定したいと思います。［理論的根拠を示す］アジェンダを設定するのは，あなたがどのようなことをいちばん重要と感じていらっしゃるかを知り，セッションのよい時間の使い方を一緒に見つけていくためです。今回は初回セッションで，することがたくさんありますので，何をアジェンダにするか話し合う時間はあまりありません。来週から，時間をかけて話し合うようにしましょう。（間を置く）よろしいでしょうか？
エイブ　　：はい。
セラピスト：私はセッション中にたくさんメモをとります。［理論的根拠を示す］大切な事柄を覚えておくためですが，気に障るようでしたらおっしゃってください。
エイブ　　：わかりました。

〈セラピストは，次に用意したアジェンダ項目を挙げていく〉

セラピスト：今日は，はじめに，前回のインテークセッションから今回のセッションまでに起きたことを教えてください。［理論的根拠を示す］そうすると，今日取り上げたほうがよい大切な事柄がほかにあるかがわかります。活動計画で達成できたこともお聞

きして，診断についても少し話し合いましょう。
エイブ　　：はい。
セラピスト：次に，目標をいくつか設定します。時間が許せば，新しい活動計画の一部として，今日からの1週間にあなたができることについて話し合いましょう。目標のどれかに取り組み始めてもいいですね。（間を置く）そして，セッションの最後にフィードバックをお願いします。（間を置く）そのような流れで進めたいと思いますが，大丈夫そうですか？
エイブ　　：はい。
セラピスト：［アジェンダの項目リストに改めて注意を導いて］ほかに確認しておきたいことや話し合いたいことはありませんか？
エイブ　　：いいえ。それで十分だと思います。

　セラピストは，重要な問題がセッション中に表れないかにたえず気を配る。問題が表れたら，当初のアジェンダよりも重要かをクライアントと一緒に判断する。ただし，話題が当初のアジェンダから外れたときは，クライアントの注意を本来の主題に導き，いつの間にか別の話をしている状態にならないようにする。もしそうなったときには，気がついた時点で，新しい問題についての話し合いを続けるか，元の話題に戻るかをセラピストとクライアントで協働的に決めるようにする。

4．近況の把握と活動計画の振り返り

　典型的な認知行動療法では，クライアントの近況を把握するときには，次のように質問をする。
「前回のセッションから今回までに起きた事柄で，私が知っておいたほうがよいことはありませんか？」
　こういった質問をされると，クライアントはネガティブな体験を語ることがほとんどである（治療の初期には特にそうである）。そのため，セラピス

トは次に「何かポジティブなことはありましたか？」と尋ねる。

一方，リカバリー指向認知療法（Recovery-oriented Cognitive Therapy：CT-R）（『リカバリーを目指す認知療法』［岩崎学術出版社］）では，ポジティブな体験を尋ねることから始めて，適応的な結論を引き出せるようクライアントを支援する。近況の把握と活動計画の振り返りは混じり合いながら進むものである。

セラピスト：うつ病になると，問題にばかり目がいって，それしか考えられなくなるものです。［理論的根拠を示す］ですので，うまくできている事柄に意識的に注意を向けることが大切です。この1週間を振り返って，いちばん調子がよかったときについて教えてもらえませんか？
エイブ　　：（しばらく考えて）孫と出かけて，アイスクリームをご馳走したときですね。
セラピスト：そういうことが**できた**のですね？
エイブ　　：はい。
セラピスト：［正の強化］よかったですね。お孫さんと出かけることが活動計画の一つでしたね。
エイブ　　：ええ。よかったです。
セラピスト：［会話を通してエイブの気分を軽くしようと試みる］**ご自身も**アイスクリームを食べたのですか？
エイブ　　：はい。
セラピスト：お孫さんの様子はいかがでしたか？　楽しんでいましたか？
エイブ　　：そう思います。

次に，セラピストはこの体験から，ポジティブな結論を導けるようにする。

セラピスト：お孫さんと一緒に出かけて，よかったことは何でしょう？
エイブ　　：外出できただけでよかったです。しばらく一緒に戸外にいまし

た。ただ孫と一緒にぶらぶらと時間を過ごせたことが，いちばんよかったと思います。
セラピスト：［エイブがポジティブな出来事を再体験しやすくなるようさらに質問をする］お孫さんとはどんな話をしたのですか？
エイブ　　：主にサッカーの話です。孫がサッカーチームに入っているので，どんな感じ？　とか，調子はどう？　とか。
セラピスト：［会話にのって興味を示す］お孫さんの調子はどうなのですか？　サッカーは上手なのですか？
エイブ　　：本人によるとなかなか調子よくやっているようです。
セラピスト：［ポジティブな中核信念を引き出そうとする］お孫さんと一緒に出かけてアイスクリームをご馳走できたことから，あなたご自身について何が言えそうでしょう？　先週のお話では，ずいぶん長い間，そうしたことをしていなかったようでしたが。
エイブ　　：もっとずっと前からしておけばよかったと思いました。

認知モデルを強化する

　多くのクライアントと同様に，エイブも自己批判的な自動思考を表出した。セラピストは，その機会をとらえて認知モデルに当てはめた。

セラピスト：なるほど。ひょっとして，ほかにも，**もっと前からしておけばよかった**，と後悔していることはありますか？　［クライアントの回答に対して］これまでにも，こうしたことがたくさん起きていたようですね。［認知モデルの形式にまとめる］状況として，あなたは，何かをするか，またはしないかを決めようとしている。お孫さんを連れて出かけるようなことですね。そして，「何もかもが大変過ぎる」という考えが湧く。その考えから気持ちが落ち込み，ソファに座ったままになる。
エイブ　　：そうだと思います。

セラピストは，エイブの自動思考に対応する方向で支援することもできたが，ここでは脱線せずに，近況の把握を続けた。

セラピスト：今お話しした考えについては，後でもう少しお話しするかもしれませんが，今はひとまず元の話に戻りましょう。前回のセッションから今回までに起きたことで，私が知っておいたほうがよいことは他にありませんか？
エイブ　　：思いつきません。あまり活動しませんでしたから。

活動計画を振り返る
　インテークセッションの際にクライアントと合意した活動計画があるなら，この1週間にクライアントが何をして，それがどの程度役に立ったかを知る必要がある。セラピストは，前の週に一緒にまとめた治療メモの振り返りから始める。

セラピスト：活動計画で他に何をこなせたかをみてみましょう。活動計画を今お持ちですか？
エイブ　　：ええ。
セラピスト：コーヒーメーカーの横に置いて，毎日，朝と日中に読めましたか？
エイブ　　：朝は毎日読めました。でも，日中は，あまり……
セラピスト：わかりました（その問題について，セッションの後半で話し合おうと心に留める）。治療メモを読み上げて感想を聞かせてくださいませんか？
エイブ　　：「気持ちが落ち込み始めたら，活動計画が役立つことを思い出す」。
セラピスト：はい。活動計画は役立つと思いますか？
エイブ　　：はい。役立つと思います。
セラピスト：ほかにどのようなことがメモに書いてあるでしょうか？
エイブ　　：「先生に助けてもらいながら，毎週，一歩一歩，目標に向かって取り組む。自分の考えが，100パーセント真実なのか，0

パーセントなのか，その中間なのかを評価する方法を学ぶ」．
セラピスト：それについてはどう思われますか？　うつ病のときには，考えがいつでも完全に真実ではない可能性があります．
エイブ　　：今のところは，考えていることはほぼ 100 パーセント真実に思えますが．
セラピスト：（メモをとる）そのことは後でまた話し合いましょう．その次はなんと書いてありますか？
エイブ　　：「考えと行動を毎日少しずつ変えることで具合はよくなる」．
セラピスト：そのとおりですね．

　次に，この 1 週間の活動計画に書かれた活動を振り返る．

セラピスト：では，次をみてみましょうか．お孫さんを連れ出してアイスクリームをご馳走できました．3 つ目の項目を読んでもらえますか？
エイブ　　：「どれをしても自分を褒めること．うつ病を改善することに役立つことをしたときにも，少しでも大変と感じることをしたときにも，ともかくこなしたのだから自分を褒める」
セラピスト：お孫さんにアイスクリームをご馳走したとき，ご自分を褒めることができましたか？
エイブ　　：あまり自分を褒められませんでした．当たり前のことをしただけですから［自動思考］．
セラピスト：この後，あなたのうつ病と，それがいかにあなたの生活を邪魔しているかについて話し合いましょう．治療メモを毎朝読んだことについて，ご自分を褒めることができましたか？
エイブ　　：はい．だいたい．
セラピスト：よかったです．

　次に，セラピストはまとめの作業をして，治療のプロセスをより理解しや

すくし，脱線しにくくなるようにする。

「さて，ここまで，あなたの気分をチェックして，アジェンダを設定しました。あなたに近況を話していただき，一緒に活動計画を振り返りました。次に，あなたの診断についてお話ししたいと思います」

5．うつ病の診断と心理教育

ほとんどのクライアントは自分の診断について知りたがっている。また，セラピストに正常でないなどと思われていないか知りたがっている。しかし，診断を伝える際には，初回セッションでは，パーソナリティ障害や精神病性障害のラベルは避けるべきである。代わりに，クライアントが体験した困難を，たとえば次のように表現することができるだろう——「大うつ病性障害があるようです。人間関係と仕事でも苦労してこられたようですね？」。

セラピストが**どのように**そう診断をしたのかをクライアントに伝え，心理教育を行うとよい。クライアントには，抱えている問題のいくつかを，自分のせいではなく，精神疾患のせいと考えられるようになってもらいたい。「私はどこかに問題がある」「私は怠け者だ」「私は役立たずだ」などの思考は，気分や行動にネガティブな影響を及ぼし，治療意欲を落としてしまう。

セラピスト：あなたの診断についてお話ししたいと思います。うつ病，と呼ばれるものです。ただの「落ち込み」とは違うものです。いわゆる「落ち込み」は風邪のようなものです。うつ病というのは重い肺炎に罹ったようなものです。肺炎が風邪と違うことはわかりますか？［比喩を示す］

エイブ　　：はい。

セラピスト：あなたはうつ病と呼ばれるものに罹っています。DSMと呼ばれる診断基準にはうつ病の症状がたくさん挙げられています。（間を置く）先週，あなたのお話からうつ病とわかりました。

次に，セラピストは，エイブが体験してきた症状のなかから，うつ病だと示すものを挙げる。

「こんなことはないでしょうか？ いつも疲れを感じていて，もう長いこと深い落ち込みを感じています。ほとんどのことに興味を失って，喜びの感じがほとんどありません。食欲は落ち，眠っている時間が増えました。なかなか集中できず，何かを決めるのも難しい。時に死について考えることさえします。（間を置く）これらはどれも大うつ病性障害と呼ばれるものの症状です。れっきとした病気です」

症状を説明した後，次にエイブに希望を与えることを試みる。

セラピスト：幸い，うつ病にはよい治療法があることが研究によって示されています。認知行動療法です。私が行う治療もその一種です。（間を置く）いかがでしょう？ あなたが抱えている問題はれっきとした病気である，という考え方は？
エイブ　　：おっしゃることはよく理解できます。自分の状態は診断基準のとおりだと思います。でも，これが病気だという考え方は，なんと言ってよいか……。ただ，自分がすべきことをしていないだけのように思えます。

うつ病を肺炎の比喩で説明する
セラピスト：肺炎に罹っていたら，しなければならないことをすべてこなせるでしょうか？
エイブ　　：いいえ。
セラピスト：できませんね。いつも消耗していますから。そうですね？
エイブ　　：（うなずく）
セラピスト：症状が深刻だと，集中することも難しくなるかもしれません。あなたのうつ病も肺炎と同じく重いものです。この病気に罹る

と，抑うつ的な考えにもなるのです。

うつ病とネガティブな思考について心理教育をする
　クライアントが症状について自分を責めることもある。それを避けるために，セラピストは次のように伝える。

セラピスト：ところで，抑うつ的な考え方をしてしまうのは，ご自分のせいではありません。そうした思考は自動的に表れ，「自動思考」と呼ばれます。（間を置く）抑うつ的な自動思考はうつ病の症状の一つで，疲労感や不眠や，抑うつ気分といった症状と同じです。
エイブ　　：はい。
セラピスト：うつ病は，［比喩を伝える］真っ黒なサングラスを掛けているようなものなのです。あらゆる経験を，そのサングラスごしに眺めるようになります。何もかもが暗くネガティブに見えます。（間を置く）どう思われますか？
エイブ　　：そうかもしれません。

治療計画と抑うつ的な思考についてさらに心理教育をする
　次に，セラピストは，抑うつ的な思考にどう取り組んでいくかを少し話し，エイブに希望を与える。

セラピスト：うつ病のせいで，あなたの自動思考の中には，100パーセント正しいとはいえないものが混ざってきます。あるいは，正しいかもしれないけれども役に立たない思考もあるはずです。この治療では，ご自分の考えを評価する方法を教えます。そうすると，そうした思考がどれほど正確か，どれほど役立つかを自分で理解できるようになります。わかりますか？
エイブ　　：わかりました。

セラピスト：もう一つ喩え話をお伝えしますね。うつ病に罹ると……競走馬が目隠しをされているような状態になります。競走馬が目隠しをされている理由はわかりますか？
エイブ　　：注意がそれないようにするためです。まっすぐ前を見続けるようにするため。
セラピスト：そのとおり。うつ病に罹ると，まるで目隠しをされているように，すぐ目の前しか見えなくなります。しかも，サングラスをかけていますので，かろうじて目に入ってくる事柄も，どれも，ひどくて，本当にネガティブに感じられるようになります。そこで，この治療では，そうした目隠しをはずして，ネガティブな事柄だけでなく，他に起きていることの**すべて**がちゃんと見えるように，一緒に取り組んでいきます。
エイブ　　：なるほど。
セラピスト：今日からの1週間，このことを思い出していただくことは，気分を軽くするうえで役立つと思いますか？
エイブ　　：そうですね。

　次に，治療メモを協働的に作り，次のセッションまでの間に，エイブが毎日読めるようにする。

セラピスト：ご自分でお書きになりますか？　それとも，私が書きましょうか？
エイブ　　：書いていただけたら助かります。
セラピスト：わかりました。では，たとえば，「自分で自分を責めていることに気づいたら，次のことを思い出す……」で始めてみましょうか。どんなことを思い出すようにしましょうか？

　クライアントに自分の言葉でまとめてもらうことによって，セラピストはクライアントの理解のレベルを確かめることができる。また，クライアントがセッションにより能動的に参加することを促すことにもつながり，適応的

な反応も強化される。

エイブ　　　：「自分は場面の一部しか見ていない」と思い出すようにします。
セラピスト：いいですね。「場面の一部しか見ていない」。見えているのはどの部分でしょう？
エイブ　　　：サングラスを通して見えている部分。
セラピスト：いいですね。「場面の一部しか見ていなくて，しかもサングラスごし」。

　クライアントの反応をより強めるために，さらに2つの提案をする。

セラピスト：「場面の一部しか見ていないのは自分のせいではない」ということを思い出す，というのはいかがですか？
エイブ　　　：（ため息をつく）
セラピスト：心から信じていらっしゃる感じではありませんね。
エイブ　　　：あまり。

　クライアントが納得しないことは書きたくないため，少し修正を加えてみた。

セラピスト：では，「"場面の一部しか見ていないのは自分のせいではない"と**セラピストが言っている**」というのはいかがでしょう？
エイブ　　　：それならば構いません。
セラピスト：「自分のせいではない，と先生は言う」ですね。「場面の一部しか見ない」理由について，私は何とお伝えしたでしょうか？
エイブ　　　：うつ病のせい。
セラピスト：そのとおりです。「こうしたことが起きているのは，私がうつ病に罹っているから」
　　　　　　　（間）これなら，毎日ご自分に向けて読み上げられそうですか？
エイブ　　　：大丈夫です。

認知モデルについて心理教育を行う

次に，セラピストは認知モデルを説明し，クライアント自身の例を使ってそれを書き起こす。説明した内容をクライアント自身の言葉で言ってもらい，理解を確かめる。

セラピスト：次に，あなたの抑うつ的な思考について，もう少しだけお話ししたいと思います。つい数分前にここで話し合ったことで考えてみましょう。お孫さんと出かけてアイスクリームをご馳走することを，これまで長い間できなかった，と話し合いましたね。「孫と出かけようとする」というのが状況です。そのときにあなたが何を考えていたかを覚えていらっしゃいますか？ どのような考えが湧いていたかを？

エイブ　　：よく覚えていません。

セラピスト：先ほど，「何もかもが大変すぎる」とおっしゃっていました。

エイブ　　：ああ，そうですね。

セラピスト：そうですね。「何もかもが大変すぎる」という考えが湧いたとき，その思考からどのような気持ちになりましたか？

エイブ　　：とても憂うつになりました。

セラピスト：そうですね。そして，そうした気持ちが湧いたときに，その後どうしましたか？

エイブ　　：ソファに座ったままに。

セラピスト：そうでしたね。それを図に描いてみますね。

```
状況：何かをしようと考える（例：孫と出かける）
              ↓
       自動思考：「何もかもが大変すぎる」
                ↙    ↘
     感情：抑うつ      行動：ソファに座ったまま
```

どうでしょう？　別の考えが湧いたとしたら，別の気持ちになっていたでしょうか？　たとえば，「何もかもが大変すぎるように**思える**けど，それはうつ病のせいで，そうした考えは真実ではないかもしれない。治療によってそれは改善するし，実際，先週，私は孫と出かけてアイスクリームをご馳走できたし，楽しめた」。そんな考えならばどのような気持ちになったと思いますか？

エイブ　　　：もっとましな気分になっていたと思います。

セラピスト：そのとおりです。（認知モデルの図を指しながら）状況そのものから，疲れたり，暗い気分になったり，抑うつになったりするわけではないのです。その状況で，**考えること**の内容が，私たちの気分や行動を決めるのです。「何もかもが大変すぎる」という考えがあれば，落ち込んでソファに座ったままになります。でも，「まあ，治療によってよくなっていく，セラピストが助けてくれると言っている」といった考えを持つことができれば，気分は少しよくなって，何か行動する見込みも少し高くなります。

エイブ　　　：よくわかります。

セラピスト：この治療では，まず，あなたがご自分の自動思考を見つけられるようになることが大切です。これは一つのスキルのようなもので，自転車に乗れるようになるのと似ています。やり方は私がお教えしますね。次に，頭に浮かんだ考えが，100パーセント真実なのか，0パーセントなのか，またはその中間なのかを見てみます。（間を置く）ではさっそくやってみましょう。お孫さんにアイスクリームをご馳走しに出かける前は「とても大変だ」と考えていましたね？

エイブ　　　：ええ。

セラピスト：でも，実際に出かけてみたら，結果はどうでしたか？

エイブ　　　：まあまあな感じでした。

セラピスト：大変さは，想像していた通りでしたか？

エイブ　　　：いいえ。
セラピスト：これがとてもよい例です。つまり,「これは大変すぎる」や「一緒に出かけるのは大変だ」というような自動思考があっても,実際に行動してみると,自動思考は真実ではなかった,少なくとも100パーセント真実ということはなかった,という例です。いかがでしょう？
エイブ　　　：おっしゃる通りですね。
セラピスト：今話し合ったこと,ご自身の言葉で言っていただいてもいいですか？
エイブ　　　：えーと,ネガティブな思考は,うつ病のせいで,真実ではない,と先生はおっしゃったわけですね？
セラピスト：そうなんです！　そして,こうした考えはあなたにどのような影響を及ぼすでしょうか？
エイブ　　　：気分が落ち込んで,ソファに座ったままになるかもしれないですね。
セラピスト：すばらしい,そのとおりです。あなたの考えが,あなたの気分に影響を与えて,そこからどう行動するかにも影響を与えるのです。

　クライアントがなかなか自動思考を同定できない場合の対応は第12章(p. 318～322)を参照のこと。ただし,うまくいっていないクライアントに対しては,自分はダメだと感じさせないよう,自動思考の大切さを強調し過ぎないように気をつける。

> **臨床のコツ**
>
> 　クライアント自身の自動思考の例を見つけにくい場合は,セラピストから例を示してもよい。
>
> セラピスト　：考えが気持ちや行動に影響を及ぼすことについて,もう少しお話しします。たとえば,8時間ほど前に,親友に携帯メールを送ったけれども,返信がまだなかった,と

　　　　　　　　　いう状況を想像してみてください。そのとき，どのよう
　　　　　　　　　なことを考えるでしょうか？
クライアント：その友達に，何かトラブルがあったのかな，と考えます。
セラピスト　：その考えからどのような気持ちになりますか？
クライアント：たぶん，心配になると思います。
セラピスト　：そして，どのように行動しますか？
クライアント：たぶん，もう一度メールを送って，それでも返信がな
　　　　　　　　　かったら電話をかけると思います。
セラピスト　：そうですね。これが，どう考えるかが，どのような気分
　　　　　　　　　になって，何をするかに影響を及ぼす例です。

　認知モデルをさらに強化したい場合は，さらに別な自動思考を示して，同じ状況に当てはめてみるとよい。たとえば，（携帯メールに返信がないことについて）「あの人はいつもこうだ。失礼な人だ」という考えが浮かんだとしたら，どう感じて何をするかを尋ねてみる。その後で，このように考えをいろいろと上げてみることから学んだことをまとめてもらう。

臨床のコツ

　クライアントの認知能力に障害がある場合や若年者の場合は，学習補助ツールを使ってもよい。たとえば，様々な表情の漫画キャラクターで感情を表現し，空白の吹き出しを頭の上に描いて思考を示してもよい。

認知モデルを強化するために活動計画の項目を設定する

　次に，セラピストは，次の1週間に抑うつ的な自動思考を探してみるよう伝える。自動思考が湧くものと心積もりしておくように，また湧いた思考は真実かもしれないし，そうではないかもしれないことを思い出すよう伝える。

セラピスト：今週は次のようにしてくださいませんか？　気分が悪くなったり，生産的な活動ができなかったりするときに注目します。そのとき，「今，どんなことが頭に浮かんでいるだろうか？」と自分に問いかけてみてください。

エイブ　　：わかりました。

セラピスト：どのような考えが浮かんできそうか，予想できるものを，今ここで一つ挙げられますか？

エイブ　　：いくらでも思いつきます。ソファに座っているときとか，部屋を片付けようとするときとか……

セラピスト：いいですね。では，部屋の片付けについて考えているとしましょう。どのような気分だと思いますか？

エイブ　　：たぶん疲れています。「疲れすぎていて何もできない」と考えると思います。

セラピスト：よい例ですね。つまり，ソファに座って掃除しようという「状況」で，「疲れすぎていて何もできない」と「考える」わけですね。その考えからどのような気分になりますか？

エイブ　　：落ち込みます。

セラピスト：「疲れすぎていて何もできない」という考えを信じると，どのように行動すると思いますか？

エイブ　　：そのまま座り続けていると思います。

セラピスト：そうなってしまいそうですよね。
　　　　　　（間を置く）では今週は，まず，気持ちが落ち込んでいるときや，生産的な活動ができないときに注目してください。そして，「今，どんなことが頭に浮かんでいるだろうか？」とご自分に問いかけてください。（間を置く）それから思考を書き出します。そのときに，書き出した考えが真実ではないかもしれない，少なくとも完全に真実だとはいえないかもしれない，ということを思い出していただけますか？

エイブ　　：そうしてみます。

セラピスト：自動思考は，この「自動思考をみつけるワークシート」（図6.2）に書いていただいても構いませんし，紙やノートや携帯電話でも構いません。どれがよさそうですか？
エイブ　：ワークシートを使ってみます。

覚えておくこと：思考は真実とは限らない。役に立たない／不正確な思考を変えると気分がよくなる見込みが高い。

説明：気分が下がったり，役に立たない行動をしていたりするときには，自分に次のように問いかける：「今，どんなことが頭に浮かんでいるだろうか？」。思考を，以下に書き出す。

図6.2　自動思考をみつけるワークシート
© 2018 CBT Worksheet Packet. ペンシルベニア州フィラデルフィア，ベック認知行動療法研究所

セラピスト：いいですね。（ワークシートをエイブに渡す）上のところに指示が書いてあります。今ご説明したものです。
エイブ　：わかりました。
セラピスト：（エイブの理解を確かめる）自動思考を一つ，ワークシートに記入してみていただけますか？　たとえば，「疲れすぎて，何もできない」。
エイブ　：はい。（ワークシートに記入する）
セラピスト：このホームワークを忘れないようにするきっかけがあるとよいでしょうか？　たとえば，付箋紙に書いて貼っておくとか，腕時計を普段と反対の腕につけておくとか，手首に輪ゴムをつけておいてもいいかもしれません。自動思考を探すことを忘れないために。
エイブ　：何か目に入るものがいいですね。輪ゴムがよいかな。

セラピスト：ここに一つありますよ。さっそく，今，つけてみますか？
エイブ　　：はい。
セラピスト：（エイブに輪ゴムを手渡しエイブが手首につける）輪ゴムが目に入るたびに，ご自分に向かってどのように語り掛けましょうか？
エイブ　　：「今，どんなことが頭に浮かんでいるだろうか？」。
セラピスト：いいですね。特に気分がどんどん悪くなってきているときや，生産的ではない振る舞いをしているときに，ですね。そして，思考は真実ではないかもしれないことを思い出すのでしたね。
エイブ　　：わかりました。

6．価値とアスピレーションを同定する

価値を引き出す

　次に，クライアントが抱いている価値を同定する。価値とは，その人の人生で何が最も大切かについて抱き続けてきた信念のことである。私たちが何を選び，どう行動するかは価値によって形づくられる。価値に沿った生き方・過ごし方ができていないと感じるとき，私たちはたいがい抑うつに陥る。クライアントには，きさくな調子で「あなたの人生にとって，どんなことがいちばん大切ですか？　以前に大切だったことでも構いません」と尋ねる。

> **臨床のコツ**
>
> 　クライアントが大切なことを思いつかないと答える場合や，返答に苦労しているようなら，セラピストから具体的な案を出してみてもよい。以下の領域について，「あなたにとって，＿＿＿＿＿＿＿は，どれほど大切ですか？」と考えてもらうとよいだろう。
>
> - 人間関係（家族，友人，パートナー）
> - 生産性（仕事，家事，育児）
> - 健康（運動，食事，睡眠，節酒節煙など）

- 自己改善（教育，スキル，文化，外見，自己コントロール）
- 人とのつながり（地元，より広い意味でのコミュニティ）
- スピリチュアリティ
- 余暇活動（娯楽，趣味，スポーツ）
- 創造性
- 自然
- リラックス

　本当に大切と感じることをクライアントに振り返ってもらうと，希望（アスピレーション）を同定しやすくなり，目標を設定しやすくなる。こうした介入自体が希望を生むことにつながり，クライアントが治療に熱心に取り組み，活動計画を完了する動機につながり，日々の障害や問題を乗り越えやすくなる。

セラピスト：話題を少し変えますね。あなたにとって人生でいちばん大切なことについて話し合いたいと思います。人生で，**どんなこと**がいちばん大切ですか？　うつ病になる前に大切にしていたことでも構いません。
エイブ　　：子どもたち。
セラピスト：いいですね。
エイブ　　：孫たちも。
セラピスト：お孫さんたちですね。ほかにも大切にされてきたことはありますか？
エイブ　　：ばりばり仕事をすることを大事に思っていましたが，結局ダメな奴でした。

（「ダメな奴」という自動思考に介入するというアプローチもあるが，このクライアントとは認知モデルの振り返りが済んでいたため，ここでは自動思考には介入せず価値を同定する作業を続ける方針とした）

セラピスト：ほかに，何が大切だったでしょうか？
エイブ　　：友だちですね。あと，スポーツもずっと好きでした。
セラピスト：いいですね。スポーツはやるほうですか？　観るほうですか？
エイブ　　：両方です。
セラピスト：ほかにはありませんか？
エイブ　　：そうですね……以前は，教会に通っていろんな活動をしました。ボランティアとか手伝いとか。人を助けるのが好きなんです。
セラピスト：他には？　健康についてはいかがでしょう？
エイブ　　：以前は健康な食事をして，運動もして，という感じでした。

希望（アスピレーション）を引き出す

　クライアントの希望（アスピレーション）を引き出すには，次のような質問をするとよい（『リカバリーを目指す認知療法』［岩崎学術出版社］）。

「どのような人生になってほしいですか？」

「未来に向けて，どのような願いがありますか？」

「どのような未来になってほしいですか？」

「子どもの頃（若い頃），大人になったらどのような人生を思い描いていましたか？　どんな願いを抱いていましたか？」

セラピスト：最近は抑うつが続いていましたから，よい人生と感じられずにいることはわかっています。（間を置く）どのような人生に**なってほしい**と思いますか？
エイブ　　：うつ病になる前のようになってほしいです。
セラピスト：どのような？
エイブ　　：仕事に就いていたいです。家族ともっとよい関係でいたいです。友人たちとも。（考える）自分の面倒をもっとよくみられるようになりたいし，自分の部屋も整理整頓したいです。
セラピスト：ほかには？

エイブ　　　：（考える）自分を好きになりたいです。誰かの役に立っていて，周りの人を助けられる人間でありたいです。

希望（アスピレーション）について，結論を引き出す
　希望（アスピレーション）や価値そのものよりも，むしろ，それに対してクライアントが付与する**意味**のほうが重要である。そこで，目標や希望（アスピレーション）を達成することでどのような意味があるのかをクライアントが考えられるよう支援する。特に，自分の人生，自己イメージ，人生の目的，自己コントロール感，他者とつながっている感覚，などの観点で意味を導き出せるよう支援する。次のような質問をするとよい（『リカバリーを目指す認知療法』［岩崎学術出版社］）。

> 「あなたの希望や目標を達成できると，どのようなよいことがあるでしょう？」
> 「達成できたら自分をどう感じるでしょう？　あなた自身についてどんなことが言えるでしょう？　あなたに対する他の人たちの見方，扱い方は，これまでとどう違ってくるでしょう？」
> 「あなたの未来については，何が言えるでしょうか？」
> 「願いや目標がすべて実現したら，どんな気持ちになるでしょう？　今ここでそのような気持ちになっている自分を想像してみてください」

　セラピストは，エイブに次のように質問をする。

セラピスト：もし，好きな仕事に就いていて，ご家族やご友人とよい関係でいて，自分や自宅をよく管理できていて，周りの人たちを助けていたら，それによって何がよくなると言えるでしょうか？
エイブ　　　：自分に自信が持てます。生産的になれます。
セラピスト：それは，一人の人間としてのあなたについてどういうことを意味しますか？
エイブ　　　：私が，善良で責任感のある人間だということがわかると思います。

セラピスト：優秀な働き手で，よい父親で，よい祖父で，よい友人だともわかるでしょうか？
エイブ　　：そうですね。
セラピスト：周りの人たちはあなたをどのような目で見るでしょう？
エイブ　　：前と同じように見てもらえればと願います。信頼できて，勤勉で，付き合いのいい人というふうに。
セラピスト：こうしたことがすべて実現したら，どんな未来になると思いますか？
エイブ　　：明るいですね。
セラピスト：もしそんな未来にいたら，どんな気分だと思いますか？
エイブ　　：最高によい気分だと思います。

希望（アスピレーション）を達成したイメージを生み出す

イメージ技法を使うと，希望（アスピレーション）をより具体化でき，クライアントがセッション中にポジティブな感情を体験できる。

セラピスト：ある日，うつ病が完全に治っていて，こうしたよい事柄がすべて実現しているとします。その状況をイメージできますか？ たとえば，今から1年後だとしてみましょう。どこで目が覚めると思いますか？
エイブ　　：就職できていてお金があれば，別のアパートに住んでいると思います。
セラピスト：朝，目を開けるところをイメージしてみてください。どんなお部屋ですか？
エイブ　　：今から1年後ですね？　部屋が広くなっています。日当たりのよい部屋です。きれいに片付いています。
セラピスト：どのような気分ですか？
エイブ　　：いい気分です。
セラピスト：その日が楽しみですか？

エイブ　　　：好きな仕事に就けていたら？　それならば，はい。
セラピスト：ご自分がベッドから起き出るところが見えるでしょうか？　どんなことを考えていますか？
エイブ　　　：たぶん，その日にすることだけを考えていると思います。
セラピスト：どのような気分ですか？
エイブ　　　：いい気分です。
セラピスト：次にどう行動すると思いますか？

　セラピストはこのようなコーチングを続けて，クライアントが将来のこの1日を詳しくイメージできるよう支援する。話しているうちにクライアントの気分が少し明るくなり始めるのが見える。

7．目標を設定する（パート1）

　クライアントの価値と希望（アスピレーション）を同定したら，目標を協働的に設定して書きとめる。ここで設定する目標は，インテークセッションで話し合った全般的な目標よりも具体的なものになる。うつ病のクライアントにとって，目標を設定することは多くの利益につながる（Ritschel & Sheppard, 2018）。p.153～154で示した領域に関連する目標を考えてみるよう提案してもよい。以下は，セラピストとエイブが目標をいくつか設定する対話である。途中で妨げになる自動思考が表れたときには，それに対処して，再び目標設定の作業に戻る。

セラピスト：具体的な目標をいくつか話し合いましょう。今とはどのように違う人生になってほしいでしょうか？　ご自身は今とどう違っていたいでしょうか？
エイブ　　　：うつ病になる前のようになりたいです。さっき話し合ったことすべてをしたいです。
セラピスト：お子さんやお孫さんたちともっと時間を過ごしたい？

エイブ　　：はい。
セラピスト：（書き出しながら）大切な目標ですね。ほかには？
エイブ　　：好きな仕事に就きたいです。でも，どうするとできるかわかりません。これまでもできませんでしたから。

目標の設定を妨げる自動思考を扱う

　セラピストはクライアントの概念化を行い，ここでは目標設定を続けるよりも自動思考に対応するほうが重要だと判断した。クライアントに以下を理解してもらうよう努めた。

> - 思考は，偏っていたり，不正確だったりする可能性がある
> - クライアントとセラピストはチームとして一緒に取り組む
> - 認知行動療法が役立つという明確な根拠がある
> - クライアントが治療へ来ていること自体が強さの証である

　また，セラピストは，次の1週間，変わろうと努めてもらうよう，エイブに約束してもらう。たとえそれを妨げる思考が湧いたとしても。

セラピスト：うつ病のせいで，こうしたことをするのが大変だと思いますが，これまでと今とで，違うことがあります。何かわかりますか？
エイブ　　：どうだろう。
セラピスト：**私がついている**，ってことです。私はお役に立てそうでしょうか？
エイブ　　：先生ならば，もしかしたら，って思います。
セラピスト：［希望を持ってもらう］これまでお話をうかがってきて，あなたがこのうつ病を乗り越えられない理由は**何一つない**と思います。うつ病を乗り越えられると本当に思います。そう考える理由をお話ししますね？
エイブ　　：はい。
セラピスト：第一に，あなたは，治療は役立つだろうかと疑問を感じながら

も，最終的にはご自分の意思で先週のインテークセッションにいらっしゃいました。しっかりとインテークセッションをこなして，私の質問に答えていただきました。一緒に活動計画を作成できました。お孫さんと一緒に出かけてアイスクリームをご馳走するという項目を含めてね。「大変だ」という考えが湧いたにもかかわらず，それを実行できました。ですので，あなたがこの治療を試してみようという意思を持っていらっしゃることが，よく理解できます。この治療が本当に効くのか，**今の時点ではまだ疑問に思っていただいていてちっとも構いません。**（間を置く）治療が進むにつれて，ご自分自身で効果を実感していただけばと思います。よろしいでしょうか？

エイブ　　　：はい。

セラピスト：そして，あなたは独りではありません。私たちはチームで，あなたがよくなるように取り組んでいます。目標に向かって一歩一歩進みながら，気持ちが圧倒されてしまわないようにします。身につけるスキルもあります。自動思考に反論する，などです。まだお教えしていませんが，これから身につけていただければ結構です。

エイブ　　　：でも，自分の問題は自分で解決できなければならないと，ずっと考えてきました。

セラピスト：肺炎のたとえを思い出してください。肺炎は自分ひとりで治しますか？

エイブ　　　：いいえ。病院にかからないといけません。

セラピスト：医師が支援してくれますよね。うつ病も同じです。私が支援します。ただ，薬を処方する代わりに，うつ病を乗り越えるためのスキルをお教えします。うつ病からの回復に役立つことが研究で示されているスキルです。

エイブ　　　：わかりました。

セラピスト：あなたは，これまでの考え方ややり方とは違うことを試そうと

考えていらっしゃいますね。それは，あなたの強さの証だと思います。

エイブ　　：もしかしたら，本当に何もかもが黒いサングラスを通して見えているのかもしれませんね。

セラピスト：そうですね。ですので，ここでご一緒に，──「ご一緒に」ですよ──黒い塗料を削り落としてうつ病を乗り越えましょう。（間を置く）目標設定に戻りましょうか？

エイブ　　：はい。

8. 目標を設定する（パート2）

　エイブの非機能的な思考に対応したら目標設定に戻る。セラピストは，目標が多すぎてエイブが圧倒されてしまわないよう注意する。また，話し合いの時間も制限して，活動スケジュールを話し合うための時間を残すようにする。

セラピスト：では，他に目標はありますか？

エイブ　　：友人ともっと会いたいです。でも，失礼な奴だと思われているかもしれないので，うまくいくかどうかわかりません［自動思考］。しばらく音信不通でしたから。

（セラピストは，この自動思考に対応するより目標設定を続けるほうが重要だと概念化して先に進んだ）

セラピスト：では，そのことは疑問符つきで書いておきましょうか？

エイブ　　：はい。

セラピスト：他にありませんか？

エイブ　　：部屋を片付けられるとよいです。

セラピスト：健康面はいかがですか？

エイブ　　：もっと健康的な食事にして，運動も始められるとよいです。

セラピスト：**とても**よいリストができたと思いますよ！　今話し合ったことを目標リストに書き込みました。これから1週間，折々にこのリストを見て，足したり消したり変更したり，したい目標がないかを考えてみてください。もしかしたら，楽しいことや心地よいことをさらに目標に入れたいと思うかもしれません。自由に書き入れてみてください。

目標リスト	
	5月13日
・好きな仕事に就く	
・友人にもっと会う（？）	
・部屋を掃除する	
・健康的な食事にする	
・運動する	

目標を設定する際の困難

目標設定で時々ぶつかる困難を3つ解説する。

> 1. クライアントが目標を思いつかない
> 2. 設定する目標が広すぎる
> 3. 他者に関する目標を設定する

目標設定の質問に，クライアントが「わかりません」と答えたら，代わりに「奇跡」の質問をしてみるとよい。これは，解決志向ブリーフセラピー（de Shazer, 1988）で有名な質問法である。

「明日の朝,奇跡が起きて,目が覚めたときにうつ病が消えていたら,今とは何が違うでしょうか? 周囲の人は,どのようなことから,あなたがうつ病ではないと気づくでしょうか?」

また,クライアントが,目標を設定するとよくないことがあると考えていないかも確認する。

クライアントが挙げた目標が漠然としすぎている場合もある。(「うつ病でなくなりたい」「もっと幸せになりたい」「すべてによくなってほしい」など)。目標をより具体的にするためには,
「もし[うつ病ではなくなったら／もっと幸せだったら／すべてがよくなったら],今とは違ったどんなことをしているでしょうか?」
などと尋ねるとよい。

自分では直接コントロールできないことを目標に挙げるクライアントもいる。「パートナーにもっと優しくしてほしい」「上司はプレッシャーをかけないでほしい」「子どもたちが言うことを聞くようになってほしい」などである。こうした場合は,クライアント自身がコントロールできる形で目標を言えるように支援する。

「パートナーさんがあなたにもっと優しくするよう,パートナーを直接変えられるわけではありません。でも,そのために,次のように言いかえることはできます。『パートナーとの上手な話し方を身につける』。**他者を変えるのは難しいことですが,あなた自身がコントロールできる状況で,自分の行動を変えることを通じて,相手の人の行動に影響を与えられる可能性が出てきます**」

クライアントが他者に関わる目標を設定する場合の詳しい考察は,J. S. Beck(2005)を参照。

> **臨床のコツ**
>
> 治療を通じて,新しい目標が表れるたびに,リストに加えていく。目標は,「問題」の裏返しである。たとえば,クライアントが「10代の息子／娘の扱い方がわからない」と言ったら,「息子／娘さんとどんな付き合い方ができるようになるといいと思いますか?」と言いかえることができる。「仕事を片付けるのが大変です」と言ったら,「仕事をもっと簡単に片付けられる方法をみつける」という目標設定を提案できる。

9. 活動スケジュールを行う

セッションの時間が残っていたら,うつ病のクライアントの場合には,次の1週間に実行可能な,実行できればクライアントが自分を褒められるような活動のスケジュールを入れるとよい。または,すぐにも対応が必要な差し迫った問題があるならばそれに取り組んでもよい。

エイブは,それまで非常に非活動的で,差し迫った問題もなかったため,セラピストは,次の1週間の活動スケジュールを導入することにした。活動スケジュールの詳細は次章を参照いただきたい。

10. セッション終了時のまとめ

セッション終了時には,セッションで話し合ったテーマをつなぎ合わせながら大切な点を強調してまとめを伝える。治療の初期はセラピストがまとめの作業を行い,治療の進捗に伴ってクライアント自身がまとめの作業ができそうになったら,クライアントにまとめてもらう。

初回治療セッションの終わりは次のように伝えるとよい。「今日話し合ったことのまとめをして,お互いによく理解しておきたいと思います。今日は,あなたの診断について話し合いました。また,あなたの思考が,気分と

行動に影響を及ぼすことを話し合いました。あなたにとって大切なことと，どのような人生になってほしいかを話し合いました。そして，目標を設定し，今日からの1週間にする活動を決めました」

まとめの作業では，クライアントが活動計画の一環として実行することにした項目を振り返り，それを実行できる見込みがどの程度かも評価する。詳細は第8章を参照（p.195 〜 228）。エイブの初回治療セッションの活動計画を図6.3に示す。記入した活動計画は，他に必要なワークシートやメモと共に必ずクライアントに渡すようにする。

11. フィードバック

セッションの最後にフィードバックを引き出す。このセッションの終了時には，ほとんどのクライアントが，セラピストと治療に対してポジティブな気持ちになっているはずである。フィードバックを求めることは，クライアントがセッションをどう感じたかをセラピストが気にかけていることを示すメッセージとなる。また，フィードバックを求めることを通じて，クライアントが何か誤解をしていないか確認する機会になるし，セラピストが誤解を解消する機会にもなる。ときには，セラピストの言動に対して，クライアントが独特の（ネガティブな）解釈をしていることもある。セラピストの言動でクライアントの気に障ることがなかったかを尋ねることで，クライアントが自分の考えをセラピストに伝えてその真偽を検証する機会となる。口頭でのフィードバックに加えて「フィードバック用紙」（図6.4）を記入してもらうとよい。

セラピスト：今日のセッションについて，少しフィードバック（感想）をいただけませんか？　［理論的根拠を示す］それによって，必要があれば次回のセッションでセッションの進め方を修正することができます。（間を置く）セッションについてどのようなことを考えましたか？　気に障ったり，私が誤解していると思っ

たりしたことはありませんでしたか？
エイブ　　：いいえ。よかったです。
セラピスト：次のセッションでやり方を変えたほうがよいと思うことはありませんか？
エイブ　　：とくにありません。
セラピスト：今後も，もしネガティブな感想があったら，率直にお話しいただけますか？
エイブ　　：わかりました。
セラピスト：そのような場合には，私からは，まず，「お話ししてくださってよかったです」とお伝えしますね。私が間違ったことをしていたら，それを知って直したいと思っています。そのようなことを私に伝えていただける方法がもう一つあります。「フィードバック用紙」をお渡ししますので，受付前で記入して，受付係に渡していただけますか？　私はそれを読んで，セッションのことを振り返り，私が知っておくべきことを考えます。
エイブ　　：わかりました。
セラピスト：他に何かご質問はありませんか？　今日は来てくださって本当によかったです。来週も同じ時間でよろしいですか？
エイブ　　：はい。
セラピスト：では来週お会いしましょう。

振り返りのための問い

・クライアントが価値や希望（アスピレーション）や目標を同定できるよう支援するのはなぜ大切なのでしょうか？

実践エクササイズ

　本章で紹介した質問を自分にもしてみて，セラピスト自身の価値と希望（アスピレーション）を同定しましょう。次に，目標を1つ以上定め，それを達成するために今週始められるステップを1つ2つ書き出しましょう。

<u>活動計画</u>

5月13日

この活動計画と先週の活動計画を毎日2回読む。
ひきつづき自分を褒める。

思考が反応に影響をおよぼす様子

<u>状況</u>：何かをしようとする（例：孫と一緒に出掛ける）
↓
自動思考：「何もかもが大変すぎる」
↙　↘
感情：抑うつ　　　行動：ソファに座ったまま

自分に批判的になっていたら，場面の一部しか見ていないことや，サングラスを通して見ていることを思い出す。そうしてしまうのは私のせいではないと先生は言っていた。それはうつ病のせい。

気分が落ちてきたり，生産的ではないことをしていたりする，と気づいたら，次のように自分に問いかけてみる。
「今，どんなことが頭に浮かんでいるだろうか？」
そして，考えを「自動思考をみつけるワークシート」に書き出す。
これを忘れないために腕に輪ゴムをつけて目印にしておく。

サングラスのことも忘れない。　→　🕶

くたびれて，出かけるより（何かをするより）もこのままソファで過ごしたいと感じたら，社会復帰しないといけないことを思い出す。出かけることが大切だ。出かけないとうつ病は治らないままだ。社会復帰し，生産的になって，家族にとって良い人になろう。そうすれば，自分が世の中の役に立ち，能力があり，自己管理ができる人間と感じられるだろう。出かけたからといってすぐに気分が良くなるわけではないかもしれないけど，最初の一歩を踏み出すことが大切だ。

すること：
1. 孫と一緒に出かけてアイスクリームをご馳走する。
2. 今週は4回外出する。例：5分間散歩する，食品店・金物店まで行く，自分をコントロールできることを自分に示す。
3. 目標リストをながめる。必要に応じて追加・削除・変更する。

図6.3　エイブの活動計画（セッション1）

名前＿＿＿＿＿＿＿＿＿　　　日付＿＿＿＿＿＿

今日の治療セッションで覚えておきたいこと／印象に残ったことは何ですか？

セラピストや治療に関して気に障ることはありましたか？　どのようなことですか？

新しい活動計画を実行する見込みはどれくらいですか？
活動計画は，あなたの希望（アスピレーション）や価値とどのように結びついていますか？
活動計画を実行することで何がわかるでしょうか？（特に自分自身について何かわかりますか）？

次回のセッションで必ず話し合いたいことは何ですか？

図 6.4　フィードバック用紙
© 2018 CBT Worksheet Packet. ペンシルベニア州フィラデルフィア，ベック認知行動療法研究所

第7章 活動スケジュール

　うつ病に対する治療の初期段階での重要なステップのひとつは，活動をスケジュール化することである（Cuijpers et al., 2007）。抑うつ的なクライアントのほとんどは，以前には達成感，コントロール感，喜び，人とつながっている感じをもたらし，気分をよくしてくれた活動を控えたり，回避したりしてしまっている。多くの人が，日課をこなさなくなり，セルフケアをしなくなっている。エイブもそうだったように，食生活が乱れ，運動（をしているとしても）頻度が落ち，睡眠が足りなかったり多すぎたりする。特定の行動のみが増えることもよくある。たとえば，ベッドの中で過ごす，テレビを観る，ゲームをする，SNSを見る，ネットサーフィンをする，といったことである。活動がこのように変化すると，現在のつらい気持ちや，コントロールを失っている感じが，維持されたり強化されたりしてしまう。そこでクライアントに次のようなメッセージを伝える。

「**価値**，つまりあなたがいちばん大切だと感じることに従って行動することが重要です。何かをしたいといった**気分**には従ってはいけません。なぜならうつ病になると疲れを感じ，疲れを感じると回避したい**気分**になるからです。しかし，回避してもうつ病が悪化するだけです。エネルギーややる気が出てくるのを待たずに，活動や課題に取りかかりましょう。まず先に動くのです。動き始めると，やがて，エネルギーややる気が湧いてきたことに後から気づくと思います」

「活動中に表れるネガティブな思考には気をつけましょう。それは，有能感

や目的感や他者とつながっている感じを弱めかねません。あなたにはうつ病がありますから，それらの思考の少なくともいくつかは，おそらく不正確か，少なくとも部分的に不正確です。課題や活動を終えたら，必ず自分を褒めましょう。「よくやった」と声かけするだけでも構いません。何かをするために自分で自分の背中を押したのですから，たとえちょっとしたことでも，うつ病をコントロールできているのだという認識を持ちましょう」

　クライアントは，自らの感情を変えることなどできないと信じていることが多い。治療では，クライアントがより活動的になること，その努力に対して自分を褒めることを手助けすることが重要となる。そうすることで，気分が改善し，自己効力感が高まる。その結果，クライアントは，思っていた以上に自らの気分と行動をコントロールできることを学ぶことができる。我々は通常，初回または2回目の治療セッションから，クライアントと協働して活動スケジュールを作り始める。本章では，以下の点を解説する。

- 不活発をどのように概念化するか？
- 達成感と喜びの欠如をどのように概念化するか？
- クライアントと一緒に活動スケジュールをどのように作成するか？
- 活動チャートをどのように用いるか？
- クライアントが活動を記録して評価するのをどのように手助けするか？
- うつ病のクライアントが取り組むとよい活動にはどのような種類があるか？
- 活動チャートを使って，予測したことをどのように評価するか？

1．「不活発」の概念化

　うつ病のクライアントが活動に取り組もうとすると，クライアントの抑うつ的な自動思考が妨害してくることがよくある。

```
状況：何らかの活動を始めようと考える
          ↓
（よくある）自動思考：「私はとても疲れている」「楽しむことはできないだろう」「友達は私なんかと一緒に過ごしたいとは思わないだろう」「どっちみち私はできないだろう」「どうせ何をやっても気分はよくならない」
          ↙         ↘
（よくある）感情：悲しみ，不安，絶望    （よくある）行動：何もしない
```

　クライアントは，このような「不活発」によって，気分の落ち込みが続き，達成感や喜びや人とつながり合った感じを得る機会を逃してしまう。それがさらなるネガティブな思考につながり，結果的に不快な気分がさらに強まり，「不活発」が維持されるという悪循環が形成される。

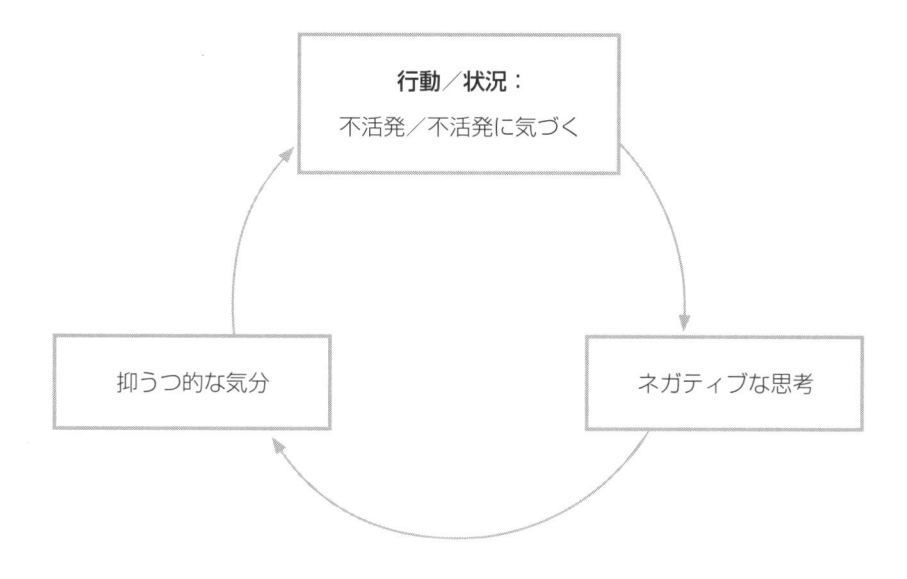

```
          行動／状況：
          不活発／不活発に気づく
         ↗              ↘
抑うつ的な気分  ←  ネガティブな思考
```

その一方で，より活動的になり，自分は褒められるに値すると認識すると，通常は気分が明るくなり，さらに活動的でいられるようになる。

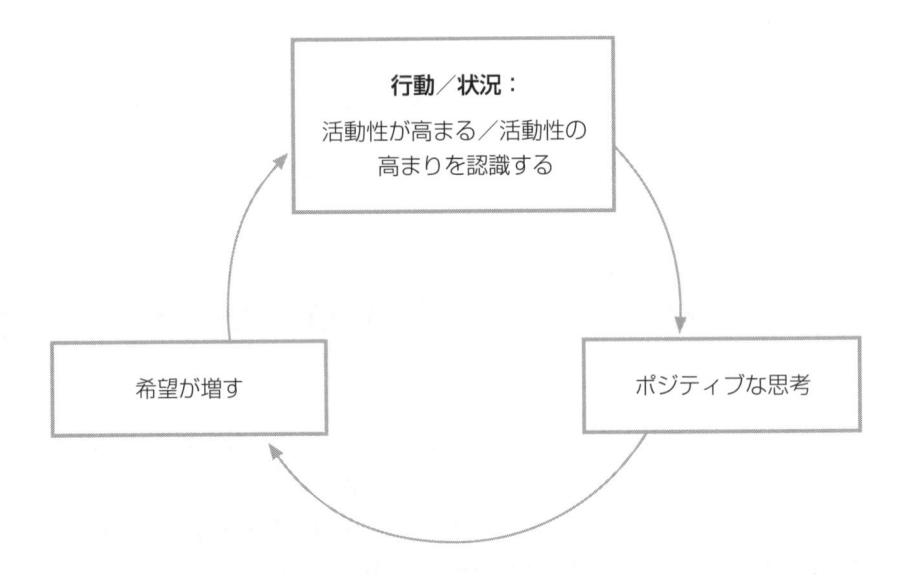

```
        ┌─────────────────┐
        │   行動／状況：   │
        │ 活動性が高まる／ │
        │    活動性の      │
        │  高まりを認識する │
        └─────────────────┘
         ↑              ↓
┌─────────────┐   ┌─────────────┐
│  希望が増す  │ ← │ポジティブな思考│
└─────────────┘   └─────────────┘
```

こういったダイアグラムが役立ちそうであれば，クライアントのために描き，活動計画に加えて自宅で見ることができるようにするとよい。

2.「達成感と喜びの欠如」の概念化

クライアントがたとえ様々な活動に取り組んだとしても，自己批判的な自動思考の影響で，せっかくの満足感や喜びが軽減されてしまうこともある。

状況：
活動に取り組んでいる

↓

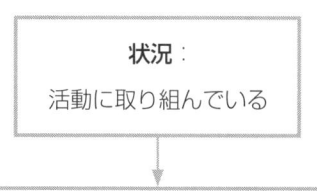

（よくある）自動思考：
「こんなことをしたって意味がない」「こんな取り組み方じゃダメだ」「こんなことはもっと前にやっておくべきだった」「やるべきことがまだまだたくさんある」「以前ならもっとうまくできたのに」「以前ならもっと楽しくできたのに」「私にはこれをする価値がない」

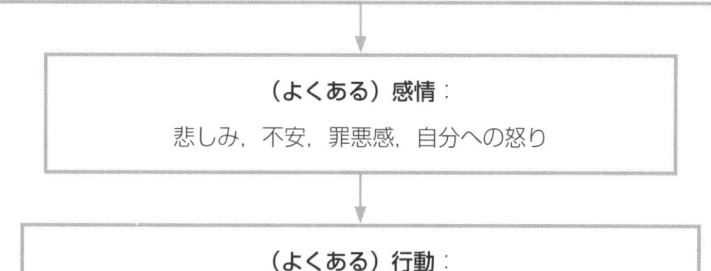

↓

（よくある）感情：
悲しみ，不安，罪悪感，自分への怒り

↓

（よくある）行動：
活動を途中で止めてしまう。その後その活動をしない。

　さらに，せっかく活動したにもかかわらず**その後に**，クライアントのなかに同様の自己批判的な思考が生じるかもしれない（「もっとうまくできたはずだ」「やったって，焼け石に水だ」）。したがって，活動を計画する際には，クライアントが活動を始めたり続けたりするのを妨げる自動思考や，せっかく活動してもそれによる達成感や喜びや他者とつながっている感覚を弱めてしまうような思考を，予め想定しておくことが重要である。

3．活動スケジュールを作成する

　ほとんどのクライアントは，うつ病にかかることによって，日々の活動や

1週間の活動を，多かれ少なかれ変更している。重要なのは，クライアントが再び，自分らしく人生を生きられるよう手助けすることである。治療の初期段階からクライアントに活動チャート（図7.1）の記入をしてもらう。チャートには，1時間ごとに活動を書き込み，可能であれば，そのときの達成感や喜びを評価してもらう。

　次に，その情報を使って，クライアントが活動スケジュールを作成するようにガイドする。ただし，チャートに記入することに乗り気でないクライアントもいる。筆者は，インテークセッションの段階から，活動スケジュールを作り始めるよう努めている。典型的な1日の活動をインテーク時に報告してもらい，どの種の活動を回避しているのかに関する情報を集めるようにしている。できれば，インテークセッションと初回の治療セッションのときに，どのような活動ができそうかをクライアントから引き出すための時間があるとよい。そのような時間がなければ，クライアントの希望や価値に沿った活動を，セラピストが提案してもよいだろう。それ以降のセッションでは，セラピストが提案することと，クライアントから引き出すことの両方を組み合わせることができる。

　エイブと初回の治療セッションで話し合った内容を以下に示す。

セラピスト：（協働的に）あなたの時間の使い方について，話し合ってもよいですか？　今もなお，ソファに座ってテレビを観たり，パソコンを使ったりすることに多くの時間を費やしている感じでしょうか？
エイブ　　：ええ，それらに時間を使い過ぎています。
セラピスト：（データを集めて，エイブを動機づけようとする）テレビやパソコンに数時間費やした後は，通常，どのような気分になるのですか？
エイブ　　：（考える）あまりよくありません。だいたいいつも，「もっと有意義なことをするべきだった」と思うのです。
セラピスト：これからの1週間で，何か他にできそうなことがあるか，話し

第7章　活動スケジュール　*175*

　　　　　　　合ってみませんか？　状況をコントロールするうえで，重要な
　　　　　　　ステップになると思います。
エイブ　　：わかりました。
セラピスト：（理論的根拠を示す）最初に知っておいていただきたいのです
　　　　　　　が，研究によれば，うつ病を克服するためには，より活動的に
　　　　　　　なる必要があるということです。これからの1週間でできそう
　　　　　　　なことが，何か思いつくでしょうか？
エイブ　　：さあ，どうでしょうか。（妨害になりうる自動思考を表明する）
　　　　　　　私はほとんどいつも，とても疲れているものですから。
セラピスト：実験として，いくつか試してみませんか？　本当に**疲れすぎ
　　　　　　　ている**かどうかを，確かめるために。
エイブ　　：ええ。
セラピスト：たとえばこれからの1週間，ほんの数分で構わないので，でき
　　　　　　　れば毎日アパートから出てみる，というのはいかがでしょう
　　　　　　　か？
エイブ　　：それだったらできそうです。
セラピスト：5分間，散歩するだけでも構いません。あるいは車でちょっと
　　　　　　　出かけるとか。
エイブ　　：わかりました。
セラピスト：（より具体的にする）どこだったら出かけられそうですか？
エイブ　　：（考えて，ため息をつく）そうですね，どのみち今日は食料品
　　　　　　　店に行かないといけないのです。
セラピスト：いいですね。他の日はどうしましょうか？
エイブ　　：電気店にも行けると思います。電球を買わないといけないの
　　　　　　　で。
セラピスト：それもいいですね。特に行く必要はないけれども，出かけられ
　　　　　　　そうなところがどこかありますか？　重要なのは，人生をもっ
　　　　　　　とコントロールできるようになるということを，ご自身に示す
　　　　　　　ことです。たとえ疲れていても世界と再び関わることを始める

名前：エイプ　　　　日付　10月24日　　　活動チャート

価値、目標：もっとよい父親。もっとよい夫になる。音楽産業で働く。心と身体の健康をもっと気遣う。スピリチュアルな拠り所をみつける。コミュニティと関わる。

	月	火	水	木	金	土	日
午前 6-7	睡眠						
7-8							
8-9							
9-10	うとうとする —2						
10-11	起床、シャワー、着替え—3						
11-12	朝食、キッチンの片付け (10分) —3						
午後 12-1	テレビ、パソコン、ビデオゲーム—2						
1-2	テレビ、パソコン、ビデオゲーム—2						
2-3	昼寝—2						

図7.1　部分的に記入された活動チャートの第1面
活動を記録して評価する。全般的な気分の尺度を0～10までの尺度で評価する。

第7章 活動スケジュール　177

	月	火	水	木	金	土	日
午後 3-4	昼食、キッチンの片付け (10分)——3						
4-5	ナターシャに電話——6 洗濯 (10分)——4						
5-6	用事を足す、または散歩——5						
6-7	テレビ、パソコン、ゲーム——2 洗濯 (10分)——3						
7-8	夕食、キッチンの片付け (10分)——3						
夜 8-9	ショッピングモールを歩く——4						
9-10	テレビ、パソコン、ビデオゲーム——2						
10-11	テレビ、パソコン、ビデオゲーム——2						
11-12	ベッドに入る、眠ろうとする——2						
12-1	睡眠						

図7.1（続き）

のです。
エイブ　　：なるほど。理解はできます。

　筆者は次に，外出したとしても気分がよくならない可能性に対して，エイブの心を準備しておきたいと考えた。そこで，認知モデルについてももう一度強調して伝えることにした。

セラピスト：ちなみに，出かけることによってあなたの気分が変わるかどうか，今はまだわかりません。それはあなたの考え方次第です。「こんなことして何の意味があるんだろう？」とか「こんなことは焼け石に水だ」などと考えると，どのような気持ちになりそうですか？
エイブ　　：うつになりそうです。
セラピスト：私もそう思います。では，仮に「おや，これはとてもいい。確かに自分は疲れてはいるが，でもコントロールできている。これはとても重要なステップだ」と考えると，どのような気持ちになるでしょうか？
エイブ　　：気分がよくなりそうです。
セラピスト：そうですね。ただし，そのように考えて外出したからといって，必ずしもあなたの気分がよくなるとはお約束できません。**なかには**，すぐに気分が改善される人もいます。でもそうでない人，「びっくり箱」のような人もいます。ご存知ですか？ ぜんまいを巻くと（ぜんまいを巻く仕草をする），ピエロが飛び出てくる箱です。
エイブ　　：知っています。我が家でも子どもたちが持っていました。
セラピスト：ぜんまいを1回巻くだけでピエロが飛び出す場合があります。つまり1回で気分がよくなるわけです。でも，ピエロが飛び出るには，何度も，何回もぜんまいを巻かなくてはならない場合もあります。つまりピエロが飛び出して気分がよくなるまで

　　　　　　　に，何週間もかかる場合があるのです。それでも，どこかでぜ
　　　　　　　んまいを巻き始めなければなりません。
エイブ　　：毎日，アパートから出かける必要がありますか？

　セラピストは，エイブにとって困難過ぎる（すなわち結局エイブが自分を責めることになりそうな）活動計画を立てるのは望ましくないと考え，外出する頻度について提案をする。

セラピスト：今回は週に4回にしましょうか。4回外出できれば上出来で，
　　　　　　　さらにそれ以上外出できたら，なおさらすばらしいということ
　　　　　　　にするのです。
エイブ　　：わかりました。
セラピスト：この課題を私が書き留めましょうか？　それともご自分で書き
　　　　　　　ますか？
エイブ　　：書いてくださいますか？
セラピスト：（エイブの活動計画を記入する）

　セラピストは次に，活動のステップをこのように踏むことの理論的根拠をクライアントから引き出して，活動の妨げになりうる自動思考に対応できるよう手助けする。その際，活動をエイブの希望や価値と関連づける。

セラピスト：そうするとよいのは**なぜか**，ということも書き出しておきま
　　　　　　　しょう。
エイブ　　：状況をコントロールするための第一歩だ，と先ほど先生はおっ
　　　　　　　しゃいました。
セラピスト：その通りですね。（理論的根拠を書きだす。次に妨害となるこ
　　　　　　　とを予測する）では，どんなことが活動の妨げになりそうです
　　　　　　　か？
エイブ　　：（ため息をつく）疲れすぎているかもしれません。

セラピスト：なるほど，とっても疲れてしまっているかもしれない。本当に疲れを感じてしまったら，あなたは自分自身に何と言って声をかけることができるでしょうか？（セラピストは，エイブからよい反応を引き出せそうなので，このように質問した。別のクライアントであれば，ソクラテス式質問法を行うことが重要だったかもしれない）

エイブ　　：「とにかく，出かけてみよう」とか？

セラピスト：いいですね。「とにかく，出かけてみよう」。なぜなら……？

エイブ　　：なぜなら，私は社会復帰しないといけないので。

セラピスト：あなたにとって，社会復帰はどれぐらい大切なのでしょうか？

エイブ　　：とても，です。

セラピスト：（価値と希望を引き出す）なぜ，とても大切なのでしょうか？

エイブ　　：そうすれば仕事に戻れるからです。自分が役に立っていると感じることができます。生産的になれますし。

セラピスト：他には？

エイブ　　：よい父親でありたいし，よい祖父でもありたいんです。

セラピスト：それもここに書いておきましょうか？　もし，「とても疲れていて，外出するよりも（あるいは何か別のことかもしれませんが），このままソファの上で座り続けたい」という気持ちになったら，思い出すのは……？

エイブ　　：社会復帰する必要がある。外出するのは大切だ。さもなければ，自分はいつまでもうつ病のままになってしまう。

セラピスト：あなたが社会復帰したい，その理由は……？

エイブ　　：生産的になりたいからです。そして家族にとってよりよい人間になりたいんです。

セラピスト：社会復帰できると，もっと役に立っているように，そして自分に能力があるように感じられるのでしょうか？　コントロールできているとも？　目標がある感覚があるのでしょうか？

エイブ　　：そうです。すべてがその通りです。

セラピスト：いいですね。そのことも活動計画に記入しておきましょう。（間を置く）あと，外出したからといってすぐに気分がよくなるかどうかはわからない，ということも書いておきましょうか？　すぐによくならなくても，単にぜんまいを巻く必要があるということも？
エイブ　　：ええ。
セラピスト：（記入する）ではこれからの1週間，アパートから外出する……それはたった5分間の散歩でもいいし，お店までひとっ走りするのでもいいので……というのを少なくとも4回はしてみる，ということについて，どれぐらいできそうな感じがしますか？
エイブ　　：それぐらいなら絶対にできるでしょう。
セラピスト：すばらしい！　とはいえ，仮にそれができなかったとしても，大丈夫ですよ。もっと簡単なことから始める必要がある，ということがわかりますから。でも，そういうときでも，妨害となる思考については観察するようにしてみてください。
エイブ　　：わかりました。
セラピスト：これについても活動計画に書いておきましょうね。（記入する）

> **臨床のコツ**
> 　上記のような話し合いをしてもクライアントに納得してもらえない場合は，以下に示すマリアとの対話にあるような方法を試すとよい。

クライアントが活動スケジュールの作成に乗り気でない場合
　セラピストは，マリアとの初回の治療セッションで，活動スケジュールを一緒に作ろうとしたが，マリアは具体的な活動を計画したがらなかった。そこを無理に押すと治療関係を損ないかねないとセラピストは考え，2人は，マリアが全般的に活動レベルを上げることだけに同意することとなった。し

かし次のセッションで活動計画の振り返りをしたところ，マリアの活動レベルが上がっていないことが明らかになった。そこでセラピストは，この件をセッションのアジェンダに加えることにした。セラピストは，活動スケジュールを作成することに関する理論的根拠を再確認することから始めることにした。

セラピスト：これからの1週間の活動スケジュールについて話し合ってもよいでしょうか？
マリア　　：はい。
セラピスト：活動スケジュールを増やすことがなぜ重要か，先週話し合った内容を覚えていますか？
マリア　　：あまり覚えていません。
セラピスト：第一に，活動レベルを上げることがうつ病を克服するために不可欠であると，研究で示されているということです。第二に，あなたが現在行っている活動のなかに，あなたに大きな喜びを与えたり，自分には能力や影響力があって物事をコントロールできていると思わせたりするようなものが，あまりないように思われます。いかがでしょうか？
マリア　　：そうかもしれません。
セラピスト：うつ病になった人のほとんどが，ベッドのなかに居続けると気分がよくなるかもしれない，と考えるようになります。さて，あなたにおうかがいします。ベッドのなかに居続けるという実験を，あなたはすでに何か月も続けてきたのではないでしょうか？　それはうつ病の回復の手助けになりましたか？（マリアの希望が書いてある箇所を指して）こうなって欲しいと思う人生になるために，助けになったでしょうか？　友だちを増やしたり，仕事をしてお金を稼いだり，もっとよいアパートに引っ越したり，恋人を見つけたり……？
マリア　　：いいえ，助けになっていません。

セラピスト：ベッドにこもったままで，急に物事がうまく動き出すと思いますか？
マリア　　：たぶん，そんなことはありません。
セラピスト：これからの1週間，新たな実験にトライしてみませんか？
マリア　　：（ため息をつく）そうですね。
セラピスト：あなた自身が「それならできる」と思える活動で，あなたにとって意味があるものか，あるいは簡単なものについて話し合ってみませんか？
マリア　　：その両方でも？
セラピスト：いいですね。ではいくつかのカテゴリーに分けて考えてみましょう。まずはセルフケアについて。シャワーを浴びる，着替えをする，ちゃんとした食事をとる，運動をする，といったことです。2つ目は，人とつながる，というのがあります。3つ目のカテゴリーは，自宅を整えることについて。4つ目は余暇活動や娯楽に関すること。（間を置く）どのカテゴリーが，取り組みやすかったり意味があったりするでしょうか？
マリア　　：活動スケジュールを作ること自体がどう役に立つのかわかりません。（少し怒ったように）私の**人生**そのものがめちゃくちゃですから。
セラピスト：そういうふうに伝えてくださってよかったです。もうちょっと説明をするべきでしたね。おっしゃる通り，あなたは大きな問題を抱えていて，解決するために支援を必要としています。私がこれまでに気がついた点についてお伝えしましょう。あなたのようにうつ病にかかると，大きな問題を解決しようとしてかえって圧倒されてしまうようになります。ですから，小さなことから始めて，自信をつけていくほうがよいのです。人生の一部を自分でコントロールできる，そして状況に効果的に働きかけができる，といったことを自分自身に示すことを通して，そうした自信は再構築されます。だからこそ，小さなステップが

大切になってくるのです。

マリア　　：（ため息をつく）そうですか。

　次にセラピストは，マリアに自らの希望を思い出してもらう。また，そうした希望をかなえると気分や自分に対する見方が改善し，周囲の人たちによるマリアの見方も変わってくることを想起してもらう。さらに一緒にチャートを書いて，マリアの行動とそれによって気分がどう変化するかについてまとめる。

気分がよくなること	気分がひどくなること
友人と会う	ベッドに潜ったままでいる
友人と一緒にできることを探す（コンサートへ行くなど）	長い昼寝をする
	テレビを観すぎる
料理	座ったままでいる（生産的にならない）
写真を眺める	
スクラップブックをつくる	怒っているときの母親と長電話をする
部屋をきれいにしておく	過去についてあれこれ考えつづける
ヒラリーに電話をする	お酒を飲み過ぎる
工芸のプロジェクトに取り組む	悲しい歌を聴く
旅行の計画を立てる	

　マリアはこれらの作業によって，活動スケジュールに取り組むことに対して動機づけられた。

セラピスト：4つのカテゴリーをもう一度言いますね。セルフケア，誰かとつながること，家を整えること，楽しむこと。どのカテゴリーを選びますか？

マリア　　：家を整えることかしら。

セラピスト：いいですね。これからの1週間にできて，意味があって，わり

と簡単にできる活動を3つ挙げられますか？

マリア　　：なんとも言えません。今していることで精一杯で，これ以上何かを増やせるだけのエネルギーがあるかどうか，わかりません。

セラピスト：実験として，いくつか試してみるのはいかがですか？　ご自分で予想しているよりもエネルギーがあるかどうかを確認してみるのです。

マリア　　：ええ，そうですね。

セラピスト：では，あまり疲れないで済む活動を3つ挙げられますか？

マリア　　：新聞を片付けるのと，ゴミを外に出すのだったらできるかもしれません。

セラピスト：いいですね。他には？

マリア　　：ベッドのシーツを取り替えます。

セラピスト：いいですね。さらに他には？

マリア　　：(考える) 冷蔵庫の中の古い食品を処分します。

セラピスト：すべていいですね。もしそれらのことができれば，それは何を意味するでしょうか？

マリア　　：よくわかりません。

セラピスト：たとえ疲れていても，様々な活動ができるということを意味するのではないでしょうか？　人生を再びコントロールできるということを？　よりよい人生に向かって一歩踏み出せるということを？

マリア　　：ええ，そう思います。

セラピスト：このことも活動計画に書いておきましょうか？

　セラピストとマリアは次に，これらの活動をしようとするときに妨害になりそうな，そしてそれらの活動を心地よく感じるにあたって妨害になりそうな障害について話し合う。たとえば活動の前，最中，後に生じうる，助けにならない思考について検討する。また，マリアが自分を褒めることが大事で

あることを伝えた後，そのことを忘れないようリマインダーを設定する。さらに，これらの課題を達成したらマリアがどのように感じるかについて，そして達成できたということがマリア自身，そしてマリアの将来について何を意味するかということについて，話し合う。最後に，これらのことを，「決して失敗しない提案」として定式化する。すなわち，マリアは活動することができるし，活動の妨げとなった思考や具体的な問題を観察することもできる。

4. 活動チャートを用いる

　エイブのように，セッション中に決めた活動計画について，「いつやるか」まで詳しく話し合わなくてもおおむね実行できるクライアントもいる。一方で，活動のみならず，それを実施する曜日や時間についても具体的に決めたほうがよいクライアントもいる。セラピストとクライアントは協働しながら，これらの活動を「活動計画」にスケジュールとして記入することもできるし，「活動チャート」（図7.1）を使うこともできる。セラピストは，チャートの上部にクライアントの希望を記入するよう手助けする。そうすることで動機づけが高まるからである。

　セラピストとクライアントが協働し，活動チャートを使って，1日の予定を1時間ごとに決めてしまうことが役に立つ場合もある。そのようにして一緒に作ったスケジュールをひな形にして，クライアントが毎朝，あるいは前日の夜に，より具体的に1日のスケジュールを組み立てられるようになるかもしれない。スケジュールは簡便なものにしておく必要がある。特により重篤なうつ病の場合は，簡便でなければならない。完全に不活発だったクライアントに，いきなり一日中活動的に動いてもらおうと期待するのは現実的ではない。場合によっては，努力を要する活動の合間に，比較的不活発な時間帯を入れ込む必要があるかもしれない。

活動チャート　評定尺度

名前：＿エイブ＿＿＿＿＿　日付＿10月24日＿＿＿＿＿
指示（オプション）：上または下のどちらか一方の尺度だけでもよい。

	喜び	達成感
0	パートナーと喧嘩する	クレジットカードの負債について考える
5	テレビでホッケーの試合を観る	落ち葉かきをする（昨年した）
10	昇進したと知る	5キロマラソンを完走する

	全体の評定尺度	
0	苦痛／抑うつが強い	ガールフレンドにふられたとき
5	どちらでもない気分	雑用をこなしているとき
10	すばらしい気分	フットボールの試合を観に行く

図7.2　活動チャート（評定尺度）

5．活動を評定する

　活動チャートを使ってスケジュールを作成した場合，後で同じチャート上で，実際に完了した活動に丸印やチェックマークをつけてもらうとよい。クライアントのなかには，スケジュールに組んだか否かにかかわらず，行ったすべての活動をチャートに記入する人もいる。それぞれの活動から得られた喜びや達成感について評定してもらうと，重要な情報が多く得られる。あるいは，活動しているときの全体的な気分を，0から10までの尺度で評定してもらうだけでもよい。クライアント自身の活動をサンプルとして，たとえば「1，5，10」とか「2，5，8」といった基準点を示した尺度を作ることもできる（2種類の尺度の例を図7.2に示す）。

　うつ病になると，記憶が実際の体験よりもネガティブになりやすい。たとえば，丸一日，あるいは1週間丸々「ひどかった」と言うクライアントがいるかもしれない。そこで，活動の直後（または昼食時，夕食時，就寝時）に評定してもらうようにすると，相対的に気分がよかった時間帯があることを

クライアントが認識しやすくなる。また，そのようにすることによって，セラピストとクライアントの両者が，4種類の活動（喜び，達成感，社交，セルフケア）のどれをもっと増やしたり減らしたりする必要があるか，ということを判断しやすくなる。

　ただし，尺度評定自体が好きでないクライアントもいるので注意が必要である。自らの体験を記録することに動機づけられていないクライアントもいる。したがって，目の前のクライアントに活動を評定する見込みがあるかどうか確認をし，見込みがなければ評定はオプションにしてしまったほうがよい。他方で，整理好きで几帳面なクライアントは，その週の活動をすべて記録もするし，さらに活動に対する評定も厭わずにしてくれるかもしれない。

6. 活動の種類

　クライアントに提案する適切な活動がわからなければ，クライアントの典型的な1日の過ごし方（p.173～177）を共有してみるとよいだろう。そして次のような問いについて考えてみる。

> クライアントの希望を考慮したうえで……
> クライアントがやり過ぎている活動は何だろうか？
> 少なすぎる，あるいはそもそも回避している活動は何だろうか？
> 達成感，喜び，セルフケア，社交体験のバランスは取れているだろうか？
> クライアントにとって意味があり，ポジティブな感情や人とのつながり，そしてエンパワメントにつながる活動は何だろうか？
> ポジティブな結論を引き出しうる活動は何だろうか？　特にクライアントが自分自身に対してポジティブな結論を引き出せそうな活動は何だろうか？

　セラピストはまた，「新たな活動のなかで，クライアントが実行する可能

性が最も高いのはどれだろうか？」という問いを立てる。

　セラピストは必要に応じて，楽しめそうな活動や趣味をインターネットで探したり，他の人はどうしているかを知るためにインタビューしたりすることを，クライアントに提案することもできる。あるいは，家族，友人，隣人，地域の人と一緒に何らかの活動をする提案をすることもできる。いずれにせよ，後のセッションで活動計画を振り返る際，クライアントが自らの体験から何らかの結論を引き出せるよう手助けする。特に，それらの活動の体験がクライアントについて何を意味するのか，という視点から結論を導き出すようにする。次章では，活動計画を作成したり振り返ったりする作業について，さらに詳しく検討する。また，クライアントが活動計画をなかなか実行できない場合にどうするか，ということについても検討する。

> **臨床のコツ**
> **問題となる行動や習慣がある場合**
> 　クライアントに，過食，喫煙，物質使用，過度な出費，ギャンブル，怒りや攻撃性に任せた行動などがある場合，すべての活動について記録を取ってもらうと，それらの行動や習慣の発生のパターンについても検討することができる。もちろん不適応的な行動の発生だけを記録してもらうのでも構わない。

7．予測を検証するために活動チャートを用いる

　活動スケジュールの効果をクライアントが疑っている場合，セラピストはクライアントに対し，達成感と喜びとつながり合う感覚について，あるいは全体的な気分について活動チャート上で**予測**してもらい，さらにそれらの活動を行った後に，**実際**にどうだったかを評定してもらうとよい。こういった比較それ自体が有益なデータになる。予測が不正確だったことを知ると，クライアントは通常，活動スケジュールを継続的に作成することに動機づけら

れる。クライアントの予測が正しかったという結果になった場合，セラピストは問題を概念化するための質問をし，問題解決を行ったり有用でない思考に対応したりする。

セラピスト：活動チャートに書いてあるあなたの予測と，それが実際にどうだったか，ということについて一緒に見てみましょうか。
マリア　　：（うなずく）
セラピスト：（最初に作成されたチャートを見る）どうでしょう……あなたはとても低い得点を予測していたようですね。友だちに会うというスケジュールを3回入れましたが，予測は「0」か「1」でした。しかし，実際には，「喜び」と「つながり合っている感じ」を「4」とか「5」で評定していますね。（間を置く）これをどう理解しますか？
マリア　　：予測が間違っていたようです。楽しめないと思っていましたが，少なくともいくらかは楽しむことができました。
セラピスト：あまり楽しめないだろうと予測したにもかかわらず，あなたはお友だちと会うことにしたわけです。このことから，あなた自身について何がわかるでしょうか？
マリア　　：私はいろいろと何かを試そうとしている？
セラピスト：本当にそうですね！　これはとてもよい徴候です。（間を置く）これからの1週間では，社交的な活動をスケジュールにもっと組み込んでみましょうか？
マリア　　：ええ。
セラピスト：いいですね。何が起こるかという予測に対して，別の可能性がありうることが理解できますか？　セラピーに来る前は，どうだったでしょうか？　あなたは友だちと会っても楽しくないと予測し続け，そのため，友だちと会う計画を立てませんでした。実際，誘われても断っていましたよね。しかしながら，この活動計画があなたの考えを検証するのに役立ちました。「楽

しくない」という予測は合っていなかったことに気がついて，今のあなたは，さらにスケジュールを立てようとしています。そうですね？

マリア　　　：ええ。でも，1つ思い出しました。予測よりも悪い結果になった活動が1つあったんです。それについてお話ししてもいいですか？

セラピスト：いいですよ。いつのことですか？

マリア　　　：喜びが「5」になると予測して，週末に地域の市民菜園に行きました。でも実際には「2」だったんです。

セラピスト：その理由は何だと思いますか？

マリア　　　：よくわかりません。

セラピスト：菜園にいるとき，どのような感情でしたか？

マリア　　　：なんとなく悲しい感じがしました。

セラピスト：そのとき，どのようなことが頭に浮かんでいましたか？

マリア　　　：わかりません。以前は，菜園に行くのが大好きな活動の一つでした。でも楽しめなかったんです。ただ単に疲れただけで。

セラピスト：たとえばこんな考えが浮かんだでしょうか？「以前は菜園に行くのが大好きだったのに，楽しんでいない。私はとても疲れてしまった」

マリア　　　：ええ，浮かんだと思います。

セラピスト：他に頭に浮かんだ考えはありましたか？

マリア　　　：前のボーイフレンドと一緒に菜園に行ったときのことを思い出しました。出会ってすぐのことでした。2人の関係は希望に満ちていました。

セラピスト：そのときの情景がイメージされたのでしょうか？

マリア　　　：ええ。私たちは手をつないで，あちこち歩き回っていました。私は知っている花の名前を片っ端から彼に教えてあげていました。でも結局彼に振られてしまったのです。

セラピスト：そうでしたか。私の理解が合っているか，確認させてください

　　　　　　　ね。(話をまとめる) ここで一緒に活動チャートに記入したときは，菜園に行けば中程度の喜びを得られると思っていました。しかし，予想とは違って，ほとんど喜びを感じられませんでした。あなたはどうやら，以前はどうだったかということについて考えており，次にネガティブな思考，たとえば「以前は菜園に行くのが大好きだったのに，楽しんでいない。私はとても疲れてしまった」といった考えが浮かびました。同時に，前のボーイフレンドと一緒に菜園に行ったときのイメージも浮かびました。さらに彼に振られたことも思い出しました。そういった考えや記憶から，あなたは悲しくなってしまった。(間を置く) これで合っていますか？

マリア　　：ええ。

　セラピストは続きの対話において，活動チャートを使いながら，活動時にマリアが感じうる楽しみに水を差す自動思考を同定した。そして，そうした思考や記憶にどのように対応できるかについて考え，今後マリアが菜園に行ったときに楽しみを得られるようにしていった。

> **臨床のコツ**
>
> **クライアントが「今，この瞬間」にいない場合**
> 　重要なのは，クライアントがその時々に行っている活動に対して完全に注意を向けることである。もしクライアントが抑うつ的な反すうや強迫的な思考に持っていかれるようであれば，マインドフルネス (第16章) を使って，思考が来たり去ったりするのをそのままにしながら，直接的な体験に注意を向けられるようにする。

8. まとめ

　ほとんどのうつ病のクライアントにとって，活動スケジュールを作成することは不可欠である。多くの場合，理論的根拠を伝え，自らの希望を想起できるようにし，活動の選択とスケジュール化について教示し，活動しているときに自らの体験にしっかりと注意を向ける（そして，注意がさまよってしまったときには体験へと注意を戻す）方法を伝え，活動の妨げになる予測的自動思考や，喜びや達成感やつながり合う感じを損ないうる自動思考に対する対応の仕方をガイドすれば，それで十分である。クライアントがより活動的になれるよう，セラピストは一貫して穏やかな態度をとる必要がある。活動レベルが非常に低いクライアントの場合，活動レベルを上げるための1日のスケジュール作りを行い，それに沿って生活してみることが有益であり，それらを通じて，スケジュールを作ったり守ったりすることを学ぶことができる。活動スケジュールを作成することに懐疑的なクライアントの場合は，行動実験を通じて自らの思考を検証したり，予測の実際の活動結果を比較して自動思考の正確さを検討したりするとよいだろう。

振り返りのための問い

・なぜ，ほとんどのうつ病のクライアントにとって，活動スケジュールを作成することが重要なのでしょうか？
・クライアントが不活発で，達成感や喜びが欠如している場合，それをどのように概念化できるでしょうか？

実践エクササイズ

　活動チャートを使って，これからの1週間において，自分にとって価値があり，自らの希望に沿ってはいるものの困難が伴うかもしれない活動のスケ

ジュールを作成してみましょう。そうした活動の一つひとつから，喜びや達成感やつながり合う感じがどれぐらい得られそうかを予測する尺度を作ってみましょう。活動を実行したら，同じ尺度を使って再度評定します。

第8章 アクション・プラン(ホームワーク)

アクション・プラン（活動計画 Action Plan）[注1]は，認知行動療法において付加的なものではなく中心的なものである（Beck et al., 1979; Kazantzis et al., 2018; Tompkins, 2004）。

インテークセッションや初回治療セッションでは，セラピストはクライアントに次のように伝えているはずである。

> 行動と考えを毎日少しずつ変えることを通じて具合はよくなるのです。

セッションのたびに，クライアントは，新しい考え方と行動を学び，それを日常で実践する。アクション・プランをきちんと実行するクライアントはそうでないクライアントと比較して治療の進展がよいことが，多数の研究によって示されている（例えば Callan et al., 2019; Kazantzis et al., 2016 参照）。

一つひとつのアクション・プランについて，クライアントが「うまくできた」体験をし（「うまくできた」とクライアントが認識し），そこから学びを得ることが大切である。それができると治療はスピードアップし，クライアントの希望，達成感，自己効力感，コントロール感が高まり，気分や症状が改善する。逆にそれができないと，自己批判的，絶望的になりやすい。本章では以下の点を解説する。

注1) 以前「ホームワーク」と呼んでいたもの。ホームワーク（宿題）という用語を好まないクライアントも少なくないため，アクション・プランという用語を用いる。

- アクション・プランの作成方法
- アクション・プランの種類
- アクション・プランを作成するようクライアントを促すには？
- クライアントがアクション・プランを遂行する見込みを高める方法
- アドヒアランスの問題を予測・防止するには？
- 想定されるネガティブな結果に対してクライアントを準備させるには？
- 次のセッションでのアクション・プランの振り返り方
- アクション・プランを実行中に発生する問題をどう概念化して解決するか？
- アクション・プランの実行の妨げとなる信念
- セラピストが持ちうる役に立たない認知

1. アクション・プランを作成する

　アクション・プランに決まった形はない。何をアクション・プランにするかは，第一にセラピストが立てた概念化によって決まり，また，クライアントの希望（アスピレーション）によっても決まる。その他，セッション中に話し合った事柄（全般的な治療計画とクライアントの目標を反映した内容のはずである），セラピストとクライアントが今何を最も重要と考えるかにもよる。さらに，なによりも，クライアントが取り組みたいと思えて，実際に実施可能な事柄にすることである。クライアントの抑うつ症状が強ければ強いほど，アクション・プランは，当初は行動を変えること（活動スケジュールなど）を優先する。治療初期に認知面に取り組むのは，行動的なアクション・プランに取り組むうえでの認知的な障壁を取り除いたり，計画どおりの活動ができたにもかかわらず達成感や喜びを感じにくくさせる自動思考が存在した場合にそれを修正したりする場合にのみ，アクション・プランとして設定する。一方，クライアントの症状が改善するにつれて，認知的なアク

ション・プランも少しずつ強調していく。

よいアクション・プランはクライアントに次のような効果をもたらすものである。

> - 体験や自分自身に対して，ポジティブな考えを持てるようになる
> - 心理教育（読書療法など）
> - データ収集（思考，感情，行動の観察を通じてなど）
> - 認知の評価と修正（または，考えから距離を置く）
> - 実用的な認知的・行動的スキルの練習
> - 新しい行動の実験

2．アクション・プランの種類

アクション・プランには，活動スケジュールのほか，以下のような継続的な活動が含まれる。

1．治療メモを読む。 セッション内で話し合った重要事項について，クライアント自身の言葉で記録し，セラピストがコメントを付記した治療メモを作成する（p.370 〜 375）。治療メモを繰り返し読み返してもらう。

2．自動思考のモニタリング。 気分が変化したときや，生産的でない行動をしていると気がついたときに，「今，どのような考えが頭に浮かんでいるだろう？」と自問することを，初回セッションから積極的に促す。自動思考は正しいかもしれないし，（少なくとも一部は）正しくないかもしれない，という点も思い出すよう伝える。自動思考を書き出すことも推奨する（スマートフォン，パソコン，メモ用紙，ノート，単語帳，ワークシートなど）。

3．自動思考を検討し，対応する。 ほぼすべてのセッションで，セラピストは，クライアントが不正確または役に立たない思考を修正することを支援する。アクション・プランを実行する妨げになる思考については特にそうで

ある。クライアントが自分で自分の思考を検討できるようにする。

4．**行動実験をする**。クライアントがネガティブな考えを持っているときに，その考えが妥当かどうかを検証する目的で，協働的に「実験」を計画する。セッションとセッションの間（セッション中のこともある）に，クライアントが行動を通して実際に確認することを行動実験と呼ぶ。クライアントの考えが予想と違うことを，クライアントが実生活の中で体験できると，大きな認知的・感情的な変容につながることが多い（Bennett-Levy et al., 2004）。

5．**思考から距離をとる**。役に立たない思考（自己批判，反すう，強迫的な思考，侵入的な思考）から距離をとる。マインドフルネス技法を実践してもらってもよい。

6．**目標に向けたステップを整える**。毎セッション，目標をクライアントに尋ね，目標達成に向けて，次の1週間にどのようなステップを踏むとよいかを協働的に決める。ステップを踏んでいくうえで発生する可能性がある障壁を同定し，邪魔になりかねない認知を再構成したり，問題解決をしたり，スキル訓練を行ったりする。

7．**気分をよくする活動を行う**。クライアントの気分が上がる活動は，クライアントの希望（アスピレーション），価値，目的と強く結びついていることが多い。その多くは，セルフケア，人との交流，コントロール感（自宅や職場で）を促し，喜び，達成感，生きがいの感覚を高めるものである。

8．**「表彰」リストをつくる**。クライアントがとにかく何かを実行したら，自分で自分を褒めることを勧める。多少なりとも大変さを感じた事柄であればなおさらである。そういった事柄を記録するのが，「表彰」リスト（"いいね"リスト，頑張ったことリスト）である。実行したことを記入しながら，リストをさらに伸ばしていくことを勧める。この課題は，自己批判的なクライアントや，自分の能力のなさや絶望感に関する中核信念があるクライアントにとって特に有益である。この課題の理論的根拠は，リストをつけることで自信を取り戻し，自分をより現実的な視点から眺めやすくなることである。セラピストも，毎日，終日，自分を褒め続けることを勧める（筆者

もそうしている)。セラピスト自身が実践していると、それを自己開示して、クライアントが同じ課題に取り組む動機づけを高めることができる。

9. 行動的スキルを実践する。クライアントが問題を効果的に解決できるようになるためには、新しいスキルを身につけて、アクション・プランの一環として練習する必要があるかもしれない。たとえば、マインドフルネス、リラクセーション、感情調節スキル、コミュニケーションスキル、整理整頓、管理、予算管理などのスキルを教える。

10. 読書療法をする。セッション中に話し合った内容をしっかりと定着させるために、セッションとセッションの間にも、関連する事項を学習してもらうとよい。認知行動療法に関する一般人向けの本(英語版は右記を参照：www.abct.org/SHBooks)から該当箇所を数ページ指示したり、パンフレット(J. S. Beck, 2020)を手渡したりすることが役立つ。クライアントには、書かれている内容に同意する点、同意しない点、疑問点に留意しながら読んでもらう。このアクション・プランの注意点は、クライアントの集中力や意欲を十分に考慮することである。それによって、どの資料をどれだけ読むかを検討する。クライアントが資料を読む意欲が持てなかったり、読んでも理解できなかった場合に自己批判的になったり、セラピストから批判されることを恐れたりするリスクがある。

11. 次回のセッションの準備をする。セッションで話し合いたい重要な点をクライアントに事前に考えてきてもらうと、セッションの前半を大幅にスピード・アップさせることができる。「治療準備のためのワークシート」(p.255 の図 10.3) も役立つ。

3. アクション・プランを作成するようにクライアントを促す

治療の当初は、セラピストがアクション・プランの内容を提案する必要があるかもしれない。クライアントは、どのようなことをすると役立つかがまだわからないためである。治療が進むにつれて、クライアントに自分でアクション・プランを作成してもらうようにする。

> 「この問題を解決したり，目標達成に近づいたりするために，今週は何をしようと思いますか？」
> 「不安が強くなってきたら，何ができそうでしょうか？」
> 「予想される問題が実際に表れたら，どのように対処しましょうか？」

　アクション・プランを自分で作成する習慣を身につけることができたクライアントは，治療が終結した後もそれを続ける見込みが高い。

4．アクション・プランへのアドヒアランスを高める

　意欲的に苦もなくアクション・プランを実行できるクライアントばかりではない。一方，超重度の精神障害のクライアントでなければ，セラピストがきちんとお膳立てをすれば，クライアントは必ずアクション・プランをやってくるはずである。お膳立てのための指針を以下に示す。

- アクション・プランを個々のクライアントに合わせる
- 理論的根拠を示し，クライアントに説明してもらう
- アクション・プランを協働的に作成する。クライアントからの提案を取り入れて合意されたものにする
- 高度な課題でなく，簡単にできる課題とする
- 明確で具体的にする
- 忘れない仕組みを工夫する
- セッション中にアクション・プランを開始する
- アクション・プランをやり遂げるところをクライアントにイメージしてもらう

アクション・プランを個々のクライアントに合わせる
　アクション・プランは人それぞれである。セラピストとクライアントは，

個々のクライアントに合ったアクション・プランを協働的に決めていく。個々のクライアントにおける以下の要素を考慮する。

> - 希望（アスピレーション），目標，強み，特技
> - 読み・書き・知的能力
> - 好み
> - 動機づけの程度
> - 現在の苦痛，症状，遂行機能，認知・感情・行動・社会機能
> - 実生活上の制限（時間，機会，家族の協力度，など）

　エイブは，治療への動機づけのレベルが高く，うつ病を克服するために努力しようと思っていた。一方，マリアは，セラピーが役立つか非常に懐疑的で，機能面でも低かった。当初は，マリアと比べて，エイブのほうがセッションとセッションの間にはるかに多くのことを達成できた。

　あるクライアントにとっては妥当なアクション・プランも，別なクライアントにとってはそうでない可能性がある。エイブを含め，多くのクライアントは，初回治療セッションから自動思考を同定できる。そうしたクライアントには，セッションとセッションの間に自動思考を同定してみるよう提案できる。一方，マリアは，初回治療セッションでは認知モデルを理解できなかった。「先生はわかっていません。どんな考えが頭に浮かんでいたかなんて**わかりません。私はただ動揺していただけです！**」と言った。マリアに対しては，自動思考を観察してきてもらうアクション・プランは不適切である。

理論的根拠を示す，または引き出す

　セラピストがアクション・プランがなぜどのように役立つのかの理論的根拠を示し，クライアントが理解できると，クライアントがアクション・プランを実行する見込みは高くなる。たとえば，「運動はうつ病を改善させるこ

とが研究でわかっています。今週,運動を何回かしてみてはいかがでしょう？」などと伝えてもよい。

アクション・プランをクライアントの希望（アスピレーション），目標,価値に結びつける質問も,クライアントの動機づけを高めることができる。たとえば,

> 「怒りを感じているときに,あえて手間をかけて行動をコントロールするのはどうしてでしょうか？」
>
> 「お付き合いできる人を紹介してくれるように周りの人に頼むのは,なぜでしょう？」
>
> 「あなたにとって,仕事に就くのが重要な理由はなんですか？」
>
> 「職場で発言することが自信につながるかもしれない,ということはわかりますか？」
>
> 「近所の人たちを助けることができたら,それは,あなたにとって何を意味するでしょうか？」

アクション・プランを協働的に作成する

セラピストがアクション・プランを一方的に設定しないよう注意する。クライアントからの提案を取り入れ,合意に至るようにする。たとえば,

> 「［上司に仕事のスケジュールを変えてもらうよう頼む］という案はどうでしょうか？」
>
> 「［家を出る前にコーピングカードを読む］というプランは役立ちそうでしょうか？」
>
> 「今週,［具体的な方法］を実践してみるのはどうでしょう？」
>
> 「［朝起きてすぐにシャワーを浴びる］ようにしたら,［1日をもっとコントロールできる］とご自分に示すことになると思うのですが,いかがでしょう？　試してみたいと思いますか？」

簡単すぎくらいがよい

　経験の浅いセラピストは，クライアントにとって難しいアクション・プランを提案するという間違いを犯しやすい。たとえば，認知モデルを紹介した直後に思考記録表を毎日記入する課題を出す，などである。うつ病のクライアントはエネルギーと意欲が欠如している点を思い出す必要がある。また，集中力や実行機能のスキルが損なわれていることも考えられる。大きな課題は，できるだけ扱いやすい部分に分ける。たとえば，簡単な認知行動療法の本を一章だけ読む，書類仕事を10分だけする，洗濯を1回分だけする，などを提案できるだろう。

明確で具体的な指示を出す

　ほとんどのケースで，セラピストは，アクション・プランをいつ，どこで，誰と，どのくらい時間をかけて行うかを決めるようにクライアントを支援する。たとえば，エイブとセラピストは，その日のセッションが終わったら銀行へ直行してローンを申請し，その後，自宅へ戻ったら，すぐに申請書類に取りかかって15分だけ記入するよう話し合い，合意に至った。

忘れない仕組みを工夫する

　アクション・プランを記録したり，クライアントに記録してもらったりすることが極めて重要である。これは初回セッションから開始する。アクション・プランを書きとめたら，それをどこに保管し，それを見ることを忘れないための仕組みをどう工夫するかをクライアントに尋ねる。たとえば，

- アクション・プランを他の日課と結びつける（例：「"表彰リスト"を，食事と就寝前に書いてはどうでしょう？」）
- 冷蔵庫，洗面所の鏡，パソコン，自動車のダッシュボードにメモを貼っておく
- スケジュール帳，タブレット，タイマー，パソコンなどを利用して，アクション・プランを思い出せるようにする（セッションの場で携帯電話のアラームを設定するように提案してもよい）
- 思い出させてくれるよう誰かに頼む

定期的に実践している他の予定（服薬，サプリメントなど）を忘れないためにどう工夫しているかを尋ねることも役立つ。1日を通じて思い出してほしい活動（自動思考を観察する，自分を褒めるなど）は，付箋紙を貼り出してもよいし，携帯電話のアラームを設定してもよい。手首に輪ゴムをつけておく，腕時計を反対の手首につける，普段はつけないブレスレットをつける，なども提案できる。そうしておくと手首に目が行くたびにアクション・プランを思い出せる。

セッション中にアクション・プランを開始する

　できればアクション・プランは治療セッション中から始めてもらう。それにより，セラピストはクライアントがアクション・プランをどのくらいできそうか評価できる。たとえば，ワークシートに取り組んでもらうならば，セッション中に書いてみてもらうことによって，クライアントがうまく書けるかを確かめることができる。セラピストの前で書けなければ，セッション外でできる見込みはほとんどない。また，セッション中にアクション・プランを一部でも始めておくと，クライアントがそのまま自宅でも継続する見込みがずっと高くなる。ゼロから始めるより，やりかけのものを続けるほうがずっとやりやすいからである。クライアントにとって，アクション・プランの最も難しい部分は，それをどう始めるかである。

アクション・プランをやり遂げるところをイメージしてもらう

　ポジティブな結果を視覚的にイメージできると，アクション・プランをやり遂げる見込みが高まる。クライアントには，課題をやり遂げた瞬間を想像してもらうようにする。やり遂げて，自分を褒めているところを想像してもらおう。いろいろなイメージを持ってもらうことができるだろう（「できてよかった」「頑張った自分を褒めてあげよう」「これは大切な一歩だ」「これで目標に一歩近づいた」など）。

　また，アクション・プランをやり遂げることがどうよかったか，クライアントにとってどのような意味があるか，そのことから自分について何が言え

るか，どのような気持ちを感じたかも，クライアントに視覚的にイメージしてもらい，同時に言葉で表現してもらう。セッション内で，セラピストとその体験を共有しておく。

5. 問題を予測して防止する

アクション・プランを実行する際に直面しそうな問題を予想しておく必要がある。セラピストができることとして次のようなことがある。

- アクション・プランをやり遂げられる見込みを評価する
- 障害を予測し，認知リハーサルを行う
- アクション・プランに対する，クライアントのネガティブな反応に注意を払う
- 利益と不利益を検討する
- アクション・プランを変更する
- 失敗のない形で始める

アクション・プランをやり遂げられる見込みを評価する
アクション・プランを立てる際は，障害を予測しておくことが大切である。障害となりそうな自動思考や実際上の問題を考慮する。やり遂げる見込みを評価するうえで最重要質問は以下である。

> 「あなたがこのアクション・プランをやってこられる可能性は，0〜100％のうち，どれくらいだと思いますか？」

障害を予測し，認知リハーサルを行う
アクション・プランを実行できる自信が90％以下だとクライアントが話

したときには,何が障害(邪魔)になりそうかを探る必要がある。マリアが,アクション・プランをできる自信を75%と話したとき,セラピストは次の質問をした。

> 「できないかもしれないと考えている25%の部分は,どのようなことでしょうか?」
> 「75%とおっしゃったのはどういった理由ですか?」
> 「75%を95%に上げるためにはどんなことができるしょう?」
> 「アクション・プランを実行することの利益と不利益はなんでしょう?」

クライアントの答え次第で次のように対応できる。

- 問題解決を行う
- スキルトレーニングを行う
- 妨げになっている自動思考に対応する手助けをする
- アクション・プランをもっと簡単にするか,やってもやらなくてもよいものとする

セラピストは,いくつかの技法を使って,マリアがアクション・プランを完了できる見込みを高める取り組みをした。はじめに,アクション・プランの障害について尋ね,次に,アクション・プランに全力で取り組むよう伝え,最後に,**認知リハーサル**(シミュレーション)を行った。アクション・プランを実行している場面を視覚的にイメージしてもらい,イメージの中で,妨げになる思考に対応できるよう支援した。さらに,アクション・プランに書き出してある対応メモを読み返す場面をイメージしてもらった。最後に,他の自動思考が出現した時に,何を思い出すようにするとよいかについて話し合った。

セラピスト：ランディーに手伝いを頼むときに，邪魔になりそうなことは思いつきますか？
マリア　　：よくわかりません。
セラピスト：［いつ手伝いを頼むかをマリアに具体的に決めてもらおうとする］ランディーに電話をかけるのはいつがよさそうでしょう？
マリア　　：土曜日の午前中ですね。休日ですから。
セラピスト：今が，土曜日の午前中だとイメージしてみてください。頭の中でできるだけ具体的に思い描いてみてください。いま何時でどこにいますか？
マリア　　：10時ごろ……で，キッチンにいます。朝食を食べ終わったところです。
セラピスト：「ランディーに電話しなければ」と自分に語り掛けているところをイメージしていただけますか？
マリア　　：はい。
セラピスト：どのような気持ちですか？
マリア　　：少し不安です。
セラピスト：どのような考えが頭に浮かんでいますか？
マリア　　：電話をかけたくないなぁ［自動思考］。自分のことは自分でなんとかできないかなぁ，ですね。
セラピスト：自分ですることもできるかもしれませんが……うまくいきそうですか？
マリア　　：［考える］いいえ，たぶんうまくいかないと思います。以前に試してみたことがあって，そのときどうしたらよいかがわかりませんでした。でも，手伝いをお願いしても，ランディーは忙しすぎるなどと言うかもしれません［予測の形をした自動思考］。
セラピスト：その可能性もありますね。ここで先ほど話し合ったことを，ご自分に語り掛けて思い出してはどうでしょう？　ランディーに電話をかけるのは，実験みたいなものです。実際にやってみなければ，どのような結果になるかはわかりません。もしラン

ディーが手伝ってくれなければ，来週，ここでご一緒にプランBを考えましょう。(間を置く)このことをアクション・プランに記入して，土曜日の午前中までに何回か読めるようにしておくことは役立ちそうでしょうか？

マリア：たぶん。

セラピスト：では，改めて，キッチンにいるところをイメージしてみてください。あなたは「自分のことは自分でなんとかできるはず」などと考えています。すると，次はどうなるでしょう？

マリア：電話をかける気持ちが失せてきました。アクション・プランを読み返したほうがよさそうです。

セラピスト：それはよい考えですね。アクション・プランはどこに置いてありますか？

マリア：洋服ダンスのいちばん上の引き出しです。

セラピスト：それを取り出しているご自分をイメージできますか？ 洋服ダンスよりもキッチンに置いたほうがよいでしょうか？

マリア：洋服ダンスで大丈夫です。他の人に見られたくないので。

セラピスト：わかりました。アクション・プランを取り出して読んでいる場面をイメージしてみてください。イメージできますか？

マリア：ええ。

セラピスト：次に何が起きますか？

マリア：なぜランディーに電話をかける必要があるかを思い出します。でも，まだ気持ちが乗りません。だから別なことをします。

セラピスト：その時点で，何を思い出すとよさそうでしょう？

マリア：「とにかく電話をして計画をやりとげよう。もしかしたらランディーは手助けしてくれるかもしれない。今電話しなければ，結局電話をかけずじまいになって，得られたかもしれない助けを逃してしまう」と考えるようにします。

セラピスト：よいですね。その後どうなりますか？

マリア：ランディーに電話します。

セラピスト：それから？
マリア　　：まあ，ランディーが助けてくれるか，断られるか，です。
セラピスト：もしランディーが助けてくれなかったら，次回のセッションで，私と一緒にどうするかを考えましょう。（間を置く）さて，アクション・プランにはどのようなことを書いておくと良さそうでしょうか？

　このような認知リハーサルによって，アクション・プランを妨げる現実的な障害や非機能的な認知を明らかにしやすくなる。

クライアントのネガティブな反応に注意を払う
　アクション・プランに対してクライアントがネガティブな反応をした場合，はじめにそれを話してくれたことに感謝の意を伝えて，クライアントに正の強化を与える。次に，具体的な問題を特定して，それがクライアントにとってどのような意味を持つかを明らかにする。そのうえで問題に対応する（時間が足りない場合は次回のセッションで対応するよう，問題を記録しておく）。
　次のやりとりは，初期のセッションで，マリアとアクション・プランについて話し合った場面である。セラピストはマリアがつらそうな様子を見せていることに気がついた。

セラピスト：さっきよりも気分が下がっていますか？　どのような考えが頭に浮かんでいましたか？
マリア　　：なんというか……この治療が私に合っているのかよくわかりません。
セラピスト：役立つように思えない？
マリア　　：はい。だって私には現実に問題がたくさんあります。考え方の問題なんかじゃありません。
セラピスト：そのことをお話してくださってよかったです。あなたには実生

　　　　　　　活上の問題があることは私も理解しています。ご家族との関係性や，あなたが感じている寂しい気持ち……。もちろん，そういった現実上の問題についても一緒に取り組んでいきます。あなたの考え方だけでなんとかなるとは考えていませんよ。そのような印象を与えてしまって，ごめんなさい。
マリア　　　：いえ……ただ……気持ちが圧倒されてどうしたらよいかわかりません。
セラピスト：来週も来ていただいて，そういった気持ちに一緒に取り組みませんか？
マリア　　　：そうですね。
セラピスト：アクション・プランも，気持ちを圧倒させる原因でしょうか？
マリア　　　：(間を置く) そうかもしれませんね。
セラピスト：どうするのがよいでしょうかね？　アクション・プランは，絶対に取り組まなくてはならないものではなくて，やってもやらなくてもよい，くらいに考えていただいてよいですよ。あるいは，アクション・プランの一部をやってもやらなくてもよいようにするとか。
マリア　　　：(安堵の息をもらす) ええ，そのほうがいいです。
セラピスト：どの項目がいちばん大変そうですか？
マリア　　　：思考を記録することです。
セラピスト：わかりました。その項目の横に「おまけ」と書いておきましょう。それとも，いっそのこと消してしまいましょうか？
マリア　　　：いいえ「おまけ」と書くだけで大丈夫です。
セラピスト：(そのように書き込む) 他に大変すぎると感じる項目はありますか？
マリア　　　：ランディーに電話をかけることもそうかもしれません。できるかどうか自信がありません。
セラピスト：わかりました。「おまけ」と書くか，横線で消すか？
マリア　　　：消してしまうほうがいいかもしれません。

セラピスト：わかりました（横線で消す）。他に気になることはないでしょうか？

　マリアがネガティブな反応をしたときに，セラピストは治療同盟を強める必要があると認識した。セラピストがマリアにフィードバックを求めなかったり，マリアのネガティブな反応に対処しなかったりしたら，おそらくマリアはアクション・プランを実施してこなかった可能性が高いし，次回のセッションに来ない可能性も考えられる。
　セラピストは，この困難をむしろチャンスととらえて概念化を改訂した。セラピストがアクション・プランについて柔軟に対応したために，マリアが認知行動療法に対して感じていた疑問を話し合う機会へとつながった。クライアントからのフィードバックに対応して合理的な調整をすることで，セラピストはマリアに理解と共感を示し，治療同盟は強化された。今後のセッションでは，セラピストは，マリアの気持ちをアクション・プランで圧倒してしまわないように常に気をつけるだろう。次回のセッションの初めには，マリアに合った治療とアクション・プランにしていくために，セラピストとマリアは1つのチームとして一緒に取り組むということを，強調して説明するだろう。

利益と不利益を検討する
　アクション・プランをやり遂げられる自信がない，とクライアントが言った場合，セラピストは，アクション・プランを実行する利益と不利益，そして，実行しない利益と不利益を，クライアントと協働的に検討する（第19章，p.463〜466を参照）。その後，クライアントにアクション・プランの各項目を見比べて，どれがいちばん大切かを判断してもらう。アクション・プランを実行しない利益には，その課題をしないことで気分が楽になる，とクライアントが考えてないか注意する。クライアントがそう考えていた場合，課題を実行しないことは，短期的には楽だが，より長期の視野で考えた際には，マイナスのほうが大きいということに気づいてもらえるよう支援する。

セラピスト：正午までベッドにいようと決めたときはどのような気分でしたか？
マリア　　：（ため息をつく）まあ，はじめは気が楽になりました。
セラピスト：そして，正午にベッドから起きたときはどのような気分でしたか？
マリア　　：ひどい気分でした。先生と話し合って，すると決めたことを何もできなかったわけですから。
セラピスト：このことから，どのようなことが考えられると思いますか？
マリア　　：ベッドにいれば気分が楽になると考えるけど，実はそうではない。よい気分は数分しか続かない。
セラピスト：そうですね。ベッドに潜ったままでいると，あなたの長期目標には近づきますか？　それとも遠ざかりますか？
マリア　　：（ため息をつく）遠ざかりますね。

> **臨床のコツ**
>
> 　アクション・プランの効果をクライアントが疑問視することがある。どのような結果になるかはセラピストにもわからないことを認めよう。「これが本当にあなたの助けになるかどうか，確実なことは私にもわかりません」。続けて以下のような質問する。
> 　「仮にうまくいかなかったとして，何を失うと思いますか？」
> 　「もしうまくいったら，どんな利益がありそうですか？」
> 　次のような言い方もできるかもしれない。
> 　「［お昼までベッドから出ないでパジャマで過ごす］ということは，すでに実験済みですよね？　それで気分はどうでしたか？　今回は普段と別のことを試してみませんか？」

アクション・プランを変更する

　はじめに立てたアクション・プランが不適切であるとセラピストが判断したり，アクション・プランを実行する自信がクライアントになかったりした

ときは，アクション・プランの修正が必要かもしれない。アクション・プランを簡単なものに変更して実行する見込みを高めるほうが，やると言いながらやらないクセをつけるよりもずっとよい。

「プランが今のあなたに合っているか，ちょっと確信が持てません。どう思われますか？　やってみますか？　それとも別の機会にとっておきますか？」

前述のように，アクション・プランの一部をやってもやらなくてもよい「おまけ」にしたり，簡単なものに変更したり，頻度や期間を減らしたりできる。

失敗のない形で始める

初回や第2セッションのアクション・プランは，仮にできなくても，そのこと自体が重要なデータとなるので構わないということを強調しておく。そうすることで，アクション・プランを実行できないクライアントが，自分をダメと考えることを避けることができる。「このアクション・プランを全部できたらすばらしいですが，仮にうまくいかなくても，それはそれで構いません。アクション・プランの邪魔をする考えがわかりますから。アクション・プランは，実際に実行できるのがベストですが，できなくても，できない理由は何かを考えてきていただければ，それでもよいのです。それをもとに次回に話し合うことができますから」

2週間続けてアクション・プランをほとんどやって来なかったり，毎日するべき課題をセッションの直前にようやく実行したりするクライアントがいる。そうした場合は，課題の実行を阻んだ認知や現実上の障害を明らかにし，課題を毎日することがいかに重要かを強調して伝える。このときには「やらなくても失敗ではない」設定は続けてはならない。

6．ネガティブな結果に備える

アクション・プランがどの程度うまくいくかが，セラピストにもクライアントにも予測できないときもある。アクション・プランに治療メモをつけて

おき，計画どおりに事が運ばなかった際にクライアントが読めるようにしておくとよい。

エイブは，母親に会いに行くと，母親から批判されると恐れていた。それでもともかく会いに行こうと決めた。セラピストとエイブは，母親宅の訪問を行動実験と考えることにした。次のような治療メモを一緒に書き，母親がネガティブな態度を見せたときに，エイブが読めるようにした。

> 母を訪ねて雲行きがあやしくなったら次のことを思い出す。
>> 「母に批判されるかどうかは，訪問してみるまではわからなかったので，まずは訪問にトライしてみたこと自体に価値があった。訪問できた自分を褒めてあげよう。母の批判を真に受ける必要はない。母は私だけでなく誰に対しても批判的だ。母はうつ病について知識がないので，母の批判は妥当ではない。母が変わってくれたらよいのだが現実には変わらないだろう。次回の訪問の際は，短時間で退出したり，母と一緒にできそうな活動を準備しておいて母をよい気分にしたり，批判的なことからなるべく注意を反らすようにしてみよう」

7. アクション・プランの振り返り

セラピストは，毎セッションを始める前に，前のセッションのメモとアクション・プランを見直しておく。セッションが始まったら，始めのあたりで，アクション・プランをクライアントと一緒に振り返る。そうすることでアクション・プランが大切であるというメッセージをクライアントに伝えることができる。クライアントが危機的状況にある場合でも，セッションの後半でアクション・プランについて数分話し合いをすることは有意義である。ときには，前セッションのアクション・プランが，今セッションでは適切でないということを，クライアントと共有することもある。

アクション・プランの振り返りにどの程度時間を使うか，前回のプランを今回も継続するかどうかは，セラピストの裁量である。次のような場合に

は，アクション・プランに時間をかけることが望ましい。

> - アクション・プランが，重要かつ現在進行中の問題や目標に関連している場合
> - クライアントが課題をやってこなかった場合
> - クライアントが課題をやってきたにもかかわらず，そこから結論を引き出すことができていなかったり，満足がいくほど上手くできなかったと自己批判的になっていたりする場合

　クライアントに治療メモを声に出して読み上げてもらうのがよい（クライアントが気乗りしない場合はセラピストが読み上げてもよい）。次に以下の質問をする。
「メモの内容はどれほど納得できますか？」
　クライアントが治療メモの内容をあまり信じられていない場合は，次のような質問をする。「信じられないのはどの部分でしょうか？」「どのような点が納得できないでしょうか？」
　クライアントがアクション・プランをできたときは，そこからポジティブな意味を引き出し，クライアントのポジティブな自己信念を強める質問がたくさんある（『リカバリーを目指す認知療法』［岩崎学術出版社］）。

> 「課題をしたことについて，ご自分を褒めることができましたか？」
>
> 「この経験の何がよかったでしょうか？」［『ほかの人を助けられた』『家族が喜んでいる』『仕事を終えられた』など］
>
> 「どのような気分を感じましたか？［『気持ちがよかった』『嬉しかった』『誇らしかった』など］（ポジティブな感情のリスト［p.328］を見せると，体験した可能性があるその他のポジティブな感情を同定しやすくなる）
>
> 「この経験は，あなたにとってどのような意味がありましたか？」［『＿＿＿だということを示している』『努力は報われる』『周囲から好かれているようだ』など］

> 「この経験から，あなた自身について何か言えることはありますか？」[『困難なことも自分にはできる力がある』『自分で自分をコントロールできる』『自分は思っていたよりもたくましい』『私はよい人間だ』『人に好かれる面を持っている』『私には影響力／能力／力がある』『私は自分で自分を守ることができる』など]

セラピストもクライアントを褒めるようにする。「＿＿＿＿＿はすばらしいです。あなたが＿＿＿＿＿だということを示していますね」などと伝える。そのアクション・プランを今後の1週間も続けたいかをクライアントに尋ねる。

8. 困難を概念化する

クライアントがアクション・プランをうまく実行できないときは，セラピストは問題を概念化する。クライアントがアクション・プランをうまくできないのは，

> - 実行上の問題のため？
> - 活動の邪魔をする認知があるため？
> - 実行上の問題のように見えて，邪魔をする認知が隠れているため？
> - セラピスト自身の認知に関連した問題のため？

実行上の問題

　セラピストが，クライアントと協働的に丁寧にアクション・プランを設定し，クライアントに心づもりをしてもらえば，ほとんどの実行上の問題は回避できる。認知リハーサルによって障害を予測できる。実行上の問題のほとんどは，問題解決法かスキル訓練で解決できる。以下によくある問題を3つ挙げる。

> 1. アクション・プランの理論的根拠を忘れてしまう
> 2. クライアントがとっちらかっている／あてにならない
> 3. アクション・プランが難しすぎる

それぞれについて以下でみていこう。

理論的根拠を忘れてしまう

　アクション・プランの**意義**や，アクション・プランがクライアントの希望（アスピレーション）や価値や目標とつながっていることを忘れてしまって，やらなくなるクライアントが時々いる。そのようなクライアントには，アクション・プランの横に理論的根拠も一緒に書き留めてもらうとよい。

マリア　　：アクション・プランはやってません。今週は具合がよかったので。
セラピスト：何週間か前に話し合ったことを覚えていらっしゃいますか？　体調にかかわらず，マインドフルネス・エクササイズを毎朝5分することが，どうしてあなたに役立つのか，を。
マリア　　：よく覚えていません。
セラピスト：たとえば，マインドフルネス・エクササイズを何週間かやらないとしますね。それで，その次の週にストレスが強くて，不安でいっぱいになったとしますね。その時点でマインドフルネス・スキルは活用できそうでしょうか？
マリア　　：ほとんど身についていないから，無理ですね。
セラピスト：そうですよね。そこが問題なのです。それから，幸いにも最近はあまりストレスは強くないようですが，マインドフルネス・エクササイズを実践しておくことで，さらにリラックスした気持ちでいられたら，周りの人との関係もさらによくなる気がしませんか？
マリア　　：それは大切なことですね。

セラピスト：そうなんです。マインドフルネスはこのような効果があるものですから，今週は，ストレスを感じていないときにもマインドフルネスを実践してみませんか？
マリア　　：したほうがよさそうですね。
セラピスト：マインドフルネスが大切な理由も，メモに書いておくとよいかもしれませんね。

　アクション・プランの理論的根拠があまり強くない場合は，アクション・プランを実行するときの利益・不利益と，実行しない利益・不利益とを比べるよう伝えてもよい。

クライアントがとっちらかっている／あてにならない

　アクション・プランを実行したかどうか，毎日印をつけるリストを作ると，実行できるようになるクライアントは多い。セッション中に図8.1のような表を作って，クライアントに毎晩チェックを入れてもらうとよい。この技法は，実行することを忘れさせないだけでなく，アクション・プランを実行していないことに向き合わせることにも役立つ。カレンダーや予定表や携帯電話に書き込んでもらうのもよい（1日目の分だけをセッション中に一緒に書き，残りの日の分はセッションの後に書いてもらう）。

	月	火	水	木	金	土	日
治療メモを読む							
「表彰」リストをつくる							
動揺したら思考記録表をつける							
毎日10分だけベッドルームを整理整頓する							

図8.1　マリアのチェックリスト

臨床のコツ
　良好なアドヒアランスがあまり見込めない場合は，アクション・プラ

ンを実行したら病院（クリニック，その他）に電話をしてメッセージを残してもらうという方法もある。セラピストがメッセージを待っていると思うと，クライアントのやる気が出るかもしれない。ただし，他の介入と同様，クライアントに理論的根拠をきちんと示したうえで，協働的に，あくまで同意のもとで行わなくてはならないことはいうまでもない。

アクション・プランが難しすぎる

設定したアクション・プランが難しすぎたり，適切でなかったりしたとわかった場合（初学のセラピストにありがちである），セラピストがその責任を引き受ける必要がある。そうしないとクライアントが不当に自分を責めてしまうかもしれない。たとえば：

「こうして話し合ってみると，前回は私の説明が足りなかったと思います［難しい課題を出し過ぎたと思います］。私の責任です。ごめんなさい。うまくできなかったとき，どのような考えが頭に浮かんでいましたか？」

セラピストがミスを認めることは，次のような好機にもなる。①セラピストもミスする場合があることを示し，ミスをしたときに率直に認める手本となる，②ラポール（信頼関係）を強化するきっかけとなる，③アクション・プランをクライアントに合わせようと努力していることを示すことができる，④アクション・プランがうまくいかなかったことについて，クライアントが自分を責める代わりに別な説明を考えてもらう手助けができる。

アクション・プランを妨げる認知

アクション・プランの実行上の問題があってもなくても，クライアントの中にアクション・プランの実行を妨げる，非機能的な認知がある可能性がある。たとえば，

> 「アクション・プランに取り組むということは，自分に何か足りないものがあることを認めることになる」
> 「うまくいくはずがない」
> 「こんなに努力しなくても，気分がよくなれるはずだ」
> 「私が何かするのではなくて，セラピストが私を治すべきだ」
> 「こんなくだらないことでよくなるはずがない」
> 「セラピストが私をコントロールしようとしている」
> 「課題について考えるとますます気分が悪くなるだろう」
> 「気分が改善してしまうと，かえって人生が悪くなる（例：働かないでいる理由がなくなってしまう，など）」

様々な非機能的認知に使える戦略を以下に示す。

ネガティブな予測をしている場合

　悩んでいたり，抑うつ状態にあったりするときは，ネガティブな（否定的な）予測をしがちである。エイブが仕事の応募書類を記入しようかと考えたときも同様であった。ネガティブな予測は，活動に取りかかったり，やり遂げたりするうえで妨げとなる。クライアントがアクション・プランをしてこなかったときには，クライアントがアクション・プランを肯定的に考えられているかを確認しよう。そのうえで，実行上の障壁を予測してもらう。

エイブ　　　：今週は応募書類を書きませんでした。
セラピスト：書類を書くことは，今でもよい案だと考えますか？
エイブ　　　：(ため息をつく) ええ。再就職する必要がありますから。
セラピスト：この1週間，応募書類を書くうえで，どんなことが邪魔になったでしょうか？　現実上の問題がありましたか？　時間が足りなかったとか？
エイブ　　　：時間はたっぷりありました。どうして取りかかれなかったか，

自分でもよくわかりません。

ここでセラピストは認知リハーサルを行った。クライアントにとって役立ちそうな発言をアクション・プランに書き込むようにする。

セラピスト：これからの1週間でも，応募書類を書こうとすると同じ問題が起きそうですか？
エイブ　　：ええ，たぶん。
セラピスト：書類に記入している場面をイメージできますか？　どのような気持ちでしょう？
エイブ　　：落ち込んでいます，疲れています。
セラピスト：どのような考えが頭に浮かんでいますか？
エイブ　　：書類に間違ったことを書いてしまうかもしれない。そうすると，採用されない。
セラピスト：なるほど，どうりでなかなか取りかかれなかったわけですね。このセッション中に書き始めていただけばよかったかもしれません。間違ったことを書いてしまうかもしれない，という考えを検討してみましょうか？　今週も同じ思考が湧いたら自分にどう声を掛けてそれを乗り越えるようにしましょうか？

セラピストはさらにエイブの対応を強化するための提案をした。そして，エイブが治療から帰宅したらすぐに応募書類の記入に取りかかって10分だけ記入する，ということに合意した（クライアントがしたいと思ったら10分以上続けてもよいが，しなくてもよい）。10分だけ記入することを毎日繰り返して，書類が完成するまで続けることにした。この合意内容と妨げとなる思考が湧いたときの対処法をアクション・プランに書き添えた。
　ネガティブな予測（例：「ルームメイトは私と一緒にイベントに出かけたがらないだろう」「私はあの説明書を理解できないだろう」「アクション・プランを実行しているとさらにつらい気持ちになるだろう」）は，行動実験を

通して検証できることが多い。また，ソクラテス式質問法を使って，クライアントの「努力するだけの価値はない」「こんなことをしても何も変わらない」などの思考を検証できる。

アクション・プランの大変さを過大評価している場合

　クライアントのネガティブな予測の一つに，アクション・プランの大変さを過大評価している場合がある。かかる時間も過大評価している可能性がある。実施にどれほど時間が必要と考えているかを尋ねるとよい。

セラピスト：思考記録表を週に2,3回書くうえで妨げになりうることは何ですか？
マリア　　：時間がとれるかどうかわかりません。［自動思考］
セラピスト：どのくらいかかると思いますか？
マリア　　：どうでしょう。30分くらいですかね？　でも，最近すごく忙しいんです。やることが山ほどあって……
セラピスト：話してくださってよかったです。思考記録表の記入に使っていただきたい時間はたった10分です。想像より短くありませんか？
マリア　　：どうでしょう。
セラピスト：そのくらいの時間であっても，今の生活の中で時間を作るのは大変ですか？　でも，長期的に考えるといかがですか？　今よりも生きやすくなったり，もっとよい人生になるならば，10分をかける価値はありませんか？
マリア　　：（ため息をつく）それはそうですけどね……

　ここからは，時間をみつけるための直接的な問題解決を行ったり，優先順位に関するたとえ話をしたり，アクション・プランにかける時間は限定的という点を強調したりする。

セラピスト：確かに最近のあなたはとてもお忙しいと思います。でも，たと

えば，ちょっと極端な例ですけど，自分の命を救うために，毎日少しずつ時間を使わなくてはならないとしたら，どうしますか？　たとえば，毎日輸血をしなくてはならないとしたら？
マリア　　　：もちろん，何とかして時間を作ります。
セラピスト：そうですよね。さて，この思考記録をしないからといって命に差し障りはしませんが，原理は同じです。具体的な時間の節約法は後で一緒に考えるとして，それよりまず頭に置いていただきたいのは，アクション・プランは一生続けるわけ**ではない**，ということです。うつ病が回復するまでのしばらくの間だけ，予定を調整していただくというだけです。

　アクション・プランに必要な労力を大きく見積もり過ぎるクライアントに対しても似た質問が役に立つ。

セラピスト：今週，ショッピング・モールに行く妨げになったことは何ですか？
マリア　　　：それだけの元気がありませんでした……。（ため息をつく）
セラピスト：行ったらどんなことが起きると想像していましたか？
マリア　　　：そうですね……店から店へと身体を引きずるようにして歩かなければならないと思っていました。
セラピスト：行くのは15分だけで十分というお話しでした。15分で何軒のお店を見て回れるでしょう？　先週一緒に立てた計画よりも難しく想像なさっている気がしますが？

　別な状況では，マリアは，アクション・プラン自体は正確に覚えていたものの，実行に必要なエネルギーを過大評価していた。セラピストは，まず，短めの認知リハーサルを行って，マリアが**問題**を**特定**できるよう支援した。次に質問を通じてアクション・プランを価値とつなげて考えられるようにした。

マリア　　　：甥っ子を公園に連れていける元気がありませんでした。
セラピスト：先週の話し合いで，大切なのは公園に行くことでしょうか？　公園で何かをすることだったでしょうか？　それとも，ただ家を出ることだけでよかったでしょうか？
マリア　　　：家を出るだけでしたよね。ただ，持っていくものがいっぱいあって……。おむつに，ベビーカーに，おやつに，コートとブーツと……。
セラピスト：それは大変ですね。甥っ子さんと公園へ行くことは，あなたにとって大切な何かとつながっていませんか？
マリア　　　：（考える）ええ。つながっています。よい叔母になりたいと心から思います。1日中家にこもりっきりは，甥っ子にとってもよくありませんね。

　そのうえで，セラピストとマリアは問題解決を行った。たとえば，1日の早い時間帯でマリアが比較的元気で気持ちが圧倒されていないうちに必要なものを準備しておくことにした。

> **臨床のコツ**
> 　アクション・プランを完璧にこなそうとして問題になる場合もある。そのようなクライアントには，次のような簡単なリマインダーが役に立つことが多い。
>
> 　　「自動思考を見つけることはスキルにすぎません。パソコンを覚えるようなものです。練習すれば必ず上達しますから，今週はうまくいかなくても心配ありません。次のセッションでどうしたらもっとうまくできるかを話し合いましょう」
>
> 　完璧でなくてはいけないと思い込んでいるクライアントには，間違え

ることをアクション・プランの一部にすることが役に立つ。

　セラピスト：完璧主義が邪魔をしているようですね。
　マリア　　：そうですね。
　セラピスト：今週は，思考記録を**わざと**いいかげんにやってくるのはどうですか？　なぐり書きして汚く書いてみるとか，全部やらないでおくとか，わざとスペルミスをしてみるとか，10分間だけやるとか。そんな調子でやってみてください。

先延ばしにして回避している場合

　うつ病があると，物事をなかなか始められないことが多い。本章の前半で触れたスキルがここでも役立つ。

　「もしかすると，やり終えたときのことよりも，やっている最中の大変さにばかり目がいっているのかもしれませんね？　やり終えたときの達成感や爽快さを思い出すのはいかがですか？　目指している目標や，それを目指している理由を思い出してみるのもよいかもしれませんね？」

　セラピスト自身が先延ばしにどう対応しているかを自己開示することも役立つ。セラピスト自身の先延ばし対策（書類仕事，税金支払い，エクササイズなど）の例を話してもよい。

　セラピスト：保険の書類を書き始めるのが大変だったのですね。先延ばししていることをなんとか始めるときに，私がどうするかをお伝えしましょうか？
　エイブ　　：はい。
　セラピスト：私の場合，とりかかる直前の数分がいちばん心地悪く感じます。実際に取りかかってしまうと，ほとんどいつでも気持ちが

軽くなります。この週末は机の上の郵便を処理しなければなりませんでした。取りかかるのが大変だったのですが，自分に次のように言い聞かせました。「10分したらやめていい，でも，始めて数分もすればきっと気が軽くなるはず」って。実際にそうでした。（間を置く）そんなご経験はありませんか？

エイブは自分も同じ体験をよくしていることに気づき，行動実験として，その日の午後に書類を書こうとしてみるとどうなるか試すことにした。

セッションの直前までアクション・プランを実行しない場合

　理想的には，クライアントには治療を１週間通してやってもらいたいものである。たとえば，気分の変化や非機能的な行動をしていることに気づいた瞬間に，自動思考を記録してもらいたい。しかし，クライアントの中には，日常生活の中で治療のことを考えたがらない人がいる。そうした回避は治療の進展の重大な問題になることが多いため，セラピストは，クライアントのそういった回避に関連する信念（例：「考えをそらすのをやめて問題に注目したら，気分はますます悪くなるだろう」「自分を変えることはできない，変えようとすることすら無駄だ」など）を，クライアントが同定・修正できるように支援する必要があるかもしれない。一方で，アクション・プランのリストを毎日見ることをちょっと思い出してもらうだけでよいクライアントもいるものである。

実行上の問題に見えて，実は認知が妨げになっている場合

　実行上の問題のせいでアクション・プランを実施できない（時間，体力，機会がない，など）とクライアントは言うかもしれないが，クライアントの思考や信念も関係していそうだとセラピストが感じた場合は，実行上の問題について話し合う**前に**，関係している可能性がある思考や信念について話し合う。

セラピスト：なるほど，実行する時間がなかったということですね。仮に今，魔法か何かで時間の問題がすっかり解決したとしましょう。丸一日，自由な日ができたとしましょう。そうしたら，アクション・プランはどのくらい実行できそうですか？　時間以外に妨げになるものはありますか？　邪魔する考えはありますか？

セラピストの認知に関連する問題

　最後に，セラピスト自身の思考や信念が，クライアントにアクション・プランを促すことを妨げられていないかを自己評価する必要がある。セラピストの典型的な非機能的思いこみには次のようなものがある。

> 「アクション・プランをしてこなかった原因を聞くと，クライアントを傷つけてしまうだろう」
> 「丁寧に質問しても，クライアントは怒り出すだろう」
> 「セルフモニタリングを勧めたら，クライアントは侮辱されたと感じるだろう」
> 「クライアントが治るうえでアクション・プランはそれほど必要ない」
> 「クライアントは，今，アクション・プラン以外のことで手いっぱいだろう」
> 「アクション・プランをするには，クライアントは受動－攻撃的すぎだ」
> 「不安な状況に曝露するには，クライアントはか弱すぎる」

　アクション・プランを設定したり，クライアントが実行してこなかった理由を考えたりするときには，セラピストはまず**自分自身**の自動思考を検討するべきである。セラピスト自身が非機能的な思考を抱いていたら，思考記録，行動実験，スーパーバイザーや同僚への相談，などを自ら行うとよい。クライアントにアクション・プラン（その重要性は過去の研究で実証されている）をしないことを許し，治療アドヒアランスを高める努力を怠るなら，それはまったくクライアントのためにならないことを認識する必要がある。

9. まとめ

　要約すると，セラピストもクライアントもアクション・プランを治療の本質的な部分と認識することが大切である。アクション・プランは，個々のクライアントに合わせて，協働的に計画する必要がある。クライアントの動機づけを高める様々な技法があり，そこには問題を予測して防止することも含まれる。困難が発生したときは，問題を概念化し，それを乗り越えるための戦略を計画することが大切である。アクション・プランを適切に作成し，それをクライアントが完了できたら，治療のスピードは加速し，クライアントは，治療終結後にも必要な技法を練習できることになる。

振り返りのための問い
- セラピスト自身が，これまでに回避してきた活動を考えましょう。どのような実行上の問題や認知が邪魔になったでしょうか？
- 回避を乗り越えるために何をしたでしょうか？
- 今考えるとそのときどうすればよかったでしょうか？

実践エクササイズ

　この1週間の自分用のアクション・プランを立てましょう。ほどほどに難しい内容で，それをできると認知行動療法の学びが深まるような課題を設定しましょう。発生する可能性のある問題を予測し，困難を概念化し，それを克服するための戦略を計画しましょう。

第9章　治療計画

　治療をひとつの旅，認知的概念化図をそのための地図とみなすことが役に立つ。クライアントとセラピストは，クライアントの持つ希望と目標，すなわち旅の目的地について話し合う。目的地に到達するには，たとえば幹線道路を通るとか，裏道を抜けるとか，様々な方法があるだろう。ときには当初の計画を変更して，遠回りすることがあるかもしれない。セラピストが経験を積み，概念化に習熟すると，地図にさらなる関連情報が書き込まれ，治療の効率と効果が向上する。ただし初心者のうちは，最も効率的かつ効果的なやり方で治療を完遂するのは難しいと考えるほうが妥当である。それでも正確な認知的概念化は，どれが幹線道路であるかを判断し，どのように旅を進めるのが最適かを知るのを助けてくれる。本章では，うつ病を有するクライアントの治療計画を立てるための方法を提示する（他の障害や合併症については，それに特化したテキストを参照する必要がある）。

　本章では，以下の点を解説する。

- 大まかな治療目標（どのようにそれを達成するか）
- セッション間にまたがる治療をどのように計画するか？
- 治療計画をどのように策定するか？
- 特定の目標を達成するための治療計画
- 個別のセッションをどのように計画するか？
- 焦点を当てる目標や問題の決め方
- 問題を同定するのが難しいクライアントを，どう手助けするか？

1．大まかな治療目標を達成する

　効果的な治療計画を立てるには，きちんと診断し，症例の概念化をしっかりと行い，クライアントの特徴，希望，価値，目的感，目標を考慮する必要がある。治療はクライアント個人に合わせて調整される。それは各セッションの具体的な計画だけでなく，治療全体の戦略を立てる場合もそうである。その際考慮すべきことは，クライアントに関する概念化，治療の段階，クライアントの有する価値，心の状態，動機づけのレベル，治療同盟の質と強度といったことである。

　治療の最も大まかな目標は，クライアントを寛解に導き，気分と機能とレジリエンスを改善し，再発を予防することである。セラピストは，クライアントが（セッションの内外で）意義深い体験ができるようお膳立てする。そういった体験を通じて，クライアントにおいて，楽観主義，希望，動機づけが高まると同時に，コントロール，価値，エンパワメント，目的，つながり合い，幸福といった感覚も高まる。

　セラピストは，クライアントの思考や行動における柔軟性を高めるよう支援する。エイブの場合，彼の持つ価値と希望を考慮したうえで，まず立てられた大まかな目標は，エイブが自らをよき家族かつよき働き手であるとみなせるよう手助けすることであった。さらに，エイブが，自分には粘り強さとたくさんのリソースがある，自分は問題を解決して困難を乗り越えられる，自分は他者を助けられる，自分は生産的で満たされる人生を送るうえで必要なものを持っている，と思えるよう支援することであった。

　治療の大まかな目標を達成するために，セラピストは次のようなことを行う。

- クライアントとの間に，しっかりとした治療同盟を結ぶ。
- 治療の構造とプロセスをクライアントに見えるよう外在化する。
- 毎週の進捗をモニターし，必要に応じて治療計画を修正する。
- 認知モデルを教え，概念化を共有する。
- 様々な介入（たとえば，認知再構成法，問題解決法，スキル訓練）を通して，クライアントの苦痛を緩和する。
- 意義深く，楽しめて，達成感も味わえ，社交的になれるような体験の機会を作り，ポジティブな感情を増強する。
- 自分自身，他者，世界，将来についての適応的（ポジティブ）な信念をクライアントが育み，強化するのを手助けする。そのために，ポジティブな体験から結論を引き出せるよう支援する。同時に，ネガティブな信念を同定して弱めつつ，ネガティブな体験からもより適応的な結論を引き出せるよう手助けする。
- 認知行動療法やそれ以外の技法を，クライアントが自分で使えるように教え，様々な場面に応用する手助けをし，将来も使い続けるよう動機づける。

2. セッション間にまたがる治療を計画する

　治療は3段階に分けることができる。治療初期の段階ではセラピストは以下のことを行う。

- クライアントと強固な治療同盟を結ぶ。
- クライアントの希望，価値，治療に対する目標を同定して具体化する。
- 個々の目標を達成するステップ，あるいは個々の問題を解決するステップを見つける。
- 目標達成に向けてステップを踏もうとする際に妨げになるもの（自動思考や諸問題）を解消する。
- クライアントに，治療のプロセス（例：セラピストと協働してアジェンダ

を決める，フィードバックをする，活動計画を実行する）になじんでもらう。
- クライアントに対して，認知モデルについて，クライアントの抱える障害について，そして有用な様々なコーピング戦略について教育する。
- クライアントの有する強み（ストレングス），リソース，ポジティブな信念を強調する。
- 自動思考を同定し，評価して，それに対応する方法を教える。
- クライアントが自らの体験について，そこから自分について何が言えるのかということも含め，ポジティブな結論を引き出せるように支援する。
- 必要なスキルを教える。
- クライアントが活動スケジュールを立てられるよう手助けする（クライアントが抑うつや回避の問題を有していたら特に）。

治療の初期段階において特に重要なのは，クライアントの抱える症状が減るように，クライアントの機能が改善するように取り組むことである。そういった取り組みが，治療初期での中断を減らすことや，より良好な治療アウトカムと関連する（King & Boswell, 2019）。また，治療期間を通じてポジティブな感情を高めていくことも重要である（Dunn, 2012）。

治療の中期では，上記の目標と並行して，クライアントのよりポジティブで適応的な信念を強める一方で，非機能的な信念をより直接的に同定し，評価し，変容することにも重点を置く。その際，「知的な」技法と「感情的な」技法の両方を使うようにする。治療の後期では，終結の準備にも焦点を当てるようになる。目標に向けた取り組みを続けながら，幸福感を高め，レジリエンスを改善し，再発予防に重点を置く。この段階では，クライアントはより積極的に治療に関わるようになっている。すなわち，主体的にアジェンダを設定し，妨害となることへの解決策を検討し，有用でない思考に対応し，自ら治療メモを取り，活動計画を作成できるようになっているはずである。

3. 治療計画を策定する

セラピストは以下の点に基づいて治療計画を策定する。

- セラピストによる診断的評価と，診断された障害に対する認知的定式化
- 治療の原則と，その障害に対する一般的な治療戦略
- クライアントについてセラピストが行った概念化
- クライアントの希望，強み（ストレングス），価値，目的感
- 目標に到達するためにステップを踏む際に直面する妨げとなるもの

　治療計画は，個人に合わせて作成する。その際に考慮すべきなのは，クライアントの特徴と好み，文化と年齢，宗教的またはスピリチュアルな指向，民族性，社会経済的状況，障害，ジェンダー，性的指向である。大まかな治療計画を立てたら，必要に応じて修正はするものの，原則的にはその計画に沿って治療を進める。目標を達成するためのステップを踏む際に妨げになるものを分析することは，クライアントの抱える困難を詳細に概念化し，困難を乗り越えるために治療計画を工夫することに自ずとつながっていく。また，そのようにすることで，各セッションにおいて焦点が絞りやすく，次のセッションまでの流れも理解しやすく，治療プロセスが把握しやすくなる。
　セラピストがエイブについて立てた最初の治療計画を図9.1に示す。

全体の治療計画
・抑うつ，絶望感，不安を減らす。楽観主義と希望の感覚を高める
・機能性，社会的な相互作用，セルフケアを改善する
・ポジティブな感情を増やす
・自己イメージと自信を改善する
・再発を予防する

価値，希望，目標
・価値：家族を大切にし，善良な人間として責任を果たし，役に立つことが大切
・希望：「昔の自分に戻る」こと。コントロールできて，生産的で，周りの人を助けられ，健康な心で，「よい父親であり祖父である」
・目標：仕事に就く，子どもと孫たちともっと時間を一緒に過ごす，友人たちとふたたびつながり合う，アパートの部屋を整理する，元妻との関係をよくする（できれば），自分の面倒（運動，睡眠，食事）をもっとよくみられるようになる。

考えられる妨げ
・将来について感じる悲観と絶望と不安
・動機づけが低い，エネルギーがない，回避したい気持ちがある，不活発
・ネガティブな自己イメージ，自己批判，反すう
・元妻との対立

考えられる介入
・以下について心理教育を提供する——うつ病，不安，認知モデル，情報処理，抑うつモードから適応的モードへと変わること，活動スケジュールの大切さ，セッションの構造。
・ポジティブな体験を増やすことでポジティブな感情を増やす。活動スケジュール（セルフケア，対人交流，自宅の維持管理，仕事探し。そのほかに，達成感と喜びも得られるような社交的な活動）。
・そうした体験にもっと注意を向けるようにし，そこからポジティブな結論を引き出す。
・家族や友人とのつながりを取り戻す。
・ベッドに潜っているかソファに座っている時間を減らす。テレビを観たりインターネットをサーフィンしたりしている受動的な時間も減らす。
・大きな課題は，小さな要素に分ける。
・自分を褒める。
・意思決定（元妻にどのようにアプローチするか，どのような仕事を探すかなど）をする際は，利益と不利益を検討する。
・非機能的な思考や信念は，誘導的発見，ソクラテス式質問法，行動実験を使って評価し，対応する。
・マインドフルネス・スキルを教えて，反すうを減らす。
・問題解決法を使う（これからの1週間に発生するかもしれない妨げに対しては特に）。
・コミュニケーションスキルを教える（元妻や就職面接官とのやり取りをロールプレイするなど）。

図9.1　エイブの最初の治療計画

4. 特定の目標を達成するための治療計画を立てる

クライアントが目標を達成したり特定の問題を解決したりするために必要なステップを同定することが有用である。その例を図 9.2 に示す。図には，目標達成までに必要なステップと，ステップごとの具体的な妨げ（実行上の問題，妨げとなる認知，スキルの障害）と，そうした妨げを乗り越えるための計画とが含まれる。

目標──仕事に就く

仕事に就くためのステップと，ステップを踏んでいくときに考えられる妨げを同定する。妨げに対処するための計画をつくる。

ステップ1：職務経歴書を最新の内容にする
　考えられる妨げ
　・自動思考：「正しく書けないだろう」「どのみち雇われないだろう」。
　・スキルの障害：職務経歴をうまく説明する方法がわからない。
　妨げを乗り越えるための計画
　・ソクラテス式質問法を使って自動思考を評価する。治療メモを書くためにまとめをする。
　・職務経歴書の見本をオンラインで探す。
　・息子に助けを求める。そうすることの妨げとなりうる自動思考（「助けを求めるべきではない」など）を評価する。治療メモを書くためにまとめをする。
　・そうしたステップを踏んだら，自分を褒める。
　・オンラインで探すことと，息子に助けを求めることについて，具体的な活動計画を作成する。その活動計画を完了できる見込みを調べる。必要なら，さらに妨げとなりうることを探して，活動計画を変更する。

ステップ2：仕事の候補を探して応募する
　考えられる妨げ
　・自動思考：「オンラインで探しても，私の分野の仕事は見つけられないだろう」「紹介で探そうとすると，雇用されていないことを周囲に知られてしまい，評価が下がるだろう」。
　・問題／スキルの障害：オンラインでどこを探すとよいかがわからない。
　妨げを乗り越えるための計画
　・ソクラテス式質問法を使って自動思考を評価する。治療メモを書くためにまとめをする。
　・オンラインで仕事の機会を探すのを息子に助けてもらう。

（次ページに続く）

図 9.2　特定の目標のための計画の例

> ステップ3：面接を受ける
> 考えられる妨げ
>   ・自動思考：「悪い印象を与えてしまうだろう」「ちぐはぐな受け答えをしてしまうだろう」。
> 妨げを乗り越えるための計画
>   ・ロールプレイをする。
>   ・上手なアイコンタクト，しっかりとした握手，笑顔，自信があるような振る舞い方ができるように取り組む。

図9.2　特定の目標のための計画の例

5．個別のセッションの計画を立てる

　セッションの計画を立てるときに覚えておくべきことは，思考と行動を毎日少しずつ変化させることよって我々の状態はよくなる，ということである。セラピストはセッション前に，そしてセッション中にも，自問を繰り返し，セッション全体の計画を定式化する。そしてそれを，実際にセッションを進めていく際の指針にする。最も全般的なレベルでの自問は次のとおりである。

> 「自分は今何をしようとしており，どうすれば最も効果的にそれを達成できるだろうか？」

　経験豊富なセラピストは，様々な具体的な点について自ずと内省しているものである。もしあなたが初心者のセラピストであれば，以下の質問リストは少々ハードルが高そうに見えるかもしれない。とはいえ，今これを読んでおき，今度も定期的に概観することが役に立つ。特にセッションの直前に読むとよいだろう。そうすることで，セッション中の進め方について判断がしやすくなる。これらの質問についてセッションの**最中**に考えるようでは，治療の進行の妨げとなってしまいかねない。

1. セッションの前に，前回のセッションを見直して自問すること：

「治療同盟の強化のために，今日しなければならないことが何かあるだろうか？」

「クライアントの診断に関する認知的定式化（最も典型的な認知，コーピング戦略，維持要因）はどういうものだろうか？ クライアントに関する概念化はどのようなものか？」

「クライアントの個人的な特徴を踏まえて，治療を修正する必要があるだろうか？」

「ここ数回のセッションでは，どんなことが起きていただろうか？ クライアントの目標を達成し，機能性と幸福感を高めるにあたって，どのような前進があっただろうか？ どのような妨げがあっただろうか？」

「クライアントの強み（ストレングス），資質，リソースを構築するには，どうすればよいか？ クライアントがセッション中にポジティブな感情を体験するには，どうすればよいか？」

「治療は今，どの段階か（初期，中期，後期）？（回数に制限があるなら）あと何セッション実施できるか？」

「これまで主に扱ってきた**認知**はどのレベルだろうか？ 自動思考？ 媒介信念？ 中核信念？ あるいはその混合？ 変えようとしているのはどの**行動**だろうか？ どんなスキルを強化したり教えたりする必要があるだろうか？」

「クライアントの活動計画はどういうものだったか？ セラピストがすると約束したことが何かあったか？ あるとしたらそれは何か？（例：主治医に電話をかける，クライアントの問題に関連する本を探しておく）」

2. セッションの冒頭で**気分**をチェックする際に自問すること：

「治療の初期段階と比べて，この1週間のクライアントの気分はどうだったか？ 主たる気分はどういうものであっただろうか？」

「客観的な点数と主観的な説明は一致しているだろうか？ 一致していない場合，それはなぜだろうか？」

「クライアントの気分に関連して，アジェンダに追加してもっと詳しく話し合うべき事柄が何かあるだろうか？」

3．**1週間の振り返り**を行う際に自問すること；
「前の週と比べて，この1週間はどのような状態だっただろうか？ 全般的に調子がよかったと言えるだろうか？」
「改善の兆しはあるだろうか？ クライアントはどのようなポジティブな体験をしただろうか？ そういった体験や自分自身について，どのような結論を引き出しているだろうか？」
「今週の出来事（ポジティブであれネガティブであれ）で，アジェンダに設定して，もっと詳しく話し合うべき事柄が何かあるだろうか？」

4．クライアントの，**アルコール，非合法薬物，薬剤**（服用中であれば）の使用をチェックする際に自問すること；
「この件について何か問題は生じてないだろうか？ アジェンダを設定してもっと詳しく話し合うべき事柄が何かあるだろうか？ また，こういった領域に関わる目標を，クライアントは有しているだろうか？」

5．クライアントと共に**アジェンダを設定**する際に自問すること；
「クライアントが次の1週間に取り組みたいと思っている目標はどれだろうか？ クライアントが支援を求めているのは，どの問題だろうか？」

6．クライアントと共に**アジェンダの優先順位**を決める際に自問すること；
「最も重要で，最初に話し合うべきアジェンダ項目はどれだろうか？」
「それぞれのアジェンダ項目には，どれぐらいの時間がかかるだろうか？ いくつの項目だったら話し合うことが可能か？」
「いくつかある目標や問題のなかで，クライアントが自分で解決できるか，誰かの助けを借りて解決できるものはあるだろうか？ あるいは別のセッションで話題にするので構わないものがあるだろうか？」

7. クライアントと共に**活動計画を振り返る**際に自問すること：

「この1週間で，クライアントが最もうまく目標に向けて活動できていたのはいつだろうか？」

「クライアントはどの程度活動計画を実行しただろうか？ 妨げや困難が何かあっただろうか？ あったなら，それはどのようなものだっただろうか？」

「活動計画は有用だっただろうか？ もしそうでないなら，理由は何だろうか？」

「クライアントは，その活動計画から何を学んだだろうか？ 自らの体験と自分自身について，どのような結論を引き出しただろうか？」

「前回の治療メモに書いてあることに，クライアントはどれぐらい同意しているだろうか？（さらにそれより前の治療メモに書いてあることについてはどうだろうか）」

「次週も続けるとよい活動計画の項目は（もしあれば）何だろうか？」

「今回作成する活動計画の効果を高めるために，どのような工夫ができるだろうか？」

8. **最初のアジェンダ項目**についてクライアントと話し合う際に，以下の4つの領域について自問すること：

問題や目標を定義する

「クライアントが取り組みたいと考えている具体的な問題や目標は何だろうか？」

「この問題や目標は，クライアントに関する概念化にどう当てはまるだろうか？」

戦略を練る

「問題を解決したり目標を達成したりするために，クライアントがすでに行ったことは何だろうか？」

「もし**私**がクライアントの立場に置かれ，この問題または目標を有していたとしたら，どのようにするだろうか？」

「私たちは何らかの問題解決をする必要があるだろうか？　問題解決をしたり，解決策を実行したり，目標に向かって前進したりするうえで妨げとなりそうなのは，どのような認知だろうか？」

技法を選択する

「セラピストである私は，このアジェンダについて話し合う際，何を具体的に達成しようとしているのだろうか？」

「このクライアント（あるいは過去の似たようなケース）で，過去にうまくいった技法は何だろうか？　そして，うまく**いかなかった**技法は何だろうか？」

「どの技法を最初に試すべきだろうか？」

「技法の効果をどのように評価すればよいだろうか？」

「新たな技法を適用するだけでよいだろうか？　それとも，適用したうえでさらにクライアントに何か教えるべきだろうか？」

進捗をモニターする

「私たちはどれぐらい1つのチームとして協力できているだろうか？」

「クライアントは，クライアント自身について，そしてこの介入，治療，セラピスト，将来に対して，治療の妨げとなる自動思考を何か有しているだろうか？」

「クライアントの気分は改善傾向にあるだろうか？　この技法はどれぐらいうまくいっているだろうか？　何か別の技法を試すべきだろうか？」

「このアジェンダ項目についての話し合いを時間内に終わらせることができるだろうか？　できないのであれば，他の項目を切り詰めたり省略したりしてまで，この項目についての話し合いを続行することを，クライアントに提案するべきだろうか？」

「どのような活動計画であれば，有益だろうか？」

「クライアントが自宅でおさらいをするために，何を記録しておくとよいだろうか？」

9. **最初のアジェンダ項目について話し合った後で**，自問すること：
「クライアントは今，どんな気分だろうか？」
「ラポールを再構築するために，何をする必要があるだろうか？」
「セッションの残り時間はどれぐらいだろうか？　さらなるアジェンダ項目について話し合う時間はあるだろうか？　次に何をすればよいだろうか？」

10. **セッション終了の直前に**自問すること：
「治療は進んだだろうか？　クライアントの感情は回復しただろうか？」
「活動計画をクライアントが実行する見込みはどれぐらいだろうか？」
「クライアントから引き出したフィードバックに加えて，（クライアントが表現していない）ネガティブな反応をもっと探るべきだろうか？　もしネガティブなフィードバックがあった場合，それをどのように扱えばよいだろうか？」

11. **セッション終了の直後に**自問すること：
「クライアントに関する概念化をどのように精緻化するべきだろうか？」
「治療関係を改善する必要があるだろうか？」
「このセッションを自己採点するならば，認知療法尺度［beckinstitute.org/CBTresources］の各項目は何点だろうか？　このセッションをやり直せるとしたら，どこを修正するだろうか？」
「次回のセッションで扱うために覚えておきたいことは何だろうか？　次回以降のセッションについてはどうだろうか？」（こうした事柄は，以前の，あるいは次回のセッションメモに記入してもよいし，付箋紙に記入してクライアントのカルテに貼ってもよい）

6. ある問題や目標を扱うかどうかをどう決めるか

どのセッションでも，時間をどのように使うのかを決めるのは極めて重要である。セラピストとクライアントが協働して決めるのだが，セラピストは次のように自問するとよいだろう。

> 「どの問題や目標に取り組むと，セッションが終了するまでにクライアントの気持ちが楽になり，その後よりよい1週間を過ごしやすくなるだろうか？」

以下のような問題は，あえて話し合わない方向にやんわりと導いていく。

> - クライアントが自力で解決できそうな問題
> - 1回限りで，再燃することのなさそうな問題
> - クライアントにとってさほど深刻でなかったり，非機能的な行動と関連づけられなかったりする問題
> - あまり進展が見込めないうえに，他の具体的な問題と比べてさほど差し迫っているわけではない問題

クライアント自身が取り組みたいと思わない問題や目標については，セッションで取り組むことが重要だとセラピストが概念化しない限りは，扱うことはない。セラピストが重要だと判断して扱おうとする場合，なぜクライアントがそれについて話し合いたくないのか，先に概念化を試みる。話し合いたくないクライアントの気持ちに上手に対応できれば，クライアントはその問題に取り組んでもよいと思うようになるかもしれない。たとえ完全に話し合いたいとは思わなくても，数分だけなら話してみてもよいと思ってもらえるかもしれない。とはいえ，最終的には，クライアントの決定を尊重する必要がある。

セラピスト：ご家族と過ごすことになっている今度の休暇について，ここで話し合ったほうがよいでしょうか？
マリア　　：いいえ，やめておきます。
セラピスト：先月起きた状況の繰り返しになるのではないかと心配しています。もし私たちがこれについて話し合うと何が問題になるのかということだけでも，一緒に考えてみませんか？　そうしたら，話し合うことの利点についても，考えられるかもしれません。

　問題や目標を同定し，焦点を絞ったら，それについての話し合いにどれぐらいの時間と労力を割くか，（クライアントと協働しながら）決めることになる。自分たちが治療のどの段階にいるのかを指針にしながら，データを集め，選択肢を見直し，実践するうえでの問題を検討する。
　クライアントがある問題について初めて言及したときは，アジェンダを設定している最中であっても，それよりもっと後のセッションの半ばであっても，セラピストはその問題の質を評価し，目標を表す表現に言い換える。たとえば，エイブは新たな問題をこう言って付け加えた。「いとこの事業が失敗したので，私は悲しい」。セラピストはそこで，その問題と関連するエイブ自身の目標について尋ねた。目標がわかれば，セラピーの時間をその問題に振り分ける価値がどのくらいあるかを評価できる。

セラピスト：いとこさんのことをアジェンダに含めたいとおっしゃっていましたね。
エイブ　　：はい。いとこの事業がここのところ厳しくて，ついに倒産しそうなんです。彼女を思うと，とても悲しくなります。
セラピスト：これについて話し合うとしたら，何があなたにとっての目標になりますか？　いとこさんの事業を助けることでしょうか？
エイブ　　：いいえ。私にできることは何もなさそうです。
セラピスト：悲しさはどのくらいですか？「ふつう」の悲しさですか？　そ

れとも，悲しい気持ちが**あまりにも**大きくて，その影響を強く受け**すぎている**ということでしょうか？
エイブ　　　：いいえ，これはふつうの反応だと思います。
セラピスト：（この問題にこれ以上取り組む必要はないと評価して）この件について，他に何かありますか？
エイブ　　　：いいえ，ないと思います。
セラピスト：わかりました。いとこさんのご事情はお気の毒です。（間を置く）では次のアジェンダ項目に進みましょうか。

　この問題について，エイブの思考に偏りがあるようには思われない。破局視していないし，一次的な問題のようである。何よりも，問題に対するエイブの感情反応は正常である。そこでセラピストはエイブと協働しながら，別のアジェンダ項目（引っ越すための部屋探し）について話し合いを始めることにした。この問題には，介入が**必要**だった。

セラピスト：新たなアパートを探すことについて話し合いたいのでしたね？
エイブ　　　：はい。でも，それについて考えるだけで，とても心配になります。どこから始めたらよいのかがわかりません。

　いとこに関する問題とは異なり，引っ越しの可能性について検討することは，目標として理にかなっているのは明らかだった。セッションの時間は十分残されており，妨げについて話し合っても，その他の重要な問題や目標について扱うことのできる状況だった。そこでセラピストは，最初のステップとして何ができるかをエイブが見つけられるよう手助けした。妨げとなりうる事象を一緒に探し，目標に向かうことを阻害しそうな認知にエイブが対応できるよう支援しつつ，問題解決スキルや他の必要なスキルを教えることも織り交ぜた。

7. 問題状況を同定できるよう手助けする

　自分がつらいことはわかるが，そのつらさと関連する状況や問題をクライアントが同定できない場合がある。この場合，最も問題となる状況を絞り込みやすくなるように支援する。まず，そのつらい気持ちに関連していると思われる問題をいくつか提示する。そして，それら一つひとつについて，仮にその問題が解消されたらどれぐらい楽になるかを考えてもらう。特定の状況を絞り込むことができれば，自動思考の同定はずっとやりやすくなる。

セラピスト：（まとめの作業をする）つまりあなたは，この数日間，ずっと混乱しているようですね。でも，その理由はわからないし，思考を把握することも難しいのですね。とにかくほとんどの間，あなたは動揺している。この理解で合っていますか？
マリア　　：ええ，そうです。なぜこんなに動揺するのか，自分でもわかりません。
セラピスト：たとえばどんなことについて，考えているのでしょうか？
マリア　　：ええと，母親との喧嘩は続いています。妹も，まだ私のことを怒っています。仕事も見つかりませんし，アパートの部屋はめちゃくちゃです。……わかりません，とにかくすべてです。
セラピスト：他にはどうですか？
マリア　　：体調がよくありません。倒れてしまいそうです。
セラピスト：これらのなかで，最もあなたを悩ませているのはどれですか？　お母さんのこと？　妹さんのこと？　それとも仕事が見つからないこと？　アパートのこと？　体調がよくないこと？
マリア　　：うーん，わかりません。全部が大変なんです。
セラピスト：では，仮の話として考えてみましょう。今，体調が悪くて倒れてしまいそうだという問題を，すっかり解消できるとします。体調が万全だと思えるようになったとして，あなたの混乱した

　　　　　　　　気持ちはどうなりそうですか？
マリア　　　：変わらないと思います。
セラピスト：わかりました。では仮に，お母さんや妹さんから電話がかかってきて，「申し訳なかった。あなたともっとよい関係になりたい」と言われたら，どう感じるでしょうか？
マリア　　　：少しホッとします。
セラピスト：では，面接を受けた仕事に採用されたと知ったとしましょう。どう感じるでしょうか？
マリア　　　：気持ちがうんと改善されます。ものすごくホッとするでしょうね。
セラピスト：ということは，今，あなたを最も悩ませているのは就職の問題のようですね。
マリア　　　：そうですね。私もそう思います。
セラピスト：就職については，この後すぐに話し合いましょう。ただ，その前に，就職の問題が最も重要だということを，今私たちがどのように探り出したか，その流れを振り返っておきましょう。今後，あなたが同じようなことを自分自身でもできるように。
マリア　　　：そうですね。先生に言われて，悩んでいる問題をすべて挙げてみました。それから，それぞれの悩みが仮に解消されたものとして，一つひとつの問題について考えてみました。
セラピスト：そうすることで，解消されたときに最もホッとするのはどの問題か，ということがわかりましたね。
マリア　　　：ええ。

　同様のプロセスで，自分を圧倒してくる問題のどの部分がいちばん苦痛であるかを，クライアントが判断するのを手助けすることができる。

> **臨床のコツ**
> 　ある目標を達成するのがどれぐらい難しいか，あるいは，ある話し合いがクライアントに苦痛をもたらす中核信念をどれぐらい活性化しうるか，ということが簡単にわからない場合がある。セラピストはそのような場合，**当初は**ある特定の目標に焦点を当ててみたものの，介入がうまくいかなかったり，クライアントが予想以上に大きな負担を感じていることが判明したりした時点で，クライアントと協働しながら別の問題に焦点を移行する。マリアとの初期のセッションでの一例を以下に示す。

セラピスト：次のアジェンダに行きましょう。もっと多くの人に会いたい，というのがテーマでしたね。(この目標についてより具体的に話し合う) 次の1週間で，どうしたら新たに人と出会えるでしょうか？
マリア　　：(弱々しい声で) 同じ建物の人なら，話しかけられるかも。
セラピスト：(マリアが急にしゅんとしたのに気づいて) たった今，どのようなことが頭に浮かびましたか？
マリア　　：希望が持てません。そんなこと私にできるわけがありません。前にやったけど，駄目だったんです。(怒っているように見える) これまでのセラピストも皆，私にそう勧めました。でも，言っておきますけど，私にはできないんです。この方法では駄目なんです！

　セラピストは，マリアの気分が突然ネガティブな方向に変わったことから，マリアの中核信念が活性化されたのだという仮説を立てた。同じやり方を続けても得るものは少ないと気づいたセラピストは，この問題を追求するかわりに，治療同盟を修復するため，マリアがフィードバックをしてくれたことについて正の強化をした(「そのように話してくれてよかったです」)。そのうえで，このアジェンダに戻ってもう一度話し

合いをするかどうかをマリアに選んでもらった。(「人と新たに出会うという話題に戻りますか？　それともこの話題は別の機会（別のセッション）に取っておいて，他の話題，たとえばお母さんとの問題について話し合うことにしましょうか？」)

8. まとめ

　全般的な治療目標は，クライアントの障害を寛解に導き，クライアントのなかに，目的，意味，つながり合い，幸福といった感覚を高め，レジリエンスを育み，再発を予防する，といったことである。セラピストは，これらの目標を達成するために，クライアントの現在の症状と機能だけでなく，クライアントの希望，目標，価値について，そして現在抱えている問題，きっかけとなった出来事，成育歴，診断についても，しっかりと理解しておく必要がある。治療計画は，必要に応じて改定される概念化に基づいて作成する。治療計画はクライアントと共有し，クライアントにフィードバックしてもらう。重要なのは，個別のセッションごとと，治療経過全体の両方について，それぞれ治療計画を作成するということである。

振り返りのための問い

・治療セッションにおいて，クライアントと一緒に取り組むと役立ちそうな問題や目標の例を挙げてみましょう。なぜそれが役立つのでしょうか？
・取り組んでも役に立たないかもしれない問題や目標の例も挙げましょう。なぜそれが役立たないのでしょうか？

実践エクササイズ

　これからの1年間で，認知行動療法にもっと習熟するという目標があなたにあるとしましょう。この目標を達成するための計画を，図9.2に沿って立ててみましょう。

第10章 セッションを構造化する

セッション1は内容が多いため他のセッションと形式が異なるが，セッション2以降は，筆者の経験上，本章で紹介する形式が最も効率的で有効と考えられる。ただし，目の前のクライアントが心地悪く感じている場合には，構造から離れることも，ときには必要である。本章ではエイブの5回目のセッションを参照しながら，以下について解説する。

> - セッションの内容の決め方
>   セッションの各部分の詳細（気分のチェック，薬やその他の治療のチェック，アジェンダ設定，現状報告と活動計画の振り返り，アジェンダの話し合い，定期的なまとめ，セッションの要約，アクション・プランの最終確認，フィードバック）

エイブとのセッション10のビデオ（beckinstitute.org/CBTresources）は，セッションの要素をよく表している。セッションを構造化する際のよくある問題は第11章で学ぶ。

1. セッションの内容

クライアントが持ち込む問題と目標，および，セラピストが考える治療の大きな目標によって，セッションの内容は変わってくる。各セッションを計画する際には，治療の段階をよく考慮し，クライアントの概念化を治療の指針にする。クライアントに気分を報告してもらいながら1週間を簡単に振り

返り，アジェンダに載せる項目を具体化する。そして，クライアントが挙げるアジェンダの各項目に，セラピストが考える治療の大きな目標をどう統合できるかを考える。

たとえば，エイブとの第5セッションでは，セラピストは，エイブが自分で自動思考を評価し，活動スケジュールを進められるよう，引き続き支援しようと計画していた（うつ病のクライアント全員にこのことが必要だとはかぎらない）。同時に，エイブがアジェンダに加えた目標も扱う。初学のセラピストは，1回のセッションでじっくり話し合える問題や目標は1つか2つだろう。経験を積むと，もう少し多くのことに取り組めるようになる。

エイブの第5セッションの「セッションメモ」を図10.1に示す。こうしたメモは治療セッション中で取ることが大切である。それにより，

- セッション中に話し合ったことを記録できる
- 概念化を改訂できる
- 将来のセッションの計画を立てられる

メモを取る間も，クライアントとはなるべく視線を合わせる。特に，クライアントがつらい気持ちを語っているときは，メモを取る手を止めてクライアントにしっかりと寄り添うことが大切となる。

典型的なセッションの形式

図10.2に典型的なセッションの要素を示した。初めの数セッションでは，各要素の理論的根拠をクライアントに説明するのがよい。各セッションにおいて，セッションの途中で定期的にまとめの作業をすることも重要である。治療の初期段階では，クライアントが認知行動療法の構造に馴染んでもらうよう（socializationと呼ぶ），継続的に介入することが大切である。セッションを一定の形式に沿って進めること，クライアントとセラピストが協働的に取り組むこと，フィードバックが求められること，現在（や過去）の体験を認知モデルに照らして検討すること，などである。クライアントの気持ちが

準備用メモ：引き続き活動スケジュールを行いつつ，自動思考を評価する。「表彰リスト」を確認する。

クライアントの名前：＿＿エイブ　K.＿＿　　**日付**：＿6月10日＿
セッション#：＿＿5＿＿＿　**診断／CPTコード**：＿＿F 32.3＿

気分の評価／評価尺度：気持ちは「いくらかよくなった」。PHQ-9 = 15，GAD-7 = 6，幸福度 = 3

服用薬／処方内容の変更／副作用／その他の治療：特記事項なし

リスクアセスメント――自殺／自傷／他害：自殺念慮はもうみられない。低リスク。

現状報告／活動計画の振り返り／引き出された結論：アパートの片付けがさらにできた／考え方と行動を変えると気分に影響する／以前よりコントロールできている。毎日外出した／「少しずつコントロールでき始めている」ことを自覚している。コンサートへ出かけたときにいちばん調子よかった／家族を大切に思っていることを示す／自分の背中を押して活動する価値がある／治療メモを毎日読んだ。毎日出かけた。孫娘のベビーシッターをした。息子家族と一緒に夕食を食べた／出かけるのはよい／彼らと一緒に過ごすのはよい／自分は褒められる資格がある。自動思考を同定した。自分を褒めた。

アジェンダの項目：アパートの片付け，~~ボランティアをする／疲労~~，友人に勧められた仕事，自動思考の評価，活動スケジュール

アジェンダの項目1――問題または目標：友人に勧められた仕事
概念化――自動思考／同定された意味・信念／感情／行動：
状況：丸一日仕事することを考える
　→　自動思考：それだけの体力がない
　→　感情：心配
　→　行動：友人に電話を折り返すのを避ける
介入／セラピストのまとめ：
（1）「そう考える根拠は…」の質問法を教え，「…をする体力がない」を評価する。
（2）自動思考が正しいと考える証拠あり
（3）友人と話す際の選択肢を評価する。
（4）友人との話し方をロールプレイで練習する。
アクション・プラン：
将来，求人があったときにまた声をかけてくれるよう頼んでおく。
うつ病が回復するにつれて体力も改善することを思い出す。

アジェンダの項目2——**問題・目標**：郵便物の整理，請求書の支払い，書類記入
概念化——**自動思考／同定された意味・信念／感情／行動**：
状況：取りかかることを考える
 → 自動思考：「大変すぎる」
 → 感情：抑うつ
 → 行動：郵便物を避ける
介入：
（1）スキル・トレーニング（郵便物を4つに分類する）。
（2）自動思考の評価
　　（反応：「全部をこなさなくてもよい。一歩目として，分けるだけ。分けるだけならできるはず。どこへ分類してよいかがわからない郵便物は『不明』の山に置いて，次のセッションで話し合う」）。次セッションで「不明」の山をどうするか話し合った。
（3）認知リハーサルをする。
（4）課題を完了した場面をイメージする。
（5）自動思考への対応（「もっと早くしておくべきだった」→「うつ病が妨げになった」）
（6）翌朝のために携帯電話のアラームをセットする。
アクション・プラン：
関連する治療メモを読む。課題を完了する場面をイメージする。朝，郵便物を分けることを忘れないためにアラームをセットする。
他のアクション・プラン：「表彰」リストをつける。毎日外出する。家族に会う。孫たちを野球の試合に連れていく。自動思考を同定して以下を自問する，「この思考が正しいと考える根拠はなんだろう？（完全には）正しくないと考える根拠は？」

要約／クライアントからのフィードバック：考え方と行動が変わり，自分を褒めることで気分がよくなる。状況をコントロールすることの大切さ。アクション・プランをやり遂げられる見込みが非常に高い。フィードバック——「よい」。

セラピストの署名：ジュディス・S・ベック

次セッションのためのメモ：ボランティアをすることについて話し合う？体力を増やすことについて話す？　自己批判を評価する。活動スケジュールと自動思考の評価を継続。

図10.1　セッションメモ
© 2018 CBT Worksheet Packet. ペンシルベニア州フィラデルフィア，ベック認知行動療法研究所

> **セッションの序盤**
> 1. 気分／薬／その他の治療をチェックする
> 2. アジェンダを設定する
> 3. 現状を報告してもらい（ポジティブ／ネガティブ両方），前週のアクション・プラン（活動計画）を振り返る
> 4. アジェンダの優先順位を決める
>
> **セッションの中盤**
> 5. 最初のアジェンダに取り組む，要約する，介入を行う，ほかの介入が必要かを評価する，アクション・プランについて話し合う
> 6. （時間があれば）アジェンダ2，3に取り組む
>
> **セッションの終盤**
> 7. セッションを要約する
> 8. 次週までのアクション・プランを確認する
> 9. フィードバックを引き出す

図10.2 セッションの構造

改善してきたら，再発予防（第12章）についての話し合いも始める。ただし，最も大切なことは，クライアントに希望を持ってもらい，治療同盟を強め，それを維持し，クライアントの気分が改善して日常生活でよりよく機能できるようになってもらおうと努めることである。

2．セッションの序盤

セッションの導入部では，次の事項が大きな目標になる。

> - ラポール（信頼関係）をあらためて構築する
> - 情報を集め，セッションで扱う必要がある問題や目標を探す
> - クライアントが達成した事柄から「結論」を引き出し，前回のセッションのフォローアップをする

こうした目標を達成するために以下を行う。
　(1) 気分をチェックし，服用薬やその他の治療状況をチェックする。

(2) 最初のアジェンダを設定する。
(3) 現状を報告してもらい，アクション・プランを振り返る。
(4) アジェンダに優先順位をつける。

経験豊富なセラピストはこれら4つの要素を織り交ぜながらセッションを進めることが多いが，初学のセラピストは一つひとつ進めることが一般的であり，本章でもそれぞれを分けて解説する。

セッションに先んじて，クライアントに「治療準備のためのワークシート」（図10.3）を（心の中でまたは書き出しながら）ざっと眺めて考えておいてもらうと，各セッションの序盤部を早く進めることができる。ワークシートは診察室の受付などに置いておいてもよい。クライアントがセッションに馴染んで，セラピストから促さなくても1週間の様子を報告してくれるようになるまでは，自宅に持ち帰ってもらってもよい。

---

1. 前セッションの話し合いで何が重要だったか？　治療メモの内容をどれほど信じているか？
2. 前セッション以降気分は，それ以前の気分と比べてどうだったか？
3. この1週間のポジティブな体験は？　そこから何を学んだか？　そうした体験から，自分（クライアント）について何が言える？
4. その他，この1週間に起きたことでセラピストに伝えておいたほうがよいことは？
5. 今日のセッションの目標は？（短く表現，ラベル付け）
　例）周りの人ともっと交流，家の片付け，仕事で集中，など？
6. アクション・プランでは何を実行したか？（実行できなかった場合は何が妨げになったか？）どんなことを学んだか？

図10.3　治療準備のためのワークシート
© 2018 CBT Worksheet Packet. ペンシルベニア州フィラデルフィア，ベック認知行動療法研究所

気分のチェック

気分を簡単にチェックするだけで様々な効果がある。

- クライアントの近況をセラピストが気にかけていることを示せる。
- 治療における改善度を，セラピストもクライアントも観察できる。

- 治療の進み具合（あるいは滞り具合）に対して，クライアントがそれをどう考えているかを確認できる（それを強化または修正できる）。
- 認知モデルをさらに強調して伝えられる。クライアントの思考と活動が気分に影響を与えた様子を指摘できる。
- セッションで扱う必要がある自殺企図，絶望感，他害衝動をチェックできる。こうした項目に該当した場合は，通常，アジェンダで最初に扱う。

クライアントの診断や症状に応じて，パニック発作の回数と強さ，儀式に費やしている時間（強迫症などの場合），度を過ぎた習慣，アルコールや薬物の使用，怒りの爆発，自傷，攻撃的・破滅的行動などについても尋ねる。エイブの第5セッションの始まりをみてみよう。

セラピスト：こんにちは。調子はいかがですか？
エイブ　　：まあまあです。（記入した尺度を手渡す）
セラピスト：気分は以前と同じですか？　よかったり悪かったりしますか？
エイブ　　：少しよい感じです。すごく気分が悪くなったときが1回ありましたが，大概は以前よりよくなったと思います。
セラピスト：悪かったときのことは，アジェンダ設定の際に教えてください。でも，おおむね気分よくすごせたようでよかったです。（間を置く）幸福の感じはどの程度でしたか？
エイブ　　：3くらいです。
セラピスト：気分が少しずつ改善しているようですね。ご自分でも感じますか？
エイブ　　：ええ，そう思います。
セラピスト：（記入された尺度を見ながら）エネルギーも，少し増えているようですね？　そして，以前よりも少しだけ，いろんなことを楽しめるようになっている？
エイブ　　：ええ，そうです。

気分の改善を自分の努力に帰属できることが大切である。気分の改善が，

クライアントが考え方や行動をポジティブに変化させたことと関連している点を，クライアントに理解できるよう支援する。

セラピスト：よかったですね。今週はなぜ気分がよくなったと思いますか？
エイブ　　：希望が少し湧いてきたのだと思います。治療が役立っているかもしれません。
セラピスト：[認知モデルをそれとなく強調する]つまり「治療が役立っているかもしれない」と考えて，その思考から希望が湧いてきて，抑うつがやわらいできている，という感じでしょうか？
エイブ　　：はい。……あと，今週はアパートでたくさんのことができました。子ども達とも一緒に時間を過ごしました。
セラピスト：なるほど。考え方が変わり，行動も変わったことが，気分によい影響を与えているのですね。
エイブ　　：ええ，そう思います。
セラピスト：そうしたことを，今週も続けていきましょうか？
エイブ　　：はい。

　次に，セラピストは，エイブが自分の行動についてポジティブな結論を引き出せるよう支援する。

セラピスト：こうしたことを実行できたことから，あなた自身について，何が**言える**でしょうか？　数週間前には難しかったことができるようになりましたね。
エイブ　　：以前よりも，自分をコントロールできるようになってきているのだと思います。
セラピスト：[正の強化を与える]おっしゃる通りですね。

> 臨床のコツ
> ・クライアントが，気分がよくなった理由がわからないというとき

は,「考え方が変わったり,行動を変えてみたりしたことはありませんか?」と尋ねる。
・クライアントの発言による1週間の気分と,記入された尺度との間に食い違いがみられたら,「気分がよくないとおっしゃいましたが,質問票の得点は前回よりもよくなっていますね。この点についてどう思いますか?」などと尋ねてもよい。

気分のチェックでよくぶつかる3つの困難として,①ポジティブな変化があっても,クライアントがそれを環境に帰属する(自分が何かしたからではなく,状況が変わっただけと考える),②クライアントが話しすぎる,③クライアントの気分が悪くなっている,がある。詳細は次章で学ぶ。

薬物療法／その他の治療のチェック
本書のp.135で,薬物療法のチェックのあり方を解説した。クライアントが薬物療法やその他の治療を受けている場合には,薬やその他の治療へのアドヒアランス(および副作用)についてクライアントに尋ねる。必要に応じて,クライアントが主治医に質問できるようリストを作ることを支援する。

最初のアジェンダ設定をする
最初のアジェンダを,**時間をかけすぎないよう注意しながら**,設定する。

・セッションで達成したい目標をクライアントに尋ね,次に,話し合う必要のある重要事項が他にもないか確認する(アジェンダの優先順位をつけるときに確認してもよい)。
(従来の認知行動療法では「今日は,どのような問題を解決するのをお手伝いしましょうか?」や「今日は何に取り組みたいですか?」という問いから始めることが多かったが,はじめに目標を尋ねる点が特徴である)
・目的や問題は簡潔に話す。クライアントが長々と話し始めたら,やんわりとさえぎり,**ラベル(簡単なタイトル)**をつけて,後で扱うようにする。

- 前回のセッションからのメモを見て，取り組む時間がなかった項目について質問をする。
- 今日のセッションで取り組みたいと**セラピスト**が考えるテーマを提案する。

セッションの序盤では，セラピストは，

- 今日からの1週間に起きそうな重要な問題が他にもないかクライアントに尋ねる。
- アジェンダに載せる重要項目が他にないかに注意を払う（例：先週のネガティブな体験が，今週も起きる可能性はないか）。

セッション序盤の終わりには，セッションの残りの時間で扱う内容に優先順位をつけられるようクライアントを支援する。

セラピスト：ではアジェンダを設定しましょう。アジェンダを設定することで，あなたにとっていちばん重要な話題を見つけられます。今日のセッションではどのような目標を達成したいでしょうか？
エイブ　　：そうですね…アパートのことは多少進捗がありましたが，まだまだ整理整頓できたとはいえません。とうてい無理に思えることもあって，というのは……
セラピスト：（やんわりとさえぎりながら）なるほど，それは大変ですね。では，「アパートメントの整頓が大変」と書いておきますね（目標を書き出す）。他にありますか？
エイブ　　：ボランティアを再開する体力があるか悩んでいます……どうかな。けっこう疲れていて［活動を妨げる思考］，はたして……
セラピスト：（やんわりとさえぎりながら）そのことも，今日話し合いたいですか？（間を置く）
エイブ　　：はい，時間があれば。
セラピスト：わかりました。「ボランティアと疲労」と書いておきますね。

　　　　　　　　他には？
エイブ　　　：今はそれくらいです。

　こうしたテーマについて詳しく話してもらうのではなく，セラピストは，やんわりとさえぎりながら，目標や問題に呼び名をつける。クライアントが長々と説明するままにすると，**セッションで何をいちばん話したいと思っているのか，クライアント自身も考える機会がなくなってしまう**。クライアントは，必ずしもいちばん話したいテーマから話し始めるとはかぎらない。セラピストは，簡潔に話を進めながら，アジェンダに含めるテーマが他にもないかを探っていく。

セラピスト：今週は気分がとても落ち込んだときがあったとおっしゃいましたね。それも話し合ったほうがよさそうでしょうか？
エイブ　　　：よくわかりません。前の妻から嫌な電話がかかってきました。失業したまま養育費を払えないことを怒鳴られて，しばらくひどい気分でした。でもその日は孫娘たちをコンサートに連れていった日で，帰宅したときには気分がよくなっていました。
セラピスト：前の奥さんのことをアジェンダに載せますか？
エイブ　　　：そのうち。今日は話し合わなくて大丈夫だと思います。次に電話がかかってくるのは数か月先だと思いますので。
セラピスト：わかりました。私が知っておいたほうがよさそうな今週のご予定はありますか？
エイブ　　　：（考える）そうだ，友人が，建設関係の仕事をしないか声をかけてくれました。でも，できるかどうかわかりません。
セラピスト：その仕事を引き受けることの利益・不利益を一緒に考えてみますか？
エイブ　　　：そうしていただけると助かります。

　何をアジェンダにしたらよいかが，なかなかわからないクライアントへの

対応は p.288 〜 293 を参照のこと。
　次に，セラピストから，アジェンダに含めたいと考えるテーマを提案する。

セラピスト：今挙げていただいたことに加えて，私からは，考えを評価することと活動スケジュールついて少しお話ししたいのですが，よろしいですか？
エイブ　　：はい。

近況の確認とアクション・プランの振り返り
　次に，前回のセッションと今回のセッションの橋渡しを行う。多くの場合は，アクション・プラン（活動計画）の振り返りと近況の確認を組み合わせる形となる。セラピストは，アジェンダに載せる必要がある重要な問題や目標がないかに注意を払う。従来の定型的な認知行動療法では，「この1週間に起きたことで，私が知っておいたほうがよいことはありますか？」の質問から始めていた。その質問に対しては，（特に治療初期には）クライアントはネガティブな体験を報告することが多い。その場合は，セラピストは，ポジティブな体験や，多少でも気分がよくなったことを追加で尋ねることが大切となる。リカバリー志向の認知行動療法では，ポジティブな事柄から始める。具体的には以下のような質問である。

> 「今週は，どんなよいことがありましたか？」
> 「今週は，どんなよいことをしましたか？」
> 「今週いちばん調子がよかったのはいつですか？」
> 「この1週間でいちばんよかったのはどの部分ですか？」

　ポジティブな事柄に焦点を当てることで，クライアントは，現実をはっきりと見やすくなる。うつ状態ではネガティブな事柄にしか注意が向かなく

なっているからである。ポジティブな事柄に目を向けられるようになると，1週間ずっと同じ強さで苦痛を感じていたわけではないことを認識できるようになる。ポジティブな体験に呼び名をつけることは以下のことにも役立つ。

- クライアントが，社会的な活動，生産的な活動，楽しめる活動，セルフケアに関わる活動などの有意義な活動をできたときに，そのことを褒めることにつながる。
- 活動から役立つ結論を引き出す支援に役立つ。そこには，クライアント自身に対するポジティブな内容も含まれる。
- セッション中にポジティブな感情を引き出し，クライアントがよりよい気分の視点から眺められるようにし，セッションの残りの部分において，セラピストとの対話の内容がより受け入れやすくする。
- 次の1週間にも同様の活動を続けるのがよいと思うか，話し合うきっかけになる。
- セラピストの自己開示も織り交ぜながら，短い雑談をすることで，治療関係を強められる。

セラピスト：今週，いちばん調子がよかったのは，いつですか？
エイブ　　：孫娘達に会っていたときです。子ども向けのコンサートに連れていきました。孫娘たちのお気に入りの歌手で――名前を忘れてしまいましたが，ギターを弾きながら子どもの歌を歌います。
セラピスト：［自己開示を使って治療関係の絆を強める］私も，昔そうしたイベントに子ども達を連れていったのを思い出します。私も孫をコンサートへ連れていくことを考えてみようかしら。
エイブ　　：その歌手なら，今週末にもコンサートを開催していますよ。
セラピスト：そうなのですね，ありがとうございます。（間を置く）お孫さんたちを連れて出かけるのは久しぶりですね？
エイブ　　：ええ，以前はよくしていましたが，最近は長らくしていません

でした。
セラピスト：［ポジティブな結論を引き出す］その体験のどんなことがよかったでしょうか？
エイブ　　：孫たちがわくわくしていて，連れていってもらったことを喜んでいました。
セラピスト：実現できてよかったですね。（間を置く）ご自身としてはどんなことを学びましたか？
エイブ　　：自分の背中を押してでも，そうする価値があった，と気づきました。疲れて出かけたくない気持ちでしたが，孫たちをがっかりさせたくなかったので。こうしたことをもっと頻繁にすべきですね。
セラピスト：よかったですね。［適応的な中核信念を引き出そうとする］落ち込んでいて疲れている中でも出かける気力を奮い起こせたということから，**ご自分**について何が言えるでしょうか？
エイブ　　：よくわかりません。
セラピスト：家族を心から大切にしている，と言えますか？　自分の背中を押したら出かけることができましたから，自分の気分は思ったよりコントロールできるかもしれない，と言うことはできますか？
エイブ　　：そう言えそうですね。
セラピスト：今週は他にもよいことはありませんでしたか？
エイブ　　：さっきの話がいちばんですが，他にもアクション・プランをたくさんこなせました。
セラピスト：すばらしい。そのことについてもこの後話し合いましょう。

　ポジティブな記録を書き留めておくと，今後のセッションで，ポジティブな活動を計画したり，関連する自動思考や信念を評価したりする際に活用できる可能性がある。セラピストは，次に最近1週間の他の部分について尋ねる。

セラピスト：今週あった他のことで，私が知っておくと良さそうなことはありますか？
エイブ　　：ええと（ため息をつく）。弟にむっとされました。弟が仕事を辞めると言ったので，やめたほうがいいと伝えたからです。
セラピスト：［アジェンダに加えるほど重要な項目かどうかを探る］そのことについて，今日，話し合ったほうがよさそうでしょうか？
エイブ　　：いいえ。弟の気持ちはいずれ収まると思います。
セラピスト：わかりました。他にはありませんか？
エイブ　　：特に思いつきません。
セラピスト：今週の予定で私が知っておいたほうがよさそうなことはありますか？
エイブ　　：さっきお話ししたことだけです。友人からの仕事の誘いと，もしかしたらボランティアを考えていることくらいです。
セラピスト：わかりました。

　続いて，アクション・プランで何を達成したかへと話を進める。

セラピスト：アクション・プランについてお話ししてもよいですか？　今，お持ちですか？
エイブ　　：ええ。（アクション・プランをとり出す。セラピストもセラピストのコピーを出す）
セラピスト：治療メモを毎日2回読む課題はどうでしたか？
エイブ　　：9割がたの日は読めたと思います。
セラピスト：すばらしい。

　セラピストは，次にクライアントに治療メモを声に出して読んでもらい，どれほど同意するかを言ってもらう。クライアントが自分を褒めたかどうかを確認したうえで，アクション・プランの振り返りを続ける。

セラピスト：治療メモを読んだとき，ご自分を褒めることができましたか？
エイブ　　：ええ。
セラピスト：よかったです。（アクション・プランを見ながら）毎日出かけることはできましたか？
エイブ　　：ええ，出かけました。それに土曜の夜は，娘の家に行ってベビーシッターをしました。
セラピスト：娘さんは喜んでくれましたか？
エイブ　　：ええ。娘の夫にも喜ばれました。依頼していたベビーシッターが直前にキャンセルの連絡をしてきたのです。
セラピスト：こうしたベビーシッター役でしたら，これからも引き受けることを提案できそうでしょうか？
エイブ　　：ええ，そうするべきだと思います。
セラピスト：そのことをアクション・プランに記入しておきましょうか？
エイブ　　：できれば，くらいのほうが，気が楽です。
セラピスト：それでいいですよ。（間を置く）ベビーシッターしたとき，ご自分を褒めることはできましたか？
エイブ　　：ええ。ベビーシッターをしてよかったです。娘夫婦の役に立てましたし，自宅で何もしないでただ座っているよりもよかったです。

　セラピストとクライアントはアクション・プランの振り返りを続ける。セラピストはクライアントを称賛したうえで，ポジティブな体験の意味を尋ねる。そして，アクション・プランの内容について，今後1週間も続けるかどうかを話し合う。エイブは毎日出かけることを約束した。話し合いの間，セラピストは他に優先すべきアジェンダがないかに常に気を配るようにする。

アジェンダの優先順位を決める
　次に，アジェンダにある問題や目標を整理する。項目が多すぎるときは，クライアントとセラピストが協働して優先順位をつける。場合によっては，

いくつかの話題は次セッション以降に先送りする。また，各項目に同じくらいの時間をかけるか，中心的な項目に多くの時間をかけるかを決める。

セラピスト：では，アジェンダに優先順位をつけてもいいですか？　ご自宅の片付けのことをおっしゃっていましたね？　それから，ご友人に誘われた仕事のことと，疲れていてもボランティアをするかどうか。どの項目を優先して話し合いたいですか？
エイブ　　：仕事のことです。
セラピスト：わかりました。ご自宅の片付けとボランティアについては，話し合いの時間を必ず取ったほうがよいでしょうか？
エイブ　　：片付けは絶対に話し合いたいです。ボランティアは今週でなくても大丈夫です。
セラピスト：了解です。仕事と片付けとは，時間は半々で大丈夫ですか？
エイブ　　：それで大丈夫だと思います。

3．セッションの中盤

　次に，クライアントにとって最も重要な問題や目標に取り組む。ただし，セラピストが率先して提案する場合もある。
　従来の認知行動療法では，通常，これまでに起きた問題について情報を集め，クライアントが直面している困難を認知モデルに沿って概念化をする。一方，リカバリー志向のアプローチでは，むしろ目標達成に向けて，これからの1週間にどのようなステップを取るか（問題の裏返しといえる）をまず尋ねたうえで，そうしたステップを踏んでいくときに邪魔になりそうな障害を，認知モデルを使って概念化する（同上）。どちらのアプローチでも，セラピストはクライアントと協働しながら，以下のどこから取り組むかを決定する。

- 起きている問題状況，または，今後の目標に向かって，ステップを踏むときに想定される妨げ
- 問題状況や妨げに関連する自動思考
- 自動思考と関連する反応（気分，行動，身体）

　セラピストは介入を選び，その理論的根拠を説明する。クライアントから合意が得られたら，それを実行し，その効果を測定する。アジェンダに挙げた問題や目標について話し合う文脈の中で，クライアントにスキルを教え，新しいアクション・プランを作成する。さらに定期的にまとめの作業をして，クライアントにもセラピスト自身にも，セッションで何を得たかを確認する。具体的な問題について話し合う中に，セラピストが考える，治療の大目標も織り込んでいく。

　エイブとセラピストは，はじめに友人に誘われた建設関係の仕事を引き受けるかどうかを話し合った。その仕事について何を心配しているのか，とセラピストが尋ねると，エイブは「丸一日の仕事をこなすだけの体力がない」という自動思考を持っていることがわかった。そこでセラピストは，自動思考を評価する2つの問い——「この思考が正しいという根拠は何か？」と「この思考が（少なくとも完全には）正しくないという根拠は何か？」——を教えた。この2つの問いを使って評価した結果，エイブの自動思考はおそらく正しいという結論となった。そこで，セラピストとエイブは，どのような方法があるかを一緒に考えた。半日だけの仕事にしてもらうよう友人に頼む，または，今回は断って次の機会に声をかけてくれるよう頼む，であった。エイブは後者を選択し，その後，具体的に友人にどう話すかについてロールプレイを行った。

　次にエイブの2つ目の目標（片付け）についても同様に話し合いをした。「片付け」に含まれることは，山積みの郵便物の処理，請求書の支払い，保険申請書の記入，であった。

　今後の1週間で活動の妨げになりそうなことを扱うために，セッションで

は以下のステップをとった。

1. 問題に関する情報を収集し，課題をこなそうとするときにどのような思考が妨げになると思うかを尋ねる。
2. クライアントの困難を認知モデルの形式で要約し，自動思考を評価し，そうした自動思考に対する上手な対応を検討して記録する。
3. 協働的に問題解決を行い（例：今週は郵便物だけに手を付ける），スキルトレーニングを行う（例：はじめに，郵便物をいくつかの山に分ける）。
4. 協働的にアクション・プランを作成する。
5. セッション内で，クライアントにタイマーを設定してもらい，行動を起こす（例：郵便物の仕分け）ことを思い出せるようにする。
6. 課題に取りかかる自信を高めるために認知リハーサルを行う。
7. 課題を終えた場面をクライアントにイメージしてもらう。

セラピスト：明日のお昼前くらいをイメージしてください。あなたは，勇敢にも，郵便物の山と取り組んで仕分けを終えました。食卓に座って分けた4つの山を眺めています。――「保管する」郵便物の山，「処理が必要」な山，「捨てる」山，「不明」の山です。どのような気持ちでいると思いますか？

エイブ：ほっとしています。「処理が必要」の山と「不明」の山が心配ですが，それは来週話し合えばいい，と先生は言ってくださいました。

セラピスト：どのような言葉でご自分を褒めてあげましょうか？

エイブ：ついにやった。よくやった，です。

セラピスト：ご自分が誇らしいですか？

エイブ：はい。……でも，もっと早くするべきだったと後悔もあります［自動思考］。

セラピスト：なるほど……そういった考えにはどう対応しましょうか？

エイブ　　：以前先生に教えていただいたように,「できなかったのはうつ病のせいで,自分のせいじゃない」と考えるようにします。
セラピスト：それはよい考えですね。うつ病の症状があるにもかかわらず,あれだけの郵便物の山を分けることができたわけですが,そのことから,ご自身について,何か言えることはありますか？
エイブ　　：一見できないと思っていても,やってみたら意外とできる。
セラピスト：とても大切なことですね。そのことを治療メモに書いておきませんか？

定期的なまとめ

　セッションを通じて,セラピストは3種類の方法でまとめの作業をする。
　1種類目のまとめは,内容についてのまとめである。問題を事細かに話すクライアントは多いため,セラピストは,クライアントが話した内容を認知モデルに沿ってまとめるようにする。それにより,クライアントが最も重要と思っていることを同定し,問題を簡潔に提示できるようになる。まとめをするときは,できるかぎりクライアント自身の表現を使うのがポイントである。それによって,セラピストとクライアントとが正確に理解を共有でき,問題がクライアントの頭の中で活性化され続けることを助ける。

　「私が正しく理解できたか確認させてください。郵便物を仕分けしようと考えたときに,『到底無理だ』という思考が湧いて,気持ちが落ち込み,作業を避けてしまった,という理解で合っていますか？　他の感情や自動思考もありましたか？」

　セラピストは,クライアントが使った言葉をできるだけそのまま使ってまとめをする。言葉を言い換えると,クライアントの意図とずれる可能性があり,クライアントの自動思考や感情の強さを弱め,それによって認知再構成の効果が落ちる可能性がある。言い換えることで,セラピストに正確に理解してもらえなかったとクライアントが感じることもある。

2種類目のまとめは，問題や目標について話し合った後に，理解の確認と学習の強化の目的で，クライアントにしてもらうまとめである。たとえば，「今話し合ったことを要約していただけませんか？」「今日の話し合いから，覚えておきたい点は何でしょうか？」などと尋ねる。クライアントが上手くまとめられたら，セラピストかクライアントがそれを記録し，毎日読むことをアクション・プランとする。

 3種類目のまとめは，セッション中に一区切りがついたときに，そこまで何を成し遂げ，次に何をするのかを，セラピストとクライアントの両者で明確にするものである。「ここまで＿＿＿＿と＿＿＿＿について話し合いました。次は＿＿＿＿について話し合いましょうか？」。

4. セッション最後のまとめ，アクション・プランのチェック，クライアントからのフィードバック

セッション全体のまとめ

 セッション終了前の全体のまとめでは，セッションで学んだ事柄の中で重要な点に，クライアントの注意をポジティブに向けるようにするものである。そこでは，アクション・プランを実行する際に問題となりそうなことがないかも確認する。セッション回数がまだ浅いうちはセラピストがまとめの作業をすることが多い（後半のセッションではクライアントにまとめをしてもらう）。

セラピスト：さて，残り数分になりました。今日ここで話し合ったことを，まず私がまとめてみます。その後で，感想をお聞きしますね。
エイブ　　：わかりました。
セラピスト：今週は少し気分がよかったようですね。治療メモを読みましたし，抑うつ的な思考の中には正しくないものもあることを認識しました。以前より活動的になり，ご自分を褒めることもできました。気分の良さはそうしたことから来るといえそうです

ね。また，生活や活動や気分をコントロールするためにいろいろなことをしました。自動思考をすぐに信じるのではなく，疑ってみることも始めました。（間を置く）合ってますか？
エイブ　　：ええ。
セラピスト：他に付け加えることはありませんか？
エイブ　　：特にないと思います。

> **臨床のコツ**
>
> 　クライアントが認知行動療法に慣れてきたら，重要な点をクライアントがまとめられるようにする。クライアントが上手にメモを取ることができているとまとめの作業はかなり楽になる。セラピストは「あと数分で終わりになります」と言ってから以下のように尋ねてもよいだろう。
>
> 　「今日のセッションでいちばん大切だと思ったのは何ですか？」
> 　「今週覚えておきたい，最も大切なことは何でしょう？　メモを見ながら考えてみてください」
> 　「今日のセッションからどんなことを学びましたか？」

アクション・プランのチェック

　次に，セラピストは，次回のセッションまでにすることにした内容を振り返る。はじめに，これまでの数週間でクライアントが取り組んできたことを共有する。今回新たに追加した項目をクライアントがこなす見込みが十分に高いことや，圧倒された気持ちにならないことを確かめておく。

セラピスト：ではアクション・プランを見ておきましょうか？　治療メモを読む，アパートから出かける，「表彰」リストをつける。これを毎日できる見込みはどの程度ですか？
エイブ　　：100パーセントです。
セラピスト：仕事について友人と話すことはいかがですか？　それは一度き

りのことですが。
エイブ　　　：それも 100 パーセントできそうです。話します。
セラピスト：郵便物の仕分けは？　一気にでも，少しずつでも構いません。
エイブ　　　：多分できると思います。
セラピスト：自信がないようでしたら，やってもやらなくてもよいアクション・プランにしておきましょうか？　あるいは，時間制限を設けて，たとえば 10 分だけ，というふうにもできます。
エイブ　　　：いえいえ。やります。
セラピスト：チケットを買って，お孫さんたちを野球の試合に連れていくことは？　それも一度きりのアクション・プランですが。
エイブ　　　：連れていきます。
セラピスト：100 パーセント？
エイブ　　　：はい。
セラピスト：最後に，自動思考に気づいたときに，「この思考が正しいという根拠はなんだ？」と尋ねられる見込みはどの程度ですか？
エイブ　　　：できると思います。腕の輪ゴムを見て思い出せます。
セラピスト：これらを全部やるのは大変過ぎますか？
エイブ　　　：いいえ。もうできていることが多いですから。

フィードバックを引き出す

　セッション全体のまとめに続いて，フィードバックを引き出す。初めの数セッションでは，「私からお伝えしたことで，気になることはありませんでしたか？」「私が誤解していることはありませんか？」「次からやり方を変えたいと思うことは？」などの質問も付け加えていたが，エイブとの治療ももう第 5 セッションであったので，必要ならばネガティブなフィードバックもしてくれるだろうとセラピストには確信があった。そこでセラピストは「今日のセッションはいかがでしたか？」とだけ尋ねた。エイブは受付に置いてあるフィードバック用紙に記入することにも馴染んでおり，そのことを改めて依頼する必要もなかった。

5. まとめ

　本章で示した治療構造を使うことで，セッションは効果的なものとなる。本章では，便宜上各要素を分けて説明したが，実際のセッションでは，それぞれの要素を織り交ぜながらセッションを進める認知行動療法家が多い。また，クライアントが挙げるアジェンダに，セラピスト自身が必要と考えるアジェンダも織り込んでいく。次章では，この構造に沿ってセッションを進める際に発生しうる問題と，クライアントの個別性に合わせて構造を変える必要性について解説する。

振り返りのための問い

・セッションを構造化するうえで，何がいちばんの困難になると考えますか？
・なぜそう考えるのでしょうか？
・セッションで定期的に行う3種類の大切なまとめの作業は何でしょう？
・3種類のまとめはそれぞれなぜ大切でしょうか？

実践エクササイズ

　仲間，同僚，友人，家族などにロールプレイの相手になってもらいましょう。アクション・プランを想定して，セッションの初めに振り返りをする状況を想定してロールプレイをしましょう。

1. 気分のチェックを行う（0〜10）
2. 最初のアジェンダを設定する
3. 現状を報告してもらい，前週からのアクション・プランを振り返る
4. 最初のアジェンダについて話し合う
5. 話し合ったことをクライアントにまとめてもらい，治療メモを書いてもらう

6．必要に応じて，アクション・プランに項目を協働的に追加する
7．セッション全体のまとめをしてもらい，フィードバックを引き出す

第11章 セッションを構造化する際の問題

　多くのクライアントは，通常のセッションの構造にすぐに馴染んでくれるものである。構造について心理教育を行い，理論的根拠を示すだけで十分である。ただ，通常の構造に従うべきではない状況もある。本章では，以下の点を解説する。

- セッションを構造化するうえでの困難をどのように概念化するか？
- 典型的な治療セッションにおいて，構造における各区分にありがちな問題は何だろうか？
- それらの問題をどのように解決するとよいか？
- アジェンダから離れるのが適切なのはどのようなときか？
- セッションの終わりの時間帯にクライアントが苦痛を感じている場合は，どうすればよいか？

1．構造化において一般的にみられる問題

セラピストは問題に気づいたら，次のように自問するとよいだろう。

「具体的には何が問題なのだろうか？　クライアントが言っていること，または言っていないことで，何か問題があるだろうか？　あるいは，クライアントが行っていること，または行っていないことで，何か問題があるだろうか？」

「この問題に関して，いくらかでも自分（セラピスト）に責任があるだろうか？」

> 「この問題がなぜ起きたのかを，どのように概念化すればよいだろうか？」
> 「この問題に対してどう対処するべきだろうか？」

正確に診断して，しっかりとした治療計画を立てていてもなお，セッションを構造化するうえで困難があるのであれば，以下の点について確認する。

> - セッションの方向性を定めるために，クライアントの話をそれとなくさえぎったか？
> - クライアントが治療の構造とプロセスに馴染めるようにもっていったか？
> - クライアントは十分に治療に参加しているか？
> - 十分に強固な治療関係が築けているか？

セラピストの認知

　読者が，認知行動療法の治療を始めて間もないセラピストか，これまでそれほど指示的ではない様式の治療をしてきたセラピストだったら，クライアントをそれとなくさえぎりながら標準的な構造に沿って面接を行うことについて，妨げとなる認知が湧くかもしれない。セッション中にも，セッションからセッションの間の期間にも，セラピスト自身の内面に感じられる心地悪さを観察し，自動思考を同定するとよい。以下に，典型的な自動思考を挙げる。

> 「セッションの構造化なんてできない」
> 「（クライアントは）構造化を嫌がるだろう」
> 「構造化のせいで，クライアントは自らを正確に表現できなくなってしまう」
> 「指示的になり過ぎると，クライアントが怒ってしまうだろう」
> 「構造化のせいで，大切な事柄を見逃してしまうかもしれない」
> 「クライアントの話をさえぎるべきではない」

> 「クライアントは活動計画を実行しないだろう」
> 「クライアントは，セラピストに大切にされていないと感じるだろう」

　構造化がうまくいかず苦労している場合，セラピスト自身の思考を評価して，それに対応しておくと，次のセッションで，標準的な構造を導入できるかどうかの行動実験がしやすくなる。お薦めしたいのは，ロールプレイを行ってセッションの構造化の練習をすることである。そうすることで，クライアントのセッションの構造化を行動実験し，セラピスト自身の思考が正確かどうかを検討することが可能になる。

クライアントの話をさえぎる

　治療を効果的に進めるために，状況によってはやんわりとクライアントの話をさえぎる必要がある。マリアとのあるセッションでは，マリアが休暇中の計画について話し始めたものの，途中で別の問題を持ち出したときにそうした状況があった。

マリア　　　：そうしたら，妹は，私が母親のところへ行って助けるべきだって言ったのです！　もう，信じられません！　そんなことできるはずがないって，妹だって知っているのに。母と私は，相性がよかったことなんか，一度もありません。私が行けば，あれこれ雑用を言いつけられるだけです。そして，批判されるに決まっているんです。これ以上批判されることなんか耐えられません。毎日職場で批判されていて……。
セラピスト：ちょっとごめんなさいね。今，何が起きているか，私がちゃんと理解できているかどうか確かめさせてください。はじめに私たちは，休暇中の計画と，そこでどんなことができそうかということについて話し合っていました。そこで，別の問題についての話が出てきました。今ここで，どの問題に取り組むのがいちばん重要だと思いますか？　休暇中の計画についてか，妹さ

んのことか，お母さんのことか，それとも仕事のことでしょうか？

話をさえぎられることを快く思わないクライアントもいる。その場合，そのことを伝えてくれたこと自体に正の強化をしつつ，セラピストが謝罪する（クライアントが，そのように話をさえぎられることを許容できると，セラピストが見誤ったからである）。そして，次に示すように，クライアントと交渉する。

セラピスト：（話をさえぎるのが3度目となる）ちょっとごめんなさいね。彼にそうされたとき，あなたはどのように感じたのですか？
マリア　　：（イライラした声のトーンで）またさえぎるのですね。
セラピスト：そのように伝えてくれてよかったです。確かにそうです。ごめんなさい。私はあなたの話を**また**さえぎってしまいました。（間を置く）こうしてみませんか？　今から10分間ほど，私が知っておいたほうがよさそうだと思われることを，何でも話していただくのです。その間，私は一切あなたの話をさえぎりません。その後で，あなたが話してくれたことを，私がまとめてみたいと思います。というのも，あなたのことを正しく理解することが私にとっては重要だからです。（間を置く）そうしたら，次に焦点を当てるべき問題を一つに絞れるかもしれません。

マリアのようなクライアントだと，セラピストがさえぎり過ぎていることを，自ら伝えてくれることが多い。一方，セラピストのほうでクライアントの感情の変化に気づいて，何が頭に浮かんでいるのかを尋ねてはじめて，さえぎりすぎていることを伝えてくれるクライアントもいる。話がさえぎられたことに対してネガティブに反応しているけれども，それを示そうとしていないのではないかとセラピストが感じたら，仮説の形で次のように尋ねるこ

とができる。「もしかしたら，私があなたの話をさえぎりすぎているとお考えではありませんか？」

認知行動療法に馴染んでもらう

　クライアントが認知行動療法に十分に馴染んでいないときにも，推奨される構造を維持することが難しくなることがある。認知行動療法に馴染んでいないと，最近の様子を**簡単**に振り返る，気分を描写する，アジェンダに含める項目を挙げる，などといった作業に対してクライアントの心の準備ができていないことになる。クライアントが認知行動療法に馴染むまでの間は特に，「治療準備のためのワークシート」（図10.3, p.255）の各項目について考えてきてもらうと役立つだろう。

　クライアントに求められることとして，この時点で理解しきれないことが多い事柄には，話し合ったことの重要な点をまとめる作業をすることや，セッションの最中や終わりにフィードバックをすることや，セッションの内容を覚えておくことや，毎日継続的に活動計画を実施するといったことが挙げられる。認知行動療法のセラピストは，特定のスキルをクライアントに教えるのと同時に，（特に他のセラピーを受けていたクライアントには）セラピストとの新たな関係のあり方や，困難と向き合う新たな方法を教えることを試みる。そうすることで，より目標志向的，問題解決的な姿勢を身につけてもらうのである。それだけのことをしようとしているのだから，セラピストは，なぜセッションを構造化するのかを最初の治療セッションでしっかりと伝え，セッションに含まれる要素一つひとつについて説明し，理論的根拠を提示する。そして，クライアントを観察しながら親切に正しいフィードバックを与えていく必要がある。

クライアントに関わってもらう

　他の困難としては，クライアントが非機能的な信念を抱いており，それが治療に積極的に参加する能力の妨げになってしまっている場合がある。クライアントはもしかしたら，心の底から達成したいと願う明確な目標を持てて

いないのかもしれない。または，非現実的なまでに楽観的な希望を持っていて，特別な取り組みをしなくても，セラピーに通うだけでよくなると思っているかもしれない。自分には，問題を解決したり，自分や人生を変えたりするための力がない，と絶望的になっているのかもしれない。場合によっては，回復に向かい始めたら人生がかえってつらくなることを（例：セラピストに会えなくなる，仕事に戻らなければならなくなる），恐れてさえいるのかもしれない。セラピストは，セッションを通じてクライアントの感情の変化に気づき，その瞬間をとらえてクライアントの認知を尋ねる必要がある。そして，役に立たない思考に対応するのを手助けし，クライアントが治療構造に馴染み，課題に取り組みやすくなるように支援する。

非機能的な認知を扱う

　クライアントの，自分自身や，セラピーや，セラピストに対する認識や非機能的な信念が，クライアントが推奨される構造に従うのを妨げる場合もある。マリアと初めて対面したセッションで，セラピストは，セッションの構造を説明した際に，マリアのなかで感情がネガティブな方向に変化したことに気がついた。

セラピスト：私が今，セッションの進め方について説明したとき，どのようなことが頭に浮かびましたか？
マリア　　：いい感じがしませんでした。前のセラピストは，思うことを何でも自由にしゃべらせてくれました。
セラピスト：そのやり方は，あなたがうつ病を乗り越えるうえで役に立ったと感じていますか？
マリア　　：（考える）うーん，まあ，あんまり。だから何年かして通うのをやめたんです。
セラピスト：私の心配をお伝えしますね。もし私がそのセラピストと全く同じことをすると，ここでも同じ結果になってしまうのではないかと思うのです。（間を置く）だからこそ，違うやり方を試し

てみるのはいかがでしょうか？　新しいやり方のほうがずっとよいと気がつくかもしれませんよ。それに，もしそうならなければ，いつでもやり方を変えることができます。

マリア　　　：（ためらいがちに）それならいいと思います。
セラピスト：よかったです。とりあえず試してみましょう。今日のこのセッションの途中と最後に，あなたがどう感じているのか，必ずお尋ねするようにします。

　逆に，治療のごく初期段階であれば，セッションの流れを主導的にコントロールすることをクライアントに任せてしまうという方法もあるかもしれない。とはいえ実際には，互いに満足できる妥協点を探りつつ，時間をかけて標準的な構造の方向へと導いていく場合が多い。

> **臨床のコツ**
>
> 　セッションの構造に対するアドヒアランスに問題がある場合，クライアントが認知行動療法に馴染んでいないためなのか，あるいは構造に従いたくないと思っているためなのか，どのように判断すればよいだろうか？　そういうときは，まず，認知行動療法に典型的な構造に馴染んでもらおうとしながら，クライアントの言語的および非言語的な反応を観察する。単に十分に馴染んでいないだけの問題であれば，クライアントの反応はほぼ中立（あるいは，もしかしたらいくらか自己批判的）で，その後のコンプライアンスは良好になるだろう。
>
> 　　　セラピスト：ちょっとごめんなさいね。お友だちに電話をかけたときの話に戻ってもいいですか？
> 　　　エイブ　　　：ええ，わかりました。
>
> 　クライアントがネガティブに反応した場合は，セラピストの要請をネガティブに受け止めていると考えて間違いないので，介入の方法を変え

る必要がある。

> マリア　　：それで思い出しました。母が私に何をしろと言ったのか，話していませんでしたね。
> セラピスト：デイビッドの話を，先に終えたほうがいいのではないでしょうか？
> マリア　　：(イライラした様子で) でも母親とのことは，本当に頭にくるのです。
> セラピスト：なるほど。ではお母さんのことについて話しましょう。ただ，そうすると，今日はデイビッドのことについて話す時間がなくなってしまうかもしれません。それでもよろしいですか？
> マリア　　：ええ，デイビッドのことは別の日で構いません。

　セラピストが構造を適用する際，支配的または要求的であったりすると，問題が発生しやすい。率直なフィードバックをしないクライアントの場合，セラピストがこのミスを犯していても，フィードバックがないために，セラピストはそれを知ることができない。この場合，セッションの録音を聞き返す作業が重要となる。同僚やスーパーバイザーにも聞いてもらうとなおよいだろう。録音を聞くことで，セラピストは次回のセッションでクライアントに謝り，やり方を改善することができるということをモデルとして示すことができる。セラピストは，「前回は私の考えを少々押し付けてしまったかもしれません。申し訳ありませんでした。セッションの進め方については，一緒に考えていきたいので，思うことをぜひおっしゃってください」と言うとよいだろう。

2. セッションの構造の各部分においてよくある問題

　セッションの各部分で，それぞれに特有の問題が考えられる。各部分とは

以下の通りである。

> - 気分のチェック
> - アジェンダ設定
> - 現状の報告
> - 活動計画の振り返り
> - アジェンダの各項目についての話し合い
> - セッションを終える

これらの各部分でよくみられる問題について，それぞれ検討する。

気分をチェックする際の問題

　気分のチェックの段階でよくみられる問題は，クライアントがフォームにうまく記入できない，記入することを不快に感じる，1週間の気分を主観的に（または簡潔に）表現することが難しい，などである。ただ単にフォームへの記入にクライアントが慣れていないのであれば，セラピストは理論的根拠を示して同意を得つつ，解消する必要がある現実的な問題（例：時間がない，忘れてしまう，読み書き能力が不足している）がないかを判断する。

フォームに対するネガティブな反応

　フォームに記入することをクライアントが不快に思っている場合，セラピストは，記入について考えたり実際に記入したりする際のクライアントの自動思考を尋ねるか，あるいは，記入するという状況がクライアントにとってどのような意味を持つのかを尋ねるとよい。

「フォームに記入するうえで，いちばん気になることは何ですか？」
「このようなフォームへの記入をお願いすることは，あなたにとって**どのような意味を持つのでしょうか？**」

セラピストはクライアントが懸念していることに共感的に対応し，関連する思考や信念をクライアントが検討できるよう手助けして，必要なら問題解決をする。セラピストのそうした対応を，以下の3つの対話で紹介する。

クライアント1：これらのフォームは私には当てはまらないみたいです。質問の半分が関係ありませんし。
セラピスト　：そうですか。でも，実は私にとっては参考になるのです。あなたの回答にさっと目を通して，全体の感じがつかめると，セッション中にたくさん質問をしないで済みます。もしできれば，次回も記入してきてもらえませんか？　それでも気になるようでしたら，次回，これらのフォームについてもう一度話し合いませんか？

次の対話では，言葉遣い，声のトーン，身体の動きなどを通じて，クライアントが不快感をはっきりと伝えている。

クライアント2：これらのフォームは時間の無駄です。質問の半分は私に関係ありません。
セラピスト　：フォームに記入することの何が，あなたにとってよろしくないのでしょうか？
クライアント2：私は忙しいんです。するべきことが山のようにあります。意味のない課題を次から次へとこなしていたら，前に進むことができません。
セラピスト　：イライラしておられるのですね。これらのフォームに記入するために，どれぐらいの時間がかかりますか？
クライアント2：……さあ，どうなんでしょう。数分ぐらいですかね。
セラピスト　：あなたに当てはまらない項目が含まれていることは承知しています。でも，実際は，フォームに記入してもらえると私が口頭でお尋ねする質問が減りますので，セッションの

第11章 セッションを構造化する際の問題　*285*

　　　　　　　　時間を節約できて，治療を有効に行うことができるように
　　　　　　　　なります。記入に必要な数分間をどこかで捻出できない
　　　　　　　　か，一緒に問題解決の方法を考えてみませんか？
クライアント2：(ため息をつく) まあ，考えてみると，大した時間ではな
　　　　　　　　いかもしれませんね。わかりました。フォームに記入する
　　　　　　　　ことにします。

　このクライアント2の例において，セラピストは，クライアントの自動思
考の正確さを直接的には検討していない。なぜなら，クライアントがイライ
ラしており，そういった質問をするとネガティブに受け取るだろうと感じた
からである。代わりに，理論的根拠を提供して，フォームへの記入が，クラ
イアントが感じているほど時間のかかる課題ではない点を認識できるように
手助けした。次の3つ目の例では，フォームへの記入についてそれ以上働き
かけると，まだ強固ではない治療同盟にネガティブな影響が及ぶとセラピス
トは判断した。

クライアント3：(怒った調子の声で) 私はこういったフォームが大嫌いで
　　　　　　　　す。私には当てはまりません。これらのフォームは**先生**に
　　　　　　　　とっては便利でしょうけれども，私にとっては，はっきり
　　　　　　　　言って意味がありません。
セラピスト　　：では，当面これらのフォームは使わないことにしましょ
　　　　　　　　う。ただ，あなたがこの1週間をどのような気分で過ごさ
　　　　　　　　れていたかについては，できるだけ正確に**知りたい**と思う
　　　　　　　　のです。たとえば，0から100までの尺度で，全く抑うつ
　　　　　　　　を感じない状態を「0」として，最も強く抑うつを感じる
　　　　　　　　状態を「100」とした場合，その週のあなたの抑うつがど
　　　　　　　　の程度だったかを教えていただくというのはいかがでしょ
　　　　　　　　うか？　それだったら構いませんか？

気分を表現することが難しい

クライアントが，気分を主観的に表現することに難しさを感じる場合がある。気分を簡潔に言い表すのが難しい場合もあれば，気分にラベルをつけることがうまくいかない場合もあるだろう。そういったときは，クライアントが話すのをやんわりとさえぎり，具体的な質問をしたり，反応の仕方の見本を示したりできるとよい。

クライアントが自らの気分について長く話し続ける場合，気分を簡潔に表現する方法に慣れてもらうとよい。

セラピスト　：ちょっといいでしょうか？　＿＿＿＿についてのお話は，この後でしっかりと**お聞きしたい**と思います。ただ，その前に，全般的に前回と比べて気分がよくなっているのか，悪くなっているのか，または変わらないのかということについて，教えていただけますか？
クライアント：悪くなっています。
セラピスト　：さらに不安になったのですか？　それとも悲しみ？　怒り？
クライアント：たぶん，怒りです。

クライアントが気分にラベルをつけることに苦労するようであれば，セラピストの対応を変えてみるとよいだろう。「どのようなお気持ちでおられたのか，見つけるのがなかなか難しいようですね。『気分を同定する』という項目を，今日のアジェンダに加えましょうか？」。セッションのなかで，第13章で解説する技法を用いて，気分を同定する方法をクライアントに教えることもできる。

気分の変化を外的な要因に帰属する

クライアントが，気分がポジティブに変化したことを，外的な要因に帰属することがある。たとえばクライアントは，「気分がよくなったのは，薬が

効き始めたから（パートナーがいつもより優しかったから）」などと説明するかもしれない。そういう場合は，「それもあるかもしれませんね。でも，その他に，あなた自身の**考え方**が変化したとか，今までとは違うことを**してみた**，といったことはありませんでしたか？」と，それとなく尋ねてみるとよいだろう。

気分の悪化

　クライアントの気分が悪化したときにも，その理由を何に帰属しているかをクライアントに尋ねる。「この1週間は，気分があまりよくなかったということですが，どうしてだと思いますか？　考え方と関連していそうですか？　または，何かをしたことと，あるいは逆にしなかったことと関連していそうですか？」。このように尋ねることで，認知モデルをそれとなく強調し，いくらかでも気持ちをコントロールする力がクライアントにある点を伝えることができる。

> **臨床のコツ**
>
> 　クライアントによっては，「何をしたって気分はよくならない」と言うかもしれない。そういうときは，第7章のp.187に示したようなチャート（図7.2）を作ると役立つだろう。気分をよくしたり悪化させたりする事象があることをクライアントが認識することで，「自分が気分に影響を及ぼすことができる」という考えが強化されやすくなる。また，回避する，孤立する，活動しなくなることは一般に不快感を高める（少なくとも改善はしない）作用がある点をクライアントが理解できるよう，「誘導による発見」を使って手助けすることができる。一方，特定の活動（通常は対人的な相互作用に関わるか，喜びや達成感を生む可能性があるような活動）を行うことが，たとえはじめは小さな変化でも，やがては気分の改善につながることを理解できるよう支援できる。

アジェンダを設定する際の困難

アジェンダを設定する際によくみられる困難は，クライアントが以下の状態のときにみられる。

- 話がまとまらない
- 項目が思いつかない
- 絶望している，または圧倒されている

アジェンダの項目を挙げる際に話がまとまらない

クライアントの話が脇道にそれたり，冗長になったりすることがある。そういうときは，やんわりとさえぎって，クライアントの話を要約することが役に立つ。「ちょっといいですか？　今週は，ひとまずお父さんのこととお仕事のことに関して，何らかの目標をお持ちのようですね。他に何かもっと重要なことがありますか？」。

アジェンダの項目が思いつかない

アジェンダに含める問題や目標をクライアントが挙げられない場合がある。その理由としては，たとえば，何を挙げたらよいのか本当に思いつかないから，問題なく過ごせているから，治療に十分に馴染んでいないから，といったことがある。アジェンダに何を含めるか，クライアントが思いつかないようであれば，以下の質問を1つ以上してみるとよいだろう。

> （クライアントの目標が記されたコピーを取り出しながら）「ここにリスト化されている項目の中で，話し合いたいものが何かありませんか？」
>
> 「今日からの数日間で，よくなってほしい点はどんなことでしょうか？」
>
> 「来週ここにいらっしゃるときには，どのようなお気持ちになっていたいでしょうか？　その気持ちになるために，これからの1週間，何をする必要があるでしょうか？」
>
> 「この1週間で，いちばんつらかったのはいつでしたか？」

その日にクライアントが記入した症状尺度で，どの項目の値が高くなっているのかを見るというやり方もある。

目標に向けた取り組みにおいて，現時点でそれ以上の支援を必要としていないのであれば，再発予防（第21章）に着目するとよいかもしれない。

以下にマリアとの第2セッションと第3セッションにおいて，アジェンダを設定する際に問題があった場面を示す。

セラピスト：今日のこのセッションで，何を目標にしたいと思いますか？
マリア　　：……わかりません。
セラピスト：取り組みたいと思う目標が，何かありますか？　これからの1週間の生活は，どのようになるといいでしょうか？
マリア　　：（ため息をつく）わかりません。
セラピスト：今，絶望的な気持ちになっているのでしょうか？
マリア　　：ええ。この1週間は特にひどかったんです。
セラピスト：（選択肢を提示する）気持ちが特に落ち込むのは，だいたい午前中ですか？　それとも午後？　あるいは夜でしょうか？
マリア　　：午前中だと思います。
セラピスト：わかりました。では，「午前中」という項目をアジェンダに加えることにして，午前中の気持ちを少しでもよくするために何ができそうか，一緒に考えませんか？
マリア　　：わかりました。

セラピストは，セッションの最後になったら，マリアに活動計画に項目を1つ足してもらうことにする。それは「次のセッションでどの問題または目標に手助けが必要か」ということを，これからの1週間で考えてきてもらう，というものである。

クライアントが，アジェンダの項目を提案することについて，ネガティブな意味を特別に見出している場合もある。そういうときは，クライアントの

自動思考を尋ねたり，アジェンダの項目を提案することがクライアントにとってどんな意味を持つのかを尋ねたりするとよいだろう。マリアが3回目のセッションに訪れたとき，現状報告をしてもらうと，話し合ったほうがよい重要な問題があるように思われた。ところがマリアは，その問題をアジェンダにしようとはしなかった。

セラピスト：どんな目標に取り組みたいか，考えることはできましたか？
マリア　　：（少々イライラした口調で）考えてみたけれど，何も思いつきませんでした。
セラピスト：考えているとき，どのような気分でしたか？　イライラしたりしませんでしたか？
マリア　　：ええ，ちょっとだけ。
セラピスト：そのとき，どんなことが頭に浮かびましたか？
マリア　　：「このセラピーが私に合っているかどうか，よくわからない」
セラピスト：（正の強化をする）このように話してくれて，よかったです。どうすれば，もっとあなたの役に立てるでしょうか？
マリア　　：私はただお話をして，胸のつかえが取れればいいんです。
セラピスト：アジェンダの項目を挙げてくださいと私がお願いすると，ちょっと窮屈に感じたりするのでしょうか？
マリア　　：ええ，そんな感じです。
セラピスト：どうすればよいか，一緒に考えてみましょう。セッションの冒頭でアジェンダを設定する作業を止めてしまいましょうか？
　　　　　　その代わり，冒頭の数分間は，あなたが話したいことを何でも話すことにします。その後で，あなたにとって最も大切だと思われる事柄を選んで，セッションの時間でそれに取り組むのです。（間を置く）このような進め方はいかがでしょうか？
マリア　　：そのほうがいいです。
セラピスト：このセラピーについて，他に気になることはありますか？
マリア　　：いいえ，特にありません。

セラピスト：何かあれば，いつでも教えてくださいね。
マリア　　：わかりました。

　マリアのこのような反応はよくあるものではない。ほとんどのクライアントは，アジェンダを設定することに対して，容易に馴染んでくれる。しかしこのケースの場合，それ以上マリアにアジェンダ設定を押すと，阻害された感じを抱かせかねないと認識し，セラピストは，むしろ協働しながら問題を「修正」したいと考えていることを示してみせた。マリアの場合，当初はセッションの構造をかなり柔軟にする必要があった。それでもなお，できる限り早い時期に，標準的なセッション構造へと導いていく必要があるだろう。

　アジェンダを設定しているときに，クライアントがそれにシンプルに名前をつけるのではなく，話がまとまらなくなってしまったり，問題について詳細に語り始めてしまったりする場合は，通常，セッションの進め方にもう少し馴染んでもらうだけでよい。

セラピスト：（やんわりとさえぎって）ちょっとごめんなさいね。この目標については「弟との交流を再開すること」と呼ぶことにしてもよいですか？
エイブ　　：はい。
セラピスト：よかったです。他にも取り組みたい問題や目標があれば，こうした呼び名で教えてもらいたいのですが，よろしいでしょうか？

　次のセッションでもなお，クライアントがアジェンダ設定の際に問題に**名前をつける**ことができずに，**詳細に説明する**場合もあるかもしれない。そういうときは，アジェンダの項目を書き出してくることを活動計画の一部に含めるというやり方もある。

絶望的で圧倒された気持ちになってしまう

　クライアントが絶望し，圧倒された気持ちになってしまっている場合にも，アジェンダを設定する際に問題となることがある。以下の対話で，セラピストは，マリアが問題解決モードに移行できるよう手助けを試みた。

セラピスト：今日は，どの目標に向けて取り組むことにしましょうか？
マリア　　：（ため息をつく）わかりません……圧倒されてしまっていて。何をしても役に立つようには思えないんです。
セラピスト：問題や目標についてここで話し合うことが，役に立つようには思えないということですか？
マリア　　：ええ。何の意味があるのでしょう？　だって，私には借金がたくさんあって，いつも疲れていて，朝もほとんど起き上がることができません。こうした事実は，どうすることもできません。アパートの部屋がめちゃくちゃなのは，言うまでもありません。
セラピスト：確かに，一度にすべてを解決するのは難しいかもしれません。でもあなたは，一緒に取り組んでいく必要のある現実的な問題をいろいろ抱えているわけです。では，今日のこのセッションで一つだけ取り組める時間があるとしたら，どの問題について話し合うと，最もあなたの役に立ちそうですか？
マリア　　：うーん，どうでしょう……たぶん，疲れていることでしょうか。睡眠が改善されれば，もう少し何かできるようになるかもしれません。

　この事例では，セラピストは，マリアが現実的な問題を抱えていることを認め，問題は一つずつ扱っていくことができること，そして一人で取り組む必要はなく一緒に取り組んでいけることを，メッセージとして伝える。セラピストが取り組む問題をクライアントに選択してもらうことで，マリアは問題を選びやすくなり，注意が問題解決に向かいやすくなる。もし，このとき

にマリアが選ぶことを拒否したら，セラピストは，たとえば以下のように，別の戦術を試しただろう。

「希望を失ってしまっているのですね。一緒に取り組むことで状況を変えられるかどうかはわかりませんが，試してみる価値はあると思います。(間を置く) 一緒に試してみませんか？ あなたの疲れている感じについて少し話し合って，様子を見てみることにしませんか？」

　マリアの絶望感を受け入れ，必ずうまくいくとはセラピストにも言えないことを認めることが，問題解決を試してみようとするマリアの思いを逆に強めてくれる。

現状を聞き出すのに苦労する
　クライアントが1週間の出来事を細かく報告しすぎる場合や，焦点が定まらないまま長々と説明する場合も問題となる。そういう場合も，やんわりと割り込む必要がある。

「ちょっとだけさえぎらせてくださいね。今はまず，あなたがどんなお気持ちで過ごされたのか，ざっと知っておきたいと思います。この1週間どんな感じだったか，一言か二言で教えていただけますか。おおむねよい1週間でしたか？ それともよくなかったですか？ あるいは気持ちにアップダウンの波があったとか？」

　それでもなお，クライアントが全体像ではなく詳細を話し続けるようであれば，どのような報告を求めているのか，セラピストが示してみるとよい。

「私にはこう聞こえました。『とても大変な1週間だった。友だちと言い合いになり，外出するのがとても不安で，仕事に集中できなかった』。どうですか？ 合っていますか？」

たまに，簡潔に振り返るだけでよいということを理解し，柔軟に対応できるにもかかわらず，**あえてそうしない**クライアントがいる。そのことを指摘すると治療関係を損なう恐れがあるのであれば，治療の初期段階であれば，現状報告をしてもらう時間帯は，クライアントに展開を任せてしまってもよいだろう。たとえばその兆候としては，セラピストが構造化を試みた際のクライアントの言語的または非言語的な反応があるかもしれない。またはセラピーの進め方に対して，「こうしてほしい」と要望を強く直接的に伝えてくる場合もあるだろう。あるいは，クライアントが過去に，誰かに支配されたり厳しい要求を受けたりしたと感じたときに，それに対して強烈な反応を示したことがある，という報告がある場合もあるだろう。ただし実際には，セッションを構造化することに対して極端な反応を示すクライアントはさほど多くない。通常は，クライアントの気が進まない理由を淡々と引き出して，それに対して問題解決をすれば済む。もし，1週間の振り返りを簡潔にするように求めた際に，クライアントの気分がネガティブな方向に変化したことに気づいたら，「全体像を大まかに話すよう求められたとき，どんなことが頭に浮かびましたか？」と尋ねてみるとよいだろう。クライアントの自動思考を同定したら，以下のことをすることができる。

- 思考の妥当性を検討できるよう手助けする。
- 下向き矢印法（p.411～412参照）を使って，思考の持つ意味を明らかにする。
- 次に示すような言葉を共感的に伝えた後で，そのまま問題解決に進む。

「ごめんなさい，また『さえぎられた』と感じさせてしまいましたね。いろいろな思いがあることはよくわかりますし，それらをお聞きしたいとも思います。（間を置く）1週間のご報告をこのままお聞きしましょうか？　それとも，『この1週間にあったこと』それ自体をアジェンダの項目にしてしまいましょうか？　あなたが今日ここで話したいと思っている問題はすべて，私自身もしっかりと把握したいと考えています」

クライアントが不満を抱いているときは，その場でそのときの自動思考を検討するよりは，後者の選択肢を取るほうが望ましいことが多い。セラピストがクライアントを気遣い，両者で折り合いをつけながらセラピーを進めていきたいと思っていることを示すと，「セラピストは自分をコントロールしようとしている」というクライアントの認知を修正できることが多い。

活動計画を振り返る際の困難

よく起きる問題としては，セラピストがアジェンダにある問題や目標を扱うことに急ぐあまり，活動計画についてクライアントに質問しそびれる，というものがある。この場合，活動計画について尋ねること自体をアジェンダの標準項目にしておけば，忘れずに済むだろう。また，クライアントが入室する前に前回のセッションの治療メモを見返しておくことを習慣にするのも役に立つ。一方，セラピストがクライアントの活動計画の細部（その日にクライアントが抱えている苦痛と関連しない部分）に時間をかけすぎて，アジェンダとなっている話題になかなか入れない，という問題も起こりうる。

アジェンダの項目について話し合う際の困難

以下のような典型的な問題がある。

> - 話し合いの焦点が定まらない，話が脱線する
> - 時間配分が適切でない
> - 治療的介入をし損なう
> - クライアントの抱える問題の解決策が見つからない

話し合いの焦点が定まらない

話し合いの焦点が定まらない問題が発生する状況はいくつかある。まず，セラピストがやんわりとさえぎって話し合いを適切に構造化する（そのとき

に話し合っているはずの問題へとクライアントを導いて戻す）ことができていない状況がある。また，セラピストが**鍵**となる自動思考や感情，信念，行動に焦点を当てられていない場合もある。頻繁にまとめの作業をしていないときにも，焦点が定まらなくなるかもしれない。以下の対話からは，エイブが話した様々なことを，セラピストが簡潔に要約したうえで，エイブが自動思考を同定できるように再度導く様子がわかる。

セラピスト：私がちゃんと理解できたかどうか確かめさせてください。お母さんが，電話であなたが傷つくようなことを言った。それをきっかけに，お母さんとの過去のやりとりを思い出して，ますます気持ちが動揺した。昨夜，お母さんに再び電話をしたところ，お母さんは，あなたが責任を果たしていないと言って責め始めた。これで合っていますか？
エイブ　　：合っています。
セラピスト：責任を果たしていないと言われたとき，どんなことが頭に浮かびましたか？

時間配分が適切でない

　時間配分に関する問題は，アジェンダの一つの項目の話し合いに時間をかけすぎる，またはかけなさすぎることによって生じることが多い。1回のセッションで話し合える項目の数を多く見積もり過ぎるセラピストもいる。認知行動療法を使い始めたばかりのセラピストであれば特に，複数の問題に優先順位をつけ，セッション中に扱う問題は2つ（場合によっては3つ）に絞るほうがよい。セラピストとクライアントの両者が時間を気にして，足りなくなりそうならどうするのかを協働しながら決める。時計を2つ（それぞれが見やすい位置に）用意し，一緒に時間経過を観察するよう，クライアントに促すとよい。次のように言うとよいだろう。

「あと10分で，セッションのまとめの時間に入ります。近所の人との問題

第11章 セッションを構造化する際の問題　297

について，このまま話し合いを続けるのがよいですか？ それとも，この話題はあと1，2分で終わりにして，残りの時間はアパートの部屋の片付けについて話し合うことにしましょうか？」

　または，セラピストから時間の使い方を提案し，クライアントが同意するかどうかをみてもよい。

「あと10分で，セッションのまとめの時間に入ります。今話し合っているのは，とても重要なことだと思います。そこで，＿＿＿＿＿についての話し合いは，次回のセッションに持ち越すことにしても構わないでしょうか？」

治療的介入をし損なう
　ほどんどの場合，問題や目標を記述したり，非機能的な思考や信念を同定したりするだけでは，クライアントの気分は改善されない。セラピストはクライアントに対する手助けをたえず意識して，クライアントが非機能的な認知に対応したり，問題解決をしたり，目標を妨げる障害を扱ったり，活動計画を作成したりできるよう，セッションのなかで支援する。セッションを通じて，セラピストは以下のように自問する。

「このセッションが終わるまでに，クライアントの気分を改善するには，どのように支援すればよいだろうか？」
「これからの1週間をより快適に過ごしてもらうためには，どのように支援すればよいだろうか？」

問題解決が困難
　クライアントが問題を解決したり障壁を解消したりするのを支援する方法を，セラピストが思いつけない状況があるかもしれない。そういうときにできることがいくつかある。

- クライアントがそれまでに試したことを聞き出し，なぜそれがうまくいかなかったのかを概念化する。その結果，効果的でなかった解決策を改善したり，妨げとなった思考を修正したりできるかもしれない。
- セラピスト自身がモデルになる。「同じ問題や目標を抱えていたら，私ならどうするだろうか？」と自問する。
- 同様の問題や目標を抱えていそうな誰か（多くは家族か友人）を挙げてもらう。その人にどのようなアドバイスをするだろうか？ そのアドバイスが，クライアント自身にも当てはまるかどうかを考えてみる。
- 問題や目標に関連して，助けてくれそうな人がいるかどうかを尋ねる。

よい方法がどうしても思いつかなかったら，話し合い自体を延期にするとよいだろう。「この問題については，私のほうでもこれからの 1 週間でもっと考えてみたいと思います。来週のセッションのアジェンダに含めて，次回，さらに話し合うということでよろしいでしょうか？」

アジェンダから離れる

セッションの始めにクライアントと協働してアジェンダを設定したとしても，それに**従わない**ほうがよい場合もある。

- クライアントがリスクに曝されている，またはクライアントがほかの誰かをリスクに曝しているとわかった場合は，それらの問題を直ちに扱わなければならない。リスクとは，クライアント（または他者）の人生，健康，暮らし，雇用，生活環境などに関わる状況のことである。
- クライアントが特定の問題にあまりにも苦痛を感じており，現在話し合っている事柄に集中できない場合は，先にその苦痛をもたらす問題について話し合う必要があるかもしれない。
- アジェンダに従うと治療関係を損ないかねない，とセラピストが判断したときは，クライアントと協働しながら軌道修正する必要がある。

> - アジェンダの項目よりも差し迫った問題が生じたら（あるいは，もとのアジェンダの項目が，さほど重要でも急ぎでもないことがわかったら），その別の問題や目標を扱う必要がある。

　クライアントは通常，セラピストが提示する構造に付いてきてくれる。しかし，以下のような場合は，クライアントが構造に反対することもある。

> - セラピストが十分に強力な理論的根拠を提示していない。
> - セラピストが過度に支配的または非協働的であると受け止められた。
> - 治療の初期段階で，過去について話し合うことが不可欠だとクライアントが信じている。
> - セッションでは頭に浮かんだことを自由に話したいと，クライアントが強く望んでいる。

　こういった状況ではどうするとよいだろうか？　何よりも重要なのは，クライアントを治療に引き入れて，次のセッションにきちんと来てもらうことである。セラピストはある程度時間をかけて，何がいちばん役に立つとクライアントが考えているか，ということを話し合う必要があるかもしれない。アジェンダに従うよう強く説得することによってクライアントが治療への参加を止めてしまう恐れがあると判断したら，特に治療の初期段階では，セラピーの時間を分割することを提案してもよいだろう。それでもなおクライアントが抵抗するようであれば，ひとまずクライアントが望むとおりにセッションの時間を使う。そして，そのようにしたことがその後の1週間の気分の明確な改善につながったかどうかを，次のセッションでクライアントと確かめる。もし改善していなければ，少なくともセッションの一部を，気分をよりよくするために役立つとセラピストが考えていることについて話し合ってみてもよいと，クライアントの動機づけが上がるかもしれない。

3. セッションの終盤にクライアントが苦痛を感じている場合

セッションの終盤に，問題について十分に話し合う時間が足りず，クライアントが苦痛を感じている場合，よりポジティブな話題に転換するとよいだろう。

セラピスト：まだ動揺していらっしゃるようですね。このことについては，次のセッションでもっと話し合うことにしませんか？　ひとまず，このような状態のままで今日のセッションを終わりにしたくないのですが。
マリア　　：そうですね。
セラピスト：もう少し気軽なことを話しませんか？　甥っ子さんについて教えてください。彼が最近夢中になっているのは，どんなことですか？

第4章でもみたように，クライアントがネガティブなフィードバックをしたら，それには必ず正の強化をする。次に概念化をして戦略を立てる。

セラピスト：今日のセッションはいかがでしたか？　私が理解し損なったことが，何かありますか？　または，私の発言で何か気になることがありましたか？
マリア　　：先生は，物事に取り組むのが私にとってどんなに大変かを，あまりわかっていないと思います。責任を負わなければならないことがたくさんあって，問題も山積みなんです。先生は，母親のことは全部忘れて，人生でうまくいっていることだけに目を向けるべきだとおっしゃいました。**先生にとっては，そう言う**のは簡単でしょうけど。
セラピスト：おっしゃってくれてよかったです。そのような印象を与えてし

まったのであれば，申し訳ありません。私が**お伝えしたかった**のは，お母さんとの問題のことで，あなたがとても苦しんでいることがよくわかった，ということです。そのことについて話し合える時間が，今もっとあればよかったのですが。（間を置く）ひとまず，私が「全部忘れるほうがよい」と言ったとあなたに思わせてしまうような言動が，何かあったでしょうか？

セラピストはマリアの誤解を明確化した。次に2人は，マリアと母親との問題を次回のセッションのアジェンダに含めることで合意した。

4. まとめ

どれほど熟練したセラピストでも，特定のクライアントとのセッションを構造化しようとする際に苦労する場合がある。そういう場合は，問題を具体的にして，なぜその問題が起きているかを概念化することが重要である。セッションの録音を注意深く聞き直すことは，問題を同定し解決するうえで，非常に役立つだろう。パーソナリティ障害についてのオンラインコース（beckinstitute.org/CBTresources）にアクセスしていただくと，セッションでクライアントが表出する問題を概念化し修正する方法のより詳しい解説や，治療セッションの動画をダウンロードできる。

振り返りのための問い

・ときにクライアントの話をさえぎることが重要なのは，どうしてでしょうか？
・クライアントの話をやんわりとさえぎろうとする際，あなたの中に生じうる妨げとなりそうな自動思考には，どのようなものがありそうですか？
・それらの思考に，どのように対応できるでしょうか？

実践エクササイズ

あなたが話をさえぎってクライアントがイライラする状況について，ロールプレイをしてみましょう（または，そのときの対話を作ってみましょう）。

第12章 自動思考を同定する

「状況そのものではなく，状況に対する解釈（自動思考やイメージ）が感情，行動，身体反応を引き起こす」というのが，認知行動療法における基本的な認知モデルである。治療では，クライアントが，役に立たない思考や不正確な思考に対応できるよう支援する。

個人攻撃されたり拒絶されたりすれば，つらい気持ちになるのは当然である。一方，精神疾患の人の思考にはバイアスがかかっていることが多い。状況を実際よりネガティブに考えることが多く，中立的あるいは肯定的な状況ですら誤って解釈していることがある。そうした思考を注意深く検証し対応することで，多くの場合にクライアントの気分は改善される。クライアントの目標達成の妨げになる自動思考は，特にしっかりと扱いたい。

本章ではネガティブな自動思考について以下を解説する。

- 自動思考の特徴
- クライアントに自動思考を説明する方法
- どのようにして自動思考を引き出し特定するか？
- 拡張された認知モデルとは？
- 自動思考の様々な形とは？　クライアントが自動思考をなかなか同定できないときにはどうするか？
- 自動思考だけを見分ける方法の教え方

1. 自動思考の特徴

　自動思考とは一連の思考の流れのことで，より明確で表層的な思考と同時に生じる（Beck, 1964）。気持ちがつらい状態の人だけではなく，すべての人に共通する現象である。ふだん私たちは自動思考にあまり気づいていないが，少し練習すれば誰でも意識できるようになる。精神疾患のない人なら，自分の思考を自覚すると，半ば無意識的に現実検討を行うだろう。ネガティブな思考に対する自動的な現実検討と対応は誰でも体験しているものである。ところが，気持ちが動揺している人は，この種の批判的検証をあまりしなくなっている。認知行動療法は，そうした人々に対して，動揺したり役に立たない行動をしたりしているときに自分の思考を意識的に評価し，構造的に検討する方法を教示する。

　たとえばエイブは，流しの水漏れを修理しなければならなくなり，孫のサッカーの試合を観に行けなくなった。そこでエイブは「孫はがっかりするだろう」と考え，その思考はさらに極端な方向に展開して「私はいつも孫をがっかりさせている」となった。エイブはこうした思考を真実とみなして強い悲しみを感じた。認知行動療法を習得すると，エイブは，ネガティブな感情を手がかりにして自分の思考を同定し，評価し，より適応的に対応できるようになった。

　エイブは，別な状況でも，似たような自動思考にうまく反応できるようになった。「孫娘のダンスの発表会に行けない。彼女を失望させてしまう……いや，少しがっかりするかもしれないが，『私はいつも彼女をがっかりさせている』というわけではない。これまでに何回も彼女の発表会を観に行っているし，もういい年だから，事情を理解してくれるだろう」。

　セラピストは，自動思考の中でも特に非機能的な思考に注目する。すなわち，

> ・現実を歪めて見せている思考

> - 役に立たない感情や身体反応と関連している思考
> - 役に立たない行動と関連している思考
> - 幸福感や目標へ向けて進む力を妨げる思考

　クライアントからの言語的・非言語的な手がかりに気を配り，最も重要な認知（「ホットな思考」—セッション中に湧く重要な自動思考やイメージ）を同定する。ホットな思考は，話しているテーマと関連している場合もあれば（例：「私ばかり仕事をするのは不公平だ」），クライアント自身に関する認知（例：「私は何一つちゃんとできない」），セラピストに関わる認知（例：「先生は私を理解してくれていない」），治療プロセスに関わる認知（例：「フィードバックをするのは嫌だ」）などの場合がある。そうした自動思考は，クライアントの動機づけ，能力，やりがい，集中力などを弱める可能性がある。自動思考は治療関係を妨げることもある。自動思考が湧いたときに，その場でそれを同定できると，クライアントが自分の思考を即座に検証して対応するチャンスとなる。そうすると，その後のセッションが進めやすくなる。

　非機能的な自動思考の内容のほとんどは否定的である。例外は，

> - （軽）躁状態
>   （例：「車をどれだけ速く飛ばせるか試すのはすばらしい考えだ」）
> - 自己愛性パーソナリティ障害
>   （例：「私は誰よりも優れている」）
> - 不適応的な行動を自分に許しているクライアント
>   （例：「友だちがみんなやっているのだから暴飲しても構わない」）

　通常，自動思考が湧いている時間は非常に短く，クライアントの意識は，自動思考そのものより，その結果として生じる**感情**のほうに向きやすい。たとえば，不安，悲しみ，イライラ，恥ずかしさなどにはいくらか気づいているが，自動思考はセラピストに引き出してもらうまで気づかないことが多

い。クライアントが抱く**感情**は，自動思考の**内容**とつながりがある。たとえばエイブは，「何も片付いていない。私は怠け者だ」と考えて悲しくなった。あるいは，「もっと頻繁に母親を訪ねるべきだ」と考えて罪の意識を感じた。また，「お金が底をついたらどうしよう？」と考えて不安を感じた。

行動に先立って湧いていた自動思考よりも，役に立たない**行動**にクライアントの目が向いている場合もある。たとえば，エイブは，友人とつながりを持つことや，自室の片付けを避けてきたことを認識していたが，こうした行動とつながっている自動思考にはセラピストが尋ねるまで気づいていなかった。「そのときどんなことが頭に浮かんでいましたか」とセラピストに尋ねられてはじめて，前者については「仕事に就いていないことを非難されるかもしれない」と答えた。後者については「片付けに取り掛かるとかえってごちゃごちゃにしてしまうだろう」という思考があった。

自動思考よりも身体反応により目が向いているクライアントもいる。たとえばマリアは，不安なときは，自動思考よりも身体の緊張感に気がつきやすかった。

ほとんどの自動思考は，外部からの刺激（例：友人と話す），または，内的体験（例：これから起きる出来事や，過ぎた出来事について考える）と関連づけられる。外部からの刺激も内的体験も，その範囲は広く，あらゆるものが自動思考のきっかけになるといえる。思考は，認知モデルのどの部分とも関連しうる。

- 認知（思考，イメージ，信念，白昼夢，夢，記憶，フラッシュバック）
- 感情
- 行動
- 身体症状，または，メンタルな体験（妙な感覚，観念奔逸，など）

こうした刺激のどれも自動思考を引き起こす可能性があり，それに引き続いて，感情，行動，身体における反応が続く。例をいくつか挙げておく。

- 「元妻と二度と話をしなくて済めばいい」と考えたときに，この思考に対して「そんなふうに考えるべきではない」という自動思考が湧いた。
- 「疲れているから孫のサッカーの試合に行きたくない」と考えたときに「行きたいと思わないのはひどい祖父だ」という思考が湧いた。
- 元妻との結婚生活の記憶という形で自動思考が湧いたときに「一緒に最悪の時期を過ごしたことを思い出したくない」という考えが湧いた。
- 絶望感と悲しみに気づいたときに「これからもずっとこんな気持ちだろう」という思考が湧いた。
- 買い物を避けたときに「私は怠け者だ」という思考が湧いた。
- 遅刻するのではと不安になったときに，動悸がし，「私はどうかしてしまったのだろうか？」という思考が湧いた。

　従来の認知行動療法では，その前の1週間にあった問題に注目し，クライアントの苦痛が**いちばん**強かった時点を同定し，そのときの自動思考を検討する。リカバリー志向認知療法では，これからの1週間の目標を達成しようとするときに妨げになりそうな思考に注目する。

　クライアントにとって苦痛で，役に立たない自動思考が湧く可能性があるのは，目標に向けた行動に対して，クライアントが以下のような思考を抱いている場合である。

- その行動の**前**に，ネガティブな予測をする
  （「あの人が私のことを怒っていたらどうしよう」）
- その行動の**最中**にネガティブな思考を抱いている
  （「下手だと思われているに違いない」）
- 状況の**後**で，ネガティブな振り返りをする
  （「電話をかけるべきではなかった」）

2. 自動思考についてクライアントに説明する

　自動思考について説明する際，クライアント自身の体験を例として活用するのが望ましい。具体的な問題を話し合う中で，その問題と結びついたクライアントの自動思考を引き出し，心理教育を行う。

セラピスト：[最初のアジェンダ] では，妹さんとのつきあいを増やす，という目標について話しましょうか？
マリア　　：はい。
セラピスト：今週はどのようなことをしたいでしょうか？
マリア　　：(ため息) 今週こそ，一緒にランチをしない？　と声をかけなければと思います。
セラピスト：今，どのようなお気持ちですか？
マリア　　：そうですね……悲しい，落ち込んだ気持ちです。
セラピスト：どんな考えが頭に浮かんでいますか？
マリア　　：妹はあまりにも幸運で，私は，決して妹のような人生にはなれません。
セラピスト：なるほど……悲しいお気持ちになるのがよくわかります。[心理教育] 今，あなたの**自動思考**と呼ばれるものを捕まえることができましたよ。「私は，決して妹のような人生にはなれないだろう」の部分です。自動思考は誰にでもあります。私たちの頭のなかにポンと自然に飛び出してくる感じです。他のことを考えようとしていても出てきます。だから「**自動 (automatic)**」と呼ぶのです。(間を置く) 自動思考は素早く通り過ぎてしまうことが多いので，自動思考よりも感情，あなたの場合は悲しみです，のほうに気づきやすいものなのです。あなたのようにうつ病があると，真実とは異なる自動思考，少なくとも，完全には真実と言えない自動思考がたくさん湧いてきます。でも私

たちは，つい，自動思考が**あたかも**真実であるかのように受け
止めて反応してしまうのです。
マリア　　　：そうなのですね。
セラピスト：[理解を確かめる]今ご説明した自動思考について，あなた自
身の言葉で説明してみていただけますか？
マリア　　　：先生がおっしゃっているのは，私のなかに素早い思考があっ
て，私にはうつ病があるから，そうした思考は真実ではないか
もしれない，ということですか？
セラピスト：そのとおりです。

　次にセラピストは，マリアの自動思考を認知モデルに当てはめて書き出し
た。

> **状況**：妹のことを考える
> ↓
> **自動思考**：「私は，決して妹のような人生にはなれないだろう」
> ↓
> **感情**：悲しい

セラピスト：自動思考を紙に書き出しておきましょう。考えたことが気分に
影響した様子がおわかりになりますか？
マリア　　　：ええ。
セラピスト：この治療では，気分が変化したり，役に立たない行動をしたり
している状態にご自分で気づいたときに，そのときに自動思考
をつかまえて，対応する方法をお伝えします。それが治療の第
一歩になります。簡単にできるまで一緒に練習しましょう。ま
た，ご自分の思考を**評価**して，考え方が完全に正しいと言えな
いときに修正する方法も学びます。

3. 自動思考を引き出す

　自動思考を同定するスキルの習得は，他のスキルの習得と似ている。すぐに上達するクライアント（およびセラピスト）もいれば，多くの助言と練習を必要とする人もいる。セラピストがする基本的な質問は，次のようなものである。

> 「どのような考えが頭に浮かんでいますか？」
> 　（浮かんでいましたか？／浮かびそうでしょうか？）
> 「どのようなことを考えていますか？」
> 　（考えていましたか？／考えそうでしょうか？）」

　この質問をするのは次のいずれかのときである。

> - 困った状況，感情，行動，身体反応を体験した（通常はそれまでの1週間に），または，体験しそうだ（通常は今後1週間に），とクライアントが語ったとき
> - セッション中に，クライアントの気分がネガティブに変化したり，役に立たない行動をしたりしたとき

さらなる自動思考を引き出す
　クライアントが最初の自動思考を報告した後にも，セラピストは引き続き質問を重ねて，重要な自動思考が他にもなかったかを探るようにする。

セラピスト：［まとめをする］つまり，昨日の朝に目が覚めて，二日酔いだったときに，「昨日の夜，あれほど大量に飲まなければよかった」と考えたのですね。他にはどんな考えが頭に浮かびましたか？

マリア　　：またあんなに飲んでしまったことが自分でも信じられない，ということです。
セラピスト：そして？
マリア　　：「もう治療を受けても仕方ない。どうせ何ひとつ改善しないんだから」と考えていました。

　クライアントが自動思考と感情を語ったときには，感情についても他になかったかを確認することが大切である。そして，そうした感情を体験していたら，それに伴う思考もあったはずである。

セラピスト：［まとめをする］つまり「貯金をほとんど使ってしまった」と考えて悲しい気持ちになったのですね。他にも何か感じていた気持ちはありませんでしたか？
エイブ　　：不安を感じたと思います。
セラピスト：どのような考えが頭に浮かんでいて，不安になったのでしょう？
エイブ　　：「私はどうなってしまうのだろう？　家賃を払えなくなったらどうしよう？　ホームレスになってしまうかも？」と考えていました。

4．拡張された認知モデル

　クライアントが，ある問題について，複数の自動思考と反応を示すこともある。非機能的な行動（たとえば衝動的な行動）を繰り返している場合は特にそうである。そうした例では，いくつもある段階を，初めの引き金から最後の反応まで（期間は数秒〜数時間と様々である）記録することが大切である。最初に動揺から最終的に大量飲酒に至るまでのマリアの例を図12.1に示した。

状況：友人から電話があり，一緒にランチと買い物をする約束をキャンセルされた

↓

自動思考：「私とは会いたくないんだ」

↓

感情：悲しさ

↓

さらなる自動思考：「これで2回目だ。彼女は思いやりがない」

↓

感情：いらだち

↓

状況：替わりの計画を立てていなかったことに気がつく

↓

自動思考：「今日の午後は何をしたらいいのだろう？」

↓

感情：不安

↓

状況：何をするかを考える

↓

自動思考：請求書の支払いをしに行かなければいけない。でも，銀行口座のお金が足りなかったらどうしよう？

↓

感情：不安

↓

行動：ソファで，お金がないことを考え続ける

↓

身体的反応：身体が緊張する

↓

状況：気持ちや身体の反応に気づく

↓

自動思考：「こんな状況は嫌だ」

↓

感情：不安が高まる

↓

身体的反応：緊張が高まる

↓

自動思考：「ワインを飲みたい。でも，飲み始めるには時間が早すぎる」

↓

感情：不安が高まる

↓

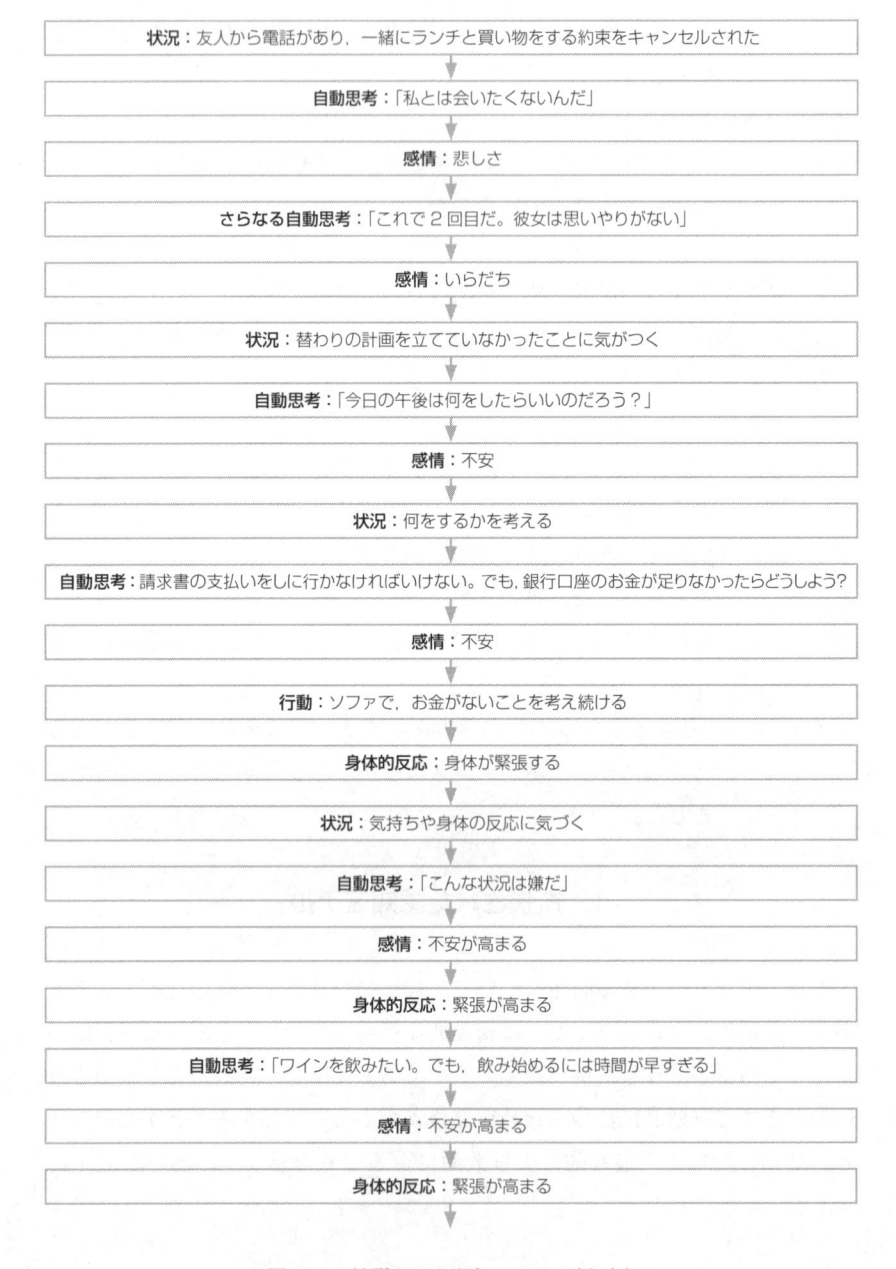

身体的反応：緊張が高まる

図12.1 拡張された認知モデルの例（1）

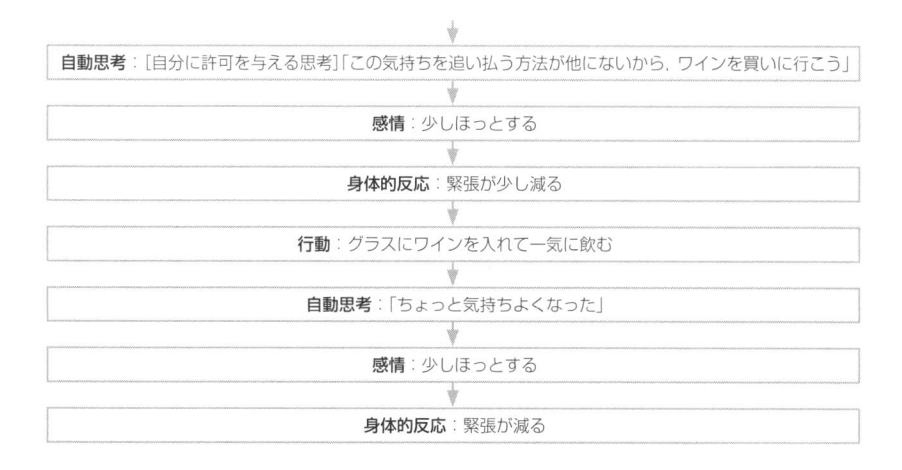

```
自動思考：[自分に許可を与える思考]「この気持ちを追い払う方法が他にないから，ワインを買いに行こう」
           ↓
感情：少しほっとする
           ↓
身体的反応：緊張が少し減る
           ↓
行動：グラスにワインを入れて一気に飲む
           ↓
自動思考：「ちょっと気持ちよくなった」
           ↓
感情：少しほっとする
           ↓
身体的反応：緊張が減る
```

図12.1　拡張された認知モデルの例（2）

　こうした拡張されたシナリオの全体を一緒に書き出すと，非機能的な行動をする**前**に介入できる箇所がたくさんあることを示すことができる。すると，クライアントは，問題を解決できる希望を持てるようになる。

5. 自動思考のかたち

　自動思考は言葉のかたち（言語的な形式）であることが多いが，イメージであることもある（第20章）。クライアントが自動思考を直接的でなく，以下の形式で表現している場合もある。

- 体験の解釈として話す
- 対話に埋め込まれた形で話す
- 短いフレーズで表現する
- 質問の形で伝える

　このような場合には，自動思考を評価できるかたちにするために，言語的

表現に変えてもらうようクライアントを導く必要がある。

自動思考と解釈を区別する

　自動思考について尋ねるときにセラピストが求めるのは，クライアントの頭に実際に生じた言葉やイメージである。クライアントの中には，実際の言葉ではなく解釈を報告する人がいる（以下のマリアの対話を参照）。解釈は，実際に生じていた自動思考を反映している場合もあればそうでない場合もある。

セラピスト：受付係を見たときにどんな考えが頭に浮かびましたか？
マリア　　：私は，自分の本当の気持ちを押し殺している，と思いました。
セラピスト：実際に浮かんだのは，どんな考えだったでしょう？
マリア　　：おっしゃることがよくわかりません……。

　上のやりとりで，マリアは思考や感情に対する自分の**解釈**を報告した。そこでセラピストは，マリアの感情に再び焦点を当てることを通じて，自動思考に焦点を当てることにした。

セラピスト：そのとき，どのような気持ちを押し殺していたでしょう？
マリア　　：わかりません。
セラピスト：受付係を見たとき，喜びを感じましたか？　ワクワクしましたか？［マリアの記憶を喚起するために，あえて予想と反対の感情を投げかけてみる］
マリア　　：ちっとも。
セラピスト：オフィスに入って行って受付係を見たときのことを思い出せますか？　その場面をイメージできますか？
マリア　　：ええ……。
セラピスト：（現在形で話す）今，どんなふうに感じていますか？
マリア　　：わかりません。

セラピスト：受付係を見ながら，どんなことが頭に浮かんでいますか？
マリア　　：本当に不安に感じます。心臓がドキドキ，全身がそわそわする感じです。［自動思考ではなく，感情と身体的反応を報告する］
セラピスト：今，どんなことを考えていますか？
マリア　　：「質問票を書いてこなかったことを注意されたらどうしよう？」［自動思考］
セラピスト：いいですね。他にありますか？
マリア　　：多分，「注意されたら今日は帰ろう」と考えていたと思います。

会話に埋め込まれた自動思考を同定する

　自動思考を効果的に評価するためには，クライアントは，まず自分の頭に浮かんだ考えを見つけ，実際に生じたそのままの言葉で表現できるようになる必要がある。次の例は，埋め込まれた自動思考と実際に生じたそのままの言葉とを対比したものである。

埋め込まれた表現	実際に生じたままの自動思考
「受付係になんて言われるだろうか，と心配していたのだと思います」	「非難されるだろう」
「上司に話しても，時間の無駄ではないだろうか，と心配です」	「上司に話しても，時間の無駄だろう」
「読み始めることができませんでした」	「私にはできないだろう」

　ここでも，セラピストは穏やかにクライアントを導いて，そのときに頭に浮かんでいた**実際の**言葉をそのまま同定できるよう支援する。

セラピスト：赤面したときに，どのような考えが頭に浮かびましたか？
マリア　　：変な人だと思われたのではないか，と考えていたと思います。
セラピスト：そのときに考えていた言葉を，そのまま思い出せますか？

マリア　　　：(困惑する) おっしゃることがよくわかりません。
セラピスト：「変な人だと思われたのではないかと考えていた」でしょう
　　　　　　か？ それとも「変な人だと思われている」でしょうか？
マリア　　　：ああ，わかりました。後者です。

電文体や質問体の思考形式を変換する

　クライアントが報告する思考は，文章として十分でないときがある。電文体（電報のような思考）は評価することが難しいので，思考の**意味**を尋ねて，より完全な文体で思考を表現できるように手助けする。たとえば，エイブの「大変だ！」という思考は「元妻に猛烈に怒られる」という意味であった。マリアの「なんてことだ！」は「携帯電話を忘れてくるなんて私はまぬけだ」という考えを表現したものであった。こうした場合に使う技法を以下の対話で見てみよう。

セラピスト：親戚の集まりが久しぶりにあると知ったときにどのような考え
　　　　　　が頭に浮かびましたか？
エイブ　　　：「まずい」です。ただ，「まずい」と思いました。
セラピスト：その考えを文章にしていただけますか？ 「まずい」の意味
　　　　　　は……？
エイブ　　　：「元妻が来たらどうしよう。不愛想にされるかもしれない。」

　クライアントが思考を文章化できない場合は，正反対の思考をあえて提示してみるとよい。「『まずい』とは，『それはすばらしい！』という意味ですか？」。ここでは，はっきりと正反対の思考のほうが，実際の思考を推測するよりもよい。なぜなら，セラピストが提示した思考が，クライアントが実際に考えたことに近かった場合は，正確に一致していなくても，クライアントに合意されてしまうかもしれないからである。
　クライアントが報告する思考が質問体であることもあり，これも評価が難しい。この場合もまた，セラピストはクライアントを導いて，自動思考を一

緒に検討する前に，陳述形で表現しなおしてもらう必要がある。

セラピスト：「仕事に採用されなかったらどうなるのだろう？」と考えたのですね。
エイブ　　：はい。
セラピスト：仕事に採用されなかったらどうなってしまうと懸念されていたのでしょうか？
エイブ　　：もう，一生仕事には就けないだろう，と考えていました。
セラピスト：なるほど，よくわかりました。では，その考えについて検討してみることにしましょう。「この仕事に採用されなければ，もう一生仕事につけないだろう」という思考です。

　以下に，クライアントが質問形で伝えた自動思考を陳述形に言い換えた例を挙げる。最も懸念しているのは何か，または，最悪のシナリオは何か，を質問することで陳述形を引き出せる。

質問形	陳述形
「対処できるだろうか？」	「対処できないだろう」
「彼女がいなくなったら，耐えられるだろうか？」	「彼女がいなくなったら，耐えられないだろう」
「それができなければ，どうなってしまうのだろう？」	「それができなければ，職を失うだろう」
「どのようにして切り抜ければよいのだろう？」	「切り抜けられない」
「自分を変えられなければ，どうなってしまうのだろう？」	「自分を変えられなければ，ずっと惨めなままだろう」
「どうしてこんなことが私の身に起きたの？」	「こんなことが私の身に起きるなんて不公平だ」

6．自動思考をなかなか引き出せないとき

「どんな考えが頭に浮かびましたか」という質問にクライアントがどうしても答えられないこともある。
 (1) 過去の記憶と現在の自動思考を見分けられない
 (2) 未来に起きる状況やそのときの自動思考を予測できない
 (3) セッション中に湧く思考を同定できない

などが考えられる。このような場合には，まずクライアントに状況を描写してもらい，次に以下の技法を試すとよい。

・クライアントの感情的・身体的反応を高める
・苦痛な状況を視覚的にイメージしてもらう
・ロールプレイで状況を再現する（他者が関わる状況の場合）
・浮かんでくるイメージについて質問する
・想定される自動思考と正反対の思考を提示する
・状況の持つ意味合いを尋ねる

感情的反応と身体的反応を高める

クライアントが自動思考を認識しやすくなるよう，あえて，感情的反応と身体的反応を高めるようにする。

セラピスト：今週末の日曜日を思い浮かべてください。お友だちとのランチのために出かける時間になると，どんな考えが頭に浮かんでいると思いますか？
エイブ　　：よくわかりません。
セラピスト：どのような気分だと思いますか？
エイブ　　：不安だと思います。

セラピスト：身体のどの部分で不安を感じると思いますか？
エイブ　　：このあたり（腹部を指す）です。
セラピスト：今も同じような気分を感じていますか？
エイブ　　：（うなずく）
セラピスト：（現在形で話す）イメージしてみてください。あなたは今ご自宅のソファに座っていて，出かけることを考えています……不安を感じています。おなかのあたりに感じます……どんな考えが頭に浮かんでいますか？
エイブ　　：友人たちが，本当は自分とランチしたくないと思っていたらどうしよう？　本当は私に会いたくないと思っていたらどうしよう？

状況を視覚的にイメージする

クライアントに状況を詳細に描写してもらってから，さらにそれを心の目で眺めてもらう手法である。

セラピスト：今週のはじめに息子さんのお家にいたとき，気持ちが動揺したということですね？
エイブ　　：はい。
セラピスト：どんな考えが頭に浮かんでいましたか？
エイブ　　：よくわかりません。ただ，とてもひどい気持ちで。
セラピスト：その情景を描写してもらえませんか？　何時で，何をしていましたか？
エイブ　　：夕方6時ごろで，息子はまだ仕事から帰っていませんでした。息子の妻がキッチンにいて，私は独りでリビングに座っていました。
セラピスト：お孫さんたちは？
エイブ　　：上の階の自分たちの部屋にいました。
セラピスト：では，その情景があたかも今起きているかのようにイメージで

きるでしょうか？　座っているのは椅子ですか？　ソファですか？　どんな姿勢ですか？

エイブ　　　：ソファです。ほとんど寝そべっているような感じです。

セラピスト：息子さんはまだ帰宅されていません。息子さんの妻はキッチンにいます——キッチンの物音が聞こえてきますか？　お孫さんたちが上の階にいることを知っていますが，あなたは独りで座っています。どんなことを考えていますか……？

エイブ　　　：［自動思考を表出する］以前は，人生がとてもよかった。今は，**何一つよいことがない。**

ロールプレイで状況を再現する

　はじめにクライアントに誰が何を言ったのかを説明してもらい，それから相手役をセラピストが演じ，クライアントは自分自身の役を担当してもらう。

セラピスト：つまりご近所の人と話していたときに落ち込んでしまったのですね？

エイブ　　　：そうです。

セラピスト：そのときどんな考えが頭に浮かびましたか？

エイブ　　　：（沈黙する）……わかりません。ただ落ち込んでしまったのです。

セラピスト：あなたがその人に言ったことと，その人があなたに言ったことを，教えていただけますか？

エイブ　　　：（実際にあった言葉のやりとりをセラピストに伝える）

セラピスト：ありがとうございます。では，その場面についてロールプレイをしてみませんか？　私がご近所の人の役をします。あなたはご自分の役です。やりとりを再現してみて，どんな考えが頭に浮かぶか見てみるのです。

エイブ　　　：（うなずく）

セラピスト：では始めますね。まずあなたからご近所さんに話したのでしたね？
エイブ：はい。じゃあ始めてみます。「あの，一つお聞きしてもよろしいですか？」
セラピスト：「はい」
エイブ：「実は仕事を探しています。上司の方に求人がないか聞いてもらえないでしょうか？」
セラピスト：「どうかな……ショッピングセンターで張り紙などは見てみましたか？ 求人を出している店があるかもしれませんよ」
エイブ：「お店の仕事はあまりピンとこなくて」
セラピスト：「お役に立ちたいのはやまやまなのですが……」
はい，ロールプレイはここまでです。何か頭に浮かんだ考えに気づきましたか？
エイブ：はい。「この人は私を助けたい気持ちなんてないんだ。私に仕事ができるとは思っていないだろう」と考えました。

イメージについて質問する

クライアントの話を聞きながらセラピスト自身の頭に何かイメージが湧いたら，クライアントにもイメージを尋ねるとよい。
「自動思考を見つけることが難しい場合もあります。では，こうお尋ねしたらいかがでしょう？ 息子さんのお誕生日会で元の奥さんに会うかもしれないと考えたときに，元の奥さんのイメージが頭に浮かびませんでしたか？」

想定と正反対の考えを提供する

実際の思考とは正反対と思われる思考を示すことで，クライアントが自動思考に気づきやすくなる場合がある。

エイブ：就職面接の準備をしているときに浮かびそうな考え，などと言われてもわかりません。わかるのは，不安だということだけで

す。
セラピスト：［まとめをする］そうですか．少なくとも，**絶対にうまくいくだろう**，と考えていらっしゃる感じではなさそうですね？
エイブ　　：もちろんですよ！　うまくいくはずがありません．きっとめちゃくちゃな受け答えをしてしまうだろう，と考えて不安になっていると思います．

状況の意味を引き出す
　問題となる状況がクライアントにとってどのような意味を持っていたかを尋ねてもよい．

セラピスト：仕事で採用されなかったことは，あなたにとってどのようなことを意味したでしょう？
エイブ　　：私はだめな人間だ．この先もずっと採用されないだろう，ということを意味します．

　ここでは技法をたくさん紹介したが，技法の使い過ぎに注意する．やり過ぎると，クライアントは尋問されているように感じたり，自分がうまくできていないと感じたりする可能性がある．「考えを捉えるのが難しい場合もあります．それは脇に置いておいて，＿＿＿＿＿＿へと進みましょうか？」

7．自動思考の同定についてクライアントに教える

　第6章で解説したように，自動思考を同定するスキルの教示は，初回セッションから始めることもできる．以下のマリアとの対話では，認知モデルを紹介した後，引き続き自動思考の同定について説明している．

セラピスト：これからの1週間の間で，気分が悪くなりかけたり，役に立たない行動をしていると気づいたりしたら，立ち止まって「今，

　　　　　　　どんな考えが頭に浮かんでいるだろう？」とご自分に問いかけ
　　　　　　　てみてください。
マリア　　：はい。
セラピスト：捉えた思考は書き出しておくとよいでしょう。紙でもいいし，
　　　　　　　携帯電話のメモ帳でもかまいません。
マリア　　：わかりました。
セラピスト：考えを見つけるのが難しくても心配しないでください。続けて
　　　　　　　いるうちに上手になります。

　基本の質問（「今，どんな考えが頭に浮かんでいるだろうか？」）が有効で
ないなら別な技法を教えてもよい。図12.2の「自動思考を見つけるための
質問」が役立つだろう。

「頭に浮かんでいる考えがなかなか捕まえられないようでしたら，この『自
動思考を見つけるための質問』のプリントが助けになると思います（クライ
アントと一緒に目を通す）。考えを見つけられなかったときは，ここにある
質問をいくつかご自分に問いかけてみてください」

---

1. どんな考えが頭に浮かんでいるだろうか？
   どんなことを考えているだろう？
2. 考えていることと**真逆の考え**は？
   （正反対の思考を同定すると実際の思考を同定しやすくなる場合がある）
3. その状況は，私にとって何を**意味する**だろう？
4. （根拠のない）推測をしていないか？
   過去の記憶と混同していないか？

　　　　　　　注意！　**頭に浮かんだ考えが真実とは限らない。**

図12.2　「自動思考を見つけるための質問」
© 2018 CBT Worksheet Packet. ペンシルベニア州フィラデルフィア，ベック認知行動療法研究所

8. まとめ

　自動思考は，より表層的な思考と共に自然に湧くもので，内省や熟考されたものではない。一般に，私たちは自動思考よりも，それと結びついた感情や行動に目がいきやすい。しかし，少し練習すれば自動思考に気づけるようになる。自動思考は，内容と意味次第で，**特定**の感情と関連している。短く素早く過ぎていくことが多く，言語，あるいは，イメージの形をしている。ふだんは評価されずにそのまま真実と受け取られている。そうした自動思考を同定し，評価し，より適応的な方法で対応できるようになると，感情や行動が適応的に変化する。

　次章では，自動思考と感情の違いを解説する。

> **振り返りのための問い**
> ・クライアントが自動思考を同定するのを，どう支援できるでしょうか？
> ・自動思考をなかなか同定できないときにクライアントが自己批判的にならないようにするにはどうするとよいでしょうか？

実践エクササイズ

　クライアントが自動思考を同定できずに苦労している状況をロールプレイしてみましょう。

第13章　感情

　認知行動療法において，感情は中心的役割を果たす。治療で目指す大きな目標の一つは，クライアントがより快適な気持ちになれるように支援することであり，そのためにネガティブな感情を減らし，ポジティブな感情を増やすようにする。強いネガティブな感情は苦痛をもたらし，その結果，より明確に思考する能力や，問題を解決する能力，効果的に行動する能力，満足を得る能力が妨げられ，非機能的な状態になる。これらの能力が妨げられると，目標を達成するうえでの障害になる。クライアントに精神医学的な障害があると，感情を過度に，あるいは状況とは不釣り合いな形で体験することが多い。たとえばエイブは，娘の家に夕食を食べに行く予定を忘れてしまったときに，強烈な罪悪感を抱き，そして非常に悲しくなった。エイブは他にも，手違いを修正するために銀行へ電話をかけることについても強い不安を感じていた。それでも，エイブがいかに強く自動思考や信念を信じているかということと，彼が特定の価値をどれほど深く大切にしているかをセラピストがひとたび認識できれば，エイブのそうした感情の強さと質は，どれも理解できるものだった。

　さらに，ネガティブな感情が有する**ポジティブな機能**を認識することも重要である。悲しみは，人生において足りないと感じているものを満たそうとするシグナルかもしれない。罪悪感のおかげで，自分にとって本当に大切なことは何かということが動機づけられるかもしれない。不安のおかげで，困難に対処するためのエネルギーを得られるかもしれない。怒りはエネルギーを生み出し，その結果正しいことを正しい方法で行い，価値に沿った生き方ができる。

本章では，以下の点を解説する。

- ポジティブな感情を引き出し，強化する方法
- ネガティブな感情にラベルをつけるよう，クライアントを手助けする方法
- 感情の強さを評価するよう，クライアントを導く方法
- 自動思考と感情はどのように異なるだろうか？
- 自動思考の内容と感情は，どのように一致しているだろうか？
- ネガティブな感情を強めるとよいのは，どのようなときだろうか？
- ネガティブな感情に対する信念を同定し，クライアントがそれらを検討するよう手助けするにはどうすればよいか？
- 感情を調整するのに有用な技法には，どのようなものがあるか？

1. ポジティブな感情を引き出して，強化する

　ポジティブな感情は，治療中にも治療終結後にも重要な，（心理的および身体的な）ウェルビーイングとレジリエンスの感覚を促進する。クライアントがネガティブな感情状態にあると，視野が狭くなることが多く，自律神経系の覚醒レベルが高まる。一方，ポジティブな感情状態にある場合は，注意と認知と行動傾向の範囲が広がり，覚醒レベルが下がる（Fredrickson, 2001）。過去において困難にどのように対処したかというポジティブな記憶を想起することで，クライアントは現在によりうまく対処できるようになる（Tugade et al., 2004）。

　セッションにおいて，そしてその後の1週間を通じて，クライアントのポジティブな感情がより多く引き出されるよう，セラピストは以下のことを積極的に行う。

- クライアントが関心をもつ事柄，その週にあったポジティブな出来事，およびポジティブな記憶について話し合う。
- ポジティブな感情を増やすことをねらった活動計画を作成する。たとえば，社交的で，楽しめて，意味があり，生産的だと感じられる活動に従事し，それができた自分を褒めるようにする。
- クライアントが自らの体験について適応的な結論を引き出せるように手助けする。たとえば，次のように尋ねるとよいだろう。
「この体験から，何がわかるでしょうか？」
「＿＿＿＿を実行した」ことから，自分自身について何が言えるでしょうか？」
「[このポジティブな体験をした結果として]，＿＿＿＿は，あなたのことをどのように見るだろうと思われますか？」
「その [体験] をされたことから，あなたについて，＿＿＿＿と言えるのではないかと思います。私の考えは合っていますか？」

以下のような質問をして，クライアントにポジティブな感情を特定してもらうことも役に立つ。

- 「＿＿＿＿をしたとき [または＿＿＿＿が起きたとき]，あなたはどのように感じましたか？」
- 「後からどのような気持ちになりましたか？」

ポジティブな感情を表現する語彙を豊富に持たないクライアントは多くいる。ある状況で体験したポジティブな感情をすべて挙げてもらうことで，そういった感情にラベルをつけるクライアントの能力を高めることができるし，同時に気分を持ち上げることができるだろう。図13.1に示すリストを見せながらそうしてもらうと，いっそう効果的である。クライアントがリストに圧倒されてしまうようであれば，項目を削るとよい。あるいは，セラピストが複数の選択肢を示して，クライアントに選んでもらうこともできる。「友だちから電話がかかってきたとき，嬉しかったですか？　それともホッ

> 受け入れられている，冒険好きな，愛情深い，肯定された，好ましい，感心する，わくわくした，良さがわかる，素敵な，情が深い，恵まれた，大胆な，穏やかな，能力がある，基準がぶれない，朗らかな，自信がある，満足している，創造的な，興味がある，喜んでいる，動きがある，熱心な，意気揚々とした，エンパワーされた，エネルギーに満ちた，熱中した，興奮した，幸運な，自由な，友好的な，満ち足りた，寛大な，感謝している，幸せな，役に立っている，希望がある，畏怖を感じる，コントロールできている，洞察に満ちた，ひらめいた，知的な，関心のある，喜ばしい，優しい，軽やかな，慈しみ深い，動機づけられた，開かれた，楽観的な，情熱的な，平和な，遊び心のある，喜びに満ちた驚き，誇らしい，心強い，ほっとしている，レジリエントな，尊重された，敬虔な，安全な，満足している，安定している，静かに落ちついた，心からの，活気のある，支えられた，やわらかい，ありがたい，喜びで興奮した，静まった，理解された，貴重な，生き生きとした，高潔な，力が満ちてくる，知恵がある，価値がある，若々しい，ひょうきんな

図 13.1 ポジティブな感情や気持ちのリスト

としましたか？ あるいはありがたいと感じましたか？」「お孫さんがゴールを決めたとき，嬉しかったですか？ 誇らしかったですか？ それともわくわくしましたか？」。セッション中に，クライアントのポジティブ感情の強度を高めるには，状況がまさに今起きているかのようにイメージして，それらの感情を再体験してもらうようにするとよいだろう。

2．ネガティブな感情にラベルをつける

クライアントがネガティブな感情を同定するのが難しければ，複数の選択肢を簡潔に紹介するとよい（「そのときは幸せな気持ちでしたか？ それとも悲しかった？ 不安だった？ あるいは怒っていた？」）。ネガティブな感情の表（図 13.2）を参照してもらうこともできる。それでもなおクライアントがネガティブな感情の識別に苦労しているようであれば，チャート（図 13.3）を作るのを支援してもよいだろう。チャートでは，現在または過去に特定の感情を抱いた状況を挙げてもらう。

セラピスト：様々な感情について，数分間ほど話し合いましょう。そうすれば，あなたがいろいろな状況でどんなことを感じているか，お

- 悲しい，落ち込んでいる，寂しい，不幸せ，抑うつ
- 不安，心配，怖気づいている，恐れている，緊張している，怖い，疑わしい，不確かな，パニックに近い
- 怒っている，憤っている，イライラする，むっとしている，欲求不満を感じる，誤解されている，怒り心頭に達している，不当に扱われている
- 恥ずかしい，体裁が悪い，屈辱的な
- がっかりしている，気力がそがれている，失望している
- 嫉妬している，妬ましい
- 罪の意識を感じる
- 傷ついている
- 疑っている

図 13.2　ネガティブな感情のサンプルリスト

　　　　　　　互いにもっとよく理解できるようになるでしょう。よろしいでしょうか？
マリア　　：ええ。
セラピスト：怒りを感じたときのことを思い出せますか？
マリア　　：ええと，そうですね……一緒にコンサートに行く計画を，友人にキャンセルされたときでした。どのコンサートだったか忘れましたが，私はとても行きたかったのです。とにかく，その友人は，別の友だちとどこかに出かけることにしたと言っていました。
セラピスト：そのとき，どんなことが頭をよぎりましたか？
マリア　　：彼女は何様のつもりなの？　私だったら，彼女に対してそんなことはしない。彼女はもっと私のことを考えるべきだ。
セラピスト：そして，あなたの気持ちは……
マリア　　：怒りです。

　この場面で，セラピストは，特定の感情を抱いた**具体的な**出来事を，マリアに想起してもらっている。マリアの語りによれば，彼女は自らの感情を正確に同定できたようである。それを確かめるため，セラピストは，マリアに自動思考を同定してもらった。マリアが話した自動思考の内容は，彼女が語った感情と確かに一致していた。セラピストは次に，マリアに怒り，悲し

指示：下記の感情を感じた状況を，それぞれ3つ記入する		
怒り	悲しみ	不安
一緒に立てた計画を，友人にキャンセルされた	夜の計画が台無しになった	預金残高の少なさを見る
貸したスーツケースを，隣人が返してくれない	休暇中に旅行へ行くだけのお金がない	ハリケーンが来るかもしれないと聞く
運転手が音楽を大音量でかける	週末にすることがなにもない	首にしこりをみつける

図13.3　マリアの感情のサンプルチャート

み，不安を感じた他の状況をチャートに記入してもらった。そして，セッション中でも自宅でも，気持ちにラベルをつけるのが難しいときは，そのチャートを見るようにと彼女に伝えた。

3. 感情の強さを評価する

　ときとして，セラピストはクライアントに，体験している感情を**同定**してもらうだけでなく，感情の**強度**を**定量化**してもらうとよいだろう。たとえば，治療的介入を行う前後に特定の感情の強さを評価してもらうとする。そうすることで，さらに追加の介入が必要かどうかを判断でき，時期尚早に別の認知や問題に移行してしまうことを防ぐことができる。逆の状況も考えられる。感情の強さを評価することで，話し合いの対象となっている認知や問題がクライアントにとってもはやそれほど苦痛ではなくなっているときに，それに気がつかないまま話し合いを続けてしまう状況も防ぐことができる。最後に，ある状況での感情の強さを測ることによって，そもそもその問題を詳しく調べる必要があるかどうかを，セラピストとクライアントが判断しやすくなる。それほど強い感情が引き出されない状況であれば，クライアントがより苦痛を感じ，重要な信念が活性化されうる状況と比べて，話し合う価値は比較的低いだろう。ほとんどのクライアントは，感情の強さをわりと容

易に判断できるようになる。

セラピスト：友だちに「ごめんね，今は時間がないの」と言われたとき，どのような気持ちになりましたか？
マリア　　：すごく悲しくなったと思います。
セラピスト：これまで感じたなかで最も悲しかったときを「10」として，全く悲しくないときを「0」とするとしたら，「ごめんね，今は時間がないの」と言われたときは，どれぐらい悲しく感じましたか？
マリア　　：7か8ぐらいです。

　なかには，感情の強さに具体的な数値をつけることが困難な，またはそうすることを好まないクライアントもいる。そのようなクライアントには，感情を伴う体験が「弱い」か「中程度」か「強い」かを尋ねるとよいだろう。それすら難しい場合は，尺度を描くことが役立つかもしれない。

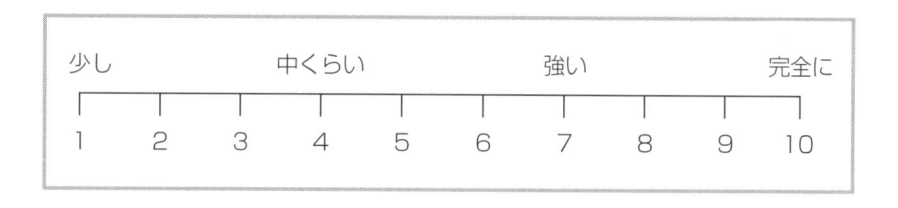

```
少し         中くらい          強い              完全に
├──┼──┼──┼──┼──┼──┼──┼──┼──┤
1   2   3   4   5   6   7   8   9   10
```

セラピスト：妹さんから訪問を取りやめると伝えられたとき，どのような気持ちでしたか？
マリア　　：悲しかったです。
セラピスト：「0」から「10」までで言うと，どれぐらいの悲しさでしょうか？
マリア　　：よくわかりません。数字は苦手なんです。
セラピスト：少し？　中くらい？　それとも強く悲しかったでしょうか？
マリア　　：もう一度選択肢を教えてください。

セラピスト：では，尺度を描いてみましょう。あなたの悲しさは，どうでしょう，（尺度を指しながら），少しだけか，中程度か，強いか，完全にか，のうちのどれでしょうか？

マリア　　：ああ，とても悲しかったです。「8」ぐらいかもしれません。

セラピスト：わかりました。これで一緒に使える尺度が手に入りましたね。これがどれぐらい役に立つか見てみましょう。この1週間で，他に悲しかったときがありましたか？

マリア　　：あります。昨日の夜，タニーシャが電話を折り返してくれなかったときです。

セラピスト：この尺度に基づいて考えてみましょう。どれぐらい悲しいと感じましたか？

マリア　　：中程度，そうですね「6」ぐらいです。

セラピスト：いいですね。今後，どれぐらいの苦痛を感じているかを自分で理解しようとするときに，この尺度を使えそうですか？

マリア　　：使えると思います。

4．自動思考と感情を区別する

　クライアントが自らのネガティブな感情を認識する（そしてそれにラベルをつける）ことは重要である。そういった感情が，目標を達成するためにステップを踏む妨げになっているときは，特にそうである。ただし，ネガティブな感情を**排除**したいのではない。ネガティブな感情も人生を豊かにしてくれるものの一部であることは，ポジティブな感情と全く同様である。また，身体的な痛みが，取り組むべき問題があり得ることについて警鐘を鳴らしてくれるのと同じような重要な機能を，ネガティブな感情は有している。

　とはいえ，**過度に強い**ネガティブな感情は軽減したいものである。治療では，クライアントの感情を評価したりそれに挑戦したりそれと論争しようとしたりはしない。むしろ，クライアントの感情を認め，共感し，承認したうえで，クライアントが感じている苦痛と関連する**認知**を評価するか（あるい

は，問題解決法を使うか，他の事象に注意を向け変えるか，ネガティブな感情を受容するスキルを使うか，その他の感情調節技法を使うか），について協働的に判断する。

　セラピストは，クライアントが不快な気持ちになる**すべて**の状況について話し合うわけではない。クライアントに関する概念化を使いながら，取り組む必要性がいちばん高い状況は何か，どの目標に向かって取り組むか，その際に何が妨げとなるか，といったことについて協働的に判断していく。最も妨げとなるのは，高いレベルの苦痛や非機能性と関連する状況であることが多い。

　治療を始めたばかりの頃には，多くのクライアントは思考と感情の違いを明確には理解していない。セラピストは，クライアントが認知モデルを通じて自らの体験を眺めることができるように，それとなく支援し続ける。クライアントが問題や何らかの妨げについて話したら，質問をして，話の素材を認知モデルのカテゴリー，すなわち状況，自動思考，反応（感情，行動，身体反応）に分類し整理するのを手助けする。

　クライアントが思考と感情について混同する理由として，「感じる」という言葉を，あるときは感情について使い（「不安に感じる」），別のときは認知（「私はそれができないと感じる」「私は自分を失敗者に感じる」「自分は価値がないと感じる」）の報告として使っていることが考えられる。このような場合，セッションの流れ，クライアントの目標，協働関係の強さを考慮して，セラピストは以下のどれかを行うとよい。

- 混同を扱わない
- その場で混同に（それとなく，またははっきりと）取り組む
- 後でその混同に取り組む

　思考を誤って「感じる」とラベルづけしたとしても，文脈においてさほど重要でない場合がほとんどで，セラピストがそれとなく修正するだけでよい。

セラピスト：アジェンダを設定したとき，弟さんとした電話について話し合いたいとおっしゃいましたね？
エイブ　　：ええ，数日前に電話をしたとき，なんとなくよそよそしい感じだったんです。
セラピスト：弟さんがよそよそしいと感じたとき，どのような気持ちになりましたか？
エイブ　　：「本当は私と話をしたくないのだろう。私からの電話なんてどうでもよいのだろう」という気持ちでした。
セラピスト：では，そのような考え，すなわち「本当は私と話をしたくないのだろう。私からの電話なんてどうでもよいのだろう」という思考が浮かんだとき，どのような感情が生じたでしょうか？
　　　　　　悲しみ？　怒り？　不安？　それ以外？

　一方，エイブとの別のセッションでは，セラピストは認知と感情の混同を重視した。というのも，そのときセラピストはエイブに対し，思考を評価する方法を，思考記録表（p.378, 379）を使って教示しようとしていたからである。セラピストはここで，思考と感情を明確に区別しようと決めた。セラピストは，エイブが感情だとみなしていることをセラピストが疑っていると思われたくなかった。また，ここで割り込んでも，セッションの流れを過度に妨げることはなく，重要なデータを忘れてしまうこともないだろうと判断したこともあった。

セラピスト：今週は，映画館に行くことについて考えたことはありましたか？
エイブ　　：ええ，何回か。
セラピスト：そのなかから，具体的に思い出せる状況がありますか？
エイブ　　：昨日の昼食後，片付けをしていたとき……でしょうか。
セラピスト：感情的にはどのようなお気持ちでしたか？

エイブ　　：［思考を表現する］そうですね,「こんなの意味がない」と感じていました。「映画なんか観ても,役に立たないだろう」と。
セラピスト：それらは重要な思考ですね。後でこれらの思考を評価することにしましょう。でもその前に,思考と感情の違いについて振り返っておきたいと思います。よろしいでしょうか？
エイブ　　：はい。
セラピスト：気持ちとは,**感情の面で**感じることをいいます。それらは通常,一言で表現できます。たとえば,悲しみ,怒り,不安などです。（間を置く）一方,思考とはあなたが抱く考えです。私たちは,言葉や絵やイメージの形で思考します。たとえば,「こんなの意味がない」とか「こんなことは役に立たないだろう」といったものです。（間を置く）おわかりになりますか？
エイブ　　：わかると思います。
セラピスト：では,昨日のお話に戻りましょう。映画を観に行くことについて考えたとき,どんな感情が生じたでしょうか？
エイブ　　：悲しみ,だと思います。
セラピスト：そして,そのときの思考は,「こんなの意味がない。映画なんか観ても,役に立たないだろう」だった？
エイブ　　：はい,そうです。

　この例では,エイブははじめ,思考を感情としてラベルづけした。逆に,感情を思考としてラベルづけするクライアントもいる。

セラピスト：誰もいないアパートの部屋に歩いて入ったとき,どんなことが頭に浮かびましたか？
マリア　　：悲しくて,寂しくて,本当に落ち込みました。
セラピスト：なるほど,悲しくて,寂しくて,落ち込んだのですね。どのような思考やイメージが,あなたをそのような気持ちにさせたのでしょうか？

5. 自動思考の内容と感情をマッチングさせる

　セラピストは引き続き，クライアントが目標を達成しようとする際に妨害となりうる問題や妨げを概念化していく。セラピストは，クライアントの体験と視点を理解しようと努める。そして，背景にある信念が特定の状況において特定の自動思考を惹起し，それがクライアントの感情や行動に与える影響についても理解しようとする。クライアントの思考，感情，行動のあいだのつながりは，つじつまが合うはずである。クライアントが報告する感情が，自動思考の内容と**一致していない**ようであれば，さらに調べる必要がある。

セラピスト：以前の上司から，折り返しの連絡が来ていないと気づいたとき，どのような気持ちでしたか？
エイブ　　：悲しかったです。
セラピスト：どんなことが頭に浮かんでいましたか？
エイブ　　：「もし彼が，よい推薦状を書こうと思ってくれなかったらどうしよう。新たな仕事に採用されなかったらどうしよう」と考えていました。
セラピスト：そして悲しいと感じたのですか？
エイブ　　：はい。
セラピスト：私には，それらの思考はむしろ不安になりそうな感じがして，少々混乱してしまうのですが。他にも頭に浮かんでいたことが何かありませんか？
エイブ　　：よくわかりません。
セラピスト：そのときの状況をイメージしてみましょうか？［状況をイメージとして鮮明に想起できるようエイブを手助けする］自宅にいらしたときのことですよね。あなたはオンラインで求人を探していました。そうしている自分の姿がイメージできますか？あなたはどこにいるのでしょうか？

エイブ　　　：自分のデスクです。
セラピスト：そして，あなたはこう思います。「もし彼が，よい推薦状を書こうと思ってくれなかったらどうしよう。新たな仕事に採用されなかったらどうしよう」。そのときのあなたの気持ちは？
エイブ　　　：たぶん，不安な気持ちです。
セラピスト：他には，どんなことが頭に浮かんでいますか？
エイブ　　　：上司に解雇を告げられたときのことを思い出したように思います。自分があまりにもダメ人間のように思えたんです。
セラピスト：そのとき，感情的にはどのようなお気持ちでしたか？
エイブ　　　：悲しみです。とても悲しかったです。

　この対話は，不一致からはじまった。セラピストは，エイブの自動思考の**内容**と，それと関連付けられた**感情**とが一貫していないことに気がついた。そこで，イメージによる想起を用いて，重要なイメージ（記憶）と鍵となる自動思考をエイブが引き出せるよう手助けできた。もしセラピストが不安な思考のほうに焦点を当てることを選んでしまったら，悲しみに関連する重要な認知を見逃してしまったかもしれない。

6．ネガティブな感情を増強する

　ネガティブな感情を高めるように設計された技法もある。こういった技法は，クライアントにとって以下の必要がある場合に重要となる。

- 思考へのアクセスをさらに高める
- 感情レベルで認知を変容する
- 感情は危険ではないし，コントロールできないものでも耐えられないものでもないということを学ぶ
- 自らの不適応的な行動に伴う不利益や結果を検証する

クライアントのネガティブな感情の強度を高める方法としては，イメージ技法，エクスポージャー，身体感覚への注目といった技法がある。

7. ネガティブな感情についての信念を検証する

なかには，以下に示すマリアとの対話のように，感情を体験することについて非機能的な信念を抱いているクライアントもいる（Greenberg, 2002; Hofmann, 2016; Linehan, 2015）。

マリア　　：結局，週末は母親に電話をかけませんでした。
セラピスト：何が妨げになったのでしょうか？
マリア　　：わかりません。何か，落ち着かなかったんだと思います。
セラピスト：電話をかけるとどうなるか，予測したのでしょうか？
マリア　　：すごく動揺するかもしれない，と考えただけです。
セラピスト：動揺すると，どうなりそうですか？
マリア　　：耐えられなくなるのが怖いと思いました。もし母と話して動揺してしまったら，私は泣き出してしまい，止まらなくなってしまうでしょう。

マリアのように，ネガティブな感情は安全ではないと信じているクライアントがいる。「もし動揺すると＿＿＿＿になってしまう」というように。それはたとえば，「どんどん状態が悪くなって，ついには耐えられなくなる。コントロールを失って，どうにもならなくなる。結局，入院することになる」といったものである。この種の信念は，目標達成に向けた取り組みの妨げになりかねない。クライアントは，動揺しそうだと予測される状況を回避するようになるかもしれない。苦痛な問題について話すことも，または考えることさえ，回避するかもしれない。このように，ネガティブな感情を体験することについて非機能的な認知があると，治療がうまく進展しない可能性

がある。そういう場合は，標準的な認知再構成法を使って，クライアントが自らの信念を評価するのを支援するとよい。マインドフルネスを使った行動実験（p.392〜394）はとくに効果的である。心配などの思考プロセスからクライアントが首尾よく離れられたら，「心配はコントロールできない」といった認知から，「心配し始めたことに気がついたら，そこから離れることを選べる」といった認知へと，クライアントが移行できるように導けるとよい。

8. 感情を調整するための技法

本書を通じて，クライアントが感情を調整するのを手助けする技法を紹介する。それはたとえば以下のようなものである。

- 問題解決法
- ネガティブな思考を評価して，それに対応する
- 社交的な，楽しめる，または生産的な活動にマインドフルに従事する
- 運動をする
- 決めつけない姿勢でネガティブな感情を受容する
- マインドフルネスを活用する（そして動揺する思考から離れる）
- リラクセーション法，イメージ誘導法，呼吸のエクササイズをする
- 気持ちが穏やかになる活動に従事する（自然の中を歩く，温かい湯船に浸かる，誰かやペットを抱き締める，心地よい音楽を聴く）
- 自分の強みと長所に注意を向けて，自分を褒める

感情調整技法と苦痛に耐えるための技法については，Linehan（2015）が詳しく説明している。クライアントがネガティブな感情を受容できるように支援する技法やメタファーについては，Hayesら（1999）を参照されたい。

9. まとめ

クライアントの感情的な反応は，思考の内容を考慮すると必ず意味が通じ

る。セラピストは，セッションの内外においてクライアントにポジティブな感情が促進されるよう尽力する。クライアントがネガティブな感情を顕著に表明する場合は，認知モデルに沿って概念化し，関連する認知を扱う。クライアントによっては，ネガティブな感情を体験すること自体についての非機能的な信念を修正する必要があるかもしれない。クライアントが，思考と感情，また様々な感情を区別できることは重要である。セラピストは，クライアントの感情に共感はするが，評価するようなことはしない。必要であれば，セラピストは，クライアントがネガティブな感情を評価せずに受容できるよう手助けする。いくつもの技法が，クライアントがネガティブな感情を調整し，必要に応じて感情への耐性を強めるために役に立つ。

> **振り返りのための問い**
> ・認知行動療法において，感情はどのような役割を果たすでしょうか？

実践エクササイズ

ネガティブな感情を体験することについてクライアントが抱いている非機能的な信念を引き出す状況を，ロールプレイしましょう。また，クライアントがセッション中にポジティブな感情を体験できるようにも支援しましょう。

第14章 自動思考を検討する

クライアントは何百，何千もの自動思考を日々経験する。非機能的なものもあれば，そうでないものもある。治療に関連するものもあれば，しないものもある。そうした中から，取り組むべき最も重要な思考はどれか，どのように扱うのがよいかを概念化することも治療テクニックの一つである。本章では，以下の点を解説する。

- どのような思考を治療で扱うか？
- 最も重要な自動思考の選び方
- 自動思考を検討するときに，ソクラテス式質問法をどう使うか？
- 自動思考の検討の結果をどう評価するか？
- 自動思考の検討が有効ではない理由をどのように概念化するか？
- 思考を扱うための別な方法は？
- 自動思考が真実であった場合にはどうするか？

1. 自動思考の種類

治療に関連する思考は3種類ある。

1. 苦痛や不適応的な行動につながる，正しくない思考（特に目標達成の妨げになるもの）。
   こうした思考に対しては，言語的に検討するか，行動実験を通じて検証

する場合が多い。
2. 正しいが役に立たない思考。
こうした思考に対しては，問題解決をしたり，その思考から発生する正しくない結論を検討したり，解決できない問題を受容して注目する点を変えたりすることができる。
3. 反すう，強迫，自己批判などの非機能的な思考プロセスの一部になっている思考。
こうした思考に対しては，思考プロセスに関する信念を検討し，マインドフルネス技法を使い，価値を感じられる行動に焦点を当てる。

本章の後半においては，こうした3種類の思考を扱うための様々な技法を学ぶ。

2. 鍵となる自動思考の選び方

セッションで同定された自動思考は，以下のいずれかのことが多い。

- セッション中のクライアントの自発的な発言
  （例「何をしても気分が楽になることはないと思います」）
- 以前の自動思考に関連する自動思考
  （前週の自動思考に関連することが多い）
- 未来の役に立たない思考についての予測

自動思考を同定したら，それが注目するべき重要な思考かどうかを概念化する必要がある。現在問題となるほど苦痛か，役に立っておらず今後も表れる可能性があるか？　目標達成の妨げになるか？

例えば，前週に生じた自動思考であれば，次のように尋ねるとよい。

「その考えが湧いたのはどんな状況でしたか？」
［クライアントが思考だけで，状況を話していない場合］

> 「そのときはその考えをどのくらい信じていましたか？ 今はどのくらいですか？」
> （0〜10または0〜100の尺度で示してもらってもよいし，『少し』『中くらい』『かなり』『完全に』などの言葉で表現してもらってもよい）
> 「その考えによって，どんな気持ちになりましたか？
> その感情はどのくらい強かったですか？ 今はどのくらいですか？」
> 「そのときどのように行動しましたか？」

　セラピストは，クライアントがそのような自動思考を今後も抱いて苦痛を感じる可能性があるかどうかを検討する。そうした可能性が特になければ，セッションで時間を割くほど重要な認知ではないといえる。
　クライアントが，重要でない問題や自動思考を話題に出す理由の多くは，クライアントが認知行動療法に十分に馴染んでいないことによる。または，セッションの直前の話題を持ち出してきている場合もある。
　クライアントがその場その場の思いつきで考えを口に出していたり，現在ではなく将来の考えを先取りして話していたりする場合は，セラピストは，質問の仕方を変えたり，より中心的で苦痛につながっている思考を探したりする。

> 「その状況では，他にどのような考えが頭に浮かんでいましたか？ 他に思考やイメージはありませんでしたか？」
> 「他にも感情はありませんでしたか？」
> 「その感情には，どのような考えやイメージを伴っていましたか？」
> 「どの思考やイメージがいちばんつらかったですか？」

　重要な自動思考であっても，クライアントと話し合って，特に扱わない場合もある。

> ・その自動思考について話すことが治療関係を傷つけかねない場合

- （話題にするとクライアントが自分の考えを否定されたと受け取る可能性がある場合など）
- クライアントの心理的苦痛が強すぎて思考を検討することが難しい場合
- 自動思考に効果的に対応するには，セッションの時間が足りない場合
- 他の要素に介入するほうが，重要度が高いと判断した場合
（思考よりも問題となっている状況自体を解決する，感情調節技法を教える，適応的な行動について話し合う，身体的反応を扱う，など）
- 自動思考の背景にある非機能的信念を同定したほうがよいと判断した場合
- 別の問題を扱ったほうがよいと判断した場合

3．自動思考を検討するために質問する

　自動思考を引き出し，それが重要な思考であると判断し，それに伴う感情・身体・行動を同定したら，セラピストとクライアントとで協働して，その自動思考を検討することに決定する。ただし，**その自動思考をただちに修正しようとはしないことが重要である**。それには理由がいくつかある。

- どの自動思考も，それがどの程度認知的に偏っているかを，あらかじめ知ることはできない
（例：お金がなくなるかもしれない，というエイブの思考は妥当である可能性がある）
- 自動思考を直接修正しようとすると，クライアントが否定されたと感じる可能性がある
（例：マリアは「先生に私は間違っていると言われた」と考えるかもしれない）
- 認知の修正は，認知行動療法の基本原則である協働的実証主義を損なう可能性がある。セラピストとクライアントが協力しながら一緒に自動思考を検証し，自動思考の妥当性と有用性を評価し，より適応的な反応を育むことが重要である

自動思考が完全に誤りであることは稀だという点も，セラピストは念頭に置いておく必要がある（通常，自動思考には多少なりとも事実が含まれている）。

　認知行動療法では，自動思考に挑んだり言い争いをしたりせず，穏やかにソクラテス式質問法を使うことが多い。初学のセラピストは，質問リストを手元に置いておく必要があるかもしれない（図14.1・図14.2：次章のワークシートの質問をまとめたもの）。それをクライアントに渡してもよい。セラピストが熟達してくるとリストがなくても質問でき，自然に会話をしているようになる。一般に，ソクラテス式の手法のほうが教示型の手法よりも効果的であることが研究でわかっている（なお，「ソクラテス的」という言葉はあまり適切な呼び方ではない。いわゆるソクラテス式質問と言われる手法は，哲学者のソクラテスに由来するものの，「弁証法的な話し合い」を含むことが要点と言われている）。適切なソクラテス式質問法は，クライアントの症状変化につながる（Braun et al., 2015）。クライアントは一般にソクラテス式質問法を好む。他の手法と比べて，有用，かつ，セラピストに尊重されていると感じられるためである。その結果として，クライアントが認知再構成法に熱心に取り組む見込みが高い（Heiniger et al., 2018）。心理療法におけるソクラテス式手法についての詳細はOverholser（2018）を参照のこと。

　一方，ソクラテス式質問法より行動的手法のほうが強力な場合もある（患者が自身の体験から適応的な結論を得られるため）。行動実験は，ほとんどのクライアントに対して適切である（子ども，精神病性障害，頭部外傷，知的障害，自閉症などのクライアントに対しては必須ともいえる）。

　セラピストは，初回セッションから自動思考を評価する質問をしてもよい。2回目以降のセッションからは，自動思考の評価・検討のプロセスについて，より明確に説明し，セッションとセッションの間にクライアントが思考を検討できるよう支援する。

セラピスト：（セッションのそこまでのまとめをする。自動思考を書き出して共有する）チャーリーに電話することを考えたとき，「彼は

私の電話を歓迎しないだろう」と考え，その思考から悲しい気
　　　　　　　持ちになったのですね？
エイブ　　　：ええ。
セラピスト：そのとき，その自動思考をどれほど信じていましたか？
エイブ　　　：かなりです。90％ぐらい。
セラピスト：そのときの悲しみはどれぐらいでしたか？
エイブ　　　：80％ぐらいです。
セラピスト：これまでに話し合ってきたことを覚えていますか？　このたぐ
　　　　　　　いの自動思考は正しいときもあれば，そうでないときもあり，
　　　　　　　部分的に正しい場合もあります。チャーリーについての思考が
　　　　　　　どれほど正しいか検討してみませんか？
エイブ　　　：わかりました。
セラピスト：それに役に立つかもしれない質問のリストをお見せしますね。

　クライアントには，思考の検討に図 14.1 か図 14.2 のリストを使ってもら
うと役立つだろう。クライアントがリストを使いこなせそうであれば，アク
ション・プランとして，セッションとセッションの間に自動思考を同定した
ときに質問リストを使ってみるよう提案するとよい。そして，クライアント
に自分の反応について考えてもらったり，自分の反応を書き出してもらった
りする。ただし，質問の多さに圧倒されてしまうクライアントもいるので，
リストを渡すのが適切かどうかは十分な検討が必要である。そのようなクラ
イアントに対しては，質問を 1 つか 2 つだけ教えて，メモを渡したり，メモ
を取ってもらったりする。リストからいくつかの質問に丸をつけてもよい。
質問を自宅で使ってもらう前に，クライアントが以下を満たしていることを
確認しておく。

- 思考の検討によって気分が改善する可能性があることを理解している
- 質問を効果的に使える自信がある

第 14 章　自動思考を検討する

- すべての質問がどの自動思考にも当てはまるわけではないことを理解している

この自動思考が正しいことを裏付ける証拠は何か？
正しくないことを裏づける証拠は？

何か別の説明はあるだろうか？

起こりうる最悪のシナリオは何だろうか？
それが起きたら，どう対処すればよいだろうか？
起こりうる最高のシナリオは何だろうか？
最も現実的なシナリオは何だろうか？

この自動思考を信じることでどんな効果があるだろうか？
この自動思考を修正するとどんな効果があるだろうか？

もし＿＿＿＿＿＿［家族や友人の名前］が自分と同じ状況にいて，この考えを抱いていたら，自分だったら何と言ってあげるだろうか？
この自動思考をどうするとよいだろうか？

図 14.1　自動思考を検討するための質問 1

状況は？

どのような思考やイメージがあるだろうか？

そう考える理由は？

その思考が（完全には）真実ではない，と思える理由は？

別の見方は？

考えられる最悪のシナリオは？　そのとき何ができるだろう？

考えられる最高のシナリオは？

いちばん起きそうなシナリオは？

今のまま同じように考え続けるとどうなるか？

考え方を変えるとどうなるか？

家族や友人［具体的に］にこうしたことが起きたとしたら，なんと声をかけるだろうか？

今はどう行動するのがよいだろうか？

図 14.2　自動思考を検討するための質問 2（「思考をテストする」ワークシートより）

また，質問を，いつどのように使うかを理解してもらう必要がある。

セラピスト：今週は自動思考に注目してください。ただし，**すべての自動思考**にこうした質問をしていては大変ですから，気分がつらくなってきているときか，ご自分が役に立たない行動をしていると気づいたときに，自動思考をつかまえるよう試みてください。そして治療メモを見ながら，自分自身に質問してみてください。よろしいでしょうか？
エイブ　　：はい。
セラピスト：**新しい思考**が湧いたときにはリストを使ったほうがよいでしょう。頭の中で考えるだけでなく，答えを**書き出す**と理想的です。いかがでしょうか？
エイブ　　：わかりました。

> **臨床のコツ**
>
> 　思考の検討にはバランスのとれた姿勢が大切である。自動思考を裏づける証拠があればそれを無視してほしくないし，無理やり別の考えをひねり出してほしくもない。非現実的なまでにポジティブな考えをしてほしくもない。クライアントには，リストの質問がすべての自動思考に当てはまるわけではないことを伝えておく。すべての質問をすることは，手間も時間もかかり過ぎとなり，負担が大きすぎると，クライアントは思考を検討する気が失せてしまうかもしれない。

思考の検討にはどのような質問をしてもかまわないが，図 14.1 や図 14.2 のリストは，以下を進める指針となる。

- 自動思考の妥当性を検証する
- 他の解釈や他の視点の可能性を探る

- 目の前の状況を破局視しないようにする
- 自動思考を信じることによる影響を認識する
- 思考から距離をとる
- 問題解決に向けて段階を踏む

それぞれを以下で解説する。

「証拠探し」の質問

　自動思考には，部分的には真実が含まれていることが多いため，クライアントは自分の考えが正しいと考えることが多い。認知行動療法では，まず，クライアントが自動思考を裏付ける証拠を同定するよう支援する。クライアントは自動思考が間違っているという反証には気づいていないことが多く，次にこれを同定できるよう支援する。

セラピスト：電話がかかってくることをチャーリーは望んでいないだろうと考えるのは，どういうわけですか？　［または，「電話がかかってくることをチャーリーは望んでいない，と言える証拠は何ですか？」］
エイブ　　：前回会話をしてから1か月以上経っていることです。
セラピスト：ほかには？
エイブ　　：前回会ったとき，あまり楽しくありませんでした。
セラピスト：ほかには？
エイブ　　：（考える）それくらいです。
セラピスト：わかりました。では次に，その考えが正しくない，または，完全には正しくないと考える証拠を探してみましょうか？
　　　　　　［または「逆を示す証拠はありませんか？」］
　　　　　　つまり，連絡したらチャーリーが喜んでくれるかもしれないという証拠です。

エイブ　　　：昔はよい友だちでしたし，この数か月はあまり会っていませんから，久しぶりに会えば少しは喜んでくれるかもしれません。
セラピスト：ほかには？
エイブ　　　：先月，私が約束をキャンセルしたときはがっかりしたようでした。
セラピスト：そのときチャーリーは何と言っていましたか？
エイブ　　　：私の体調が悪くて気の毒だ，お大事に，って。
セラピスト：わかりました。まとめると，チャーリーとはこの数か月ほとんど会っていなくて，連絡も1か月以上とっていなかった。また，前回会ったときはそれほど楽しいと感じなかった。一方で，チャーリーとは長い友人で，会えなかったときにチャーリーはがっかりした様子で，共感的だった。いかがでしょうか？
エイブ　　　：おっしゃる通りです。

「別の説明」の質問

　以下は，クライアントが，出来事に対して**より合理的な別の見方**を考え出せるよう支援しているやりとりである。

セラピスト：ではここで状況をもう一度振り返ってみましょう。この1か月，チャーリーから連絡がないことについて，別の見方ができないでしょうか？
　　　　　　　［または，「この1か月，チャーリーから連絡がないことについて，連絡を欲しがっていないという以外の説明はないでしょうか？」］。
エイブ　　　：わかりません。
セラピスト：チャーリーから連絡がない事情として，他にどんなことが考えられそうですか？
エイブ　　　：そうですね。チャーリーは時々仕事ですごく大変になります。奥さんがチャーリーに週末は自宅にいてほしいと言っているか

もしれません。忙しすぎる可能性も考えられそうです。

「脱破局視化」する質問

　最悪のシナリオを予測するクライアントは多い。それに対しては，実際にそうなったらどう対処できるか，を尋ねるとよい。

セラピスト：もし最悪のシナリオとして，チャーリーが連絡して欲しくないと思っていたとしましょう。そのとき，何ができるでしょう？［または，「その状況にどのように対処できるでしょうか？」］
エイブ　　：嬉しくはありませんね……。
セラピスト：［質問を通じて健全な反応を育むよう支援する］
　　　　　　連絡できる，他のお友だちはいますか？
エイブ　　：だいぶご無沙汰していますが，連絡できる人はいます。
セラピスト：お子さんやお孫さんもいらっしゃいますね？
エイブ　　：はい。
セラピスト：では，万が一，チャーリーに連絡できないとしても，他の人と連絡をとって，対人交流を増やすことはできそうですか？
エイブ　　：ええ，大丈夫だと思います。

　クライアントの最悪の心配は，通常は非現実的なものである。通常は，セラピストの目標はクライアントに現実的な結果を考えてもらうことである。しかし，それが難しいクライアントも少なくないので，最悪と最高の両方の結果を考えてもらうことで思考の範囲を広げやすくなる。

セラピスト：でも，最悪なシナリオは，あまり現実的と考えられませんね。逆に，考えられる**ベスト**な状況はどうでしょうか？
エイブ　　：私が電話をしたらチャーリーが会いたがります。
セラピスト：あるいは，ベストのシナリオとして，今日，**チャーリーからあなたに電話がかかってきて，音信不通**を謝ってくれて，すぐに

も会う計画を立ててくれるとか？
エイブ　　　：それはベストですね。
セラピスト：では，実際にはどのような状況がいちばんあり得るでしょうか？［または「**いちばん現実的な結果はどうでしょうか？**」］
エイブ　　　：チャーリーは，私がご無沙汰していたことを，それほど気にしていないかもしれません。または，しばらく忙しかっただけで，会いたいと思ってくれているかもしれません。

> **臨床のコツ**
>
> 　最悪のシナリオとして，（例えばパニック症などで）死んでしまう心配をしている場合には，「その状況が起きたらどう対処しますか？」とはもちろん尋ねない。代わりに，ベスト，またはいちばん現実的なシナリオを尋ねるとよい。あるいは，死ぬことのなかで何が最も心配かを尋ねてもよいかもしれない——死ぬプロセスが怖いのか，死後の世界が恐ろしいのか，死後に残された大切な人たちが心配なのか，などである。

「自動思考の影響」についての質問

　以下は，クライアントが偏った自動思考に**対応せずそのままにする場合**と，**自動思考に対応して修正する場合**の結果を検討できるよう手助けをしているやりとりである。

セラピスト：チャーリーが連絡を欲しがっていないだろう，と考え続けるとどうなるでしょうか？
　　　　　　　［または「チャーリーが連絡を欲しがっていない，**と考えることで，あなたにはどのような影響がありますか？**」］
エイブ　　　：悲しくなります。そして，結局，電話しないことになります。
セラピスト：では考え方を変えるとどうでしょうか？
　　　　　　　［または「**考え方を変えるとどのような影響がありそうでしょうか？**」］

エイブ　　：気分が変わる可能性があります。電話をかける見込みが高くなります。

「距離をとる」質問
「親しい友人か家族が，自分と似た状況にいたらどのように声をかけるか」を考えてもらうと，思考から一歩距離をとりやすくなる場合が多い。

セラピスト：たとえば息子さんが，お友だちとこの1か月の間に連絡をとっていなかったとしましょう。息子さんが「向こうから何も言ってこないから，連絡をすると嫌がられるだろう」と考えていたら，息子さんにどのような言葉をかけるでしょうか？
エイブ　　：「1か月はそれほど長い期間ではない。連絡がなかったのは何か事情があるのかもしれない。こちらから連絡をしてみる価値がある」と伝えると思います。
セラピスト：そのことはご自身にも当てはまりますか？
エイブ　　：そうですね，当てはまりそうです。

「問題解決」の質問
　問題解決の質問とは，「今，何をするとよいでしょうか？」という質問である。この質問への答えは，認知的なこともあれば行動的なこともある。クライアントに，それまでに話し合ってきたこと——「＿＿＿＿と考えたら，＿＿＿＿を思い出す」など——を思い出してもらう必要があるかもしれない。
　セラピストの質問に対して，エイブは「『連絡をするとチャーリーは喜ばないだろう』と考えたら，その考えは間違っているかもしれないことを思い出す。チャーリーは忙しかっただけかもしれない」と言った。それを踏まえて，エイブとセラピストとでアクション・プランを立てた。

セラピスト：この状況をどうしたいでしょうか？
エイブ　　：そうですね，とりあえずチャーリーにメールを送るのがよいと

思います。

　次にセラピストは，チャーリーにメールを送ることができる見込みはどの程度かをエイブに尋ねた。妨げになりそうな思考が湧いたらどうするかも尋ねた。エイブのソーシャルスキルが不確かであれば「どのような文面にしますか？」とも尋ねるかもしれない。エイブが望むならば，チャーリーと会ったときにどう声をかけるかをロールプレイで練習してもよいだろう。うつ病についてチャーリーに打ちあけるメリットとデメリットを一緒に評価してもよい。会話の雰囲気を明るくするための話題を，一緒にブレインストーミングする方法もある。場合によっては，セッション中にその場でチャーリーにメールを送ることを検討してもよいだろう。

4. 自動思考の検討プロセスの結果を評価する

　上記のやりとりの最後に，セラピストは，クライアントが最初に挙げた自動思考を現在はどれぐらい信じているか，今どんなふうに感じているか，を尋ね，次に何をするべきかを判断する。

セラピスト：さて「連絡をするとチャーリーは喜ばないだろう」という自動思考を，今はどれぐらい信じていますか？
エイブ　　：それほどでもありません。30％ぐらいです。
セラピスト：今感じている悲しみはどれぐらいですか？
エイブ　　：やはりそれほどでもありません。
セラピスト：すばらしい。エクササイズが役に立ったようですね。どのようなことが役立ったのか，少し振り返っておきましょう。

　自動思考の検討には，リストにある質問のすべてを必ず使うわけではない。ときにはどの質問も役に立たないことがあり，その場合には他のアプローチを試みる。なお，クライアントが自動思考を信じる率を0％まで下げ

ようとしたり，クライアントのネガティブな気分を完全に払拭しようとしたりする必要はない。

5. 認知再構成法が有効ではない場合は概念化を行う

クライアントの気分や行動が改善されない場合，セラピストは，認知の再構成の試みがなぜ十分な効果を上げられなかったのかを概念化する必要がある。その際に考慮すべき要因を以下に挙げる。

1. 把握・検討されていない別の重要な自動思考やイメージがある。
2. 自動思考に対する検討の内容を，クライアントが納得していない，または，自動思考の検討が表層的すぎ，ないし，不十分だった。
3. 自動思考を信じる根拠を，クライアントが十分に話していない。
4. 自動思考自体が，広汎で過度に一般化された認知（中核信念：「私は無力だ／私は愛されない／私は価値のない存在だ」など）にもなっている。
5. クライアントは，自動思考の偏りを，知的には理解しているが，感情的なレベルでは信じることができていない。
6. 自動思考が，非機能的な思考パターンの一部になっている。

筆者がスーパービジョンを行っていた新人セラピストのアンドリューの例を見てみよう。アンドリューは，社交不安の女性のマーガレットの治療でいくつかミスをしていた。例えば，**最も中心的な自動思考やイメージをクライアントが話していなかった**。自動思考が複数あったがクライアントは1つしか話しておらず，その自動思考を検討してもマーガレットの不安はほとんど減らなかった。アンドリューは，マーガレットが話した最初の思考を検討する前に，もっと慎重に質問して，検討する思考を選択する必要があった。

2つ目のミスは，**クライアントの自動思考への対応が表層的だったことである**。マーガレットは「同僚に批判される」と考えていたが，その思考を慎重に検討せず「たぶん批判されないだろう」と対応しただけだった。この対

応は不十分でマーガレットの不安は減らなかった。

　3つ目のミスは，セラピストが十分に質問しなかったために，**自動思考が正しいことを示す証拠をクライアントが完全に語らず**，十分に適応的な反応ができなかった。その対話の様子を見てみよう。

セラピスト　：お友だちがあなたと関わり合いたくないと思っているどのような証拠があるでしょうか？
マーガレット：彼女からはほとんど電話をくれません。かけるのはいつも私からです。
セラピスト　：なるほど。では逆はいかがですか？　お友だちが気遣ってくれているとか，あなたとよい関係でいたいと思ってくれていることを示す証拠はありませんか？

　アンドリューがもっと多く質問をしていたら，マーガレットの自動思考を裏づけるほかの証拠を引き出すことができただろう。たとえば，マーガレットから誘っても何回も断られている，マーガレットが電話をかけると友人が電話越しにイライラしているように聞こえた，マーガレットの誕生日におめでとうと言ってくれなかった，などである。こうした追加情報を引き出していたら，アンドリューは，もっと効果的に証拠の比較検討ができただろう。

　4つ目のミスは，**クライアントが同定した自動思考が中核信念でもあったことへの対応の不備である**。マーガレットは「私は普通ではない」と頻繁に考えていた。その確信は非常に強く，セッション中に一度検討をしたくらいでは，その認識やそれに関連した感情は変化しなかった。初期のセッションで，マーガレットは，不安を感じた複数の状況でその考えを報告した。アンドリューは，マーガレットが様々な場面で共通して抱くその認知について検討を試みた。しかし，本来は，そういった全般的な認知に対してではなく，そのような思考を抱いた**具体的な一つの状況**に焦点を絞って話し合うべきであった。たとえば，「週末のパーティーで誰も話しかけてこなかったときに『私は普通ではない』という考えが湧いたのでしたね？　誰も話しかけてこ

なかった理由は他にも考えられないでしょうか？」などと言えただろう。クライアントの全般化した認知（中核信念）を変えるには，多くの時間と多くの技法が必要である（第18章参照）。

5つ目のミスは，クライアントが「**適応的な反応を『頭では』理解できるが『感情的には』信じられない**」と言った際の対応である。セラピストは，クライアントのこのような反応を軽視してはいけない。そういった思考の**背後**にある，まだ説明されていない信念を探る必要があった。

セラピスト　：クリスティーナがあなたを仕事のチームメンバーに選ばなかったのには，別な理由があったのだと，どれほど信じていますか？
マーガレット：頭では理解できますが……。
セラピスト　：できますが……？
マーガレット：でも，クリスティーナが私のことを嫌ってなければ，チームに選んでくれたはずだと今でも思っています。
セラピスト　：クリスティーナがあなたをチームに入れてくれなかったことは，何を意味するでしょうか？
マーガレット：今のままの私ではだめだ，ということです。

マーガレットには，「チームに入れてもらえなかったら，それは自分がダメだということだ」という信念が背景にあったということである。

要約すると，自動思考を評価・検討した後，セラピストは適応的な対応と，それに対する確信度をクライアントに問い，感情的にはどう感じているかを確認する。クライアントの確信度が低くて苦痛が軽減されていない場合，セラピストは，その理由を概念化し次の対応を考える。

6．自動思考を扱うための別な方法

思考を評価するのを手助けする方法は他にもたくさんある（Dobson &

Dobson, 2018; Leahy, 2018; Tolin, 2016)。

> - 質問を変える
> - 認知の偏りを同定する
> - 行動実験を計画する
> - セラピストが自己開示する
> - 役立つ反応をクライアント自身に考え出してもらう

以下にこれらの方法を解説する。

質問を変える

標準的な質問では効果的でないと予測される場合は質問の流れを変えるとよい。

セラピスト：[まとめをする] つまり書類に署名をしてもらいたくて，元の奥さんに電話をしたのですね。そこで怒られたとき，どのような考えが頭に浮かびましたか？

エイブ：怒られることを予想しておくべきだった。もう少し待ってから電話をするべきだった，と考えました。

セラピスト：そのとき電話するべきではなかったと考えるのは，どのような理由からですか？

エイブ：彼女は日曜の夜はだいたい不機嫌なのです。

セラピスト：そのことは念頭にありましたか？

エイブ：はい，わかっていました。でも車のローンで両親からの援助を当てにできるのかを娘にすぐに知らせたかったのです。娘も早く知る必要がありました。

セラピスト：では，元の奥さんにその日に電話をかけたのは，現実的にそうする必要性があったからなのですね。怒られるかもしれないと

いうことも承知されていたようですね。それでも娘さんに早く知らせてあげたかったわけですね？
エイブ　　：はい。
セラピスト：娘さんを思ってこその行動だったわけで，ご自分を責める必要はあるでしょうか？
エイブ　　：いいえ……でも……。
セラピスト：あまり納得されていないようですね。今回のことをもう少し大きな目で全体として考えたとき，奥さんに怒られたことは，どれほどマイナスのことと言えそうですか？

　セラピストは次のような質問でさらにフォローしてもよいかもしれない。
「元奥さんとこの話をすることは妥当でしょうか？」
「元奥さんが怒ったのは，どれほど理にかなっていたでしょうか？」
「元奥さんは，今ごろどのような気持ちだと思いますか？」
「元奥さんにいつも怒られないようにしていることは可能でしょうか？　ご自身とお子さん達とお孫さん達のためになることを，元奥さんを怒らせずにできるでしょうか？」
　標準的ではないこうした質問のおかげで，エイブはより機能的な認識を持てるようになった。セラピストはエイブの思考の妥当性を問うところから始めたが，以前に他の場面で話し合っていた，**背景にある明言されていない信念**（「他の人の機嫌を損なうようなことをするべきではない」）を強調する方向へ質問を変えている。最後にはセラピストは，エイブに開かれた質問（「今は状況がどう見えるようになりましたか？」）をして，さらに支援が必要かを見定めた。セラピストの質問の多くは，ソクラテス式質問「［そのときに電話をした理由と，元の奥さんが怒った理由を，あなたに落ち度があったということ以外の］別な説明はできないでしょうか？」の変法である。

認知の偏りを同定する

　クライアントは，一貫したバイアスのある思考をする傾向がある。精神障

害を有するクライアントの認知的情報処理には，体系的なネガティブな認知の偏りが見られることが多い（Beck, 1976）。よくある思考の誤りを図 14.3 に示した（Burns, 1980 も参照）。セラピストが認知の偏りに名前をつけ，クライアントにもそうするよう教えることが役立つこともある。認知の偏りの分類は重複があり，一つの自動思考に複数の偏りが含まれているかもしれない点も必ず伝える。認知の偏りリストをクライアントに渡す前に，セラピストの中でそのクライアントによくある偏りを意識しておき，セッション中にその偏りが見られたときに指摘するとよいだろう。

「完全に出来なければ全然だめだ，と考えていらっしゃるようですね——これは，『全か無か思考』と呼ばれるものです。心当たりはありますか？以前も，職場で新しい仕事を完璧にできなかったことを，自分は仕事が全くできない，と考えていらっしゃいましたね。また，お孫さんのために出来ることをすべてしなければ祖父として失格だ，とも。この種の思考に注意して過ごしていくことが，うつ病の改善に役立つかもしれませんよ？」

認知の偏りを同定すると，クライアントは自分の思考から距離をとりやすくなる。ただし，その方法がクライアントの役に立つのか，その理論的根拠をクライアントが理解しているか，確認する必要があるのは他の技法と同様である。リストを見てクライアントが圧倒された気持ちにならないことも確認する必要がある。認知の偏りの同定が役立つクライアントは多いが，すべてのクライアントに必須というほどではないと筆者は考えている。リストを使う場合は，セッション中にクライアントと一緒にざっと眺め，クライアントが使い方を理解したことを確認する。そのうえで，自動思考が湧いたときに認知の偏りを見つけて名前をつけてきてもらうアクション・プランを設定するとよい。

セラピストはエイブにリストを渡し，典型的な自動思考と認知の偏りを一緒に同定していった。

全か無か思考 (all-or-nothing thinking)	白黒思考（black-and-white thinking），二分割思考（dichotomous thinking）とも呼ばれる。 状況を連続的ではなく，2つの両極端なカテゴリーでとらえること。	例：「完全にうまくできなければ，私はダメな人間だ」
破局視 (catastrophizing)	運命の予言（fortune telling）とも呼ばれる。他の現実的な可能性を考慮せず，未来をネガティブに予言する。	例：「あまりに動揺して，何もできなくなってしまう」
ポジティブな側面の否定や割引き（disqualifying or discounting the positive）	ポジティブな経験，功績，長所などを不合理に無視するか，割り引いて考える。	例：「計画は成功したが，それは自分が有能だからではない。単に運がよかっただけだ」
感情的理由づけ (emotional reasoning)	自分が「そう感じる（そう信じている）」ことを理由に，それが事実と思い込み，それに反する証拠を無視するか，低く見積もる。	例：「仕事は大体うまくいっているが，どうしても自分をダメだと感じてしまう」
レッテル貼り (labeling)	より合理的な根拠を考慮せず，自分や他者に対して固定的で包括的なレッテルを貼り，結論を出す。	例：「私はダメな人だ」「彼は役立たずだ」
拡大視／縮小視 (magnification / minimization)	自分自身，他者，状況を検討する際，ネガティブな側面を不合理に重視し，ポジティブな側面を不合理に軽視する。	例：「〈普通〉と評価されたということは，自分には能力がない，ということだ」「〈優良〉と評価されたが，自分の出来が特によいということを意味するわけではなく，単に悪くなかったに過ぎない」
心のフィルター (mental filter)	選択的抽出（selective abstraction）とも呼ばれる。全体像を見るかわりに，一部のネガティブな要素だけに過度に着目する。	例：「評価の低い項目が一つあったから〔評価の高い項目もたくさんあったにもかかわらず〕，いいかげんな仕事をしているということだ」
読心術 (mind reading)	他の現実的な可能性を考慮せず，他者が何を考えているかを決めつける。	例：「彼は，このプロジェクトを私が理解していないと考えているに違いない」

(続く)

図 14.3　思考の誤り（1）

過度の一般化 (overgeneralization)	現状よりはるかに広がった包括的なネガティブな結論を出す。	例:「あの会で楽しめなかったので、私には友だちができないだろう」
個人化 (personalization)	他者のネガティブな振る舞いを、他のありそうな見方を考慮せずに、自分が原因だと思い込む。	例:「修理の人がそっけなかったのは、私が何かまずいことをしたからだろう」
「ねばならない」思考 「べき」思考 ("should" and "must" statements)	命令型思考（imperatives）とも呼ばれる。自分や他人の振る舞い方に、厳密で固定的な理想を要求し、それが実現しない結果を過大に悪く見積もる。	例:「一度でもミスをしてはならない。いつも完璧な仕事をしなければならない」
トンネル視 (tunnel vision)	状況に対してネガティブな側面しか見ない。	例:「息子の教師は何ひとつきちんとできない。批判的で、配慮がなく、教えるのも下手だ」

図 14.3　思考の誤り（2）

破局視　　　　　：「二度と雇ってもらえない」
全か無か思考　　：「部屋が散らかっている。自分は何も管理できない人間だ」
読心術　　　　　：「友人は私と関わりたくないと思っている」
感情的理由づけ：「自分はダメな人間に思える。いや、間違いなくダメな人間だ」

　セラピストはリスト上でこの4つの偏りに丸をつけ、そこからの1週間に湧いた自動思考の中に、そうした誤りが含まれないかどうかを観察してくることを提案した。エイブはこのリストを手元において、自動思考を検討するときに参照するようにした。そうすることで、自動思考が真実でない可能性もあるという感覚を持ちやすくなった。

行動実験を計画する

　自動思考が妥当かどうかは，セッション内での話し合いでも検証できるが，クライアントが実際に体験をするほうが効果的である（Bennett-Levy et al., 2004）。ソクラテス式質問法で不十分な場合は，行動実験をすることが望ましい。あるとき，エイブは「ホームレスの人のシェルターへボランティアに行くには，エネルギーが足りない」という自動思考を抱いた。セラピストとエイブはまず思考を検証し，この自動思考はおそらく不正確だろうと判断した。そこで問題解決法を使い，シェルターに 30 分だけ出かけてエネルギーがなくなったら帰ってくる，という計画を立てた。さらに行動実験を設定し，この計画を最後まで実行できるか試してみることにした。

　行動実験は，クライアントと協働して計画する。可能な場合は，セッションのその場で実験してみるようクライアントに提案するとよい。たとえば，次のような認知ならば，セッション中に検証ができるだろう。

> 「虐待されたときのことを先生に話したら，あまりに動揺して，何を話しているのかが自分でもわからなくなってしまうだろう」
> 「心臓がドキドキして息が苦しくなり始めたら，心臓発作を起こすだろう」
> 「読もうとすると，集中できないだろう」

セッション外でするしかない実験もある。

> 「妹に助けを求めると，断られるだろう」
> 「一日中ベッドに潜っていると，気分がよくなるだろう」
> 「オンラインで請求書を支払おうとすると，操作を間違い過ぎてうまくいかないだろう」
> 「上司に質問をすると，反論していると思われて，解雇されるだろう」

　行動実験がうまくできたら，クライアントが適応的な結論を引き出せるように必ず支援する。

「その体験から何が言えると思いますか？」
「どのようなことを学びましたか？」
「どのような結論になりますか？」
「この実験から［あなた／他者／他者がクライアントをどう眺めるか］について何が言えるでしょうか？」
「この実験は，将来について何を意味していそうでしょうか？」

自己開示を用いる

ソクラテス式質問法の代わり，または補助として，配慮ある自己開示を利用し，クライアントと似たような自動思考をセラピスト自身がどう修正したかを示してもよい。

「私も『責任を持たなければいけない』と考えることがあります。でもその後で，『いや，まずは自分の面倒を見ることが大切で，他の誰かに期待されたことを**すべて**こなせなくても，それで何もかもが終わるわけではない』と考えるようにしています。（間を置く）あなたにも，当てはまりそうでしょうか？」

役立つ対応をクライアントに考えてもらう

最後に，自動思考にどのように対応したいと思うかを，クライアントに尋ねるだけでよい場合もある。

エイブ　　：同窓会に行く日になったら，欠席したいと思うと思います。
セラピスト：自分にとって役立つ視点で考えるとしたら，どのように考えるでしょうか？
エイブ　　：そうですね。気が重くても，同窓会は出席したほうがいい。大事な人達とのつながりを取り戻せるかもしれない。

セラピスト：すばらしい。そのようにご自分に語り掛けるとどうなると思いますか？
エイブ　　：同窓会に行ける見込みが高くなります。

　もう一つ例を挙げよう。

セラピスト：週末の予定を変えたくないということを元奥さんに伝えるうえで，妨げになりそうなことはありませんか？
エイブ　　：元妻を怒らせたくありません。
セラピスト：なるほど。「元妻を怒らせたくない」という考えが湧いたら，ご自分にどう話しかけたいでしょうか？
エイブ　　：たとえこのことでは怒られずに済んでも，別なことで怒られる。自分が重要と思うことをするべきだ。妻の機嫌ばかりとっているべきではない。
セラピスト：すばらしい！　これで，元奥さんに実際に伝えられそうですか？

7．自動思考が正しいときの対応

　クライアントの自動思考が間違っていないと判明するときがある。その場合は以下を行う。

- 問題解決に専念する
- クライアントが無効，または，非機能的な結論を導いていないか検討する
- 受容を促し，価値に沿った行為に注意を向ける

　以下に説明する。

問題解決に専念する

　状況に対するクライアントの認知が正しそうなときは，認知と関連している問題を（多少でも）解決できないか検討する。エイブとセラピストは「すぐに仕事に就けないと家賃を払えなくなってしまう」という自動思考を検討した。話し合う中で，その可能性を否定できないことが明らかになった。

セラピスト：家計を慎重にやりくりしても，年度末には家賃が払えなくなってしまいそうだということですね……それまでに就職できていそうでしょうか？

エイブ　　：できているかもしれませんが，できていなかったらどうなるのでしょう？

セラピスト：そうなってしまったら何ができるかを考えましたか？

エイブ　　：子どもと同居することでしょうか。それは避けたいです。

セラピスト：そうですね。ただし，最後の手段としてはお願いできるかもしれませんか？

エイブ　　：たぶん……。

セラピスト：他の案はどうでしょう？

エイブ　　：できそうなことはないと思います。

セラピスト：**どのような**仕事でもかまわないので就いてみる，というのはどうでしょうか？　パートでもフルタイムでも。本当にしたい仕事が見つかるまでのつなぎです。

エイブ　　：なるほど。前と似た仕事に就くことしか考えていませんでした。

セラピスト：このアイデアはどう思いますか？

エイブ　　：わかりません。最近はあまりにも疲れていて。

セラピスト：パートタイムの仕事だったら，フルタイムほどのエネルギーは必要ないのではないでしょうか？　そうした仕事に就いてみて，**実際に**疲れ過ぎるとわかったら，最悪のシナリオとしてはどんなことが起きそうでしょうか？

エイブ　　　：大したことはないですね。辞めればいいだけです。
セラピスト：パートタイムの仕事を探すことを，今週の活動計画にしてみませんか？　そうした仕事に就いてみて，疲れでまったくできないとわかったら，他の案を一緒に考えましょう。もう少し安い部屋に引っ越すことも考えられますし，一時的に誰かと同居してもいいかもしれません。弟さんからお金を借りることに気が進まないのはよくわかりますが，検討はできるかもしれません。

妥当ではない結論を導いていないか検討する

　自動思考が正しいとしても，それに対するクライアントの**意味づけ**が（完全には）妥当ではない場合がある。そうした場合は，クライアントの自動思考の背景にある信念や結論を検証できる。

セラピスト：確定申告ができないほど集中力が落ちているのは本当のようですね。
エイブ　　　：ええ。落ち込みます。
セラピスト：集中できないことは，あなたについて，どのようなことを意味するでしょう？　どうなってしまうと心配していますか？
エイブ　　　：私の脳のどこかがおかしいことを意味していると思います。もう二度と集中できないかもしれません。
セラピスト：なるほど。その考えから検討してみませんか？　なかなか集中できないことについて，他にも説明がないでしょうか？

アクセプタンス（受容）と価値に沿った行為

　どうしても解決しない問題もあり，クライアントがそれを受け容れる支援が必要な場合もある。非現実的な期待を抱いて，解決しようがない問題の改善を期待していると，クライアントはみじめな気持ちを持ち続けることになる。他方，自分の根底にある価値観に注目し，価値に沿った行動を行い，人

生に見返りのある（やりがいのある，生きがいを感じられる）領域に気持ちを集中することが，人生を豊かにしてくれる。クライアントのアクセプタンス（受容）を促す方法を，Hayesら（2004）がいくつも報告している。

8. まとめ

　鍵となる自動思考がネガティブな感情と非機能的な行動を生んでいる場合はそれに取り組む必要がある。こうした思考は，不正確であるか，役に立っていない。自動思考を検討するスキルは，セラピストにとってもクライアントにとっても，繰り返し練習することで上達する。クライアントの自動思考を無理に崩そうとするのではなく，様々な技法を使い分けて，思考の正しさと有用性を，クライアントが自分で評価できるよう支援する。自動思考が正しいときは，自動思考が持つ意味を検討したり，問題解決したり，アクセプタンスの戦略を採用して，価値に沿った行為に注目したりしながらクライアントの苦痛をやわらげるとよいだろう。

振り返りのための問い
・自動思考を検討するスキルを学習中にいらだちを感じたら，自分自身にどのように声をかけてあげますか？
・クライアントにはどのようなことを信じてほしいでしょうか？

実践エクササイズ

　図14.1の質問リストへの答えを書き出しながら，自分の自動思考の一つを検討してみましょう。次に，図14.2の質問への答えを書きながら，別な考えを検討しましょう。

第15章 自動思考に対応する

前章では，クライアントがネガティブな自動思考を評価・検討し，その効果を判断できるよう手助けする方法を紹介した。とはいえ，同じような思考が次のセッションまでの1週間に湧いたら，クライアントはそのような対応の仕方を思い出すことが難しいかもしれない。また，セッションからセッションまでの期間には，セッション中には同定しなかった別の重要な自動思考を体験することもあるだろう。本章では，以下について解説する。

- 次のセッションまでに読む治療メモをクライアントが作成するための手助け
- 次のセッションまでに他の自動思考が湧いたときにワークシートを使って対応する方法の教え方
- ワークシートが十分に役に立たない場合はどうするとよいだろうか？

セッション中に扱った自動思考への確実な対応法を，クライアントが（紙，インデックスカード，治療ノート，スマートフォンなどに）書き留めているかどうか，あるいは（録音機材やアプリを使って）録音しているかどうかについて，必ず確認したい。セッションとセッションの間に新たに生じた自動思考に対応するためには，前章の質問リスト（図14.1と図14.2）の使い方を教えるとよい。または，「思考検討ワークシート」（図15.1と図15.2），「思考記録表」（図15.3と図15.4），あるいは本章で後述する別の技法を使うこともできる。

1. 治療メモを作成する

クライアントと一緒に自動思考を検討したら，それについてクライアントに要約してもらうとよい。以下のような質問ができる。

> 「今話し合ったことをまとめてもらえますか？」
> 「次回までに何を覚えておくことが大切だと思いますか？」
> 「再び同じ状況になったら，自分に何と声をかけたいですか？」

クライアントがしっかりと要約することができたら，「よいまとめですね。ご自身で書き留めますか？ それとも私のほうで書き出しましょうか？ まとめた内容を，1週間後の次のセッションまでの間，覚えていてほしいと思います」などと言うとよい。まとめを誰が書くのかというクライアントの意向については，1回目か2回目のセッションで尋ねておくので，意向が変わったと言われない限りは，当初の意向に沿うことにする。エイブとセラピストは，「私にはできない」というエイブの思考を，ソクラテス式質問法を使って検討した。次に，セラピストはエイブに要約をしてもらった。

セラピスト：では，これからの1週間で，保険の書類に記入しようとして，「私にはできない」という思考がまた湧いてきたら，どんなことを思い出すのがよいでしょうか？
エイブ　　：たぶんその考えは真実ではない，ということです。これまでに仕事の応募書類をいくつか記入したときには集中できたのだから，保険の申請書だって少なくとも取りかかることぐらいはできるでしょう。
セラピスト：いいですね。（エイブの言葉を書き留める）他にはどうですか？

エイブ　　：息子に手助けを頼めるかもしれません。
セラピスト：(書き出す) それも大切なことですね。それから，「取りかかること自体が実はいちばん大変だ」という点は，いかがですか？
エイブ　　：ええ，そのことも覚えておくとよいと思います。

　エイブが書き留めた内容が役立つことを確認するために，セラピストはまず，エイブに要約を口頭で読み上げてもらう。そうすることで，セラピストはエイブの要約に補足したり変更を提案したりすることが可能になる。

> **臨床のコツ**
> 　クライアントの回答が表面的だったり，混乱していたり，短すぎたり，逆に言葉が多すぎたりするときは，次のように伝えるとよい。「とてもいいですね。でも，＿＿＿＿ということを覚えておくと，さらに役立つかもしれませんよ」。上の例のように，クライアントの回答が妥当ではあるが不完全なときは，「＿＿＿＿ということも思い出すようにしませんか？」と言うとよいだろう。クライアントが同意すれば，その文言もセラピストかクライアントが記録する。

　望ましいのは，毎朝クライアントに治療メモを読んでもらい，必要に応じて日中も取り出して読んでもらうことである。繰り返しリハーサルすることで，新たな対応を思考に統合できるようになっていく。困難な状況に出くわしたときだけメモを読むよりも，困難な状況に**備えて**定期的にメモを読んでおくほうが効果的である。以下に，エイブの治療メモからの抜粋をいくつか紹介する。そこには，非機能的な思考への対応と，行動的な活動計画の両方が含まれている。

「すべての課題を終わらせることなんて絶対にできない」と思ったら，次のことを思い出す。

　今やるべきことだけに集中する。
　すべてを完璧にやる必要はない。
　助けを求めていい。それは自分の弱さの表れではない。

次に，いちばんやりやすい課題を見つけて，10分後にタイマーが鳴るようにセットする。10分経ったら，課題をさらに続けるかどうかを決めればよい。

「外出しないで家にいるほうがよい」と考えたときは，以下のことを自分に言ってみる。「家から出ない実験」はすでに何度も試したが，私の気分はよくならなかった。外に出て，日光を浴びたり，運動をしたり，用事をこなしたりするほうが，気分はよくなりそうだ。

子どもたちをがっかりさせている気持ちになるかもしれないが，それは「全か無か思考」だ。たとえば庭仕事を手伝うといった肉体を使う作業は，うつ病になる前と同じようにはできていないかもしれない。でも，孫息子のサッカーの試合があるときは，観戦に行くことができるし，親が動けないときには孫たちの送迎もしている。すぐにでも子どもたちに連絡をして，次に会う計画を立てるとよい。

オンラインで新しい仕事を探すのをガブリエルに手伝ってもらうとき
1．大したことではないと思うようにする。最悪のシナリオはガブリエルに「忙しすぎて無理」と言われることだが，そうしたら代わりにケイトリンに頼むことができる。
2．これは実験なのだと思い出す。今回うまくいかなくても，自分にとってはよい練習になる。
3．ガブリエルが忙しくて無理だと言うのであれば，本当にそうなのだろう。
4．今，ガブリエルに連絡をして，今日か明日に訪ねてもいいか，あるいは来てもらえるかを訊いてみよう。

不安になったときの対策
1．治療メモを読むか，「思考検討ワークシート」に記入する。または両方する。
2．イーサンに電話して，スポーツの話をする。
3．不安を受け入れる。不安な気持ちは好きになれないが，これは人間として正常な感情なのだ。不安がないときにできることであれば，不安があってもできるはずだ。他のことに注意を向ければ，不安は小さくなっていくだろう。
4．マインドフルネスのエクササイズを実践する。
5．散歩に出かける。

> **臨床のコツ**
> 実用的には，セラピストはクライアントの治療メモのコピーを取っておくとよい。複写機でコピーしても，写真を撮って印刷しても，カーボン紙を使ってもよい。セラピストはこの治療メモにしばしば立ち返ることによって，次回のセッションの計画を（通常はセッションの直前に）立てたり，クライアントの活動計画を振り返ったり，これまでのセッションでクライアントと話し合ったアイディアを強化したりすることができる。また，コピーを取っておけば，クライアントが治療メモを失くしたときにも大いに役立つ。

治療メモを録音する

　理想的には，書かれた形式の治療メモをクライアントが手元に持っておくのがよい。ノートやインデックスカードに書いたものを持ち歩くと，必要に応じて読み返すことができる。また，スマートフォンに入力したメモも同様にいつでも読み返せる。とはいえ，読むことが難しかったり，読むことを好まなかったりするクライアントもいる。あるいは，書かれたメモを読むよりも，録音したものを耳から聞くほうが効果的だと感じるクライアントもいる。セッション中に自動思考への対応の仕方を習得する際に，録音機材やスマートフォンの録音アプリを使うとよいだろう。または，自動思考への対応の内容をメモしておいて，セッションの最後の数分にそれらを一気に読み上げて録音することもできる。セッションを丸々録音し，そのすべてをクライアントに聞いてもらうことは，あまり意味がないことが多い。クライアントが録音を聞くのは一度きりになりがちで，セッションにおける重要な部分を繰り返し聞くことができないからである。また，クライアントがセッション全体の録音を聞くと，聞いているうちに自己批判的な思考が生じることがある。

　クライアントがメモを読めない場合，セッションで話し合ったことをどのようにすれば思い出せるのか，ということについてクライアントに尋ねてみ

るとよい。たとえば，絵に描くことはできるだろうか？　誰かにメモを読み上げてもらうことはできるだろうか？　録音したものなら聞けるだろうか？

> **臨床のコツ**
> 　治療メモを読むための動機づけを高めるには，活動計画の項目のために使うもの（第8章）と同じ手法を使い，特にクライアントの希望，価値，目標に結びつけるとよい。治療メモを読む妨げになりそうな事柄についても必ず尋ねる。読み返す時間がないかもしれないというクライアントには，読み返すのにどれぐらいの時間がかかると思うかを尋ね，過剰に見積もっているようであれば，セッション中に声に出して治療メモを読み上げてもらい，時間を測るとよい。そうすることで，思っていたよりもずっと短い時間（通常，20～60秒）しかかからないことが理解できるだろう。

2．ワークシートを活用する

「思考検討ワークシート」（図15.1，15.2）と「思考記録表」（図15.3，15.4）は，以前は「非機能的思考の日常記録（Daily Record of Dysfunctional Thoughts）」（Beck et al., 1979）として知られていたワークシートである。これは，感情的な苦痛を感じたり役に立たない行動を取ったりしているときに，クライアントが自らの自動思考を評価することを手助けする。これらのワークシートは，前章で紹介したソクラテス式質問法のリストに比べ，さらに多くの情報を引き出すことができる。ソクラテス式質問法のリストを考えるだけで十分である場合，これらのワークシートを使う必要はないだろう。とはいえ，ワークシートを使ったほうが思考や対応を整理しやすいというクライアントは多い。一方，機能が比較的低下しているクライアント，動機づけの低いクライアント，そして読み書き能力の低いクライアントには，ワークシートはあまり役に立たない。

思い出しましょう。思考は100パーセント正しいこともあれば，0パーセント正しいことも，どこか中間のこともあります。思考は必ずしも正しいとはかぎりません。

1. 気分が悪くなってきている，または，役に立たない行動を続けていることに自分で気づいたら，このワークシートの裏面にある質問を自分に問いかけ，答えを書き出しましょう。かかる時間の目安は5～10分ほどです。
2. すべての質問がどの自動思考にもあてはまるわけではありません。
3. 以下の表を見て，認知の偏りを見分けてみるとよいでしょう。1つ以上の偏りに当てはまるかもしれません。
4. 誤字脱字，文法，字の読みやすさなどは気にしないでください。
5. 気分が10パーセント以上改善したら，このワークシートに取り組んだ価値があったといえるでしょう。

認知の偏り

全か無か思考	例：「完全にうまくできなければ，私はダメな人間だ」
破局視 （未来の予言）	例：「あまりに動揺しているので，何もできないに違いない」
ポジティブな側面の否定や割引き	例：「計画は成功したが，それは自分が有能だからではない。単に運がよかっただけだ」
感情的理由づけ	例：「仕事は大体うまくいっているが，どうしても自分をダメだと感じてしまう」
レッテル貼り	例：「私はダメな人だ」「彼はまったく役に立たない」
拡大視／縮小視	例：「〈普通〉と評価されたということは，自分には能力がない，ということだ」「〈良し〉と評価されたが，これは自分の出来が特によかったということを意味するわけではない」
心のフィルター （選択的抽出）	例：「評価の低い項目が1つあったから［評価の高い項目もたくさんあったにもかかわらず］，自分はいいかげんな仕事をしているということだ」
読心術	例：「彼は，このプロジェクトで何が重要かを私が理解していないと考えている」
過度の一般化	例：「あの集まりで楽しめなかったのだから，私には友だちができないに違いない」
個人化	例：「修理の人がそっけなかったのは，私が何かまずいことをしたからだろう」
「ねばならない」 「べき」思考	例：「ミスをしたのは最低だ。いつも上出来と思えるようでなければならない」
トンネル視	例：「息子の教師は，何一つ正しくできない。批判的で，配慮がなく，教えるのも下手だ」

図15.1　「思考検討ワークシート」　第1面
© 2018 CBT Worksheet Packet. ペンシルベニア州フィラデルフィア，ベック認知行動療法研究所

1. 状況は？ 周囲で起きたばかりの何かについて，または内面で起きたばかりの何か（強い感情，苦痛な感覚，イメージ，白昼夢，フラッシュバック，将来についての心配，など）に関連した思考が湧いているかもしれない。
   <u>時間超過で駐車違反の切符を切られた</u>

2. どのような思考やイメージがあるだろうか？
   <u>私はあまりにもまぬけだ</u>

3. 認知の偏りはないだろうか？（オプション）
   <u>レッテル貼り，過度の一般化</u>

4. そう考える理由は？ <u>時間を忘れないようにするべきだった</u>

5. その思考が（完全には）真実ではない，と思える理由は？
   <u>ほかの人も駐車違反で切符を切られる。でも，それでその人たちがまぬけだということには必ずしもならない。</u>

6. 別の見方は？ <u>小さなミスをしただけだ</u>

7. 考えられる最悪のシナリオは？ そのとき何ができるだろう？
   <u>駐車違反の切符を切られつづけて罰金を払いつづけるようになる。でも，繰り返さないように，携帯電話のアラームを設定できるだろう。</u>

8. 考えられるベストなシナリオは？
   <u>駐車違反の切符を二度と切られない</u>

9. いちばん起きそうなシナリオは？
   <u>また切符を切られるかもしれないけれども，今回のことをたぶん覚えていて，そうならないように気をつけているだろう。</u>

10. 同じように考え続けるとどうなるか？ <u>つらい気持ちのままだろう</u>

11. 考え方を変えるとどうなるか？ <u>気分がよくなる</u>

12. 友人か家族の <u>ガブリエル</u> ［具体的な人を記入しましょう］にこうしたことが起きたとしたら，なんと声をかけるだろうか？
    <u>それほど大したことではない。うっかり忘れて，ミスをしてしまったんだね。またこうならないようにどうしたらいいかは，わかっているね。</u>

13. 今はどう行動するのがよいだろうか？
    <u>ひとまずこのことは考えないで，散歩に出かける</u>

図 15.2　「思考検討ワークシート」　第 2 面
© 2018 CBT Worksheet Packet. ペンシルベニア州フィラデルフィア，ベック認知行動療法研究所

思い出しましょう。思考は100パーセント正しいかもしれません。0パーセントかもしれません。その間のどこかかもしれません。

思考は必ずしも正しいとはかぎりません。

5〜10分ほどかけて、「思考記録表」を記入しましょう。すべての質問がどの自動思考にもあてはまるわけではない点に気をつけます。以下をします。

1. 気分が悪くなってきている。または役に立たない行動に従事している。または自分で気づいたら、「今、どんなことが頭に浮かんでいるだろうか？」と自分に問いかけます。それからできるだけ早く、思考または心にあるイメージを、[自動思考]の列に書き出します。
2. [状況]は、動したことと外側で起きた（たった今起こしたこと、または自分で行動したこと）かもしれません。内面で起きている（強い感情、苦痛な感覚、イメージ、白昼夢、フラッシュバック、一連の思考の流れ—将来について考えるなど）かもしれません。
3. 次に、残りの列を記入します。以下の表を見て、認知の偏りを見分けてもよいでしょう。1つ以上の偏りにあてはまるかもしれません。
4. 誤字脱字、文法、評価の読みやすさなどは気にしないでください。
5. 気分が10パーセント以上改善したら、このワークシートに取り組んだ価値があったといえるでしょう。

認知の偏り

全か無かの思考	例：「完全にうまくできなければ、私はダメな人間だ」
破局視（将来の予言）	例：「あまりに動揺しているので、何もできないに違いない」
ポジティブな側面の否定や割引き	例：「計画は成功したが、それは自分が有能だからではない。単に運がよかっただけだ」
感情的理由づけ	例：「仕事は大体うまくいっているが、どうしても自分がダメだと感じてしまう」
レッテル貼り	例：「私はダメな人だ」「彼はまったく役に立たない」
拡大視・縮小視	例：「[普通]と評価されたということは、自分には能力がない、ということだ」「[良い]と評価されたが、これは自分の出来事が特によかったということを意味するわけではない」
心のフィルター（選択的抽出）	例：「評価の低い項目が1つあったから[評価の高い項目もたくさんあったにもかかわらず]、自分はいいかげんな仕事をしているということだ」
読心術	例：「彼は、このプロジェクトで何が重要かを私が理解していないと考えている」
過度の一般化	例：「あの集まりで楽しめなかったのだから、私には友だちができないに違いない」
個人化	例：「修理の人がそっけなかったのは、私が何かまずいことをしたからだろう」
「ねばならない」「べき」思考	例：「ミスをしたのは最低だ。いつも上出来と思えるようでなければならない」
トンネル視	例：「息子の教師は、一つも正しくできない。批判的で、配慮がなく、教えるのも下手だ」

図15.3 思考記録表 第1面

© 2018 CBT Worksheet Packet. ペンシルベニア州フィラデルフィア，ベック認知行動療法研究所

日時	状況	自動思考	感情	適応的反応	結果
	1. 不快な感情につながった、具体的なできごと、思考、空想、記憶は何でしたか？ 2. (もしあれば) どのような苦痛な身体感覚がありましたか？	1. どのような思考やイメージが (出来事または行動の前、最中、後に) 頭をよぎりましたか？ 2. 思考をどれほど信じましたか？	1. どのような感情を (出来事または行動の前、最中、後に) 感じましたか？ (悲しみ/不安/怒りなど) 2. 感情はどのくらいの強さでしたか？ (0-100%)	1. どのような認知の偏りがあるのでしょう？ (この質問は利用してもしなくてもよい) 2. 自動思考に対応するためにこの質問を使いましょう。 3. それぞれの反応をどのくらい信じられますか？	1. それぞれの自動思考をどのくらい信じていますか？ 2. どのような感情を今は感じますか？それはどのくらいの強さでしょうか？ (0-100%) 3. どうするのがよさそうでしょうか？
6月23日	就職面接について考えている。	あまりに心配になって、何を言うべきかを忘れてしまい、けっきょく採用されないだろう。(80%)	不安 (75%)	(先読み) 今は心配だけれども、[セラピスト]と一緒にもっと練習をする。過去にも新しい上司の下で仕事をするようになったときにとくに心配だったけれども、話せなくなるような問題はなかった。(80%) 今回採用されなくても、また別な面接に応募できる。ベストなシナリオは、現実的なシナリオは、面接官はその場採用決定を告げられること。いちばん現実的なシナリオは、面接官はその場採用決定を告げられるまでに、いくらか時間がかかることを認識すること。(90%) 採用されないだろうと考え続けると、いつまでも不安のままだ。今回採用されなくても、それで何もかもが終わるわけではない。気分がよくなる。(100%) ガブリエルにも、たとえ採用されなかったとしても、それでためにすべてが終わるわけではないことを伝える。そっと練習をすると、たぶん心配がやわらぐだろう。とにかくよう。(100%) 面接官に伝えたいことを言う練習をして、本番では心配していないかのように振る舞うのがいいだろう。(100%)	1. 自動思考 (50%) 2. 不安 (50%) 3. 練習する

別の対応をするために役立つ質問：1. 自動思考が真実だという証拠はあるだろうか？ 2. 別の説明はあるだろうか？ 3. 考えられる最悪のシナリオが起きたら、どう対処すればよいだろう？ 起こりうるベストのシナリオは？ 最も現実的なシナリオはどうなりそうか？ 4. 自動思考を信じ続けることの効果は？ 考えを変えることの効果は？ 5. もし＿＿＿＿(友だちの名前)がこの状況にかかれて、このように考えていたら、何と言ってあげるか？ 6. どうするのがよいだろうか？

図 15.4　思考記録表　第 2 面

© 2018 CBT Worksheet Packet. ペンシルベニア州フィラデルフィア，ベック認知行動療法研究所

> **臨床のコツ**
>
> 　2つのワークシートには似たような質問が含まれているが，「思考検討ワークシート」のほうが読みやすく，より構造化された形式をしているため，わかりやすいし記入が容易である。前章で紹介した通り，まず，重要な自動思考を同定し，質問リストのどれかを使ってクライアントと一緒に自動思考について検討する。クライアントの思考や感情の強度がやわらいだら，本章の2つのワークシートのどちらかに回答やその他の情報を記入する方法を示すようにする。なお，重要な自動思考を同定してすぐにワークシートを引っ張り出してくることもできる。ただし，その場合，思考の検討が効果的にできなければ，クライアントがワークシートを役に立たないと思ってしまいかねない点に注意されたい。

「ガブリエルは，一緒に出かけたがらないだろう」というエイブの思考を検討するために，エイブとセラピストが「思考検討ワークシート」の一部をソクラテス式に質問したところ，エイブの気分が改善した。次に，セラピストはワークシートそのものを紹介した。

セラピスト：では，ご自宅で役に立ちそうなワークシート［図15.1と図15.2］を紹介します。これは「思考検討ワークシート」と呼ばれるもので，私たちがこれまでにやってきたことを整理して書き留めるためのものです。よろしいでしょうか？

エイブ　　：はい。

セラピスト：（ワークシートをエイブに見せながら）上手に使えるようになるには，少し練習が必要です。最初は間違えてしまうこともあるものだとお考えください。でも，そういった間違いが実は結構役に立ったりもします。何かわかりにくいことがあれば，次回はそれを活かしてもっとうまく使えるように準備します。よろしいでしょうか？

エイブ　　　：わかりました。
セラピスト：（第1面を見せながら）いちばん上のこの部分に，思考が正しくないかもしれないことを思い出させてくれるコメントがありますね。その下に，ワークシートをどのようなときに使うとよいかが書かれています。（声に出して読み上げる）「気分が悪くなってきている，または役に立たない行動を続けていることに自分で気づいたら，このワークシートの裏面にある質問を自分に問いかけ，答えを書き出しましょう」。5分か，ひょっとしたらもう少しかかるかもしれませんが，すぐに記入できると思います。ご自身に当てはまらないかもしれない質問も含まれています。そして，誤字脱字，文法，字の読みやすさなどは気にしなくてよいこと，気分が10パーセント以上改善したらこのワークシートに取り組んだ価値があるのだということも書かれています。認知の偏りのリストもあります。
エイブ　　　：はい。
セラピスト：（裏面に移る）こちらの面は，ご覧いただければわかると思います。質問を読んで，ご自分に当てはまりそうでしたら，質問の隣の欄に答えを記入します。ご質問はありますか？
エイブ　　　：ありません。理解できたと思います。
セラピスト：では，こうしませんか？　重要な自動思考をもう一つ見つけて，このワークシートが使えるかどうか，試してみるのです。
エイブ　　　：わかりました。

　クライアントがセッション中にワークシートのどちらか一つをうまく記入できたことを確かめてから，活動計画で実践してくる課題として提案する。思考記録表の場合，クライアントによっては，2段階に分けて紹介したほうがよいこともあるだろう。最初のセッションで，はじめの4列の使用法を教え，自宅で気持ちが動揺したときに同じようにするように伝える。それが上手にできたら，次のセッションで，残りの2列の使用法を教える。

3. ワークシートの効果が十分ではないとき

　認知行動療法の他の技法と同様に，ワークシートについてもその重要性を強調しすぎないことが大切である。クライアントは，ワークシートを完成させても大きな効果が得られなかったと感じることがある。セラピストが，ワークシートは「**大体**において役に立つ」ということを説明し，同時に「うまくいかない」ことこそが学びの機会となることを強調しておけば，クライアントは自分自身に対して，そして治療やワークシートやセラピストに対して，批判的な自動思考を抱かずに済むだろう。

　前章で述べたように，最も自分をつらくさせる自動思考やイメージに対応できていなかったり，扱う自動思考が中核信念そのものであったり，自動思考の検討と対応が表層的すぎたり，クライアントが自動思考への対応に疑いを抱いていたり，自動思考が非機能的な思考プロセスの一部になっていたりする場合，自動思考を検討しても（ワークシートを使うか使わないかにかかわらず）十分に役に立たないことが多い。

> **臨床のコツ**
>
> 　質問のリストまたはワークシートをクライアントが自宅で効果的に使えるだろうという確信がもてないときは，使うとどのようなことが起きそうかをクライアントに予測してもらうとよい。
>
> セラピスト：次回までの間に，ご自身の自動思考をうまく検討できなかった場合，どのような気持ちになりそうですか？
> マリア　　：イライラすると思います。
> セラピスト：そのとき，どのようなことが頭に浮かびそうですか？
> マリア　　：わかりません。検討するのをただ止めてしまうでしょう。
> セラピスト：ワークシートの用紙を見つめながら，どうすればよいかわからなくなってしまっている自分の姿をイメージできま

すか？
マリア　　：ええ，できます。
セラピスト：用紙を見ながら，どんなことが頭に浮かぶでしょうか？
マリア　　：「できなきゃいけないのに。なんて私は間抜けなんだろう」
セラピスト：それが聞けてよかったです。そのような考えに対応するために，リマインダーとなるメモがあるとよさそうですか？「今はスキルを身につけているのであって，これからどんどん上手になっていく。今回上手にできなくても，次のセッションでセラピストが手助けしてくれる」というのはどうでしょう？
マリア　　：いいですね。（治療メモに書き込む）
セラピスト：このような対応で十分そうですか？　それとも，活動計画のこの課題は，次にもっと一緒に練習するときまで，保留にしておいたほうがよさそうですか？
マリア　　：大丈夫です。自分で試せると思います。
セラピスト：では，この課題に取り組むときに，イライラしたり，何らかの自動思考が生じたりしたら，それも書き留めるようにしてください。よろしいでしょうか？

　セラピストはここで，活動計画を「失敗のない提案」にしている。マリアは課題をうまくできるかもしれないし，できなければ次のセッションでセラピストと協働して取り組むことができる。仮にイライラしたとしても，マリアは対処するための言葉が書かれた治療メモを読むことができる（そしておそらく気分が改善される）し，そのときの思考を書き留めて次のセッションでセラピストと一緒に取り組むこともできる。

　最後に，前の章（p.364 〜 365）でみたように，ソクラテス式質問法のリストやワークシートをクライアントが使わないですむこともある。ただし，

その場合はクライアントの対応が表層的にならないように気をつける。使わない方法には2つの形式がある。1つは，p.364〜365で説明した形式で，「_____と考えたら，_____を思い出す」の形を使って検討する技法である。

もう一つは，以下に示す2つのコラム（自動思考と対応）技法である。

自動思考	対応
「同窓会に出席したくない」	「出席したほうがいい。つながりを取り戻せるだろうし，誰かが仕事のきっかけになってくれるかもしれない」
「リタに週末の予定を変えたくないと話すと，怒るだろう」	「このことで怒られなくても，別なことで怒られる。自分にとってよいことをするのがいい——リタの機嫌ばかりとるのではなく」

4. まとめ

クライアントは，セッションとセッションの間に生じた役に立たない思考に対して，主に2つの方法を使って対応することができる。セッションですでに検討した思考については，治療メモを読む方法が使える。新たな自動思考については，ソクラテス式質問法のリストやワークシートを使って検討することができる。ワークシートの質問は，まずは口頭でのやりとりのなかで使うほうがよい。クライアントが自動思考を上手に検討できるようになったら，同じ質問を含むワークシートを紹介して，使い方を示すとよい。ワークシートの効果が十分でないときは，困難を概念化すると，次に何をすればよいかがわかるだろう。

> **振り返りのための問い**
> ・クライアントにワークシートを紹介する際，どのような問題が起こりうるでしょうか？
> ・ワークシートの効果が十分でない場合は，何をすればよいでしょうか？
> ・ワークシートに上手に取り組めなかった場合，クライアントがなるべく自己批判的にならないようにするには，どうすればよいでしょうか？

実践エクササイズ

　読者自身が思考記録表を記入しようとするときに妨げになるかもしれない自動思考を同定しましょう。思考記録表を使ってその思考を検討し，対応しましょう。次に，どのような状況についてでもかまいませんので，読者自身の非機能的な思考を1つ同定します。その思考に，「思考をテストする」ワークシートを使ってみます。さらに，ワークシートの1つをクライアントに紹介する場面のロールプレイをしましょう。クライアントが自動思考をうまく検討できるように支援する際には，必ず，はじめは口頭でワークシートにある質問を使うようにしましょう。次に，ワークシートそのものを出してきて，記入の仕方を教えます。

第16章　認知行動療法に
マインドフルネスを統合する

　近年，マインドフルネスの研究が盛んである。マインドフルネスは，単独での介入の場合も，他の心理療法の一部として用いられる場合もある。マインドフルネスは特別なスキルではなく，私たち人間が何千年と実践してきたものである。マインドフルネスの効果は，精神障害，身体疾患，ストレス，うつ病の再発防止など（例えば Abbott et al., 2014; Chiesa & Serretti, 2011; Hofmann et al., 2010; Kallapiran et al., 2015, Segal et al., 2018 を参照），様々な問題について実証されてきた。

　本章では以下を解説する。

- マインドフルネスとは何か？　なぜクライアントに有用か？
- フォーマルとインフォーマルなマインドフルネス実践とは？
- セラピスト自身もマインドフルネスを実践するとよい理由
- マインドフルネスを取り入れる前に使っておくとよい技法
- マインドフルネスをどう導入するか？
- 呼吸のマインドフルネスの方法と終了後のフォロー
- 心配に対する AWARE 技法とは？

1. マインドフルネスとは何か？

　専門家のコンセンサスが得られたマインドフルネスの定義の一つに「開かれた姿勢で，受容し，好奇心のこもった眼差しを向けつつ，目の前の体験に

注意を向け続ける (Bishop et al., 2004)」がある。マインドフルネスでは，周囲の出来事（誰かと話をするなど）か，内面の出来事か（思考，感情，身体，心の感覚など）によらず，「今ここ」で起きていることに注意を向ける。そして，何が起きていても決めつけない態度でそれを体験しようとする。マインドフルネスは，クライアントが不適応的な思考プロセスにはまっているとき（強迫的に考えたり，反すうしたり，心配や自己批判に苦しんでいたりするとき）に特に役立つ。また，内面からの刺激（たとえばネガティブな感情，思考，イメージ，渇望，痛みなど）を恐れている場合にも役に立つ。

マインドフルネスは，思考との付き合い方を変える手助けをしてくれる。思考と関わるときに，たとえばその妥当性に疑問を投じる代わりに，そうした思考を（決めつけや価値判断をしないで）自然に来ては去るままにする。役に立たない思考や苦痛な内的刺激を排除することが目標なのではない。それは通常不可能で，非適応的ともいえる。代わりに，マインドフルネスは，内的体験を検討したり変えようとしたりはせず，決めつけずに観察して受容することを手助けしてくれる。つまり，「今，この瞬間」に注意を向けつつ，同時に，開かれた姿勢で，受容的で，好奇心を向けられるようになる。

マインドフルネスにはたくさんの種類があるが，その中で3つ紹介する。

---

1. 思考のマインドフルネス
   過度に反すうするクライアント，心配が強いクライアント，または侵襲思考やイメージを抑圧しようとするクライアントに向いている。
2. 内的刺激のマインドフルネス
   強い感情やその他の苦痛な内的体験によい。
3. セルフ・コンパッションのためのマインドフルネス
   激しい自己批判に苦しむクライアントによい。

本章では，呼吸に注目する，思考のマインドフルネスをみていく。抑うつ的な反すうをしているクライアントを題材とする。

エイブの反すう

　典型的な反すうのシナリオをみてみよう。エイブはリビングのソファに座ってテレビを観ていたが，一連の抑うつ的な思考が頭をめぐって集中できないでいた。「なぜテレビを観ているんだ？　本当は仕事を探しているべきなのに。人生を無駄にしている。自分はダメな人間だ。以前はよい人生だったけど何もかもが悪くなり，もう希望がない。気分は二度とよくならないだろう」。こうした思考を反すうし，悲しみと絶望感へとつながっていき，身体が重く感じられて，自信と意欲も弱くなった。価値に沿った行動をするのではなく，いつまでもソファに座り続けた。

　治療の当初，エイブとセラピストはそうした思考を一緒に検討し，エイブの気分は，セッション中はいくらか気持ちがやわらいだ。しかし，それを自宅でも実践したにもかかわらずその考えは繰り返し戻ってきた。うつ病のクライアントには一定の割合でこのようなことが起こるものであるが，エイブには，役立たない思考の反すうが起きていて，それから離れられずにいた。彼は次のように考えていた。

「失職した理由と，離婚された理由を一生懸命考えれば，こうした悪いことがまた起きるのを避ける方法を見つけられるだろう」
「そもそも初めになぜうつ病になったのかを探り出せれば，気分がよくなるだろう」

　また，心配事に対しては，次のような信念を抱いていた。

「問題を予測しておけば，それを予防できるだろう」

　こうした信念は，ある状況では機能的かもしれないが，同じネガティブな思考が繰り返し湧くようになると極めて非機能的になる。ほどなく彼は別の非機能的な考えを抱くようになった。

「一度このように考えはじめるとやめられない」

　思考を検討して対応することは重要ではあるが，エイブのこのような信念を変えるうえでは効果が不十分であった。そこでマインドフルネスは役に立った。マインドフルネスによって，エイブは，反すうしている瞬間にそのことを自覚できるようになった。そして，その体験とネガティブな感情を受容したうえで，思考に関わらないことを選べるようになった。当初は，呼吸に注意を向けることによって，後半では，周囲で起きていることに注意を向けることによって，それができるようになった。

2．フォーマルとインフォーマルなマインドフルネス実践

　マインドフルネスの実践にはフォーマルとインフォーマルの2種類がある。フォーマルなマインドフルネス瞑想では，瞑想のための時間をしっかり取り（5〜60分），静かな場所で，特定の体験（呼吸，身体の様々な部分，動作，思考，感情，周囲の様子，音など）に注意を向ける。対象から注意が離れてさまよったことに気づいたら，それをありのままに受け入れ，体験へと注意を向け戻す。フォーマルな瞑想は，初めは5分程度の実践から始めるのがよい。多くのクライアントで，フォーマルなマインドフルネス実践は短いほうが継続する見込みが高くなる。

　インフォーマルな実践も勧められる。マインドフルネスの原則を日々の体験に適用して，その瞬間にしていることや起きていることに心を開き，受容し，決めつけをせず注意を向けることである。心が未来や過去にさまよい，それ以上考えても役に立たないときは，注意を現在の体験へと連れ戻す。また，望まない思考や感情や感覚に不快感を覚えたら，その不快感そのものに注意を向けて，それをコントロールしようとするのではなく，そのままにし，今までしていた作業に注意を戻す。

3. 自己実践

　筆者自身の経験から読者にぜひお勧めしたいのは，マインドフルネスを自ら実践することである。筆者は，朝起きるとフォーマルなマインドフルネス・エクササイズを5分間実践する（呼吸に注意を向ける）。また，インフォーマルなマインドフルネスも日中様々なタイミングで行う。食べながら，歯を磨きながら，休憩を取りながら，などである。自然を眺め，感覚を通じて日々の瞬間を体験すると，仕事や生活のストレスから離れ，周りの環境を味わうことができるようになる。心がさまよっていることに気づいたら，その瞬間の体験に注意を連れ戻す。ほとんどどんな体験に対してもマインドフルになれるものである。マインドフルに散歩できるし，運転できるし，課題や雑用もこなせるし，セルフケアの活動ももちろんできる。そうした日常生活内の実践に加えて，役立たない思考のサイクルから抜けられなくなっている自分に気がついたときにも，（そのときに5分間の瞑想ができる状態なら）フォーマル，または，インフォーマルなマインドフルネスを行う。読者も，ぜひマインドフルネスの実践を習慣づけるとよい。マインドフルネスの恩恵を3つ挙げると：

1. ストレスが減って，幸福感が高まる。
2. マインドフルネスの技法を理解してクライアントに説明しやすくなる。
3. セラピスト自身が体験したマインドフルネスのメリットを自己開示できると，クライアントを動機づけやすくなる。

4. マインドフルネスを導入する前に使う技法

　マインドフルネスを単独のスキルとして教える認知行動療法家もいるが，マインドフルネスを認知行動療法に統合したほうがはるかに効果的だと筆者

は考えている。抑うつ的な反すうを例に，マインドフルネスを導入する**前に**行っておきたい重要戦略を以下に示す。

---

1. 認知モデルについて教育する。
2. 「思考を反すうすること」の利益と不利益と，「"今，この瞬間"に注意を向ける（そして，反すうの代わりに問題解決法やマインドフルネスのスキルを使う）こと」の利益と不利益を比較検証する。
3. 反すうすることに価値があるとクライアントが考えている場合，その考えが正しいかどうかを，ソクラテス式質問法を使って検証する。
4. 反すうが，いかに，価値に沿った人生を生きることを妨げるかについて話し合う。
5. 思考の反すうに対してマインドフルネスがどう役立つかを教育する。
6. 思考の反すうをセッション中に始めてもらう。
7. ネガティブな感情の強さを評価してもらう。

次にクライアントをリードしながら，マインドフルネス・エクササイズを5分ほど行う。クライアントが家でも実践できるよう録音しておく。マインドフルネス・エクササイズの**後に**，次の戦略を行う。

---

1. ネガティブな感情の強さを再評価してもらう。
2. クライアントの体験について結論を引き出せるように導く
   （思考の反すうに関する非機能的な信念をさらに修正するため）。
3. アクション・プランを協働的に設定する。
   通常は，フォーマルなマインドフルネスを毎朝5分程度行い，日中，インフォーマルなマインドフルネスを戦略的に用いて反すうから離れるようにする。

呼吸のマインドフルネスなどのエクササイズを始める前に，クライアントに役立たない思考の反すうを体験してもらう利点が2つある。

1. マインドフルネス・エクササイズが,「反すうはコントロールできない」という非機能的な信念を検証する行動実験となる。マインドフルネス・エクササイズによって反すうをいくらかコントロールできると,セッションとセッションの間にも練習する動機づけが高まる。
2. クライアントが日常生活の中でマインドフルネスを使う条件を再現することが重要である。セッション中のリラックスした状態だけでマインドフルネスを教えても,日々の生活の中で「苦しくて反すうしているときにマインドフルネスは効果がなかった」という結果に終わってしまうかもしれない。

5. クライアントにマインドフルネスを紹介する

次に,セラピストは呼吸のマインドフルネスをクライアントと一緒に実践した。

セラピスト:考えを反すうすることは,気持ちを楽にするうえで役立っていなさそうですね?
エイブ　　:ええ。
セラピスト:今日はマインドフルネスについてお話ししますね。反すうを減らしやすくする技法です。決めつけない姿勢で自分の考えに注意を向けて,考えがやってきては去るままにしながら,「今,この瞬間」に起きていることに注意を集中します。そうすることで,考えから距離をとることができるようになります。
エイブ　　:はい。
セラピスト:ではまず,ご自宅と同じように考えの反すうを体験してみてから,マインドフルネスを実践してみましょう。椅子に深く腰掛けて眼を閉じましょう。開けていたほうがよいのでしたらそれでもかまいません。
エイブ　　:(深く座って,眼を閉じる)

セラピスト：（5秒間の沈黙）では，ご自分の人生と将来について，もう一度考え始めてください。心の中でも，声に出してでもかまいません。週末にソファに座っていたときと同じように——仕事を探さないといけない，人生を無駄にしていると感じる，自分がダメな人間に思える，人生は何もかもが悪くなった，希望がなく，今後気分がよくなることはないだろうと思うこと。
（30秒間の沈黙）どのようなお気持ちですか？

エイブ　　　：悲しいです。

セラピスト：1～10までの強さで言うと？

エイブ　　　：8くらいです。

　次にセラピストは，クライアントの携帯電話のアプリで録音し始める。

セラピスト：では，眼を閉じたままでいてください。呼吸に注意を集中しましょう。呼吸をするときの感覚に注意を向けます。
（10秒間の沈黙）空気が鼻から入ってきては出ていく様子に注意を向けます。肺や胸やお腹が膨らんではしぼむ感覚に注意を向けます。体全体の感覚に注意を向けてもかまいませんし（間を置く），空気が鼻を出入りする感覚のように，特定の感覚に注意を集中してもかまいません。心地よいほうで結構です。
（30秒間の沈黙）そうしているうちに，心がさまよい出すのに気がつくでしょう。様々な思考が湧いてきます。あるいはしばらく前から考えの反すうにはまりこんでいたことに気がつきます。そのことに気づいたら，注意をそっと呼吸へ戻してきます。
（45秒間の沈黙）心が何度さまよっても，そのたびに，それが起きたことをただ認識して，注意の焦点を呼吸へとそっと戻します。
（30秒間の沈黙）心がさまよっていったときに，ご自分を批判

する必要も，苛立つ必要もありません。なぜなら，心はさまよっていくものだからです。それが起きたことに注意を向けるだけでよく，そして，もう一度注意の焦点を呼吸へと，やさしく連れ戻してきます。

（40秒間の沈黙）呼吸に注意を向けながら，背後に考えがあるのに気づくかもしれません。考えを追い払う必要はなく，変えようとする必要もありません。そうした考えがそこにあることにただ注意を向けて，自然に消えていくままにして，注意の中心は呼吸の感覚に向けたままにします。（60秒間の沈黙）

6. マインドフルネス・エクササイズの後に使う技法

セラピストは録音を止めて，クライアントに眼を開けてよいと伝え，それから一連の質問をする。

「今の悲しさは，0～10で言うとどれほどでしょうか？」

「エクササイズをしてみて，いかがでしたか？」

「どんなことに気がつきましたか？」

「心がさまよっていくようでしたか？」

「注意を呼吸へ戻せましたか？」

（戻せたなら）「反すうを手放すご自身の力について，どんなことが言えるでしょう？」

「マインドフルネスを実践していると，感情はどのようになったでしょうか？」

「そこから何がわかると思いますか？」

「役に立ったでしょうか？」

「これをアクション・プランの一つにするのはどうでしょうか？」

クライアントが，役に立たない思考から抜けられなくなっていたり，不快

な内的体験に巻き込まれたりしている，と気づいたときには，フォーマル（可能な場合），または，インフォーマルなマインドフルネス・エクササイズのどちらかを使うよう促す。セラピストは様々なフォーマルなマインドフルネス・エクササイズを学んでおくとよい（Hayes et al., 2004; Kabat-Zinn, 1990; Linehan, 2018; McCown et al., 2010; Segal et al., 2018 などを参照）。そうすると，目の前のクライアントにとっていちばん効果がありそうなものを選べるだろう。beckinstitute.org/CBTresources には，認知行動療法にマインドフルネスを統合する方法をステップごとに学べる資材や，マインドフルネスのビデオがある。

7. AWARE（気づき）の技法

マインドフルネスに基づく AWARE の技法は，クライアントが過度に心配していたり，過度な不安を体験していたりするときに使うために設計された技法である（Beck & Emery, 1985）。怒りや抑うつに関連した反すうにも適用できる。以下にステップを記す。

> 1. 不安（または他の感情）を受容する（Accept）
> 2. 不安を観察する（Watch）
> 3. 不安に対して建設的に行動する（Act）
> 4. そのステップを繰り返す（Repeat）
> 5. ベストを期待する（Expect）

それぞれのステップは付録Cで説明している。クライアントにこの技法を教える際は，近々不安を感じると予測される状況を簡単に描写してもらい，それから，状況があたかも今起きているかのように想像してもらいながら，5つのステップを使っているところをイメージしてもらう。

8. まとめ

　マインドフルネスでは，開かれた姿勢で，受容的に，目の前の体験に関心のこもった眼差しを向ける。マインドフルネスは治療効果が実証されている。思考の反すう，心配，強迫的な思考，自己批判，内的体験の回避には特に有効である。マインドフルネスは単独の技法として教えるよりも，治療に統合するほうが高い効果が見込まれる。クライアントには，フォーマルとインフォーマルの両方のマインドフルネス技法を毎日実践するよう促すとよい。

> **振り返りのための問い**
> ・あなたにとって，マインドフルネスの実践を取り入れるとどのように役立つでしょうか？

実践エクササイズ

　自分でフォーマルなマインドフルネス・エクササイズをしてみましょう。録音機材や携帯電話のアプリを使って，本章前半のフォーマルなマインドフルネス実践の記述（セラピストがエイブの携帯電話で録音する部分）を読み上げて録音しましょう。

　次に，静かな場所を見つけ，楽な姿勢になります。床に座っても椅子に座ってもかまいません。横になっても，立っていてもかまいません。

　眼を閉じてみます（開けたままでも構いません）。心配し過ぎ，思考の反すう，自己批判，ネガティブな感情や思考の回避，痛みや苦しみ，渇望があるときは，そうした思考や不快な体験をしている自分自身に優しく接するようにします。

　マインドフルネス・エクササイズを始めましょう。録音に耳を傾けます。注意がさまようのは正常であることを忘れないでください。自分を批判した

り決めつけたりはしません。心がさまよっていったことに気がつくたびに，ただ，呼吸へと注意を戻します。マインドフルネスを始める前の気持ちと，した後の気持ちを，比べてみましょう。

　次に，インフォーマルな実践を5分ほどしてみましょう。窓の外を見たり，絵画を眺めたり，散歩をしたり，その他，目の前の活動に専念しましょう。五感を使って気づきを広げ，その瞬間の体験を受容し，開かれた態度で，目の前の体験に関心を向けます。心がさまようたびに，自分を批判せずに注意の焦点を目の前の体験へとそっと戻します。

第17章　信念

　これまでの章では，自動思考を同定し修正する方法を学んだ。それらの自動思考は，特定の状況で実際の言葉やイメージとしてクライアントの頭に浮かび，感情的な苦痛や役に立たない行動につながっているものだった。本章と次章では，さらに深いレベルにあり，言語化されることの少ない考えや解釈についてみていく。うつ病のクライアントの場合，自分自身，他者，世界について，そうした深いレベルの考えを有しており，それが特定の自動思考を生み出す源となっている。そのような考えは，セラピーが始まる前にはほとんど表現されることがない。とはいえ，セラピーのなかで容易に引き出したり推測したりできるものが多く，検証が可能である。従来の認知行動療法では，クライアントが抑うつモードにいるときに活性化される不適応的（ネガティブで役に立たず，非機能的）な信念を強調していたが，リカバリー志向の認知行動療法では，適応的（ポジティブで役に立ち，機能的）な信念をより重視し，クライアントが適応的なモードに移行できるように支援する（Beck, Finkel, & Beck, 2020）。

　第3章で説明したように，信念は，媒介信念（ルール，構え，思い込みからなる）と中核信念（自分，他者，世界についての全般的な考え）の2つのカテゴリーに分類される。不適応的な媒介信念は，自動思考ほど容易に修正できないが，中核信念に比べれば修正しやすい。次章で示すように，信念を修正するには，それがどちらのカテゴリーであっても同様の技法を使っていく。

　本章では，以下について解説する。

- 適応的（ポジティブ）な中核信念，不適応的（ネガティブ）な中核信念，スキーマ，モードとは，それぞれどのようなものだろうか？
- 適応的または不適応的な中核信念や媒介信念を同定するには，どうすればよいだろうか？
- 不適応的な信念を修正するかどうか，どのタイミングでそうするのがよいかを，どのように判断するだろうか？
- 不適応的な信念について，クライアントにどのように心理教育をすればよいだろうか？
- 信念を変える方向にクライアントを動機づけるには，どうしたらよいだろうか？

1. 中核信念，スキーマ，モード

中核信念とスキーマ

　中核信念とは，その人が自己，他者，世界について有する最も中心的な考えのことである。適応的な信念は，現実的かつ機能的であり，さほど極端ではない。非機能的な中核信念は，硬直的かつ絶対的であり，不適応的な情報処理を通じて維持される。こうした信念を「スキーマ」と呼ぶ専門家もいる。Beck（1964）は，スキーマは心のなかにできる認知構造であると述べ，信念とスキーマを区別している。ピアジェ学派の言うスキーマには，透過性（変化の受け入れやすさ），規模（その人の全般的な自己概念と比べたときの大きさ），チャージ（低いものから高いものまで，その強さの程度を示す），内容といった様々な特徴が含まれる（Beck, 2019）。スキーマの内容は，認知的（信念の中に表現される）かもしれないし，動機づけに関するかもしれないし，あるいは，行動的，感情的，身体的なものかもしれない。

　中核信念はかなり幼い時期から形成されはじめ，遺伝的傾向と，周囲にいる重要他者と，その人自身が体験や環境に付与する意味との影響を受けなが

ら発達する。そしてやがて，中核信念のテーマに関連する状況が起きると，その中核信念を含むスキーマが活性化する（図 17.1, 17.2）。抑うつ状態にあると，クライアントのネガティブなスキーマが継続的に活性化されるようになるかもしれない。たとえば，エイブも，うつ病の急性エピソードを発症する前は，自分のことをそれなりに有能な人間だと考えていた。ところが，ひとたびうつ病を発症すると，自分のことを「能力がない」とみなし始めた。

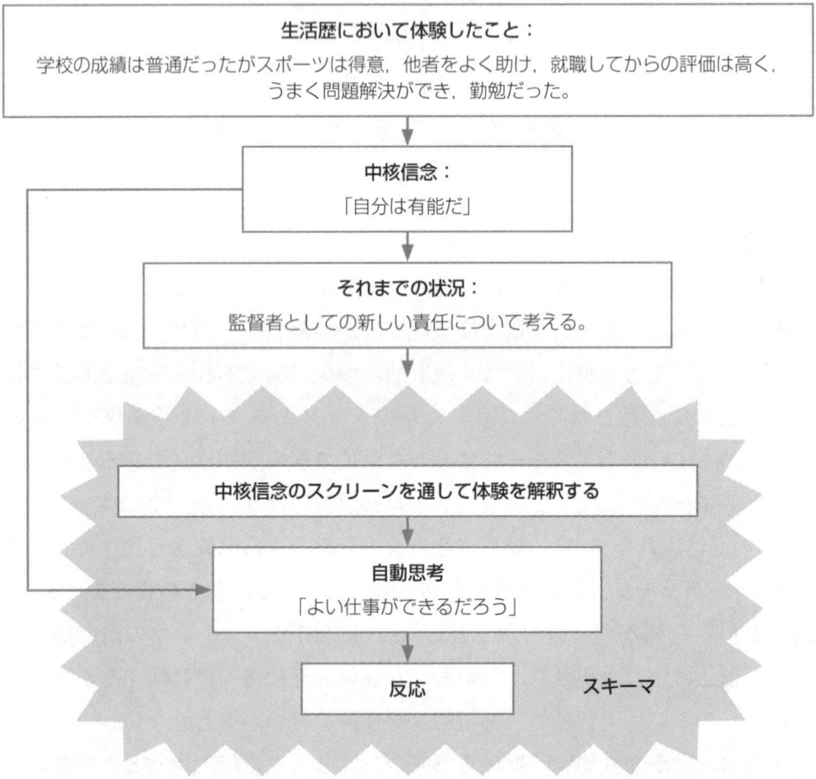

生活歴において体験したこと：
学校の成績は普通だったがスポーツは得意，他者をよく助け，就職してからの評価は高く，うまく問題解決ができ，勤勉だった。

中核信念：
「自分は有能だ」

それまでの状況：
監督者としての新しい責任について考える。

中核信念のスクリーンを通して体験を解釈する

自動思考
「よい仕事ができるだろう」

反応　　スキーマ

図 17.1　適応的なスキーマが活性化されたときの影響（エイブ）

第 17 章　信念　*401*

スキーマがひとたび活性化されると，一般的には次の3つのことが起きる。

> 1．クライアントは新たな体験を，中核信念に沿って解釈する。
> 2．スキーマが活性化されたことで，中核信念が強化される。
> 3．他の種類のスキーマも同時に活性化される。

従来の認知行動療法が非機能的な認知的（または行動的）スキーマを修正することを重視する理由には，スキーマが他のスキーマにも影響を与えるからである。

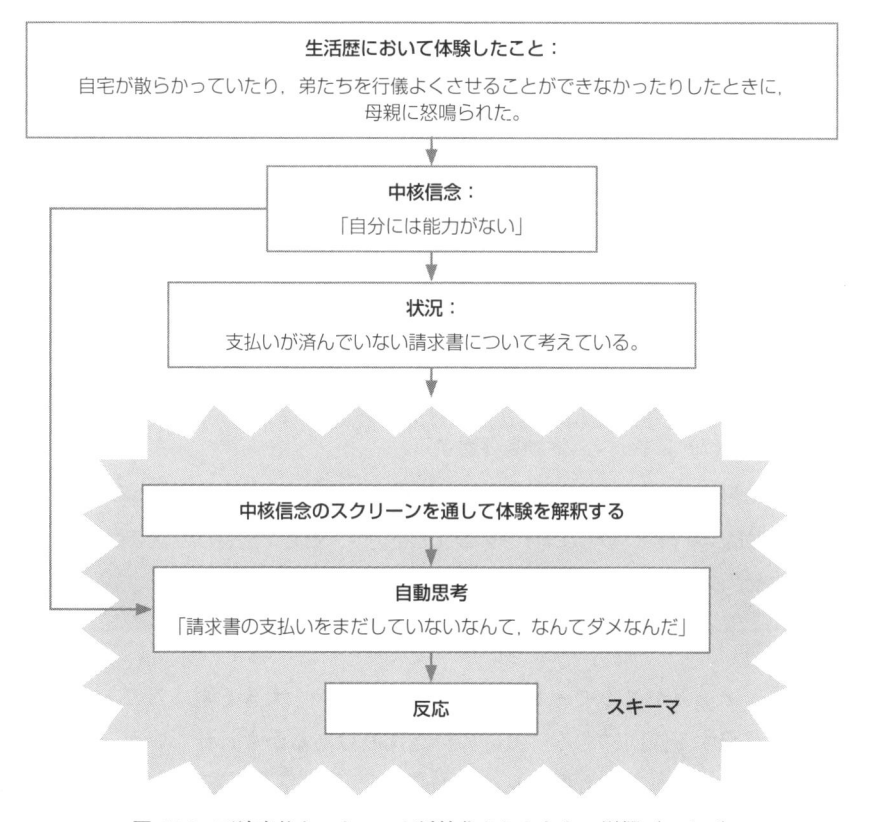

```
生活歴において体験したこと：
自宅が散らかっていたり，弟たちを行儀よくさせることができなかったりしたときに，母親に怒鳴られた。

中核信念：
「自分には能力がない」

状況：
支払いが済んでいない請求書について考えている。

中核信念のスクリーンを通して体験を解釈する

自動思考
「請求書の支払いをまだしていないなんて，なんてダメなんだ」

反応            スキーマ
```

図 17.2　不適応的なスキーマが活性化されたときの影響（エイブ）

モード

相互に関連し同時に活性化するスキーマのクラスターは「モード」と呼ばれる。セラピストは毎回のセッションで，抑うつモード（または「クライアント／患者」モード）を不活性化し，適応的なモードを活性化しようと取り組む（Beck et al., 2020）。

適応的なモード

ほとんどの人は，人生の大部分において，おおむね現実的でバランスの取れた，そして少なくともいくらかはポジティブな中核信念を維持している（例：「私は実質的にはコントロールできている」「私はたいていのことは上手にこなせる」「私は人として機能できている」「私は必要になれば自分を守れる」「私はおおむね人に好かれる」「私には価値がある」）。クライアントが適応的なモードにいるときは，より機能的なスキーマが活性化されており，信念もより現実的（p.46 の図 3.1 参照）で柔軟である。その際，ネガティブな中核信念は，相対的に潜在している。適応的なモードには以下のようなものがある。

- 認知的スキーマ：自分には影響力がある，自分は人に愛される，自分には価値がある，など。
- 動機づけ的スキーマ：活動を促進する。
- 情動的スキーマ：希望，楽観主義，幸福と目的のある感覚，満足，など。
- 行動的スキーマ：アプローチする（あるいは，ときに健全な回避を行う）。
- 身体的スキーマ：正常レベルのエネルギー，食欲，性欲，など。

クライアントがこのモードにあるときは，体験を大きく歪めることなく，明確に解釈する傾向にある。気分の浮き沈みはあるかもしれないが，抑うつモードにあるときよりも機能レベルが高い。

抑うつモード

クライアントが抑うつモードにあるとき，スキーマは非機能的で，信念は極端でより偏っている（p.48の図3.2）。ポジティブな信念は陰に潜んでしまう傾向にある。抑うつモードには以下のようなものが含まれる。

- 認知的スキーマ：自分は無力である，自分は愛されない，自分には価値がない，など。
- 動機づけ的スキーマ：エネルギーを使わないようにする。
- 情動的スキーマ：悲しみ，絶望感，ときにイライラ，罪悪感，怒り，不安など。
- 行動的スキーマ：回避と引きこもり
- 身体的スキーマ：疲労，食欲減少（または増加），性欲減少，など（Clark et al., 1999）。

Beck（1999）は，自己についてのネガティブな中核信念は，「無力である」に関連するものと，「愛されない」に関連するものの2つに大別されると理論化した。さらに「価値がない」という3つ目のカテゴリー（図3.2）についても説明している（J. S. Beck, 2005）。うつ病のクライアントのネガティブな中核信念をみると，これらのカテゴリーのどれか1つにほとんど当てはまることもあれば，2つまたは3つのカテゴリーに当てはまることもある。1つのカテゴリーについて信念を1つだけ有するクライアントもいれば，1つのカテゴリーにいくつもの信念を有するクライアントもいる。

クライアントのネガティブな中核信念がどのカテゴリーに当てはまるかがすぐにわかる場合がある。「私は無力だ」「私は愛されない」といったフレーズをクライアントが実際に口にする場合はなおさらである。しかし，いつもそうだとは限らない。たとえば，うつ病のクライアントが「私はダメな人間だ」と言ったとする。こういった認知は，そこに含まれる**意味**を探り出さない限り，クライアントが自分をダメだと信じているのが，物事を十分に達成できなかったから（「無力だ」のカテゴリー）なのか，他の人に愛されるだ

けの人間ではないと信じているから（「愛されない」のカテゴリー）なのかを判断できない。同様に，クライアントが「私は価値がない」と言う場合，物事を十分に達成できないことを意味している（「無力だ」のカテゴリー）かもしれないし，自分に何か問題があって他者からの愛情や親密さを維持できないことを意味している（「愛されない」のカテゴリー）かもしれない。「私は価値がない人間だ」という認知が「価値がない」という第3のカテゴリーに当てはまるのは，クライアントが自らの達成や愛されやすさではなく，道徳心のなさや有害さを懸念しているときである。

他者，世界，未来についての中核信念

　心理的な問題を持たない人は，一般にバランスの取れた視点から他者と世界を眺めている（例：「私は全員ではないが多くの人を信頼できる」「ほとんどの人は，ときに例外はあるだろうが，私にとって中立か無害である」「私が生きている世界は，危険なところがあるかもしれないが，安全で安心できるところが多い」「世界は複雑で，よい部分も，中立的な部分も，悪い部分もある」）。一方，心理的に問題を抱えている人の場合，周囲の人や自分を取り巻く世界に対して，ネガティブで，どちらかと言えば絶対的な中核信念を抱いていることが多い（例：「他者は信頼できない」「他者は皆，私より優れている」「他者は私に対して批判的だ」「他者は私を傷つける存在だ」「この世界はひどい場所だ」「世界は危険だ」）。未来に対しても，うつ病でない人は，一般的にバランスの取れた見方をしており，ポジティブな体験も，中立的な体験も，ネガティブな体験もたくさんあるだろうということを理解している。しかし，うつ病のクライアントの場合，未来は暗く，絶え間なく不幸で，満足感や喜びはほとんどなく，コントロールできないと考える。

　自己についてのネガティブな中核信念に加えて，こうした固定的で過度に一般化された考えも，治療のなかで検討し修正していくことになる。多くの場合，より現実に基づいた考えを強化する必要があり，そのために，クライアントに質問をして，中立的なあるいはポジティブな体験から結論を引き出してもらう（この体験は，あなた自身についてどのようなことを示している

でしょうか？　他者については？　世界については？　あるいは未来についてはどのようなことが言えそうでしょうか？）。

エイブの中核信念

　うつ病を発症する前のエイブは，有能に行動して力を発揮できており，自分でそのことを認識していた。その当時も，うつ病になってから直面した状況と似た状況に遭遇したことはあったが，そのようなときは適応的な信念が含まれるスキーマが活性化され，今とは異なる解釈をしていた。能力がないことを示しているかもしれない徴候があっても，状況限定的に捉えることができていた。たとえばちょっとしたミスをしたときは，「こんな間違えをするのではなかった。でも，まあ，いいか」と思って，気分は落ち込まなかった。娘の誕生日を忘れたときも，「仕方がない。最近，あまりにも忙しかったから」と考えた。

　抑うつ症状が重くなるにつれて，エイブのポジティブなスキーマは不活性化され，「自分は無能だ／失敗者だ」「自分は無力だ／コントロールできない」という認知を含むネガティブなスキーマが，始終活性化されるようになった。抑うつモードにはまり込んでしまうと，極度にネガティブで全般的な見方で状況を解釈し，そのように解釈された状況が，ネガティブな信念をさらに強化した。エイブにとって，自分のことを「無能だ」「力を発揮できない」と思うこと自体が非常に苦痛だった。そんな自分は，エイブ自身が非常に大切にしてきた価値に反するからである。エイブは，責任を果たし，生産的であり，よい仕事をする自分にずっと誇りを感じてきた。しかしうつ病になってからは，そういった大切な価値を，自分はもう満たすことができなくなってしまったと認識した。p.51 の情報処理モデル（図 3.3）にあるように，エイブは，長方形で示されているネガティブなデータを過度に強調し，一般化しすぎるようになった。その結果，「自分は無能でダメな人間だ」という信念が強化され続けることとなった。たとえば，請求書の支払い期限が過ぎているという通知を郵便で受け取ったとき，エイブはこの情報を自分の無能さを裏づけるものとして即座に解釈した。

エイブは一方で,「自分はそこそこ力を発揮できている」というスキーマに関連するかなりの量のポジティブなデータを,認識し損ねていた。たとえば彼は,抑うつ症状にもかかわらず,いくつもの日ごろの活動を続けることができていた(例:キッチンで使う電化製品について娘のために調べる)。もし,このときに電化製品の選択肢が多すぎて自分が圧倒されてしまっていたら,エイブはその体験もネガティブな視点で眺めて,不適応的な中核信念の証拠として解釈していただろう。つまり,図3.3で言えば,ポジティブを意味するこうした三角形は「はねのけられ」て,スキーマに組み込まれない。他にもエイブは,体験を「はい……。でも……」の形式で解釈することを通じて,ポジティブな情報を割り引いてとらえていた(「はい,居間に山積みになっていた書類をやっと処理しました。でも,そもそもあんなに書類を溜めてはいけなかったのです」)。次の日に,ケーブルテレビの回線使用料の値引き交渉に成功したときも,彼の頭のなかでは,このポジティブな証拠を自動的に割り引いた(「もっと前に交渉するべきだった」)。この2つの体験は,彼のネガティブな中核信念とは相容れないものだった。そのため,これらのポジティブな三角形は,ネガティブな四角形に変形されてしまった。

エイブは,意識的にこのような非機能的な方法で情報を処理していたわけではない。この種の情報処理は,うつ病の症状であり,自動的に起きる。セラピストは,エイブのネガティブな中核信念に直接取り組んで修正することが,現在の抑うつ症状の改善だけでなく,将来の抑うつエピソードの重症化を防止するうえでも重要だと考えた。

> **臨床のコツ**
>
> ポジティブな中核信念については,通常,治療の初期段階から直接的にも間接的にもその強化に取り組む。一方,ほとんどのクライアントにおいて,ネガティブな中核信念については治療の初期段階ではそれを直接的に検討する準備が整っていない。あまりにも早い時期にネガティブな信念を検討しようとすると,クライアントは,「セラピストは私のことを理解していない。理解してくれていたら,私の中核信念が正しいと

いうことをわかってくれるはずだ」と思うかもしれない。強力でネガティブな信念を引き出すことによって，強いネガティブ感情が引き起こされ，それが治療からの早期脱落につながってしまう可能性がある。

2．適応的な中核信念を同定する

　治療のできるだけ早い段階から，より現実的で適応的な中核信念を同定し始める。インテークセッションでも初回セッションでもよいので，人生でいちばんよかった時期をクライアントに尋ねて語ってもらう。次に，その時期に自分をどのように見ていたか，またそれに関連して，周囲や世界をどのように見ていたかについても尋ねる。さらにその当時，他者がクライアントをどう見ていたかについても話してもらう。

セラピスト：ご自分の生活歴を振り返ってみて，これまでの人生でどの時期がいちばんよかったと思いますか？
エイブ　　：高校を卒業した後でしょうか。
セラピスト：なぜその時期がいちばんよかったと言えるのですか？
エイブ　　：実家から出て，自立した生活を楽しんでいました。ルームメイトとは親友でしたし。建設関係の仕事をしていて，現場監督には私の仕事を褒めてもらいました。
セラピスト：他には？
エイブ　　：（考える）そうですね，身体もとても引き締まっていて，ガールフレンドもたくさんいました。もちろん妻に出会うまでのことですが。あと，仲間と出かけることも好きでした。
セラピスト：自分のことをどのように思っていましたか？
エイブ　　：「いい奴」でしょうか。
セラピスト：人から好かれて，周りの人を助けることができて，価値がある，という感じですか？

エイブ　　　：そうですね。
セラピスト：能力があって，物事をコントロールできるという感じも？
エイブ　　　：そうですね，そういう感じもありました。
セラピスト：周りの人も，あなたをそのように見ていましたか？
エイブ　　　：（考える）ええ，たぶんそうだと思います。
セラピスト：つまり，ご自身についてなかなか健全な見方をしていて，周りの人もそうだったのですね。それにその見方はかなり正確だったように思えます。
エイブ　　　：そうだと思います。
セラピスト：今も自分のことをそのように思えますか？
エイブ　　　：いいえ，ちっとも。今の私は何一つまともにできません。私はダメな人間です。
セラピスト：私たちがセラピーで取り組んでいくことの一部に，あなたのその考え，つまり「自分はダメな人間だ」という考えが正確なのか，それともうつ病によって引き起こされたものなのか，を検討するということがあります。おそらくあなたは有能な人で，今は一時的に抑うつ的になっているのでしょう。

　セッションが進んだら，うつ病になる前の時期に自分をどのように見ていたかをクライアントに尋ねるとよい（p.71 にある長所のリストが役立つだろう）。クライアントの機能レベルが落ちていることを，生まれながらの特徴ではなく，病気や症状といった「状態」に帰属するほうが有用である。

セラピスト：ジョセフが雇われて新しい上司になったときよりも前のことについてお話ししませんか？　あなたが調子よく仕事ができていた頃のことです。その頃は自分のことをどのように見ていましたか？　能力がないとか，ダメな人間だとか，そんなふうに考えていましたか？
エイブ　　　：いいえ，完璧ではありませんが，仕事はちゃんとできていました。

セラピスト：当時は「私は基本的には有能だ」という信念があったのでしょうか？

エイブ：そうです。

セラピスト：そうですね。今はうつ病が妨げになって，思うようにちゃんと**行動**できないのですよね。ここではそのことについてあなたを手助けしたいのです。そして，あなたに知っておいて欲しいのは，あなたが能力を**失った**わけではない，ということです。無能な人に**なった**わけではありません。うつ病が悪さをしているのです。よろしいでしょうか？

エイブ：（うなずく）

セラピスト：私は正しく理解できているでしょうか？　あなたは重度の抑うつ状態にあります。それでも毎日ベッドから起き上がっています。着替えて，基本的な身づくろいをしています。お孫さんの試合を見に出かけていますし，いとこを助けてもいます。（間を置く）少なくともこれらの事柄については，あなたは有能だということが言えるのではないでしょうか？

エイブ：ええ，そうだと思います。

セラピスト：そして，あなたがうつ病から回復するにつれて，さらに有能で生産的な行動が取れるようになるでしょう。

> **臨床のコツ**
>
> クライアントが以前の適応的な信念を表現できないときは，セラピストが，より現実的で機能的な新しい信念を生み出して，その方向にクライアントを導く。新たな信念はバランスが取れている必要がある。以下に例を挙げる。
>
> **古い中核信念**　　　　　　　　　**新しい中核信念**
>
> 「私は（まったく）愛されない」　　「私はおおむね人に愛されている」
>
> 「私はダメだ」　　　　　　　　　　「今のままの私でいい」

「私は無力だ」	「コントロールできることがたくさんある」
「私はどこかに問題がある」	「私は皆と同じで，強みも弱みもある」

3．不適応的な中核信念を同定する

クライアントのネガティブな中核信念を引き出すうえで役に立つ戦略がいくつかある。以下に例を挙げる。

- 自動思考に含まれる中心的なテーマを探す。
- 「下向き矢印法」を用いる。
- 自動思考として表出された中核信念を見逃さない。

自動思考に含まれる中心的なテーマを探す

クライアントが提供する様々なデータ（問題，自動思考，感情，行動，生活歴）に対して，セラピストは「耳を澄まして」，それが中核信念のカテゴリーのどのスキーマに基づくものなのかを検討する。たとえば，エイブがネガティブな思考について話をするのは，仕事に応募できないこと，テレビばかり見て時間を無駄にしていること，請求書をオンラインで支払うときにしょっちゅうミスをしてしまうことに関連していた。そこでセラピストは，「無力である」のカテゴリーの中核信念が作用しているのだろうとの仮説を立てた。マリアは，友人に電話をかけるのが不安だと話し，周りの人に気遣ってもらえないことを繰り返し話し，自分に何か問題があって人間関係が続かないことに対する不安を話した。セラピストは，「愛されない」のカテゴリーの中核信念が活性化されていると仮説を立てた（実際には，その中核信念を含むスキーマが活性化されたと表現するのがより正確である）。

治療の初期段階では，そのような仮説はセラピスト側だけに留めておくと

よい。クライアントの中核信念についてセラピストの仮説を早いうちに伝えてしまうと，クライアントのなかに強烈な感情が喚起され，治療が安全でないと感じ始めてしまうかもしれないからである。治療が進んできたら，様々な状況で生じる関連し合う自動思考をクライアントと共に振り返り，根底にあるパターンについて結論を引き出そうとしてもよいだろう（「エイブ，これらの自動思考に共通するテーマが何かありそうでしょうか？」）。クライアントと一緒に立てた仮説を裏づける際には，中核信念がどのカテゴリーに分類されるかを検討し，それをクライアント自身がどのような言葉を使って表現しているかを理解することが重要である。また，クライアントが複数の異なる表現を使って，同じ一つの信念について語っていることを確かめることも重要である。

セラピスト：あなたが「自分はダメな人間だ」とおっしゃるのは，「自分は無能だ」とおっしゃるときと同じ思いでしょうか？　それとも別の考えでしょうか？
エイブ　　：全く同じです。こんなに能力がないから自分はダメな人間なんです。

下向き矢印法

　下向き矢印法を使うと，クライアントのネガティブな中核信念を同定しやすくなる。この技法では，自動思考（繰り返し表れるテーマを含むもの）が正しいとひとまず仮定するとして，その自動思考が有する**意味**について尋ねる。ただし，そのような質問によってネガティブな感情が強まることがあるので，通常，最初の数回の治療セッションではこの技法は使わない。

　はじめに，鍵となる自動思考において繰り返し表れるテーマを同定する。次に，その思考が自分自身について何を伝えているとクライアントが信じているのか，その意味を探る。

セラピスト：では，まとめてみましょう。アパートの部屋を見渡して，「あ

まりにもめちゃくちゃだ。こんな状態になるまで放っておくべきではなかった」と思ったのですね。

エイブ　　　：そうです。

セラピスト：そのような考えが本当のことなのかを確かめるだけの証拠を，私たちはまだ持ち合わせていません。でも，**なぜ**そのような思考が生じたのかを理解できるか，考えてみましょう。あなたの部屋が**現**にあまりにもめちゃくちゃで，そうなるまで放っておくべきではなかった，とひとまず仮定してみましょう。仮にそうだとしたら，そのことはあなたについて何を伝えている，ということになりますか？

エイブ　　　：さあ，どうでしょう。自分があまりにも無能だと感じるばかりです。

　　　　　　下向き矢印法の質問については，いくつかのバリエーションがある。
　　　　　「もしそれが本当だとしたら，どうなるのでしょうか？」
　　　　　「……の何がそんなにも悪いのでしょうか？」
　　　　　「……のどの部分が最悪なのでしょうか？」

　これらの質問を尋ねられることで，クライアントはまた別の自動思考や媒介信念を表出するかもしれない。その場合，その新たな認知がクライアントについて何を意味しているのかをさらに尋ねる。そのようなやりとりを続けることで，クライアントが抱いている自己についてのネガティブな中核信念にたどり着くことができるだろう。

自動思考として表出された中核信念
　クライアントが自動思考として信念を表出する場合が実際にある。これは特にうつ病のクライアントによく見られる現象である。

セラピスト：請求書の支払いを忘れたことで遅延金が発生してしまったことを知ったとき，どのようなことが頭に浮かびましたか？
エイブ　　：こんなことさえ，まともにできない。［自動思考］。自分はなんて無能なんだ。［自動思考かつ中核信念］

臨床のコツ

クライアントがネガティブな中核信念を同定するのに苦労しているときは，次の技法を使うと役に立つかもしれない。一つは，セラピストがクライアントの信念について仮説を立て，その妥当性についてクライアントに考えてもらう，というものである。

「マリア，あなたは様々な状況において，『誰も私なんかと一緒にいたくないだろう』『まずいことを言ってしまったらどうしよう？』といったことを考えるようですね。もしかしたら，『私は人に愛されない』とか『私は人に好かれない』といった信念があなたにあるのでしょうか？」

2つ目として，本書のp.48で紹介した非機能的な中核信念のリストを提示することができる。

セラピスト：大したこともできずに丸一日が過ぎてしまったことに気づいたとき，それはあなたにとって何を意味したでしょうか？　あなたについてどんなことが言えるのでしょうか？
マリア　　：わかりません。ただ動揺してしまったんです。
セラピスト：この中核信念のリストを見てみましょう。自分自身について感じていたことをうまく捉えている言葉がありますか？

臨床のコツ

問題となっている状況自体からは，クライアントの中核信念の同定が

容易でない場合がある。たとえば，周りの人に話を聞いてもらうことができずに苛立っているクライアントがいるとする。彼女の苦痛は対人的な状況においてのみ生じるのだが，彼女には「自分は愛されない」という信念はなく，むしろ「周囲の人にして欲しいことをしてもらうことに関して自分は無力である」という信念があった。「自分は価値のない人間だ」という気持ちを抱いている別のクライアントの場合，その気持ちは，何かを達成できなかったり誰かを助けられなかったりすること（「無力である」の信念）とは関連せず，また人間関係とも関連していなかった（関連していたら，「愛されない」の信念がある可能性があった）。そのクライアントは，自分には生まれつき非常にネガティブな資質があるがゆえに，「自分は悪い人間で，不道徳で罪深い」と信じていた（「無価値」のカテゴリーの信念）。

4．不適応的な媒介信念を同定する

　第3章で，媒介信念の3つのカテゴリーを紹介した。それは，思い込み，構え，ルールの3つであった。これらを同定するための技法がいくつかある。

・媒介信念が自動思考として表出されたときに気づく
・直接的に媒介信念を引き出す
・信念についての質問紙を実施して共有する

媒介信念が自動思考として表出されたときに気づく

　ほとんどの自動思考は，特定の状況に関連している。たとえば，「お母さんのことで助けて欲しいと友だちに頼まれたときに，うまく対応できなかった。友だちをがっかりさせるべきではなかったのに」「姪の誕生日を忘れてしまったのは，本当によくなかった」「娘の宿題の課題を手伝おうとして

も，どうせうまくいかないだろう」といったものである。しかし，なかには，もっと全般的な考えを表す自動思考もある。たとえば，「人をがっかりさせるのは，非常によくないことだ」「常にベストを尽くすべきだ」「難しいことをしようとすると失敗する」といったものである。後者の認知は，複数の状況に当てはまるため，これらは自動思考であると同時に媒介信念である。

直接的に媒介信念を引き出す

多くの媒介信念には，非機能的な対処戦略が含まれる。セラピストがそれらの対処戦略に関する行動パターンについて直接質問をすることで，クライアントの媒介信念を同定できることがある。一般的な質問を通じて，行動したときの結果や意味と，行動しなかったときの結果や意味について着目する。あるいは，「ルール」や「構え」から出発して，質問をしながら，それを「思い込み」の表現に変えていってもよい。クライアントがなぜその「ルール」や「構え」を保持しているのかを探るときに，セラピストはよくこの方法を使う。「思い込み」を同定できれば，行動から中核信念につなげていくことができる。以下に質問の例をいくつか示す。

セラピスト　：人に助けを求めることについて，どのような信念がありますか？［助けを求めることを回避することが対処戦略］
クライアント：それはもう，助けを求めるなんて弱さと無能さの証です。

セラピスト　：ベストな自分を見せようと努力しなければ，最悪の場合，どんなことが起きると思いますか？［「常にベストな自分を見せるべきだ」というのがクライアントのルール］
クライアント：私が魅力的ではないと皆に思われて，仲間に入れてもらえなくなります。

セラピスト　：高いレベルを達成できないということは，あなたにとってど

んなことを意味するのでしょうか？［「高いレベルを達成しなければならない」がルールで，「中程度のレベルはよくない」が構え］

クライアント：「私は他の人より劣っている」ということを意味します。

セラピスト　：ネガティブな感情を体験することの何がよくないのでしょうか？［「私は動揺してはならない」がルールで，「ネガティブな感情を体験するのはよくない」が構え］

クライアント：もしネガティブな感情を体験してしまったら，私はコントロールを失ってしまうでしょう。

セラピスト　：集団のなかで目立たないでいることには，どのような利点があるのでしょうか？［集団のなかで目立つことを避けることが対処戦略］

クライアント：皆に注目されずに済みます。そうすれば，私が集団に馴染んでいないことが気づかれずに済みます。

セラピスト　：次の空欄にどのような言葉を記入しますか？　他の誰かと一緒に何かをする予定を立てようとするだけで，＿＿＿＿＿＿＿になる。［予定を立てることを避けることが対処戦略］

クライアント：私から提供できることは何もないので，相手に断られるだろう。

　質問などを通じて，条件つきの思い込みについて検討するほうが，ルールや構えを検討するよりも，クライアントに違和感に気づいてもらいやすい。エイブの場合も，「周りの人を喜ばせておけば，彼らは私を傷つけることはないだろう」という思い込みに含まれる偏りや非機能性のほうが，それと関連するルール（「いつも周りの人を喜ばせなければならない」）や構え（「周りの人に不快な思いをさせるのは悪いことだ」）よりも認識しやす

かった。

信念についての質問紙を実施して共有する

質問紙を使うことで，クライアントの信念を同定しやすくなる（非機能的態度尺度（Dysfunctional Attitude Scale）[Weissman & Beck, 1978]，パーソナリティ信念尺度（Personality Belief Questionnaire）[Beck & Beck, 1991] などを参照）。多くのクライアントは，特にネガティブな感情を体験することについて重要な信念を抱いている（Leahy, 2002 参照）。クライアントが高い数値をつけている項目を慎重に調べると，問題のある信念が浮き彫りになるかもしれない。

5. 非機能的な信念を修正するかどうかを判断する

媒介信念や中核信念を同定したら，それが治療の時間を使ってまで取り組む価値があるのかどうかを判断する必要がある。通常，クライアントが提案したアジェンダの項目に関連しているか，目標を達成するうえで妨げとなる問題に関連している場合には，その信念に取り組む価値がある。セラピストが自問するとよい質問を以下に挙げる。

> 「それはどのような信念だろうか？」
>
> 「感情的な苦痛や不適応的な行動に対して，明らかにつながりのある信念だろうか？」
>
> 「クライアントは，その信念を強くそして広範にわたって信じているだろうか？」
>
> 「その信念は，クライアントが目標や希望を達成していくうえで，あるいは価値に沿って行動するうえで，大きな妨げになっているだろうか？」

問題や障害に関わるクライアントのネガティブな信念が2つ以上挙げられた場合は，通常，最も強烈なネガティブな感情や最も非機能的な行動と関連

しているものに焦点を当てる。

6. 非機能的な信念を修正するタイミングを判断する

　治療の初期段階では，信念そのものではなく，非機能的な中核信念を示唆する自動思考に取り組む。同時に，できるだけ早い時期からネガティブな中核信念を**直接的**に修正するための試みも始める。クライアントが自らの信念をひとたび変えることができると（あるいは，そうした信念の強度が減じると），クライアントは自分の体験をより客観的で機能的な方法で解釈できるようになる。状況をより現実的に見られるようになり，気分は改善し，より適応的な行動が取れるようになる。ただ，なかには，治療の中盤に入らないとそういった取り組みを始められないクライアントもいる。クライアントの信念が長期にわたり，硬直しており，過度に一般化されている場合は特にそうである。

　後者の場合は，先に自動思考を同定したり検討したり，それに適応的に対応したりするための技法を教え，その後，それと同じ技法を非機能的な信念にも適用してもらうようにする。なお，中核信念が自動思考の形で表出されていたために，治療の初期に意図せずに中核信念を検討してしまうことがあり得ることに留意されたい。このような場合は，その検討にあまり効果が見られないだろう。

　重要だと思われる非機能的な信念を同定したら，セラピストは次の質問を自らに問いかけて，その信念にすぐに取り組むべきかどうかを判断する。

> 「クライアントは，認知が考えに過ぎず，必ずしも正しいわけではないことを，理解できているだろうか？ また，この種の考えを検討してそれに対応できると，気分が改善し，機能的に行動できるようになることについて納得できているだろうか？」
>
> 「中核信念が明らかになり，それに直面したときに感じるであろう苦痛に，クライアントは対処できるだろうか？」
>
> 「クライアントは，少なくともいくらかの客観性に基づいて自らの信念を検討することができるだろうか？」
>
> 「治療関係は十分に強固だろうか？ クライアントはセラピストを信用し，本当の自分が理解されていると感じているだろうか？ セラピストである自分は，クライアントの信頼を得られているだろうか？」
>
> 「今日のセッションで，少なくともある程度の効果が出せるぐらいに信念を検討できる時間が残っているだろうか？」

7. 非機能的な信念についてクライアントに心理教育する

　媒介信念やネガティブな中核信念を同定し，それがクライアントにとって明らかに苦痛で，様々な機能障害と関連していると判断したとする。そしてクライアントと協働して，今がまさに信念に取り組むべき時期であると判断したとする。その場合，次に，その具体的な信念を例として用いながら，信念のもつ全般的な性質について心理教育をすることができる。

信念に関する重要な概念
　信念について，クライアントが以下の点を理解しておくことが重要である。

- 自動思考と同じく，信念も「考え」であり，それが必ずしも正しいとは限らない。信念は検証したり変容したりすることができる。
- 信念は生まれつきのものではなく，学習されるものであり，改訂することができる。クライアントは広い範囲のなかから自らの信念を採用することができる。
- 信念はかなり硬直的で，あたかもそれが正しいかのように「感じられる」。にもかかわらず，信念はほとんど，あるいは全く正しくないかもしれない。
- 信念は，クライアントが幼い頃に，またはもう少し後になって，あるいはその両方において，クライアントが自らの体験に付与した意味に基づいている。そのような意味は，付与されたときには正確だったのかもしれないし，そうでなかったかもしれない。
- 関連するスキーマが活性化されると，中核信念を裏づけるように見えるデータは簡単に認識される一方で，裏づけないデータは割り引かれてしまったり，そもそも認識されなかったりする。

問題についての仮説を立てる

　エイブに対して中核信念について心理教育をしたとき，セラピストは，エイブの問題について2つの可能性を示した（このときに提示した概念化は，すでに2人で確認済みであった）。

セラピスト：［まとめの作業をする］「自分には能力がない」という考えは，仕事に応募する際の妨げになりそうですね？
エイブ　　：そうです。
セラピスト：その考えについて，少し話し合いましょう。何が起きているのかを理解したいと思います。問題は2つのうちのどちらかと言えそうです。1つは，あなたには**本当に**能力がない，ということです。その場合，私たちはあなたの能力を上げるために一緒に取り組みます。……　一方で，実は能力の有無の問題ではな

いのかもしれません。問題は，自分に能力がないという**信念**であって，実際にはあなたはとても有能なのかもしれません。そして，そのような信念がときにとても強くなるために，自分がうまくやれていることに**気がつく**ことさえできなくなってしまうのです。

エイブ　　　：さあ，どうなんでしょう。
セラピスト：私たちは2つのことをする必要があります。1つは，ご自分が**うまくやれている**ときにそれに気づくようにして，自分の能力を活かせるような体験を増やしていくことです。もう1つは，自分が無能であると**感じている**ときに，その感じのとおりに**実際に無能**であるかどうかを実際に検討してみることです。

メタファーを使って情報処理について説明する

その後，セラピストは中核信念についてエイブに説明した。その際，説明を細かく分解し，その都度エイブが理解していることを確認した。セラピストはスクリーンのメタファーを使って説明した。

セラピスト：「自分には能力がない」という考えですが，これは中核信念と呼ばれるものです。中核信念について説明させていただけますか。中核信念は自動思考よりも変えるのが大変です。
エイブ　　　：はい。
セラピスト：まず，中核信念は，あまり抑うつ的になっていないときは，それをさほど強く信じていないかもしれない考えです。一方，抑うつ的になると，たとえそれが真実ではないという証拠があっても，その中核信念をほぼ完全に信じてしまいます。(間を置く) ここまで大丈夫でしょうか？
エイブ　　　：大丈夫です。
セラピスト：したがってうつ病になると，このような考えがかなり強力なものになります。(手で身振りをしながら) 頭の周りにスクリー

ンがあるような感じです。「自分は無能だ」という考えがスクリーンに無数に表示されています。「自分は無能だ」という考えに当てはまることであれば何でも，スクリーンを通過してあなたの心に入り込みます。ところが，その考えと相容れない情報は，スクリーンを通ることができません。そのため，あなたはポジティブな情報に気づくことすらありません。あるいはそのようなポジティブな情報は割り引かれてようやくスクリーンを**通ることができるようになる**のかもしれません。（間を置く）こんなふうに情報をスクリーニングしていると思われますか？

次にセラピストは，このメタファーがエイブの体験に当てはまりそうかを尋ねる。

セラピスト：では，考えてみましょう。この数週間を振り返って，あなたが**有能かもしれない**ということを示していそうな証拠が何かなかったでしょうか？ あるいは，あなたが有能であると**私が**考えそうなことが，何かなかったでしょうか？
エイブ　　：うーん……そういえば孫のロボットを修理してあげました。
セラピスト：すばらしいじゃないですか！ これは証拠としてあなたのスクリーンをそのまま通過しましたか？ あなたは自分自身に対して「私はロボットを修理することができた。それは自分が有能だということを意味する」と語りかけましたか？ それに類似する言葉でも構いませんよ。
エイブ　　：いいえ，私が思ったのは「修理するのにずいぶん時間がかかってしまった」ということでした。
セラピスト：なるほど。ということは，スクリーンが**作用していた**ようですね。「自分には能力がない」という中核信念に反する証拠を割り引いたということが，おわかりになるでしょうか？
エイブ　　：うーん。

セラピスト：この1週間で，他にも例がないでしょうか？　たとえご自分ではそうは思わなくても，合理的に考える人であれば，あなたがしたことを有能だと考えそうな状況は？
エイブ　　：（しばらく考える）そうですね，教会で手伝いをしました。地下室を修理していたのです。でも大したことではありません。誰でもできることですから。
セラピスト：よい例ですね。ここでもあなたは，「自分には能力がない」という考えに反する証拠を認識しなかったようです。「教会でした手伝いは，**誰にでもできることだ**」という考えが，どれほど正しいのかを考えてみてください。他の人にとってはあなたに能力があるということを示す証拠かもしれないのに，あなた自身はそれを認めていないのです。
エイブ　　：確かに牧師さんからは，お礼をたくさん言われました。
セラピスト：それに，この1週間，自分の基本的なケアを何回できたでしょうか？　たとえば，シャワーを浴びる，歯を磨く，食事をする，適切な時間にベッドに入る，といったことです。
エイブ　　：毎日です。
セラピスト：そして，この1週間，「歯を磨くのは，有能だということだ」「食事をきちんと取れているのだから，自分は有能だ」などと何回自分に語りかけたでしょうか？
エイブ　　：一度もありません。
セラピスト：もし，そういった基本的なことを**しなかった**としたら，どのように自分に語りかけたでしょうか？
エイブ　　：おそらく「自分には能力がない」と言ったと思います。
セラピスト：つまり，スクリーンが作動していて，達成したことを割り引いたり，そもそも達成したこと自体を気づきもしなかったりしていた，ということでしょうか？

いつ信念が構築・維持されるようになったのかを検討する

次にセラピストは，このような信念を抱いていたことを想起させる過去の体験についてエイブに尋ねる。

セラピスト：「自分には能力がない」と同じように感じたことは，これまでの人生でもありましたか？ 子どもの頃はどうだったでしょう？

エイブ　　：ええ，ときどき。母親に怒鳴られたときのことを覚えています。家が散らかっていたとか，弟たちが手に負えない状態だったからです。

セラピスト：他にもありますか？

エイブ　　：（考える）ええ，高校を卒業して最初の仕事に就いたときもそうでした。そして，たぶん，次の仕事に就いたときもやはりそうでした。でもそれは，仕事を始めた最初の数週間に限ってのことでした。

セラピスト：なるほど。では，まとめましょう。「自分には能力がない」という考えは，あなたが子どもだった頃に始まった中核信念のようですね。でもいつも信じていたわけではありませんでした。思うに，人生を通じて，うつ病になる前までは，普段はおおむね自分のことをそこそこ能力があると信じていたのではないでしょうか。でも，今はスクリーンが作動してしまっているようですね。

図を用いて信念について説明する

セラピストは次に，図17.2を手描きして，セッションで話し合ったことを要約する。

セラピスト：これらのことを図にまとめてみましょう。

エイブ　　：それは助かります。

セラピスト：子ども時代の体験から始めます。あなたはお母さんに怒鳴られたときに，「自分には能力がない」と感じたとおっしゃっていましたね。（図の一部を描く）それで合っていますか？

エイブ：その通りです。

セラピスト：うつ病になってしまった今，あなたは起きていることをこんなふうに理解しているのではないでしょうか？ すなわち，何かをするときに，自分で「こうあるべきだ」と思うレベルに届かないと，それは「自分には能力がない」ということを意味することになるのです。たとえば，先日，テーブルの上に請求書がそのままになっているのを見たときに，「請求書の支払いをまだしていないなんて，自分はなんてダメなんだ」と考えました。そうでしたね？

エイブ：そうです。

セラピスト：念のためお聞きしますが，そのことはあなたについて何を意味したのでしょうか？

エイブ：自分にはやはり能力がなかった，ということです。

セラピスト：では，その体験は図にするとこのようになりそうですね。（図に描き加えて，エイブに見せる）このように描いてみると，その自動思考が生じた理由がわかるでしょうか？

8. 非機能的な信念を修正する動機づけを高める

　非機能的な信念が部分的に，あるいは完全に正しくないかもしれないと示唆されるだけでも，不安になるクライアントがいる。そういう場合は，チャートを描いて（p.464参照），非機能的な中核信念を維持することの利益と不利益を，そして，より適応的な信念を信じることの利益と不利益を見つけてみるようクライアントに提案するとよい。そのような分析によって，どのような結論が出てくるかをクライアントに尋ねる。

　動機づけがさらに必要であれば，何年も先の未来の人生のある一日を視覚

的にイメージしてもらうとよい。はじめに，ネガティブな中核信念をそのまま維持し続けた場合の未来を想像してもらい，次に，新たな中核信念を信じるようになって何年も経ったときのことを想像してもらう。セラピストは次のように言うとよい。

「今から＿＿年先の人生のある日を想像してください。それはつまり＿＿＿＿年のことです。『私は＿＿＿＿＿だ』という中核信念は今と変わっていません。つまり，その信念を＿＿＿＿年以上も，日々信じ続けたわけです。一日ごとに，週ごとに，月ごとに，年を追うごとに，信念はさらに強くなっていきました。(間を置く)では，いくつか質問させてください。(間を置く)ご自分と，ご自分の体験を，どれぐらい上手に心のなかにイメージできるでしょうか？」

「自分のことを，どのように感じますか？」
「[自分の希望と目標それぞれについて]どれぐらい達成できているでしょうか？」
「どれぐらいご自身の価値に沿って生きていると言えるでしょうか？」

次に，クライアントに伝える。

「抱き続けた信念が，人生の様々な部分で，どのような影響をもたらしたかを想像してください。思い出しましょう，中核信念は，今よりもっと強くなっています。今から私がする質問に応じて，人生の一つ一つの部分をよく思い描いてください。そして，どれぐらいの喜びと満足を体験していそうかを考えてみましょう。……どこで目が覚める自分が見えますか？ 今と同じ場所でしょうか？ それとも別の場所でしょうか？ ……そこはどのような様子ですか？ ……あなたが住んでいるその場所で，どれぐらいの喜びと満足を感じますか？」

次に，人生の様々な関連領域についても尋ねる。たとえば，特定の人間関係，仕事，余暇の過ごし方，スピリチュアルな感覚，創造性，身体的な健康，家庭のマネジメント，といったことである。一つ一つの項目について，クライアントがどれぐらいの喜びや満足を感じているか，あるいは感じていないか，ということをしっかりと探っていく。そして最後に尋ねる。

「全般的な気分はどんな感じでしょうか？『私は_____だ』という信念を，それほど長い間信じ続けてきた結果として，どのような結論になるでしょうか？」

次に同様の質問を使って，2つ目のシナリオのイメージに入る。今度は，次のように始めるとよい。

「今度は，**新たな中核信念を信じた場合**をイメージしていただきます。ご自身について，『私は_____だ』を新たに信じることにした場合です。その新しい信念を，毎日，毎週，毎月，毎年，どんどん強く信じるようになって，___年が経ちました。ご自身とご自身の体験を，どれぐらい上手に心のなかに思い描くことができるでしょうか？　さきほどと同じ各領域についても想像してみてください。どれぐらいの喜びと満足を，それぞれの領域で得られるでしょうか？」

それから尋ねる。

「全般的な気分はどんな感じでしょうか？『私は_____だ』という信念を，それほど長い間信じ続けてきた結果として，どのような結論になるでしょうか？」

9. まとめ

　クライアントが自動思考（と関連する意味）や諸反応（感情と行動）の形式でデータを提供できるようになったらすぐに，セラピストはクライアントの中核信念についての仮説を立て始める。クライアントの示す認知が，「無力である」「愛されない」「価値がない」のどのカテゴリーに当てはまりそうかを検討する。セラピストは様々な方法を使って，媒介信念と中核信念の両方を同定する。自動思考として表出された信念を探してもよい。クライアントの思い込みを示していそうな「もし……なら，……である」という形の条件フレーズを提供して，クライアントに文章を完成してもらってもよい。他にも，直接的にルールを引き出す，下向き矢印法を用いる，自動思考に共通するテーマを見つける，自身の信念についてクライアントに尋ねる，クライアントが記入した信念に関する質問紙を共有する，といったことができる。

> **振り返りのための問い**
> ・ポジティブな信念はどのようにして同定できるでしょうか？
> ・ネガティブな中核信念はどうでしょうか？
> ・不適応的な中核信念について，どのようにクライアントに説明すればよいでしょうか？
> ・信念を変えるようクライアントを動機づけるには，どうしたらよいでしょうか？

実践エクササイズ

　「私は（感情面で）傷つきやすい」という中核信念が自分にあると想像しましょう。次に，その信念を生じさせた，あるいは強めたかもしれない人生の体験を，少なくとも1つ想像します。その中核信念が，特定の状況に対する

あなたの知覚に影響している様子を想像します。図17.2を指針にしながら，想像上の概念化を図に描き出してみましょう。

第18章 信念を修正する

　前章では，重要なポジティブ・ネガティブな信念を同定する方法，信念を説明する方法，信念の修正にクライアントを動機づける方法を解説した。クライアントが不適応的なモードのとき（たとえば抑うつ状態）は以下が大切である。

- 現実的でポジティブな信念を育成・強化し，適応的モードを活性化する（リカバリー志向認知療法では，こちらに力点を置く）
- 非現実的でネガティブな信念を修正し，抑うつモードを不活性化する（従来の認知行動療法では，こちらに力点を置く）

　本章では，はじめにポジティブな信念を強化する方法を，次に，ネガティブな信念を修正する方法を解説する。認知行動療法では，ほとんどのセッションでどちらの信念にも直接的・間接的に取り組む。ここで紹介する技法は媒介信念と中核信念の両方に適用できる。本章では次の内容を解説する。

- 適応的な信念を強化する方法
- 媒介信念と中核信念を修正する方法

1. 適応的な信念を強化する

　特に強いパーソナリティ障害の特性がないかぎり，ほとんどの人はバラン

スの取れた適応的で現実的な信念を持っている。抑うつモードのときには、そうしたポジティブな信念を含むスキーマが不活性化するため、ポジティブな信念を強化することが大切である（Ingram & Hollon, 1986; Padesky, 1994; Pugh, 2019）。ポジティブな信念を強化する際には、クライアントが、達成感、喜び、人とのつながり、エンパワメントを得られる活動に関われるよう支援し、同時に以下のような戦略が大切となる。

- クライアントの体験に関するポジティブな情報と、クライアントに役立つ結論を引き出す
- 適応的な信念を信じる利点を引き出す
- ポジティブな情報の意味を指摘する
- 他の人を参考にする
- 表を使って証拠を集める
- 現在と過去の体験のイメージを引き出す
- 「あたかも……であるかのように」振る舞う

ポジティブな情報を引き出して結論を導く

エイブには、セラピストは治療の開始時から様々な方法を使って、ポジティブで適応的な信念を同定し、それを強化することに取り組んだ。エイブの「私は有能ではない／ダメな人間だ」という中核信念に対して、以下のように取り組んだ。

- セッションのたびに次のような質問を投げかけた
  「前回から今日まで、どのようなポジティブなことが起きましたか？」
  「どのようなポジティブなことをしましたか？」
  「気分が少しでもよかったのはいつでしたか？」
  次に、
  「そうした体験から、どのような結論が言えそうでしょうか？」
  「そうした体験から、あなたについてどんなことが言えるでしょう？」
  と尋ねた。

- 「賞賛リスト」を作ってもらい，多少でも困難と感じたもののやりとげたことを毎日記入してもらった。
- 重要な適応的信念を同定したら（例：「私には能力がある。他の人と同じように強みと弱みがある」），毎セッションの最初に質問を追加した。
「ご自分に能力があることを今日はどの程度強く信じていますか？」
「今週，それをいちばん強く感じたのはいつでしたか？」
「そのときどのようなことが起きていたでしょうか？」

適応的な信念を信じる利点を引き出す

セラピストは，エイブが自分を有能と考えることの利点を検証できるよう支援した。そうした利点を2人でたくさん見つけることができた。自分を有能と考えるほうが，より事実に基づいており，自信が高まり，自分自身をもっと好きになれ，気分が改善し，困難に挑戦する動機づけが高まり，課題をこなしやすくなった。

ポジティブな情報の意味を指摘する

治療の初期では，クライアントが適応的な行動を1つ同定するたびに，クライアントを褒めた。そうした行動がクライアントが有能であることを示す証拠だと頻繁に伝えた。

「ご近所さんを手助けしたのはすばらしいですね。あなたがいろいろなスキルをお持ちであることを示していますね。それもまた，あなたが有能なことを示す例だと思いませんか？」
「お孫さんのコーチは，あなたを大きな財産と思われたようですね？」
「質問票を根気強く最後まで記入されたのは，真面目な証拠ですね」
「部屋の片付けをなさったのは，あなたに管理能力があることを示していますね」

セラピーが進むにつれて，セラピストはクライアントから，クライアント

の体験の意味を引き出すようにする。
「ボランティアをできたことから，あなた自身について何が言えるでしょうか？」
「チャーリーがあなたに勤務を続けて欲しいと思っていることから，あなたについてどんなことが言えるでしょうか？」

他の人を参考にする

クライアントに，自分の信念を一歩離れた視点で考えてもらうために，適応的な信念が他の人にどう当てはまるかを考えてもらったり，他の人がクライアントをどのように見ているかを考えてもらったりするとよい。

- それまでの人生で，クライアントを好ましく見てくれた人を尋ねる。
「これまでの人生で，あなたの能力を信じてくれたのは誰ですか？」
「その人はなぜそう考えてくれたのでしょう？」
「その人は正しかったでしょうか？」
- 具体的な人を想定し，その人の適応的な側面を評価してもらう。
「あなたが有能だと思う人は誰ですか？　今週，**あなたがしたことの中で，もしその人がしていたら**"さすが○○さんだなぁ"と思うことはありませんか？」
- クライアントの行動を，仮説的な**ネガティブ**な例と比較する。
「請求書の支払いを完了できても有能な証拠と思えないようですね。でも**全く能力がない人にそれができると思いますか？**」
- クライアントのことをポジティブに見てくれる人を挙げてもらう。
「あなたのことをよく知っている人で，その人の判断ならば信頼できると思える人はいますか？　今週あなたがしたことの中に，その人が見たら，それはあなたが有能な証拠だ，と言ってくれそうなことは何でしょうか？」
「今週あなたがしたことで，あなたが有能な証拠だと，**私**が考えそうなことは何でしょうか？」

表を使って証拠を集める

エイブのアクション・プランの一つに，ポジティブな信念を裏づける証拠

出来事／体験	結論 （そこから自分について何が言えるか）
請求書をオンラインで全部支払った	思っていたよりも集中できる
試合の後に，サッカーのコーチから何度もお礼を言われた	自分は人，チームをまとめるのがうまい
ジムの配管の水漏れ修理を手伝った	問題を見つけて解決する能力がある

＊エイブは，支払い済み請求書の山，サッカーのコーチとチーム，ジムの家の水漏れしているパイプをそれぞれ写真に撮った。

図 18.1　エイブの「能力がある証拠」の表　〔適応的信念の証拠の表〕

を探すこと，があった。「自分には能力がある」という信念の検証に取り組むことにしたセラピストとエイブは，「表彰」リストを元に「能力がある証拠」の表（図 18.1）を書いた。セッション中にこの表を一緒に記入して，エイブの理解を確かめた。表には，困難だったができた事柄と，簡単にできたが自分に能力があることを示唆する事柄の両方を書くよう伝えた。表には，そうした体験から得られた結論と，そうした体験がクライアントについて何を意味するかを記入する欄もある。表は，セラピー中も自宅でも，例が見つかるごとに記入した。治療の後半では過去の体験からも証拠を集めた。

　エイブには，ポジティブな体験を写真に撮ってもらったり，ポジティブな体験のイメージ画像をインターネットで探してもらったりして，次セッションで見せてくれるよう依頼した。そういった写真や画像から，エイブがポジティブな側面を割り引いていないかを検討したり，エイブの新しい中核信念を強化したりすることに活用した。

現在と過去の体験のイメージを引き出す

　イメージ技法を使うと知的にも感情的にも適応的な信念を強化しやすい。場面を視覚的にイメージしながらポジティブな感情を体験してもらうと特に効果的である。セラピストは，エイブに現在と過去の記憶を語ってもらい，次に体験を視覚的にイメージしてもらった。

セラピスト：生い立ちを振り返ってください。ご自分を有能と感じた状況はありませんでしたか？ ……その場面をまるで今起きているかのようにイメージしてみてください……何が見えるでしょう？ どんなことを考えていますか？ どのようなお気持ちですか……？
エイブ　　：（仕事で昇進すると知ったときの体験をイメージして説明する）
セラピスト：あなたは今もそのときと同じ人であり，同じ能力をお持ちです。うつ病で隠れてしまっている部分があるだけです……うつ病があなたの行動や考えや感じ方に影響を及ぼしているのです。

「あたかも……であるか」のように振る舞う

　適応的な信念をあたかも信じているかのように振る舞うように指示すると，ほとんどのクライアントはそれを試みてくれる。そのように振る舞うことで，実際に信念は強化される。エイブとセラピストは，間近に控えたエイブの就職面接について話し合った。エイブに面接の状況をイメージしてもらい，その状況であたかもポジティブな信念を信じているかのように振る舞うイメージをしてもらった。そのうえで，実際にそのように振る舞うことをアクション・プランとした。

　「自分は有能であると信じていたら，就職面接はどのような感じになるかイメージできますか？　視覚的に思い描けますか？　会社の受付ではどのような気持ちでしょう？　どのようなことを考えているでしょう？　思い出してください，あなたは自分に能力があると信じています。あなたはどんな姿勢でどんな表情をしているでしょう？　周りからはどのように見えるでしょう？　受付係には何と声を掛けますか？　どのようなお気持ちですか？　面接官に会ったら何をしますか？　どのような姿で椅子に座っていて，面接官に前の仕事を尋ねられたらどう答えますか？」

> **臨床のコツ**
>
> クライアントがポジティブな証拠をなかなか見つけられない場合は，第17章のスクリーンの比喩を使って，ポジティブな証拠を見落としたり割り引いたりしている可能性を思い出してもらうとよい。そのうえで，「あたかも〜であるか」のように振る舞うスキルを練習するためのアクション・プランを話し合う。

2．不適応的な信念を修正する

　ネガティブな信念の**修正のしやすさ**は，クライアントによって異なる。急性の精神疾患のクライアントで，精神疾患罹患前はおおむねネガティブな信念を打ち消す適応的な信念を持てていた人は，慢性の精神疾患やパーソナリティ障害のあるクライアントと比べて，はるかに簡単に信念を修正できる（J. S. Beck, 2005; Beck et al., 2015; Young et al., 2003）。少なくとも「知的には」簡単に信念を変えることができるクライアントがいる一方で，知的にも感情的にも信念の修正に長い時間と努力が必要なクライアントもいる。

　中核信念を**修正できる程度**も，クライアントによってかなり異なる。ある信念を完全に変えることが非現実的であることも少なくない。古い信念の痕跡が残っていても，非機能的な行動を修正し続けられるならば，信念の修正は十分である。

　信念は，知的なレベルから先に変わりはじめる。感情のレベルで信念を変えるには，知的なレベルの技法だけでなく，体験的な技法（イメージ技法，ロールプレイ，物語り，比喩の使用，行動実験，など）が必要である。認知は情動を伴うときに変化するため，ネガティブな信念に取り組むベストなタイミングは，セッション中にクライアントのスキーマが活性化されたときである。そのような機会は，クライアントが知的レベル・感情レベルの両方で変化を体験する好機となる。

ゲシュタルト療法の一技法であるエンプティ・チェア（空椅子技法）(Pugh, 2019) は，クライアントにつらい信念や感情や対人状況を体験してもらううえで有用である。クライアントは，そうした体験を通じてつらい状況への新しいコーピングを学ぶ。逃避，回避，注意そらしなどをしなくてよいという体験である。裁判の比喩の技法（自分の中で，被告側と原告側の両方を演じる技法）も，深く根を張った中核信念の修正に役立つ (Pugh, 2019)。

ネガティブな信念を修正する技法

ネガティブな信念を修正するうえでは，中核信念の心理教育，スキーマが活性化される様子の観察，ネガティブな信念が現在の困難の一因になっていることの説明，ネガティブな信念を修正する動機づけ，などが必要である（第17章も参照）。この目的のために，以下に示すような知的なレベルの技法と感情的なレベルの技法の両方を用いる。こうした技法の多くは，自動思考の修正にも使われるものである。

- ソクラテス式質問法
- リフレーミング
- 行動実験
- 物語，映画，メタファー
- 認知的連続表
- 他の人を参考にする
- 自己開示
- 理屈対感情のロールプレイ
- 過去の検証
- 幼少期の記憶の意味の再構成

ソクラテス式質問法

信念を検討する際，セラピストは自動思考の検討と同じ質問をする。全般

的な形態の信念に対しては，具体的な文脈で検討するよう支援する。具体性が高いほうが明確で意味深い検討が可能となる。

セラピスト：［終えたばかりの下向き矢印法から学んだことを要約する］
　　　　　つまり，助けを求めるのは能力がないことを意味する，と 90 パーセントくらい信じていらっしゃるということでしょうか？
エイブ　　：はい。
セラピスト：助けを求めることを，別な視点から眺められないでしょうか？
エイブ　　：どうでしょう。
セラピスト：たとえばセラピーについて考えてみましょう。助けを求めてセラピーへいらっしゃったわけですが，それはあなたに能力がないということでしょうか？
エイブ　　：もしかしたら，はい。
セラピスト：うーん。私は少し違う考えです。あなたがセラピーへいらっしゃったのは，むしろ**強さと有能さ**の証拠だと思うのです。セラピーに来なかったらどうなっていたでしょうか？
エイブ　　：多分，ひどい状態がずっと続いていたと思います。
セラピスト：そうですね。ということは，たとえばうつ病のような病気の場合，そのままうつ病でい続けるのではなく，直すために助けを求めるほうが有能だといえませんか？
エイブ　　：そう……ですね。
セラピスト：考えてみてください。仮にうつ病に苦しんでいる人が2人いるとします。1人は治療を求め，努力してうつ病を乗り越えます。もう1人は，セラピーを拒んでうつ病に苦しみ続けます。どちらがより有能だと考えますか？
エイブ　　：まあ，助けを求める人のほうですね。
セラピスト：そうですよね。では，ご自身がおっしゃっていた，ホームレスの人のシェルターでボランティアをする状況を考えてみましょう。ここでも2人の人がいるとします。2人とも，攻撃的な人

にどう接したらよいかわかりません。それまでそうした経験がなかったためです。1人はどうしたらよいかをスタッフに尋ねます。もう1人は尋ねずにそのまま苦闘します。どちらがより有能でしょうか？

エイブ　　：（ためらいながら）助けを求める人のほうでしょうか？
セラピスト：確信が持てますか？
エイブ　　：（少し考える）ええ。助けを求めてもっとうまくできる方法を知ることができるならば，助けを求めずただ苦闘しているのは有能とはいえません。
セラピスト：その考えをどれほど信じられますか？
エイブ　　：かなり信じられます。
セラピスト：この2つの状況，セラピーに通うことと，シェルターで助けを求めることは，ご自身に当てはまりますか？
エイブ　　：当てはまると思います。

　セラピストは，2つの具体的な文脈でソクラテス式質問法を使って，非機能的な信念を検討する支援をしている。ここでは，セラピストは，標準的な質問で証拠を検証するより，誘導的な質問をしたほうが効果的と判断した。なお，中核信念を検討するときは，より変化しやすい自動思考のレベルの認知を検討するときよりも，やや説得的で，ときには公平さに欠ける質問が必要になることもある。

リフレーミング

　リフレーミング（物事を別の角度からとらえなおし，別の意味を持たせること）の表を書くと，非機能的な信念に対する根拠と反証を明らかにしやすく，リフレーミングがしやすくなる（図18.2）。

セラピスト：［まとめの作業をする］あなたにとって，セラピーに来たり，ボランティアでスーパーバイザーに話しかけたりすることが難

出来事／体験	リフレーミング
シェルターのボランティアで助けを求める	有能な人は，必要なときには助けを求めるものだ
セラピーを受ける	治療を求めるのは強さと有能さの証拠だ
仕事ができなかった	配置転換の際に研修を受けさせてもらえなかったためであり，決して自分の能力がなかったわけではない

図 18.2 エイブの「有能さに関する信念のリフレーミング」表〔リフレーミング表〕

    しかったのは，「助けを求めることは自分に能力がない，自分はダメな人間だと示すことになる」という信念があったためなのですね。
エイブ　　：はい。
セラピスト：その信念を検討してみた今はどのように考えますか？
エイブ　　：助けを求めても……能力がないわけではない……ですか？
セラピスト：あまり納得なさっていないようですね。こういう言い方はいかがでしょうか？　「必要なときに助けを求めることは有能な証拠だ」
エイブ　　：そうですね。
セラピスト：この新しい考えをどれほど信じられますか？
エイブ　　：これならばかなり信じられます……。
セラピスト：表を作って，あなたが能力がないという証拠を書き出してみませんか？　書いてみると，より現実的な視点から反論ができます。その視点を「代わりとなる考え」または「リフレーミング」などと呼ぶことがあります。どの呼び方がよいでしょうか？
エイブ　　：「リフレーミング」がよいです。

次にセラピストは図18.2を書き，表に記入するとよい項目をエイブに考えてもらって記入した。そして，表を自宅でも記入してくることをアクション・プランとした。セラピストは，リフレーミングははじめは難しいかもしれないが，表の右側は次のセッションで一緒に記入すればよい，とアドバイスした。また，セッション中は表を目の前に置いておき，話し合いの内容がネガティブな中核信念と関連した場合に，その都度，表に追記することを提案した。

さらに，その新しい，より適応的な信念を強化するアクション・プランを提案した（「あたかも～であるか」のように振る舞う技法については，前述の通り）。

セラピスト：今週は，合理的に助けを求められる状況がないか気をつけていてください。この新しい信念をあたかも100パーセント信じているかのように想像して，そのように振る舞ってみてください。「合理的に助けを求めることは有能さの証拠である」と信じているということですよ。今日からの1週間で，助けを求めるとよさそうな場面はありませんか？
エイブ　　：そうですね。昨日，電灯の配線を変えようとしてうまくできませんでした。近所の人に助けを求められるかもしれません。
セラピスト：絶好の機会ですね。ほかにも合理的な機会があったら助けを求めるようにしてください。
エイブ　　：わかりました。
セラピスト：そして，実際に助けを求めることができたら，ご自分を褒めてあげてください。面倒で気が進まないにもかかわらず，大切なことをしているのですから。

「適応的な信念の証拠の表」と「ネガティブな信念のリフレーミング表」を紹介したら，次に「信念を変える」ワークシート（図18.3）にまとめるようにする。

新しい信念：「私には能力がある」を裏づける出来事や体験　ここから自分について何が言えるだろうか？	古い信念：「私には能力がない」に対するリフレーミング後の出来事や体験
・息子のドローンの飛ばし方を理解できた。私に能力があることを示している。 ・娘の本棚を修理した。義理の息子にはできなかったことだ。 　——自分に能力がある証拠。 ・小切手帳で不渡りを出さなかった。 　——できる人は多いだろうが，これも私の能力の証。 ・チャーリーのために石膏ボードの壁を作った。 　——自分は有能だ。	・経済動向の新聞記事をよく理解できなかったが，他の人も同じだろう。 ・車のブレーキを修理できなかった。でも自分はプロじゃないから仕方ない。 ・駐車違反で切符を切られた。標識がわかりにくかったせいで，故意ではない。 ・自分が作った夕食がまずかった。料理が下手だからといって，人としての能力に欠けるわけではない。

図18.3　エイブの「信念を変える」ワークシート
© 2018 CBT Worksheet Packet. ベック認知行動療法研究所

行動実験

　自動思考と同様，信念に対しても，行動実験を用いて妥当性を評価することができる。行動実験を適切に計画すると，言語的技法よりも強力に，知的レベルと感情レベルの両方でクライアントの信念を修正できる。

セラピスト：［まとめの作業をする］今週は「助けを求めると批判されるだろう」という信念が妨げになったようですね。
エイブ　　：ええ。そのために近所の人に手伝いを頼みませんでした。
セラピスト：その信念をどれほど信じていますか？
エイブ　　：かなりだと思います。
セラピスト：私のところに助けを求めていらっしゃったとき，私はあなたを

批判していませんよね？
エイブ　　：もちろん。でも，先生は人を助けるのが仕事ですから。
セラピスト：それはそうですね。でも，そうでない人達も批判はしないかもしれませんよ。実際にどうなのかがわかると気持ちがすっきりしそうですね。どうすればわかるでしょう？
エイブ　　：実際に助けを頼んでみないとわからないですね。

　次にセラピストは，近所の人に助けを求めてみることを行動実験として提案する。

セラピスト：もし，ご近所の方に電灯の配線を手伝ってほしいとお願いしたら，その人が批判的になる根拠はありますか？
エイブ　　：いえ……親切な人ですから，批判はしないかもしれません。
セラピスト：以前に助けてもらったことはありますか？
エイブ　　：そういえば忘れていましたが，孫が連れてきた犬が逃げてしまったときに，探すのを助けてくれました。
セラピスト：そのときその人は批判的でしたか？
エイブ　　：いいえ。手伝うのを喜んでいたようでした。
セラピスト：では，今回も批判したりはしないかもしれませんね？
エイブ　　：そうですね。どうしてその点を考えなかったのか自分でも不思議です。
セラピスト：きっとうつ病の影響だと思いますよ。
エイブ　　：今夜，お願いに行ってみようと思います。
セラピスト：よいですね。それを活動計画に書いておきましょうか。

　さらにセラピストとエイブは，頼んでみたら隣人が批判的だった場合の対処を話し合った。また，セラピストは「批判を恐れて助けを求めることを避けてきたことは他にもありませんか？」と尋ねた。
　クライアントに新しい行動を試みてもらうときは，回避を極力減らして，

回避状況に踏み込むことが非常に大切である。そうしないと，本質的な信念の修正体験をしないまま終わってしまう。行動実験の詳細は Bennett-Levy（2004）を参照のこと。

物語，映画，メタファーの利用

　クライアント自身に関する別な考えを育む際に，クライアントと共通するネガティブな中核信念を持つキャラクターや登場人物を考えてもらう技法がある。そういった人物が物語の中で抱いている信念が妥当ではない，と考えることができると，自分の中核信念も正しくない可能性を理解できる。

　マリアは自分を悪い存在だと信じていた。母親から身体的・心理的虐待を受け，自分が悪い子どもだと繰り返し聞かされてきたからであった。マリアにはシンデレラの物語が役立った。意地の悪い継母が年端もいかない子どもをひどく扱う物語だ。

　認知行動療法でよく使われるその他のメタファーは，Stott ら（2010）や De Oliveira（2018）の論文を参照のこと。

認知的連続表

　この技法は，クライアントが「全か無か」の視点で考えているときに，自動思考と信念のどちらの修正にも役立つ。エイブも認知的連続表によって「すばらしい人間」と「ダメな人間」の中間があることを理解しやすくなった。

セラピスト：［まとめの作業をする］小切手で不渡りを出してしまったときに，「私はダメな人間だ」という考えが浮かんだのですね。それが，連続表の尺度上でどうなるかを見てみましょう。（直線を引いて数字を書く）完全にすばらしい人が100％，全然ダメな人が0％です。この尺度上であなたはどの位置に来ますか？

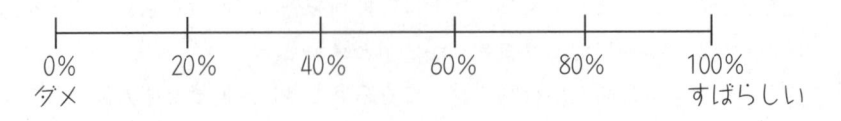

```
├────┼────┼────┼────┼────┼────┤
0%   20%  40%  60%  80%  100%
ダメ                      すばらしい
```

エイブ　　：貯金が底をつきかけていて仕事に就いていませんが，0％です。
セラピスト：でもボランティアをなさっていますよね，うつ病で大変であるにもかかわらず。仕事については一生懸命**探して**いらっしゃいますよね？
エイブ　　：そうですね。もしかしたら20％くらいかもしれません。
セラピスト：本当に0％な人は，仕事も何も全くしていない人ですね。そんな人とあなたとの中間の人はいますか？
エイブ　　：うーん……たとえば，ジェレミーは働かずに済まそうとしています。就職活動もしないで失業保険で暮らそうとしています。
セラピスト：なるほど。ジェレミーはどこにくるでしょう？
エイブ　　：20％くらい。
セラピスト：すると，あなたは？
エイブ　　：30％くらいですかね。少なくとも就職活動をしています。
セラピスト：お仕事をなさっていたとき，仕事に対するあなたの勤務態度はどうでしたか？
エイブ　　：いつも一生懸命に働いていました。
セラピスト：ではここでもう1人，全く仕事をしない人を考えてみましょう。働けるのですが働こうとしません。家族からお金を借り続けています。このような人は0％でしょうか？
エイブ　　：多分0％ですね。
セラピスト：では，働こうとせず，家族のお金で暮らし，さらに他者を傷つけている人がいたとします。その人はどうですか？
エイブ　　：最悪ですね。0％ですね。
セラピスト：その人が0％なら，家族のお金で暮らしているけれども，他者を傷つけたりはしない人はどうでしょうか？
エイブ　　：20％くらいかもしれませんね。あらゆる点でダメなわけではありませんから。
セラピスト：では，ジェレミーやあなたは？

エイブ　　　：ジェレミーは40％くらいでしょうか。私は……よくわかりません。
セラピスト：もしあなたが今，仕事に就いていたとしたらどうですか？
エイブ　　　：それなら90％かもしれません。100％とは思えませんので。
セラピスト：そうすると，今のあなたは40％から90％の間のどこかということになりますかね？
エイブ　　　：(自信がなさそうに) そうかもしれません……
セラピスト：1つご質問しますね。あなたが今仕事に就いていないのはどういうわけでしょう？　怠けているからでしょうか？　勤務態度がよくないからでしょうか？　それとも，うつ病のせいでしょうか？
エイブ　　　：うつ病のせいです。
セラピスト：確信が持てますか？
エイブ　　　：まあ，自分が怠け者ではないのはわかっていますし，勤務態度もよいと思います。今も仕事を探していますし……だから，私は60％あたりでしょうか。
セラピスト：60％の人を，ダメな人，と呼ぶことはどう思いますか？　ダメというのは0％ということですよね。少なくとも60％のすばらしさはある，と言えますか？
エイブ　　　：ええ。(目に見えて明るくなる)
セラピスト：たとえば6か月後などに新しい仕事に就いたら，ご自分は尺度のどこにいると思いますか？
エイブ　　　：仕事にもよりますが，90％だといえることを願っています。
セラピスト：いいですね。もう1つお聞きします。ご自分をダメな人とラベル付けすることで，どのような影響があったでしょうか？
エイブ　　　：気分がさらに憂うつになります。
セラピスト：そうですよね。そして，このように尺度に描いてみると，そういったラベルが正しくないこともわかりますよね。さて，この尺度から学んだことを，あなた自身の言葉で言っていただけま

すか？
エイブ　　：私はダメな人ではない。最低でも60％くらいで，さらに，90％のすばらしさに戻れるよう努力している。
セラピスト：すばらしい。それを書いておきましょう。この尺度は，毎朝，そして，自分がダメな人に思い始めたときに，必ず眺めてみてください。

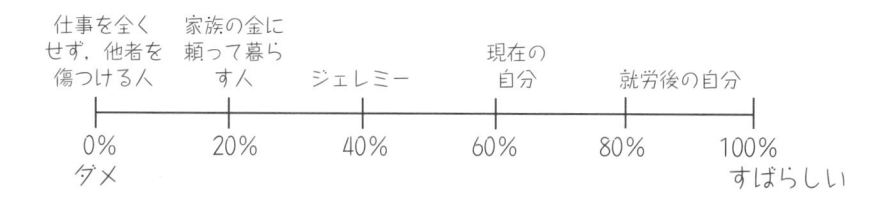

```
仕事を全く      家族の金に                  現在の
せず，他者を    頼って暮ら                  自分         就労後の自分
傷つける人      す人       ジェレミー
|───────────|───────────|───────────|───────────|───────────|
0%            20%         40%         60%         80%         100%
ダメ                                                          すばらしい
```

　信念を修正する技法に共通することとして，知的なレベルと感情のレベルの両方でクライアントの考え方が変わるのは，セッション中にネガティブな感情が高まった場合に限定される。クライアントの苦痛が強くなければ，信念の変化は知的レベルにとどまる。

　信念を修正する技法は，セッションとセッションの間にも，クライアントが独りで使えるよう教えることが望ましい。

　「では今日の話し合いを振り返ってみましょう。あなたの考え方に全か無かの傾向があることに気づきましたね。そして，直線上で『すばらしい』と『ダメ』の2つのカテゴリーしかないと考えるより，その中間があると考えるほうが正確であることを確認しました。今日話し合った事柄以外にも，物事を2つの両極端で眺めることで苦痛の元となっている事柄はありませんか？」

他の人を参考にする

　自分以外の人の状況や信念について考えてもらうと，クライアント自身の非機能的な信念を客観的に眺めることができることが多い。自分に対する考

えと，他の人に対する考えの不一致をあぶりだせれば成功である。
　以下の例は，エイブがいとこの中核信念に同意しない，という例である。そのうえで，その視点を自分自身にも適用できるよう支援する。

セラピスト：先週，いとこさんもうつ病だと思うとおっしゃっていましたね？
エイブ　　：ええ。先週いとこから電話がかかってきました。つらいことがたくさんあったみたいです。仕事を失い，恋人と別れて，実家に戻って叔母と暮らさなければならなくなりました。
セラピスト：いとこさんは，ご自分をどう考えていそうでしょうか？
エイブ　　：先日の電話では，自分がダメな人間に思えると言っていました。
セラピスト：どのように声をかけましたか？
エイブ　　：ダメな人間じゃないよ，と伝えました。今は大変な時期を迎えているだけだよと。
セラピスト：そのことは，ご自身にも当てはまりそうでしょうか？
エイブ　　：(考える) よくわかりません。
セラピスト：いとこさんの場合はうつ病で仕事に就いていなくても，ダメな人間とはいえないけれど，あなたの場合はそうではない，ということでしょうか？
エイブ　　：(少し考える) それはおかしいですね。これまでそのように考えたことはありませんでした。
セラピスト：このことを書き留めておきましょうか？

　最後に，子どもの様子を見ると，自分の信念を客観的に見やすくなるクライアントも多い。自分の子どもや孫のほか，親しみを感じる子どもならば誰でもかまわない。仮に自分に子どもがいたらという想像でもよい。

セラピスト：周りの人と同じでなければダメ人間だ，と考えているわけです

ね？
エイブ　　：はい。
セラピスト：例えば，お孫さんが50歳になったときに，失職して落ち込んでいたとします。そんなお孫さんはダメな人間でしょうか？
エイブ　　：もちろん，そんなことはありません。
セラピスト：仮にそういうことになったら，お孫さんには自分をどう考えてほしいでしょうか？〈エイブが回答する〉今おっしゃったことは，あなた自身にも当てはまりますか？

自己開示を用いる

　セラピストの配慮に富んだ自己開示は，クライアントが自分の問題や信念を別の角度から眺めるきっかけとなる可能性がある。

セラピスト：実は私も，フルタイムで働き始めたときに仕事をこなしきれなかった時期がありました。夫もそうでした。でも，私は誰にも助けを求めようとしませんでした。自分で何とかしなければならないと考えていたのです。結局，最後は周りの人に助けてもらったのですけど。周りの人に助けてもらった私について何が言えますか？　私は能力がなかったのでしょうか？
エイブ　　：とんでもない。しなくてはいけないことが多すぎたのだと思います。
セラピスト：誰かに助けを求めても，能力がないことにはならない？
エイブ　　：先生は，私についても同じことが言える，とおっしゃっているのですね？
セラピスト：そのことをもう少しお話ししていただけますか？
エイブ　　：私が今助けを必要としているからといって，私に能力がないことを意味しているわけではない。
セラピスト：そうですね。では，どのようなことを意味していると考えられるでしょうか？

エイブ　　：先週話したように，私はうつ病なので周囲の手助けが必要です。骨折した人に松葉杖なんか使うなと言わないように，自分に厳しくあたる必要はないということですね。

理屈対感情のロールプレイ

　この技法は「視点－逆視点法」（Young, 1999）とも呼ばれ，通常は，他の技法に効果がなかった場合に使われる。信念が非機能的であることを**理屈として知的には**理解はできるものの，**感情的**にはまだ腹に落ちていないとクライアントが話す場合に役立つ。初めにこの技法の理論的根拠を説明した後，非機能的な信念を支持する「感情」の部分の役をクライアントに演じてもらい，セラピストは「理屈」の部分を演じる。その後で役割を入れ替える。セラピストもクライアントのどちらの台詞も，クライアントの立場から話す点に注意が必要である。つまり，どちらも「私」が主語になる。

セラピスト：ご自分には能力がないと，どこかでまだ信じていらっしゃるようですね。
エイブ　　：はい。
セラピスト：どのような根拠がその信念を裏づけているのか，もう少し把握してみたいと思いますが，よろしいですか？
エイブ　　：はい。
セラピスト：ロールプレイをしてみませんか？　私は，あなたの心の「理屈」の部分を演じます。あなたに能力がないわけではないということを理屈として知っている，あなたの心の一部です。そして，**あなたはご自分の中の感情**の部分を演じてください。自分には**能力がない**と信じている，身体の奥底の部分の声です。私に対してできるだけ強く反論してください。それによって，何がその信念を維持しているのかがよく理解できます。よろしいでしょうか？
エイブ　　：はい。

セラピスト：では，あなたから始めてください。「私には能力がない。なぜなら……」の形で話してください。
エイブ　　：私には能力がない。なぜなら仕事を失ったから。
セラピスト：いや，私は能力がないのではない。「私には能力がない」という**思い込み**があるだけで，これまでの人生の多くでそれなりに能力を発揮できていた。
エイブ　　：いや私は有能ではない。本当に有能ならちゃんと仕事をこなせたはずだ。
セラピスト：私が仕事をこなせなかったのは，異動後に十分な研修を受けさせてもらえなかったからだ。
エイブ　　：同じ部署のエミリオはうまく仕事をこなしていた。やはり私の能力の問題だ。
セラピスト：エミリオには似た仕事の経験があった。私は他の業務の担当だったので同じ扱いはできない。言えるのは，せいぜい，私にはその業務に関する能力がなかった，というだけだ。他の多くのことでは能力がある。
エイブ　　：でもこの 1, 2 年は有能に振る舞えたことはほとんどなかった。
セラピスト：たしかにそうだ。しかし，それはうつ病のせいかもしれない。うつ病の改善につれて，以前よりも効果的に行動できている。
エイブ　　：本当に有能な人はそもそもうつ病にならないのではないか。
セラピスト：どんなに優秀な人でもうつ病になる可能性はある。うつ病を経験した有名人もたくさんいる。有能な人でも，うつ病になると意欲や集中力が落ちて普段の力を発揮できなくなる。だからといって，その人に能力がないわけではない。
エイブ　　：たしかにその通りだ。能力が下がっているのはうつ病のせいだ。
セラピスト：そのとおりです！　あ，役から出てしまいましたね。お疲れ様でした。今話し合ったこと以外に，あなたに能力がないと考える理由はありますか？

エイブ　　　：ないです。全部話しました。
セラピスト：では役割を交代しましょう。今回はあなたが「理屈」になって，私が演じる「感情」に反論してください。私は，先ほどのあなたと同じ主張をしますよ。
エイブ　　　：わかりました。
セラピスト：私から始めますね。「私には能力がない。なぜなら仕事を失ったから」

　役割交代することで，クライアントは，セラピストがモデルを示した理屈の声を使って対話することができる。セラピストは，クライアントと同じ感情的理由づけと言葉を使う。クライアントの言葉をそのまま使うことで，クライアントの具体的な懸念に焦点を当てやすくなる。

> **臨床のコツ**
> 　クライアントが理屈の役割を演じている際に言葉がうまく出てこない場合は，一時的に役割を入れ替えてもよいし，役から降りて，引っかかった点について話し合ってもよい。この技法の効果や，その信念に取り組む必要性について評価する。その信念の確信度を介入の前後でクライアントに尋ねるとよい。

　理屈対感情のロールプレイが役に立つクライアントは多いが，中には，ロールプレイを不快に感じるクライアントもいる。このロールプレイを使うかどうかは，他の介入を用いる際と同様に，クライアントとセラピストで協働的に決定する。やや直面化を伴う技法であるため，ロールプレイの際は，クライアントの言語的・非言語的反応に十分に注意を払う必要がある。また，クライアントが，セラピストが演じる理屈の部分に批判されていると感じたり，けなされていると感じたりしないよう配慮する必要がある。

過去を検証する

　現在の体験から非機能的な信念を修正できることが多いが，自身のネガティブな中核信念が，いつ，どのように生まれ，維持されてきたのか，当時その信念がどのような意味があったのかを理解することが役立つクライアントもいる。

　マリアには「私は愛されない」という信念が子ども時代からあった。セラピストは，はじめに「愛されないと信じていた記憶には，どのようなものがありますか？　小学校時代から振り返ってみましょう」と尋ねた。

　次に思春期の記憶について尋ね，ソクラテス式質問法を使って，そうした体験の一つ一つにマリアが付与していた意味をリフレーミングした。最後に，書きやすい時期について，クライアント自身に対する新しい理解を書いてもらった。マリアの小学校時代のまとめを見てみよう——
「私は基本的に人に好かれていた。親友がいて，仲のよい女の子たちがいた。いじめっこグループにいじめられたけれども，その子たちは，優越感のために他人の粗探しをする人たちだった。悪いのはあっちで，私じゃない」。セラピストは，このメモを毎日読むようマリアに伝えた。

幼少期の記憶の意味を再構成する

　幼少期などに体験したネガティブな出来事の意味を，感情レベルで修正したい場合もある。クライアントによっては，体験的な技法を併せて使い，セッション中にセラピストと一緒に，情動が伴う中で当時の体験を「生き直す」必要があるかもしれない。そのようなときは，ロールプレイやイメージ技法を使って，感情レベルで体験の意味をリフレーミングする（付録D参照）。

3. まとめ

　適応的な信念を強め，不適応的な信念を再構成するには，系統的な取り組みを一貫して続ける必要がある。自動思考や媒介信念を再構成するために使

える技法と，中核信念により特化された技法とを併せて使うとよい。中核信念を修正するその他の戦略を紹介する文献は多い。たとえば，J. S. Beck (2005), Beck ら (2015), McEvoy ら (2018), Pugh (2019), Young (1999) などがある。

> **振り返りのための問い**
> ・適応的な信念を強め，不適応的な信念を修正するには，どうするとよいでしょうか？
> ・信念は時間とともにどのように強化されるでしょうか？

実践エクササイズ

自分は劣っている，愛されない，自分には価値がない，という中核信念が読者にあると想像し，対応する適応的な中核信念を考えて「信念を変える」ワークシートを記入しましょう。

第19章 その他の技法

　本書ではすでに，認知行動療法の基本的な技法を数多く紹介してきた。たとえば，心理教育，希望（アスピレーション）と価値と強み（ストレングス）に注目する，気分と行動をモニターする，認知再構成法，ワークシート，行動実験，マインドフルネスといったものである。これらの技法は，クライアントの思考，行動，身体的緊張度，さらには，感情にも影響を及ぼす。ポジティブな感情を強める技法もあれば，ネガティブな感情を弱める技法もある。またその両方の影響を同時に与える技法もある。第9章で述べたように，これらの技法のどれを使うかは，クライアントと行った概念化を指針にしつつ，クライアントと協働しながら選択する。

　第2章で紹介したように，認知行動療法は，エビデンスに基づく様々な心理療法のアプローチから技法を取り入れている。たとえば，アクセプタンス＆コミットメント・セラピー，コンパッション・フォーカストセラピー，弁証法的行動療法，感情焦点化療法，ゲシュタルト療法，対人関係療法，メタ認知療法，マインドフルネスに基づく認知療法，動機づけ面接，力動的心理療法，スキーマ療法，解決志向ブリーフセラピー，ウェルビーイング療法といったものである。それらを認知的概念化の文脈に組み込んで活用する。また，認知行動療法のセラピストとして熟達するうちに，そのセラピスト独自の技法が開発されることもあるだろう。

　本章では，以下について解説する。

- クライアントの感情調節をどのように手助けするか？（例：再焦点づけ法，気ぞらし法，自己鎮静，リラクセーション法）
- どのようなときにスキルトレーニングをするとよいか？
- クライアントが上手に問題解決できるようになるためには，どのような支援が必要か？
- クライアントの意思決定をどのように手助けするか？
- スモールステップに基づく行動をどのように課題にするか？
- エクスポージャーをどのように行うか？
- ロールプレイを活用するタイミングは？
- 円グラフ法が役立つのはどのようなときか？
- 望ましくない「自己比較」をどのように変えていくか？

1. 感情調節の技法

　認知行動療法の目標は，ネガティブな感情を排除することではない。感情はどれも大切である。ネガティブな感情が，解決する必要がある問題（そこには思考の変容も含まれるかもしれない）を，あるいは解決できない場合は受容する必要がある問題を，それぞれ指し示していることはよくあることである。そこで，認知行動療法では，ネガティブな感情のなかでも，（クライアントの文化と状況を考慮しても）それと見合わないほど強いようにみえるものを同定する。たいていの場合，そのような感情は，偏っているか役に立たない認知と関連しているので，そのような感情を見つけてその強度と持続時間を減らすことが目標になる。クライアントによっては，ネガティブな感情を（回避するのではなく）受容することがポイントになる場合もある (Linehan, 2015; Segal et al., 2018)。アクセプタンス＆コミットメント・セラピー (Hayes et al., 1999) では，ネガティブな感情を受容し，価値に沿った行動へと注意を向けるために役立つメタファーを紹介している。

本書ではこれまで，感情を調節するために使える諸技法を紹介してきた。たとえば，非機能的認知と不適応的行動を修正する，社交的で楽しめて生産的なセルフケア活動にマインドフルに従事する，運動する，自分の強みと長所に着目する，ポジティブな認知と適応的な行動を育む，といったものである。以下に，さらなる感情調節の技法をいくつか紹介する。

再焦点づけ法，価値に沿った行動，自己鎮静

　筆者の場合，苦痛を感じると，まずは自分の思考が正確かどうかを検討し，次に問題解決をする。ただ，ときに，役に立たない思考のなかで身動きが取れなくなることがある。そういうことは，少なくともそのときには解決できない問題があったり，自分では変えることのできない何かのせいでイライラしていたりするときに起こりやすい。思考を検討しても役に立たなそうなときには，別のことに注意を向け直して，次のように自分に語りかける。「このことについて，今考えても役に立たない。気持ちが_____（神経質になっている，イライラしている，など）でもしかたない。今行っている作業に注意を向け直す（または価値に沿った活動に従事する）だけでよい」。クライアントにもこの方法を教えるとよいだろう。クライアントがネガティブな感情反応を観察できるよう，自分の注意がどこに向いているかに気づき，次に別のことに注意を向け直せるよう手助けする。

　自己鎮静のための活動や，リラクセーション法，マインドフルネス・エクササイズなどが，多くの方法がベック研究所のウェブサイトで紹介されている。クライアントが注意を再焦点づけしやすい対象としては，たとえば，たった今取り組んでいる課題，直接的な体験（特に，過去の出来事について反すうしていたり，未来の出来事について強迫的に考えていたりする場合は，感覚を総動員するとよい），身体あるいは呼吸，希望（アスピレーション）とそれに向かうための計画，などが挙げられる。従事できる活動にも様々なものがある。たとえば，価値に沿った行動，誰かと話す，ネットサーフィン，テレビゲーム，ソーシャルメディアに投稿したり誰かの投稿を読んだりする，雑用をこなす，運動する，湯船につかるかシャワーを浴びる，子

どもやペットと一緒に過ごす，感謝をささげる，といったことである。

　エイブは，自分がやらかしてしまったと思っている過去の過ちを頻繁に反すうして自己批判的になったり，ときに将来の経済状況をとても心配したりしていた。セラピストは，エイブに呼吸のマインドフルネスを教え，さらに注意を別のことに向け変えるためにできそうなことをリスト化するのを手伝った。反すうと自己批判は，利益よりも害をより多く生むと判断したからである。

リラクセーション法

　詳細は文献（Benson, 1975; Davis et al., 2008; Jacobson, 1974）を参照いただきたいが，クライアントが身体的緊張を体験しているのであれば，リラクセーションの技法を習得することが役に立つことが多い。リラクセーション・エクササイズは種類が豊富で，たとえば漸進的筋弛緩法，イメージ技法，ゆっくりとした深い呼吸といったものがある。漸進的筋弛緩法では，筋肉を系統的に緊張させては弛緩させていく方法をクライアントに教える。イメージ技法では，たとえば砂浜で寝そべっている状況など，特定の環境でリラックスして，穏やかで，安心している状態を心のなかに視覚的に思い描いてもらう。クライアントに教えられる呼吸のエクササイズもたくさんある。オンラインで検索すると，エクササイズの教示がいくつも見つかるので，セッション中に読み上げて，いくつか試してもらうとよいだろう。セラピストが読み上げる声をクライアントの携帯電話に録音して，自宅で毎日実践してもらうようにする。

> **臨床のコツ**
>
> 　リラクセーション・エクササイズによって，逆説的に覚醒作用を体験するクライアントもいる。そのようなクライアントは，緊張と不安がかえって強まってしまう（Barlow, 2002; Clark, 1989）。そのようなときは，それを学習の体験として利用するとよい。クライアントに，「このままエクササイズを続けたとして，どのようなことが起きることを恐れていま

すか？」と尋ねる。そしてリラクセーション技法を続けるようクライアントを励まし，クライアントの恐れていることが実際にどの程度起きるかを探ってみるよう促す。

2. スキルトレーニング

　うつ病のクライアントに，特定のスキルの欠如がみられる場合が少なくない。たとえば，コミュニケーション，効果的な子育て，就職面接，予算管理，家庭や時間の管理，整理整頓，人間関係といったことにおけるスキル不足である。スキルの欠如があるとわかったら，それに取り組むための理論的根拠を示し，実際に取り組むかどうかはクライアントと協働して意思決定する。それからセッションのなかでスキルについて説明したり実演したりする。スキルによっては，認知行動療法のセルフヘルプ本やワークブックも役立つだろう。www.abct.org/SHBooksにアクセスすると，それらのスキルのリストを見ることができる。

　一方で，何らかの妨げや問題の存在が明らかになった場合は，そこに実際のスキル不足があるのか，それともすでに十分に有しているスキルを使ううえで妨害となる認知があるのかを判断する必要がある。その際セラピストは，「必ずよい結果が得られるとわかっていたら，あなたはどのような行動を取ったり，どのような発言をしたりするでしょうか？」とクライアントに尋ねるとよい。クライアントの回答が理にかなっているのであれば，スキルトレーニングは必要なく，認知を再構成するだけで事足りるだろう。たとえば，「間違ったらどうしよう？」という思考は，すでにやり方を知っている課題を回避することにつながっているかもしれない。「子どもの行動を制限しようとしても，どうせ言うことを聞かないだろう」という思考は，過度に放任するような子育てとつながっているかもしれない。これらの思考を報告するクライアントの場合，スキルそのものは十分に身についていることが考えられる。

> **臨床のコツ**
>
> 他者との会話に自信が持てないクライアントとは，ロールプレイをするとよい。その場合，自分自身の役割を演じるか，または相手の役割を演じるかは，クライアントに選んでもらう。クライアントが自分自身の役を上手に演じることができたら，正のフィードバックを与え，自分が話した言葉を覚えておくために録音しておきたいかと尋ねる。クライアントがうまく演じられなかったときは，セラピストに別のアプローチを見本として演じてみせてほしいかどうかを尋ねる。クライアントがそれを望めば，セラピストがクライアント役を演じてみせる。ただし，その後に役割を交替して，クライアントが練習する機会を設ける。必要に応じて，ロールプレイを途中で止めてフィードバックをし，クライアントに再度練習してもらったりもする。クライアントと協働して活動計画を作成し，コミュニケーションスキルを特定の状況や相手に対して使う課題を計画に含めるようにする。

3. 問題解決

クライアントが価値に沿った行動を起こしたり，希望を実現するために一歩踏み出そうとしたりすると，心理的な障害だけでなく，実生活上の妨げにも直面することになる。そこでセラピストは，セッションのたびに，その後（1週間から数週間）の生活を見据えて，その期間をよりよいものとするために，予想される妨げや問題をクライアントに同定してもらう。クライアントが予想する困難の性質に合わせて，アプローチがいくつかある。

問題を解決することが困難なとき

セラピストはまず，価値と希望に沿った解決策をクライアント自身が考え出せるよう励ましていく。その際，クライアントに問題解決スキルが不足し

ているようであれば，問題解決の方法（すなわち，問題を同定し，複数の解決策を案出してから一つの解決策を選ぶ，解決策を実行する，効果を検証する）を直接的に教示するとよいだろう（D'Zurilla & Nezu, 2006などを参照）。他にも，過去にも同様の問題があったのならそれをどのように解決したか，あるいは親友や家族が同様の問題を抱えていたらどのようにアドバイスするか，といったことを尋ねてもよい。解決策になりそうなことをセラピスト自身が提案することもできるし，必要であればセラピスト自身の体験を注意深く自己開示してもよい。

　なかには，環境を変えることで変化する問題もある。マリアは，自宅に健康な食品が十分にないせいで，高カロリーのジャンクフードを食べ過ぎてしまうことに気づいた。そこで，週に2度はスーパーマーケットに出かけることを優先事項とした。このような状況の変化はマリアにとって大いに役立った。

　問題解決のやり方次第で人生そのものが大きく変わってしまう場合もある。セラピストは，状況を慎重に検討したうえで，配偶者に暴力を受けているクライアントに対して，避難したり法的なアクションを起こしたりすることを勧めるかもしれない。長い間仕事に満足できないまま過ごしてきたクライアントに対して，今の職場に留まることと転職を考えることとの利益と不利益をそれぞれ分析するよう促すかもしれない。

　非機能的な認知が問題解決を妨げているときは，そのような認知を同定してそれに対応した後に，再び問題解決に戻ることができるよう，クライアントを手助けする。たとえばエイブは，特別なイベントに来ていく服を買いたいと考えていた。いとこに買い物につき合ってくれるよう頼めばよいということはわかっていたが，「助けを求めるべきではない」という信念がそれを阻んでいた。そこでまずは，その状況に対する認知を検討し，その次にエイブ自身が考えていた解決策を実行して，洋服選びをいとこに手伝ってもらうことができた。

問題を解決することが不可能なとき

　もちろん，すべての問題を解決できるはずはない。解決できない問題があったとしても，それほど大きな苦痛につながらないのであれば，クライアントは，セラピストの助けがなくてもその問題を受容できるかもしれない。その場合，セラピストは「まあ，いいか（"Oh, well"）」の技法（J. S. Beck, 2007）を教えるとよいだろう。「まあ，いいか」というのは短縮形で，全部を提示すると，「この状況や問題は決してよいとはいえない。でも，目標を達成したいのであれば，この状況や問題を避けることはできない。だったら，状況や問題と闘うのはやめて，代わりに受容し，別のことに注意を向け直すことにしよう」というものになる。エイブの場合，就職面接を受けた仕事が不採用になったとき，この技法が役に立った。

　解決しようのない問題に関連する認知が役に立たない場合は，認知再構成法が必要となることが多い。エイブは元妻とのあいだに問題を抱えていた。元妻は，エイブに対して非常に批判的だった。エイブは，もっと生産的な対話をするために，元妻と何度も話し合おうとしてみたが，そうすればするほど，元妻はエイブに対して批判的になった。元妻のそのような様子が変化する見込みはなさそうだった。そのことが，うつ病になったときのエイブの認知をさらに悪化させた。彼は「元妻は正しい。私は何の役にも立たない人間だ」と思うようになってしまった。そこで，そのような認知を検討し，それに対応することによって，エイブは妻の言動をかえって受け入れられるようになった。そして注意を別のことに向け直し，他の方法で人生の満足度を高めようと取り組めるようになった。エイブは妻との問題を解決できなかったものの，問題への**対応**の仕方を変えることができた。

問題が起こる確率が低い場合

　問題が起こる確率が低い場合，セラピストは次のようにクライアントを手助けできる。

- 問題が起こる確率を評価する
- いちばん望ましくて，しかも現実的なシナリオを考えてみる
- 実際に問題が起きた場合の対処法を話し合っておく
- 合理的な対策と行き過ぎた過剰な対策とを区別する
- 不確実性を受け入れる
- 責任を強く感じすぎている場合は，それを緩和する
- 個人的なリソースと外側の環境的なリソースを認識し，それらを増強する
- 自己効力感を高める

4．意思決定

　クライアントの多くは，うつ病を有する場合は特に，意思決定がなかなかうまくできない。意思決定についてクライアントに助けを求められたら，まずは選択肢ごとに利益と不利益をそれぞれ挙げてもらう。次に，各項目を比較検討して，どの選択肢がいちばんよさそうかとの結論を出すための体系的な方法を教える（図19.1参照）。

セラピスト：ホームレスの人たちのためのシェルターでボランティアをするかどうかを決めることについて，私の手助けが欲しいのですね？
エイブ　　：はい。
セラピスト：わかりました。（用紙を取り出す）よろしければ，ボランティアの件で，利益と不利益を比べてみる方法をご紹介できます。そのようなことを以前にしたことがありますか？
エイブ　　：いいえ。少なくとも紙に書いてみたことはありません。頭の中でメリットとデメリットについて多少は考えたことはありますが。

ボランティアをすることの利益	ボランティアをすることの不利益
1. 自宅から出かける機会になる 2. 役に立って，生産的なことをしている気持ちになる 3. 周りの人たちを助けられる 4. 収入のある仕事に就く前のよいステップになる 5. 新しいスキルを身につけられる？	1. 疲れすぎるかもしれない 2. 好きではないかもしれない 3. そのことについて考えると不安になる
ボランティアをしないことの利益	ボランティアをしないことの不利益
1. それについて不安を感じないですむ 2. エネルギーをためて，他のことに振り向けられる 3. 考えられる失敗に直面しないですむ	1. うつ病のためにならない 2. 家から出る機会が得られない 3. 役に立っていて生産的な気持ちを感じるかもしれない機会が提供されない 4. 収入のある仕事に向けての練習にならない 5. スキルが増えない

図 19.1 エイブの利益と不利益の分析

セラピスト：出発点としてはそれでよいのです。でも，書き出してみると，より明確に意思決定できるようになるのがわかると思います。どちらの選択肢から始めましょうか？ ボランティアをすることについて？ それともしないことについて？

エイブ　　：ボランティアをすることについて，から始めたいです。

セラピスト：わかりました。この用紙の左上に，「ボランティアをすることの利益」と書いてみてください。右上には，「ボランティアをすることの不利益」と書きます。それから下の欄にはそれぞれ，「ボランティアをしないことの利益」「ボランティアをしないことの不利益」と記入しましょう。

エイブ　　：(その通りにする) 書きました。

セラピスト：あなたはどのようにお考えでしょうか？ ボランティアをすることの利益と不利益を，それぞれいくつか書き出せそうです

第 19 章 その他の技法 　465

　　　　　　か？（エイブは，それまでに考えてきたことを書き出す。セラピストは質問をしながら彼を導く）ボランティアをするとなると自宅から出かけることができる点はどうでしょう？　それも利益に含まれますか？
エイブ　　：そうですね。（書き出す）

　利益と不利益の両方の項目ともにしっかりと書き出せたとエイブ自身が感じるまで，二人でこのプロセスを続ける。次に 2 つ目の選択肢（ボランティアをしないこと）についても同じプロセスを繰り返す。一つの選択肢の利益と不利益を検討することで，もう一つの選択肢に記入するアイディアもどんどん想起しやすくなる。次にセラピストは，エイブがそれぞれの項目に書かれたものを検討できるよう手助けする。

セラピスト：いいですね。どの項目にもしっかりと書き込めました。次にするのは，項目同士を何とかして比較することです。いちばん重要なアイディアに丸をつけてみましょうか？　または，それぞれのアイディアの重要度を 1 から 10 の尺度で評価してみることもできます。
エイブ　　：丸をつけてみたいです。
セラピスト：わかりました。リストを一つ一つ眺めてみましょう。どのアイディアがあなたにとって最も重要だと思われますか？（エイブは図 19.1 のそれぞれの項目におけるアイディアに丸をつける）自分で丸をつけたアイディアを見てみて，どのように思いますか？
エイブ　　：私がボランティアをしたいのは，人びとを助けることができて，生産的な気持ちになれそうで，自宅から出かけられるのがよいと思うからです。でも，実際にシェルターに行ってみたら，何をしたらよいのかわからなくなりそうです。
セラピスト：シェルターでボランティアをする人の全員が，何をしたらよい

のかを予め知っているのでしょうか？　オリエンテーションのようなものが事前にあるかどうか，調べてみることはできそうですか？　疑問があるときには誰に訊けばよいのでしょうか？　もしかすると，意思決定をする前に，もう少し情報収集する必要があるかもしれませんね。」

話し合いの最後に，セラピストは，エイブがこの技法をこれからも使う見込みを高めようと試みる。

「この作業（利益と不利益を挙げて選択肢を比較検討するプロセス）は，役に立ちましたか？　他にも，意思決定する必要があって，これと同じ作業をすると良さそうな案件はありますか？　この作業のやり方を覚えておくためには，どうすればよいでしょうか？」

5. 段階的な課題の割り当てと階段の比喩

うつ病のクライアントは，達成しなければならない課題があると，圧倒されてしまいやすい。その際，大きな課題は，容易に扱えるぐらいの要素に分解することが重要となる (Beck et al., 1979)。通常，私たちが目標を達成するまでには，途中でいくつもの課題をこなしたり，たくさんのステップを順に踏んでいったりする。クライアントが，今目の前にあるステップに注目せずに，目標がいかに遠くにあるかということに注目すると圧倒されてしまうだろう。そういうときは，目標までのステップを階段として視覚的に描いてみせると，クライアントは安心する（図19.2）。

セラピスト：引っ越しのことを考えるだけで，気持ちが落ち着かなくなるようですね。でも，あなたはどうしても引っ越しをしたいんですよね。
マリア　　：そうなんです。

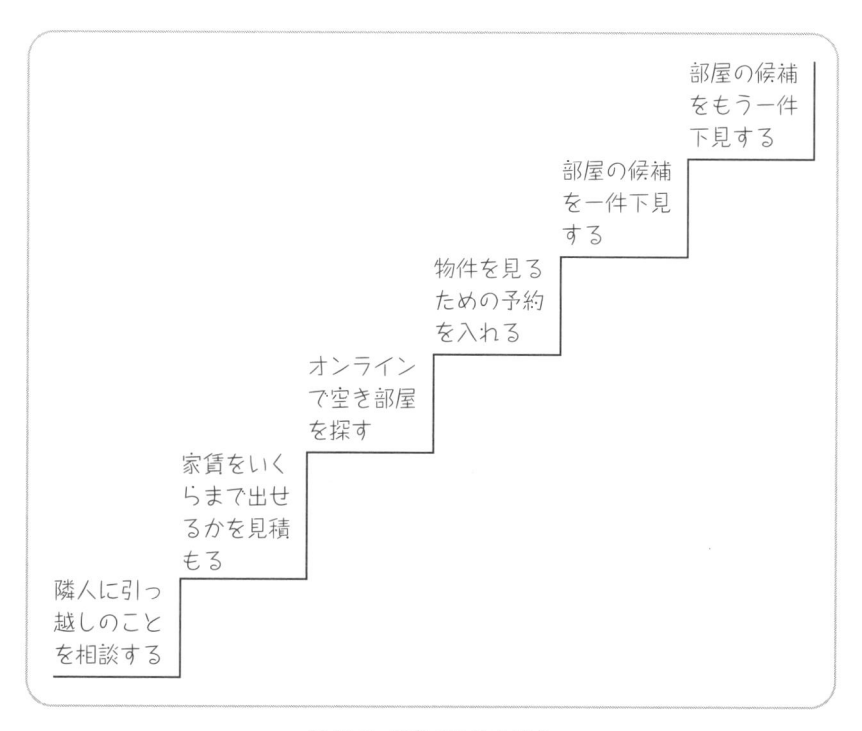

図の中（階段、下から上へ）:
- 隣人に引っ越しのことを相談する
- 家賃をいくらまで出せるかを見積もる
- オンラインで空き部屋を探す
- 物件を見るための予約を入れる
- 部屋の候補を一件下見する
- 部屋の候補をもう一件下見する

図 19.2　階段の比喩を使う

セラピスト：それでは引っ越しをステップに分けて考えてみてはどうでしょう。たとえば，引っ越し先として良さそうな地域を決めることから始められるかもしれません。

マリア　　：そうですね。実は隣の部屋の人にアドバイスを求めようと思っていました。彼女は隣に引っ越してくる前に，ずいぶんいろいろと調べたんだそうです。

セラピスト：その次のステップは，どのようなものになりそうですか？（マリアがいくつものステップを追加できるように導く）今も引っ越しに対しては，やはり不安を感じますか？

マリア　　：ええ，いくらかは。

セラピスト：（階段を描く）わかりました。ぜひこのことを覚えておいてください。私たちは一歩ずつ進んでいきます。それは階段を上るのに似ています。今すぐにいきなり引っ越しをするのではないのです。まず，ここから出発して（階段の下段を指す），まずは隣の人に相談します。次に，いくらまでなら家賃を払えそうか判断します。それから，オンラインで空き部屋を探し始めます。見つけたら，最初の部屋を下見する予約を入れるとよいでしょう。そして実際に下見に訪れます。2番目の候補も下見に訪れます。つまり，ここから始めて（階段の下段を指す），一段ずつ上っていきます（階段の下段から次の段まで矢印を描く）。一段ずつ上っていくにつれて気持ちが楽になっていきます。ここから（階段の下段を指す）ここまで（階段の最上段を指す），一足飛びに上るのでは**ありません**。ここまでよろしいでしょうか？

マリア：なるほど。

セラピスト：日頃から，いきなり最終目標について考え始めていることに気づいたら，そのたびに階段のことを思い出すとよいでしょう。特に，今どこのステップにいるかを確認して，一度に一段だけ階段を上るようにします。そうすることで不安がやわらぐように思えますか？

6. エクスポージャー

　うつや不安の問題を抱えるクライアントは，コーピング戦略として回避を使うことが多い。そのようなクライアントは，特定の活動に従事することについて絶望を感じているのかもしれないし（「友だちに連絡したってよいことは何もない。どうせ会いたいとは思ってもらえないのだから」），あるいは恐怖を感じているのかもしれない（「［〇〇という活動］をしたら，何か悪いことが起こるだろう」）。クライアントの回避行動がはっきりとわかりやすい

場合もある（例：ベッドの中でほとんどの時間を過ごし，セルフケアのための活動，家事，社交，用事といったことを回避する）。逆に，より目立たない形での回避行動もある（例：社交不安のあるクライアントが，他者と視線を合わせる，他者に向けてほほ笑む，雑談，自発的に意見を言う，といったことを回避する）。後者の回避は，**安全行動**でもある（Salkovskis, 1996）。クライアントは，安全行動によって，不安や恐ろしい結果を寄せつけないでいられると信じている。

　回避をすると，その場では安堵を感じやすいが（だからこそ非常に強化的である），それがむしろ問題を持続させることになってしまう。なぜなら，回避によって，クライアントは自らの自動思考を検証することができないし，自動思考に反証する証拠を受け取る機会も失うからである。クライアントが不安を感じており，明らかに回避的である場合，セラピストは強力な理論的根拠を示して，エクスポージャーを提案することができる。従来の認知行動療法のアプローチでは，セラピストは次のように言う。

セラピスト　：＿＿＿＿＿［恐れている状況］に対するあなたの回避行動を減らすことについてお話ししてもいいですか？　研究でわかっているのは，＿＿＿＿＿への恐怖を乗り越えるには，ご自身をそれに曝すことが効果的だということです。それは段階を踏んで徐々に行うのでもよいですし，一気に曝すというのでも構いません。どちらでもあなたが選ぶことができます。たとえば，あなたは猫を何匹か飼っておられますよね。ということは，あなたには猫への恐怖はないのでしょう。でも，仮にあなたが猫恐怖症だったら，どのようにしてそれを克服できるでしょうか？　たとえば，猫の写真やビデオを見ることから始めて，猫に関する自分の予測が正確でなかったと認識するまで見続けます。同時に不安も和らぐでしょう。（間を置く）ここまで，理解できましたか？

クライアント：はい。

セラピスト　：次に，猫を飼っていて，猫を快くキャリーバッグに入れてくれる知人の家を訪問してもよいかもしれません。その次は，子猫に近づいて，撫でてみることができます。こんな風に続けていきます。これの狙いは，まず回避行動を減らして，猫に対するご自身の信念や予測が正しいかどうかを学ぶ機会を得ることです。同時に，自分が不安に耐えることができるかどうか，ということも学べます。

　このように話しながら，回避している状況についての階層表をクライアントと一緒に作成する。それぞれの状況においてどれぐらいの不安を感じそうかと，0から100（または0から10）までの尺度で評価してもらう。階層表には，最も不安が低い活動から記入し，最も不安が高い活動まで順に書き出していく。次に，これからの1週間のあいだに，どの活動に取り組みたいのかをクライアントが決める。たいていのクライアントは，最も不安の低い活動へのエクスポージャー（曝露）から始めたがるが，治療では一般に，クライアントが30パーセントほど不安だと予測する状況を同定して，そこから取り組み始めることが多い。ただし，最も強い不安を惹起する活動に真っ先にチャレンジすることを選択するクライアントもいる。強い不安に自らエクスポージャーできると，治療のスピードが上がることが多い。
　一方，リカバリー志向においては，クライアントが抱いている価値と希望（アスピレーション）とエクスポージャーを関連づける。セラピストは次のように言うことができる。

　「おばあさんに会いに行くことが，あなたにとってはとても重要なんですね。一方で，あなたのコーピング戦略である回避行動が，その妨げになっているようです。今週は，長い時間車に乗り続けることに向けて，ステップを踏んでみてはいかがでしょうか？　不安をさほど感じないような場所に出かけることもできますし，ものすごく不安になりそうな場所に思い切って出かけてみることもできます」

エクスポージャーを，技法として明確に打ち出すか，あるいはそれとなく提案するかにかかわらず，クライアントには，エクスポージャーとなる活動を（可能なら）毎日実施してもらい，恐れていた結果が起きないことがわかるまで，その場に留まり続けてもらう（Craske et al., 2014）。クライアントには，「この活動は危険ではない。自分はそれを回避する必要はない。たとえ結果が悪くても，自分はそれをどうにかできる」と信じられるようになってもらいたい。状況が許すならば，セラピーをしているその場所でエクスポージャーを試すことができるし，セラピストが別の場所まで同行してエクスポージャーを行うこともできる。

クライアントが安全行動を使うことについては，セラピストもクライアント自身も注意する必要がある。なぜなら，「［安全行動を使った］のがよかった。もし使わなければ，何か悪いことが起きたかもしれない」とクライアントに思ってほしくないからである。クライアントには，エクスポージャーの最中に，「自分は，［恐れている結果］を避けたり［恐れている結果］が起きにくくなったりすることを，何かしてはいないだろうか？」と自問するよう促すとよい。また，エクスポージャーを**終えた後**の自動思考を観察してもらう。その際，「今回は不安に耐えられたけれども，次回は耐えられないだろう」といった役に立たない認知が浮かんでいないか，気をつけてもらう。次のセッションで，その間にクライアントが上手にエクスポージャーができて，役に立つ結論を導き出していることがわかったら，さらにその次の週には，新たなエクスポージャーの課題に取り組んでもらうことができる。

イメージ・エクスポージャーが役に立つこともよくある。特に以下に挙げる2つの条件に当てはまるときは，クライアントに，イメージの中で，その状況に入ってもらったり特定の活動に従事してもらったりする。

1. わずかなエクスポージャーにも耐えられないほどクライアントが恐れている場合
2. 通常のエクスポージャーが現実的に実践できない場合

日付	活動	予測される不安のレベル (1～100)	実際の不安のレベル (1～100)	予測
12月12日	教会に出かける	90%	60%	不安に耐えられないだろう。途中で抜け出さなければならなくなるだろう。

図 19.3　エクスポージャーの観察記録表

　なお，バーチャルリアリティを使ったエクスポージャーを通じて，「仮想」的なシナリオの中で恐怖を検証するというやり方もある。
　エクスポージャーをする際に「観察記録表」（図 19.3）を記入してもらうことで，スモール・ステップ化されたエクスポージャーの階層表に，クライアントが日々取り組みやすくなる。記録表はシンプルなもので構わない。日付と活動と不安のレベルを記録するだけでよい。表には，エクスポージャーをした場合の予測を記入しておいて，予測通りでなかった場合は，**二重線を引いて消す**ようにしてもらうと，自分の思考の多くが正確でないことをクライアントが認識しやすくなる。
　クライアントによっては，以下に示すような内的な刺激を恐れて，それらの刺激を回避しようとするかもしれない。

- 強い感情を体験すること
- 動揺する状況や恐ろしい状況について考えること
- 苦痛を伴う記憶を想起すること
- 生理的に覚醒すること
- 身体的な痛みに直面すること

　こういう場合は，通常，マインドフルネス・エクササイズが役に立つ（第

16章参照)。エクササイズにおいてクライアントは行動実験をし，それらの内的刺激に自分を曝して，自らの恐怖を検証する。

> **臨床のコツ**
>
> クライアントがエクスポージャーをかなり恐れている場合，はじめは安全行動を使うことを許容する必要があるかもしれない。たとえば，車を運転して橋を渡ることを極度に恐れているクライアントの場合，誰かに同乗してもらうということがあるかもしれない。しかし，次のステップでは，そのような安全行動を使わずに恐れている状況に入っていく必要がある。

エクスポージャーについて概観したが，実際に行うにはさらなる教示が必要となる。広場恐怖のための階層表を作るプロセスについては，様々な文献に詳しく書かれているので参照されたい（例：Goldstein & Stainback, 1987）。エクスポージャーのセッションを効果的に行うための計画，ターゲットの候補，エクスポージャーの効果を減じる要因については Dobson and Dobson（2018）が詳しく説明している。

7. ロールプレイ

ロールプレイは，幅広い目的で使うことのできる技法である。本書でも，これまでに多くのロールプレイの例を示してきた。それはたとえば，自動思考を引き出したり，適応的な対応を育んだり，媒介信念と中核信念を修正したりするといったものである。ロールプレイは，ソーシャルスキルを学んだり実践したりするうえでも役に立つ。

全般的にソーシャルスキルが足りていないクライアントがいるかもしれない。あるいは，ある種のコミュニケーションに関するスキルを有してはいるが，それを必要なときに状況に合わせてうまく使うスキルが不足するクライアントもいる（例：職場ではうまく使えるが自宅では使えない，あるいはそ

の逆)。たとえばエイブは，通常の社交的対話はまあまあ上手にできており，気づかいや共感が必要な状況にもうまく対応できていた。ところが，セラピストが「いとこが快い反応を返してくれるとわかっていたら，予定をドタキャンすることになったとき，いとこに何と言いますか?」と尋ねた際，エイブは答えられなかった。スキルが足りなかったからである。そこでエイブとセラピストで，ロールプレイを何度か行った。はじめにセラピストがエイブの役を演じ，次にエイブが自分の役を演じた。次に，セラピストは，ロールプレイで練習したような会話を実際にいとこにする際に，何が妨げになりそうかをエイブに尋ねた。エイブは「彼女は，私が彼女を批判していると考えるかもしれません」と答えた。ここでは，エイブにはスキル不足と同時に妨げとなる認知があることがわかり，そちらも扱っていく必要があった。

8. 円グラフ法を使う

自分の考えを図式化することが役立つ場合も多い。円グラフ法は，たとえば目標設定を支援するなど，様々な用途に使える。たとえば，円グラフを描いて，現在どれぐらいの時間を，自らの希望(アスピレーション)や価値を満たすことに使えているかを示してみる(図19.4)。別の用途としては，ある結果の要因として考えられるいくつかの要素について，相対的な責任の割合を判断するといったことが挙げられる(図19.5)。

セラピスト:元の奥さんがあなたに対してこんなに怒っていることについて，ご自身の責任はどれぐらいだと信じていますか?
エイブ　　:100パーセントです。私が失業しなければ，私たちの結婚は続いていたでしょう。
セラピスト:元の奥さんが怒っていることについて，他にも説明できる要因があるのではないでしょうか?
エイブ　　:(考える)ときどき，ふと思うのですが，元妻は私だけでなく

自分自身に対しても怒っているのではないでしょうか。彼女は，離婚したらもっと幸せになれると信じていたのでしょうが，実際にはそうなっているようには見えないのです。

セラピスト：他にはいかがでしょうか？

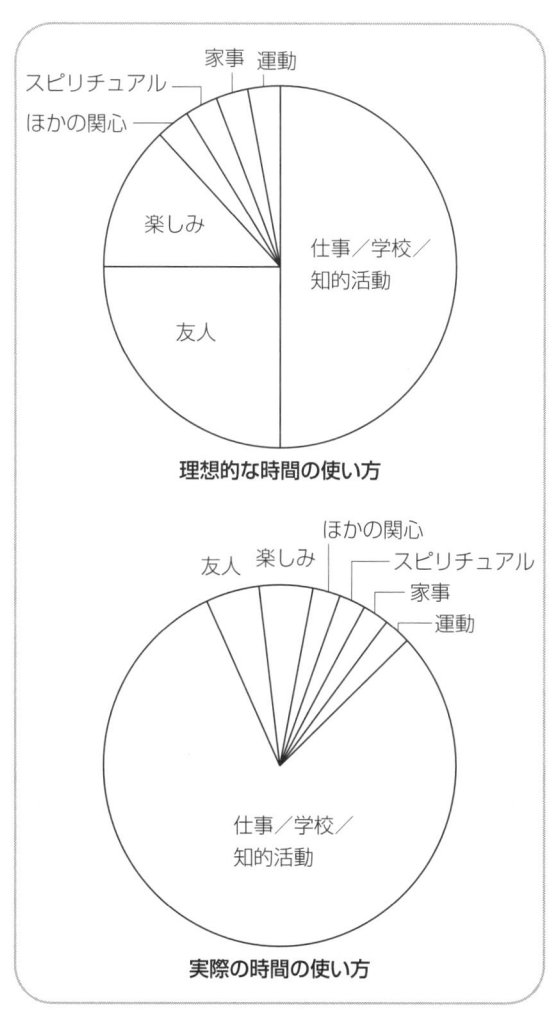

理想的な時間の使い方

（円グラフ：仕事／学校／知的活動，友人，楽しみ，ほかの関心，スピリチュアル，家事，運動）

実際の時間の使い方

（円グラフ：仕事／学校／知的活動，友人，楽しみ，ほかの関心，スピリチュアル，家事，運動）

図 19.4　目標設定のための円グラフ

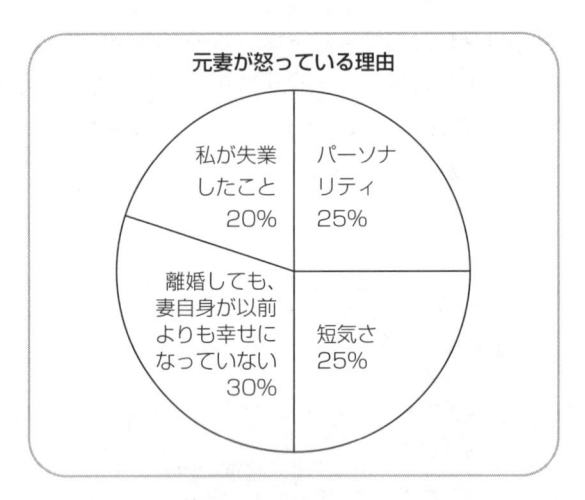

```
        元妻が怒っている理由
   ┌─────────────────┐
   │  私が失業  │ パーソナ │
   │  したこと  │  リティ  │
   │   20%    │   25%   │
   │─────────────────│
   │ 離婚しても、│         │
   │ 妻自身が以前│  短気さ  │
   │ よりも幸せに│   25%   │
   │  なっていない│         │
   │    30%    │         │
   └─────────────────┘
```

図 19.5　要因の円グラフ

エイブ　　　：わかりません。
セラピスト：結婚生活が順調だったときも，元奥さんは怒ることがありましたか？
エイブ　　　：ありました。些細なことで，彼女は私にしょっちゅう怒っていました。
セラピスト：あなただけが怒られていたのでしょうか？
エイブ　　　：いいえ，子どもたちも怒られていました。彼女はときどき友人に対しても怒っていました。そういえば，自分の姉妹や両親に対しても。
セラピスト：何だか，怒るというのは，彼女のパーソナリティの一部のように思えますが？
エイブ　　　：ええ，そうかもしれません。
セラピスト：彼女は短気な性質だったのでしょうか？
エイブ　　　：その通りだと思います。
セラピスト：もちろんあなたは，元奥さんを怒らせるために失業したわけではありませんよね。

エイブ　　：もちろん，違います。
セラピスト：円グラフを描いてみませんか？（図 19.5 にある円を描く）元奥さんが今でもあなたに対して怒っていることについて，実際にどれぐらいあなたに責任があるのかを見てみたいと思います。よろしいでしょうか。
エイブ　　：ええ，もちろん。
セラピスト：元奥さんの怒りのうち，どれぐらいが彼女のパーソナリティから来ていると思いますか？
エイブ　　：（考える）少なくとも，25 パーセント。
セラピスト：（円から 25% 分を切り分けて，「パーソナリティ」とラベルづけする）元奥さんが短気であることについては？
エイブ　　：それも 25 パーセントかもしれません。
セラピスト：（円から再び 25% を切り分けて，ラベルをつける）そして，元奥さんが離婚しても幸せになれていなくて，彼女が自分自身に対して怒りを感じていることについてはいかがでしょうか？
エイブ　　：30 パーセントぐらいかな？
セラピスト：（円から 30% を切り分けて，ラベルをつける）では，あなたが仕事を失ったことについては？
エイブ　　：ええと，あまり残っていませんね。20 パーセントぐらいでしょうか？
セラピスト：（残りの 20％ にラベルをつける）そして明らかなのは，あなたが奥さんを怒らせるために**意図的に**仕事を失ったわけではないということです。では，元奥さんがあなたに対してこれほど怒っているのが自分の責任であると，今ではどれぐらい信じていますか？
エイブ　　：前ほどではありません。これまではこんなふうに他の理由について考えたことがありませんでした。

> 臨床のコツ
>
> 　円グラフ法で要因を調べる際は，クライアントが信じている非機能的な帰属（エイブの例では「自分の責任」）については最後に見積もってもらう。そうすることで，あらゆる要因を十分に考慮することができる。

9. 自己比較法

　クライアントに生じる役に立たない自動思考が，比較の形をしていることはよくある。たとえば，現在の自分を，障害を発症する以前の自分，または，こうありたいと思っている自分と比較する自動思考である。あるいは精神医学的な障害をもたない他者と自分とを比べることもあるだろう。このような比較によって，つらい気持ちが維持されたり強化されたりしてしまう。マリアの場合もそうだった。セラピストは，マリアのしている比較が役に立たないことを彼女自身が理解できるよう手助けした。次に，より機能的な比較を（状態が最も悪かったときの自分と）することを教えた。

セラピスト：この1週間は，ご自分を他の人と比べることが多くあったようですね。
マリア　　：ええ，そう思います。
セラピスト：その結果，気分がますます悪くなったようですね。
マリア　　：そうです。だって，私を見てください。居間を片付けるとか，請求書を払うとか，そんな基本的なことをするだけでも大変なんです。
セラピスト：たとえば自分が肺炎になったとして，それでも無理をして基本的なことをした場合，あなたは自分にそんなふうに厳しくするのでしょうか？

マリア　　　：いいえ。だって肺炎なら，心身が疲れている**もっともな理由**があります。
セラピスト：うつ病も，心身が疲れているもっともな理由にならないのでしょうか？　うつ病でない人とご自分を比べるのは，公平でないかもしれません。初回セッションで，うつ病の症状について話し合ったことを覚えていますか？　たとえば，疲労，エネルギーの低さ，集中困難，やる気が出ない，といった症状がありましたね。
マリア　　　：そうですね。
セラピスト：では，あなたが基本的なことをすることすら大変だということには，もっともな理由があるということになりそうですね。うつ病でない人にとっては，大変でないか，少なくともあなたほど大変ではないのではないでしょうか。
マリア　　　：（ため息をつく）そうかもしれません。
セラピスト：でしたら，自分を他の人と比べていることに気づいたときに，何ができるか考えてみませんか？
マリア　　　：（うなずく）
セラピスト：たとえば，次のように自分に話しかけてみてはいかがでしょうか？「ちょっと待って。それは理にかなった比較ではない。比較するなら，いちばん状態が悪かったときの私自身と比べよう。セラピーを始める前で，自宅のすべてがめちゃくちゃで，一日中ベッドのなかかソファの上で過ごしていたときの私と」。
マリア　　　：まあ，そのときに比べれば，今はもっとできていると思います。
セラピスト：そう考えて，気分は悪化しますか？
マリア　　　：いいえ，むしろよくなったようです。
セラピスト：このような比較のやり方を活動計画の一部として試してみませんか？
マリア　　　：わかりました。

セラピスト：書き出しはどのようにしたいですか？
マリア　　：「自分を他人と比べても役に立たない」でしょうか。
セラピスト：「特に，うつ病でない人と比べても」としておきましょう。代わりに何をしましょうか？
マリア　　：ここでセラピーを始める前にはしていなかったことで，今はできていることについて考えることができます。
セラピスト：すばらしい。そのことについても書き出しておきましょうか？

「現在の自分」を「こうありたいと思う自分」と比べる自動思考があるクライアントは，たとえば「自分は［フルタイムの仕事］をこなせるべきだ」などと言うかもしれない。うつ病になる前の自分と比較しているクライアントは，「以前は，こんなことは簡単にできたのに」などと言うかもしれない。こういった場合も，治療を始めてからどれほど前に進むことができたか，という点に注意を向けてもらうようにする。

> **臨床のコツ**
>
> 　クライアントが，今，いちばんひどい状態にある場合は，アプローチを変える必要がある。
>
> 　「今のご自分を，他の人や「こうありたい」と**願う**自分と比べると，気持ちがかなり落ち込むようですね。こういうときは，目標を書き出したリストのことを思い浮かべてみませんか。そして，あなたが変わるための計画に，あなたと私がここで一緒に取り組んでいることについても思い出します。あなたと私はチームです。あなたが行きたいと思っているところにたどり着くために，私たちは一緒に取り組んでいます。このことを思い出すと，気分はどのように変わりますか？」

10. まとめ

　認知行動療法では実に様々な技法を活用する。特定の障害に向けた技法もあれば，症状を超えて幅広く使われる技法もある。他の治療アプローチから取り入れてきた技法も多い。これらの技法は，クライアントの思考や行動，身体的緊張，そして気分に効果を及ぼすことができる。ポジティブな感情を強める技法もあれば，ネガティブな感情を減らす技法もあり，またその両方の効果を持つ技法もある。クライアントの感情調節を手助けする技法もあれば，スキルを教える技法もある。クライアントは技法を選択し，その理論的根拠を示し，クライアントの同意を得たうえで，技法を実践していく。その際，指針にするのはクライアントに対して行った概念化である。

振り返りのための問い
・認知行動療法で活用できる技法はたくさんあります。認知行動療法における学ぶことの多さに友人が圧倒されてしまっていたら，どのようにアドバイスしますか？
・本章で紹介した技法のうち，どれが役に立ちそうですか？

実践エクササイズ

　読者のあなたが現実に迫られている意思決定（あるいは今後，現実に迫られることが予想できる意思決定）には，どのようなものがありますか？　その意思決定について，一方の選択肢と他方の選択肢の利益と不利益をそれぞれ書き出してみましょう。
　また，円グラフ法を使って，あなたの希望する時間の使い方と，実際の時

間の使い方について，記入してみましょう。

第20章 イメージ技法

多くのクライアントが，自動思考を，言葉だけでなく，脳裏に浮かぶ映像としても体験している（Beck & Emery, 1985）。著者も，今ここで，今日浮かんだ様々なイメージを思い出せる。友人からのeメールを読んだときには友人の姿が心に浮かんでいた。家族の夕食会を計画しながら，前回の会食の記憶がよみがえった。あるクライアントが「夫に怒られる」という自動思考を語ったとき，彼女には夫が意地悪な表情で話している姿が思い浮かんだ。

ほとんどのイメージは視覚的だが，その他の感覚（声の調子など）や身体感覚（生理的感覚）もある。言語的なプロセスよりイメージのほうが，私たちのポジティブとネガティブの両方の感情により強く影響を及ぼす（Hackmann et al., 2011）。認知行動療法のセラピストでイメージを扱う人はまだ少ないが，イメージ技法は非常に重要かつ有用な技法である。

本章では以下について解説する。

- クライアントのポジティブなイメージを引き出す方法
- 自発的に浮かぶネガティブなイメージをどう同定し，それについてクライアントに何を教育するか
- 自発的に浮かぶ苦痛なイメージにどう介入するか

1. ポジティブなイメージを引き出す

ここまでの章で，ポジティブなイメージを引き出す様々な方法をみてき

た。たとえば，希望（アスピレーション）や目標を達成した状態や，価値に沿って生きているところをクライアントに想像してもらったり（できれば，そのときに体験しそうなポジティブな感情も一緒に想像してもらう）。活動計画に取り組んでいるイメージを通じて，動機づけを高めたり，考えられる妨げを見つけて解消したり，活動計画を完遂する見込みを高める技法を解説した。

　ポジティブなイメージを引き出すその他5つの介入法を以下に解説する。ポジティブな記憶に注意を向ける，適応的なコーピング技法をリハーサルする，距離をとる，ポジティブなイメージに置き換える，これから起きる状況のポジティブな側面に注目する，である。

ポジティブな記憶に注意を向ける
　ポジティブなイメージをありありと持ってもらうことで，クライアントのポジティブな感情や動機づけや自信を高められる場合がある。過去に問題を解決したり，困難な状況にうまく対処したり，成功を体験したりしたときの記憶で，現在や将来の状況と関連しそうなものを思い出してもらうとよい(Hackmann et al., 2011)。

セラピスト：[まとめの作業をする] かなり自信喪失なさったようですね？
エイブ　　：ええ……いつも，物事の大変さばかり考えてしまいます。
セラピスト：うつ病のために，**実際**に以前よりも大変なことが多いと思います。でも，人生でとても大変だったこととして，高校生の夏に工事のアルバイトをしたときのことを話してくださったのを覚えています。
エイブ　　：はい。はじめは仕事のわけがわからなかったです。
セラピスト：その後どうなったのですか？
エイブ　　：周りの人たちの様子を観察して仕事を理解しました。
セラピスト：夏の間中ずっと大変だったでしょうか？
エイブ　　：いいえ，だんだん要領がつかめてきました。体力的には大変で

したけどよい経験ができました。
セラピスト：当時のご自分をイメージできますか？　アルバイトで最後の日がよいかもしれません。ご自分の姿が思い浮かびますか？
エイブ　　：ええ。
セラピスト：何をしていますか？
エイブ　　：別な人が梁を設置するのを手伝っていました。
セラピスト：暑かったですか？
エイブ　　：それはもう。
セラピスト：心の目に場面が見えますか？　猛暑の中でこの大変な作業をしています。（間を置く）どのような気持ちですか？
エイブ　　：なかなかよい気持ちです。
セラピスト：自信はどうですか？
エイブ　　：はい。
セラピスト：難しい作業をしていて，しかもうまくできている，ということをわかっていますね？
エイブ　　：はい。
セラピスト：あなたが，そのときと同じ人だということが理解できますか？　難しいことでもできる人ですね？　うつ病があるのは事実ですが，投げ出したりしていません。困難なことに毎日取り組んでいます。家の片付け，用事をこなす，シェルターのボランティア，など，どれも以前よりもこなしやすくなりましたね？
エイブ　　：そうですね。
セラピスト：高校時代のあの夏に大変な困難に直面し成功した状況を，今週はもっと思い出してみると役立ちそうですか？　ご自分が今もあのときと同じ人ということや，以前よりもさらにできることが増えたことも思い出してみませんか？
エイブ　　：はい。そうしてみます。

適応的なコーピング法をリハーサルする

　クライアントが想像の中でコーピング戦略を使うリハーサルをすると，クライアントの自信と気分が高まり，セッションとセッションの間にこうした適応的行動を使う動機づけを高めることができる。ブースターセッション（フォローアップセッション）でセラピストがエイブを支援する様子を見てみよう。

セラピスト：初出勤の日がひどいことになりそうと予測しているのですね？
エイブ　　：ええ。
セラピスト：不安に初めて気づくのはいつでしょう？
エイブ　　：朝，目覚めたときです。
セラピスト：そのとき，どのようなことが頭に浮かんでいそうでしょうか？
エイブ　　：職場でおかしな振る舞いをしてしまうだろう。
セラピスト：おかしな振る舞いというのはどのような場面でしょう？
エイブ　　：自分のデスクで呆然とパソコン画面を見つめているのです。
セラピスト：なるほど，それは不安ですね。気持ちを落ち着かせるために出勤前にできることはありますか？
エイブ　　：初出勤の日に落ち着かないのは当然だと，思い出します。
セラピスト：そうしているところをイメージできますか？
エイブ　　：ええ。
セラピスト：よいですね。他にはどのようなことができますか？
エイブ　　：マインドフルネスを実践できます。
セラピスト：それをしている姿もイメージできますか？
エイブ　　：ええ。
セラピスト：その後はどうなりますか？
エイブ　　：気持ちが少し楽になります。でも朝食を食べるまでは落ち着きません。シャワーを浴びるだけにして，着替えて出かける用意をします。
セラピスト：どのようなことが頭に浮かんでいますか？

エイブ　　：さらに不安になったらどうしよう？
セラピスト：一緒に作ったばかりのセラピーメモを，出勤前に読んでいる場面をイメージしてはいかがでしょう？　メモを引っぱりだして読んでいる場面をイメージできますか？
エイブ　　：はい……不安に対して多少は役立つかもしれません。
セラピスト：時間を少し先送りしてみましょう。お昼休みの時間です。午前中は書類を書いたり，職場のいろんな部署を見て回ったり，メールの設定をしたりしていました。……今はどのような気持ちですか？
エイブ　　：多少ほっとしています。まだ不安ですが前ほどではありません。
セラピスト：次はお昼休みから戻ったところです。何が起きて，何をしますか？

　エイブは，状況に現実的に対処する場面を詳細にイメージし続ける。そして役立ちそうな技法を具体的に書き出す。

距離をとる

　距離をとる技法は，クライアントの苦痛を軽減し，問題を広い目でとらえてもらうために役立つ。次の例は，問題は時間が限定されたもので，希望を持ってよい，ということを伝えようとしている。

セラピスト：問題が絶望的でずっと続くと感じていらっしゃるみたいですね。このつらい時期を乗り越えた状況を思い描くことができると，楽になると思いませんか？
エイブ　　：そうですね。でもなかなか想像できません。
セラピスト：まずは試してみましょう。1年後をイメージできますか？　つらい状況をくぐり抜けて，気持ちが楽になっているはずですね？

エイブ 　　：たぶん。
セラピスト：どのような様子か想像できますか？
エイブ 　　：わかりません。そんな先のことは考えるのが難しくて。
セラピスト：具体的に考えてみましょうか。何時に目が覚めて，どこにいますか？
エイブ 　　：たぶん，朝7時くらいに目が覚めると思います。今と同じアパートの部屋だと思います。
セラピスト：目覚めるときのご自分をイメージできますか？　次に何をしているところをイメージしたいでしょうか？

　気分や機能が改善された未来の一日を視覚的にイメージできるよう支援することで，希望と意欲を高められる。

ポジティブイメージ置換法
　イメージ置換法は，不快なイメージをより楽しいイメージに置き換える方法であり，他の文献でもよく解説されている（Beck & Emery, 1985 など）。自発的に浮かんでくるイメージに対応して気分を改善するためには，他の技法と同様，日ごろから練習が必要となる。この技法は，クライアントがネガティブなイメージを体験しているときに時々使うくらいが適当だろう。ネガティブなイメージが非機能的な思考プロセスの一部になっている場合は，マインドフルネスのような技法のほうが適している。

セラピスト：こうした嫌なイメージに対処するには，それを別のイメージに置き換える方法もあります。イメージをテレビ画面のように考える人もいます。テレビのチャンネルを変えるように，違うシーンを思い浮かべるのです。砂浜で寝ころがっているシーンとか，森の中を歩いているシーンとか，昔の楽しい記憶とか。この方法を試してみませんか？
エイブ 　　：ええ。

セラピスト：まず，楽しいシーンをできるだけ詳しく思い浮かべましょう。五感をフルに使います。その後で，嫌なイメージをその楽しいイメージで置き換える練習をしましょう……どんな楽しいイメージを想像しましょうか？

状況のポジティブな側面に注目する

　イメージ技法には，クライアントが状況をもっとポジティブに眺められることを目指すものもある。帝王切開を怖がっていたクライアントには，パートナーが手を握ってくれるイメージや，看護師や医師のやさしく気遣いのある表情のイメージ，そして何より，生まれたばかりの赤ちゃんを抱っこするすばらしい状況をイメージしてもらった。

2. ネガティブなイメージを同定する

　ネガティブな視覚的イメージの形の自動思考があるクライアントは多いが，初めは自分で気づいていないことが多い。こうしたイメージはほんの一瞬しか続かないこともある。そのため，たとえ質問を何度も繰り返したとしても，ただ尋ねるだけではうまくとらえられないことが多い。そうした苦痛にはイメージ技法が役に立つ。逆に，そうしたイメージに取り組まないまま放置すると苦痛が長引くことになる。

　元妻に関連するエイブのネガティブなイメージをセラピストが同定する様子を見てみよう。

セラピスト：[まとめの作業をする] 息子さんのお家で近々行われるご家族の夕食会について考えていたのですね。そのときに「家族の前でリタに批判されたらどうしよう？」と考えた。
エイブ　　　：はい。
セラピスト：どのような場面になりそうかをイメージしましたか？
エイブ　　　：よくわかりません。

セラピスト：［エイブが具体的に考えられるよう支援する］今ここで，夕食会の場面をありありと思い描いてみてください。リタに批判されそうな場面ではどこにいるでしょう？ 居間やキッチン？ または，食事のテーブルを囲んで座っていますか？
エイブ　　：食事のテーブルに着いています。
セラピスト：では思い描いてください。今は土曜日の夜です。みなさんで食事会のテーブルを囲んで座っています……心の中に場面が見えますか？
エイブ　　：はい。
セラピスト：どのようなことが起きているでしょうか？
エイブ　　：7月4日の祝日についてみんなで話しています。そして，リタが「エイブ，あなたはどうせ場を白けさせるだけね」と言います。
セラピスト：元奥さんがそのようにおっしゃったときに，元奥さんのお顔はどのような感じですか？
エイブ　　：ちょっと意地悪です。
セラピスト：その視覚的なイメージは，ご家族の食事会について考えていたときにも脳裏によぎったと思いますか？
エイブ　　：ええ，多分。
セラピスト：なるほど。［心理教育する］その絵図，つまり想像されていた図は〈イメージ〉と呼ばれるものです。自動思考が別な形で表れたものです。

3. 苦痛なイメージについてクライアントに心理教育する

セラピストが〈イメージ〉の用語を単独で使っただけでは，クライアントにはその意味がわからないかもしれない。イメージの同義語として，頭の中の映像（mental picture），白昼夢（daydream），幻想（fantasy），想像（imagining），頭で上映される映画（movie in your mind），記憶（memory）

などがある。もしエイブがイメージをうまく話せなかったら，セラピストはそのような別な言葉を使ってみる。あるいは，初回セッションで希望や目標を定めたときに，一緒にそのイメージを創ったことを思い出してもらう。クライアントがイメージをうまくつかまえられるようになるまで，根気よく教える必要がある。何回か話しただけで教えることを放棄してしまうセラピストが多いが，クライアントが一度イメージに気づくことができれば，あとは比較的容易である。クライアントが状況を説明しているときに**セラピスト自身**に視覚的なイメージが浮かんだら，それを手がかりにして，さらに深くクライアントのイメージを探る質問をするとよいだろう。

「ホームレスの人達のシェルターに入ろうとしたときに気持ちが圧倒されてしまったことを説明してくださいましたね。そのシェルターがどのような場所か，私はもちろん知らないのですが，お話をうかがっていて，**私の頭の中に情景が浮かびました**。シェルターに入って行ったらどのようなことが起きるか，あなたも想像しましたか？」

> **臨床のコツ**
>
> クライアントの中には，イメージは同定できても，それが生々しくて不快なためにセラピストに報告しない人がいる。苦痛を再体験したくないためのこともあれば，悩んでいる姿をセラピストに見られたくないためのこともある。それらの可能性に気づいた場合，クライアントの体験をノーマライズする（異常なことではないと伝える）よう努める。
>
> 「自動思考の代わりに，または，自動思考に伴って，こうした視覚的なイメージが浮かぶ人たちがたくさんいます。でも，そのことを私たちはあまり認識していません。変わったイメージもときにはありますが，いろいろなイメージを持っていることが普通なのです。悲しいものも，恐いものも，暴力的なイメージも。そうしたイメージがあるから**自分はどこかがおかしいと考える必要はありません。**」

4. 自発的に浮かぶネガティブなイメージを修正する

　自発的に浮かぶネガティブなイメージで，治療の対象となるものには2種類ある。1つ目は，繰り返し浮かぶ侵入的なイメージである。こうしたイメージは役に立たない思考過程とみなし，マインドフルネス技法（第16章）を使うとよい。2つ目は，思考過程の一部になっていないネガティブなイメージである。こうしたイメージに対しては，後述するように，「映画」の筋書きを変える，イメージを結末まで追う，イメージの現実検討を行う，などの戦略が有用である。こうした技法を効果的に使えるためには，苦痛なイメージが浮かんだときにセッションの内外でどんどん使って練習する必要がある。

「映画」の筋書きを変える

　エイブが最近浮かんだイメージについて語った。週末のアパートの部屋に独りで悲しく寂しい気持ちで座っている自分が見えたというのである。セラピストは，エイブが新しい「映画」を創作することを支援した。

セラピスト：イメージに振り回される必要はありませんよ。イメージは，自由に変えられます。映画監督みたいに，どうなって欲しいかを決められるのです。
エイブ　　：どうしたらそんなことができるのですか？
セラピスト：ソファで悲しい気持ちになっている自分が見えた，とおっしゃいましたね？　その後どうなってほしいと思いますか？
エイブ　　：そうですね……娘から電話がかかってきて夕飯を食べに来ないか誘ってくれるとか。
セラピスト：いいですね。電話が鳴って，それに出るところをイメージできますか？　夕食に誘われたとき，どのようなお気持ちですか？
エイブ　　：さっきよりよい気持ちです。

セラピスト：他にも想像したいシナリオはありませんか？
エイブ　　：もし私からいとこに電話をかけてみたら，一緒に何かしようと誘ってくれるかもしれません。
セラピスト：それもよりよい「映画」ですね。
エイブ　　：でも実際にそんなことが起こるかわかりません。
セラピスト：そうですね。でもそれ以前に，週末のあいだ中，ずっとソファに座ったままになるかどうかもわかりませんね。ただ，そういうことを**イメージ**していると，とても悲しくなるということはわかります。また，**実際に**，よりよいエンディングになる見込みを高めるために何ができるかを話し合うこともできますよ。娘さんやいとこさんと一緒に過ごす見込みを高めるために，どのような行動をできるでしょうか？

イメージを結末まで追う

問題を概念化して認知再構成法を行い，クライアントを安心させるときに役立つ技法が3つある。

---

1. 目の前の困難に対処し，危機を乗り越えたり，問題を解決したりする場面までイメージを続けられるよう支援する。
2. クライアントが次から次へと問題をイメージしてしまう場合は，問題が解決した近い将来の場面をイメージしてもらう。
3. 遠い将来をイメージするよう伝える（または，破局的な結末の意味を話し合う）。

困難に対処する

ストレスが強い出来事を自分で乗り越えるところを思い描いてもらうと，クライアントの気分はよくなり自信もつく。

セラピスト：そのイメージをもう一度心に思い描けますか？　就職面接の場

面です。イメージしながら，声に出してありありと私に語ってください。

エイブ　　：オフィスに座っています。面接官に，前の仕事でどのようなことがあったかを聞かれています。頭がまっ白になってきます。脳が麻痺してしまったみたいです。

セラピスト：そのときの気持ちは……？

エイブ　　：とても不安です。

セラピスト：他にも何か起きませんか？

エイブ　　：なにも。

セラピスト：そうですか。［心理教育する］これはとても典型的なパターンです。いちばん**ひどい**場面で心がイメージを自動的に止めてしまうのです。そのようなときには，次に何が起きるかを想像してください。

エイブ　　：どういう意味ですか？

セラピスト：面接の間ずっと先ほどのようなシーンのままですか？

エイブ　　：多分そんなことはないと思います。

セラピスト：次に起きることを思い描けるでしょうか？　たとえば，一瞬頭が真っ白になりかけますが，頑張って話し始めるとか？

エイブ　　：ああ，そうですね。

セラピスト：次に何が起きるのが見えますか？

エイブ　　：私がちょっと早口になります。面接官に向かって，20年以上もよく働いて来たけれども，新しい上司になって仕事内容が変わり，そのときに必要な支援を受けられなかった，ということを伝えます。

セラピスト：すばらしい！　それからどうなるでしょう？　どうなっていくか心の目に見えますか？

エイブ　　：仕事がどう変わったのかを質問されます。

セラピスト：それから？

エイブ　　：問題なく受け答えします。

セラピスト：それから？
エイブ　　：面接官の最後の質問まで話し続けると思います。
セラピスト：そして？
エイブ　　：面接に来たことのお礼を言われて，握手をして，部屋を出ます。
セラピスト：そのイメージの中で，今はどのようなお気持ちですか？
エイブ　　：少し震えていますが，大丈夫です。
セラピスト：初めは，頭が真っ白で麻痺した感じでしたね。そのときよりはましでしょうか？
エイブ　　：はい。かなりよくなっています。

近い将来を先取りする

　イメージを結末までたどろうとしても，クライアントが障害物や苦痛な出来事を際限なく想像し続けてしまう（思考を反すうする）ときには効果がない。そうした場合は，近い将来でいくらか気持ちがよくなっている時点を想像してもらうとよい。

セラピスト：［まとめの作業をする］確定申告をすることを想像すると，いかに大変か，どれだけの労力を奪われているか，いかにたくさん問題にひっかかっているか，が次々と見えてくるのですね。現実的に考えるといつかは作業が終わると思いますか？
エイブ　　：ええ，多分。でも何日もかかってしまうかもしれません。
セラピスト：では，時間を先取りして，確定申告が終わった場面を想像して，思い描いていただけますか？　どのような場面になるでしょう？
エイブ　　：仕上げた書類を確認のために見返しているところが見えます。それから，プリントアウトして郵送します。
セラピスト：イメージのスピードを少し落として，細部までよく想像してください。いつ，どこにいらっしゃいますか？

エイブ　　　：テーブルに座っています。日曜日の夕方近くです。注意力が散漫になっていますが，やっと書類を確認し終わりました。
セラピスト：つまり完了ですね。どのような気持ちですか？
エイブ　　　：（ため息をつく）ほっとしています……胸の上の重しがなくなったみたいに気が軽くなりました。
セラピスト：よかったですね。では，ここまでの取り組みを振り返ってみましょう。初めに，確定申告に取り組みかけた自分のイメージがありました。イメージするほど問題がどんどん見えてきました。それから，時間を先取りすると，作業を終えたご自分の姿が見えて，気分がよくなりました。この，将来を先取りする方法について書き留めておきませんか？　そうすればご自宅でも実践できるようになります。

遠い将来を先取りする

　将来に何が起きるかを想像するよう，クライアントを導くと，イメージの中で状況がどんどん悪くなり破局的になることもある。そうしたときは，破局的結末の**意味**を概念化し，それに基づいた介入を行う。

セラピスト：お友だちが集中治療室にいるところが見えるのですね。お友だちはどのような状態なのでしょうか？
マリア　　　：医療スタッフが彼女を助けようとしていますが，がんで弱り切っています。呼吸が止まります。
セラピスト：（そっと）それから？
マリア　　　：（泣きながら）亡くなります。
セラピスト：そしてどうなりますか？
マリア　　　：わかりません。それより先は何も。（まだ泣いている）
セラピスト：もう少し先までイメージできるとよいと思います。お友だちが亡くなることに関連して何がいちばんつらいですか？　お友だちの死はあなたにとって何を意味するでしょう？

マリア　　　：彼女がいないと生きていけません。人生が台無しです。

　この例では，イメージを追っていくと破局的な結末にたどりついた。セラピストはマリアに共感し，その後，優しく，友だちの葬儀のときに何をしていてどのような気持ちでいそうかを考えてもらった。さらに，1年後，5年後，10年後についても同様にした。マリアには，5年経ったときに新しい親友と一緒にいて，いくらか気分もよくなっている自分の姿が見えた。時間を先取りする作業によって，マリアは，悲しみが消えることはなくても，自分の人生を生き続けて心の平穏をふたたび体験できることを理解でき，そこから，この人間関係を失うことについての切羽詰まった気持ちがいくらかやわらいだ。

イメージの現実検討を行う
　イメージを言語的な自動思考として扱い，標準的なソクラテス式質問法を使って検証する方法もある。浮かんだイメージと実際に起きていることを比較するようセラピストはマリアに教えた。

マリア　　　：昨晩はとても遅い時間まで出かけていました。駐車場まで来たときに，とつぜん情景が浮かびました。気分が悪くなって倒れてしまったのに周りには誰も助けてくれる人がいない自分の姿が見えたのです。
セラピスト：そのイメージは正確ですか？　駐車場には完全に誰もいなかったのでしょうか？
マリア　　　：いいえ。何人かいました。
セラピスト：なるほど。そのたぐいのイメージがある場合，つまりその瞬間に何かが起きるイメージが浮かんだら，現実と比較して確かめるとよいですね。「駐車場には本当に誰もいないか？　本当に自分は今気分が悪いだろうか？」などと自分自身に問いかけるのです。昨晩，この技法を知っていたら，気分はどうだったと

思いますか？
マリア　：それほど緊張しなくてすんだと思います。

　イメージの形をした自動思考を扱うときは，言葉による技法単独よりも，イメージ技法を使うか，イメージ技法と言語的技法を組み合わせて使うことが望ましい。イメージはイメージを使った介入によく反応するからである。ただし，生々しく苦痛なイメージを多く抱えたクライアントに対しては，様々な技法が奏功するので，言語的な現実検討の技法も役に立つことが多い。

5．まとめ

　様々なイメージ技法によって，クライアントのポジティブな感情を増やし，自信を高め，コーピング技法のリハーサルを行い，認知を変容することができる。クライアントがネガティブなイメージを体験しているときには，そのイメージをクライアント自身に認識してもらうために，（踏み込み過ぎないよう注意しつつも）根気よく質問を重ねる必要がある場合もある。苦痛なイメージが頻繁にあるクライアントには，様々なイメージ技法を日ごろから実践したり，侵入的なイメージに対してはマインドフルネス技法を使ったりすると効果があるだろう。

　イメージ技法を使って，人生で体験したつらい出来事の意味をリフレーミングすることによって，ネガティブな中核信念を修正できる（付録D参照）。また，イメージ技法をさらに広げて使うと，自分らしい新しい生き方を生み出し，強めていくこともできる（Hackmann et al., 2011; Padesky & Mooney, 2005）。

振り返りのための問い
・クライアントからポジティブなイメージを引き出すとよいのはなぜでしょう？

- どのようにイメージを引き出しますか？
- ネガティブで苦痛なイメージがあるクライアントの場合は，どのようにイメージ技法を使って支援できるでしょう？

実践エクササイズ

　読者が体験した苦痛なイメージを思い出してみましょう。たとえば，初めてのクライアントと会う前に落ち着かない気持ちの時，クライアントの姿が，頭の中の映像として浮かんでいませんでしたか？　あるいは，予定されている対人場面（ミーティング，パーティー，プレゼンテーションなど）で，ストレスと感じるものはありませんか？　そこに何かイメージは湧きますか？　周りの人たちの顔や仕草は見えますか？　その人たちの気持ちや，何を言われるかイメージしましたか？　その苦痛なイメージをできるだけはっきりと心のなかで捉えましょう。次に，本章で紹介した技法を使って，イメージに反応してみましょう。

第21章 終結と再発予防

治療セッションにおいて再発予防に焦点を当てることは，うつ病の症状の再燃と再発を遅らせるために役立つことが研究によって示されている（de Jonge et al., 2019）。従来の認知行動療法では，障害の寛解を促すとともに，再発を減らしたり防いだりするために，クライアントが生涯にわたって使えるスキルを教えることを目指してきた。そういった目標は今でももちろん重要だが，最近は，気分をポジティブにし，価値に沿った行動を増やし，レジリエンスを強め，満足や幸福といった感覚を高めることを，さらに強調するようになっている。

本章では，以下について解説する。

- 終結に向けてクライアントをどのように支援できるか？
- 治療の初期から，終結に向けて何ができるか？ 治療を通じて，さらに，治療の終盤では，何ができるか？
- 治療セッションをどのように減らしていけばよいか？
- 自己治療セッションはどのような感じで行うか？
- 再燃や再発に対して，クライアントはどのように備えるとよいか？
- 終結に対してクライアントはどのように反応するだろうか？
- ブースターセッションはどのように行うか？

1. 治療の初期段階から終結に備える

　セラピストはクライアントに対し，初回セッションのときからすでに，終結と再発予防に向けての心構えを持ってもらうようにする。セラピストの目標は，クライアントが自分自身のセラピストになるよう手助けし，スキルを教えることだ，と伝える。それによって治療がスピードアップすることについても伝える。クライアントの気分がよくなり始めたら（たいていは最初の数週間でそうなる）すぐに，今後の回復には多少の波があるだろうと伝えることが重要である。セラピストが治療の進展の様子と期間を，グラフに描いて説明するとよい（図21.1参照）。改善は一時的に止まったり，変動したり，逆戻りしたりするほうが，むしろ典型的である。

治療の進展のグラフ

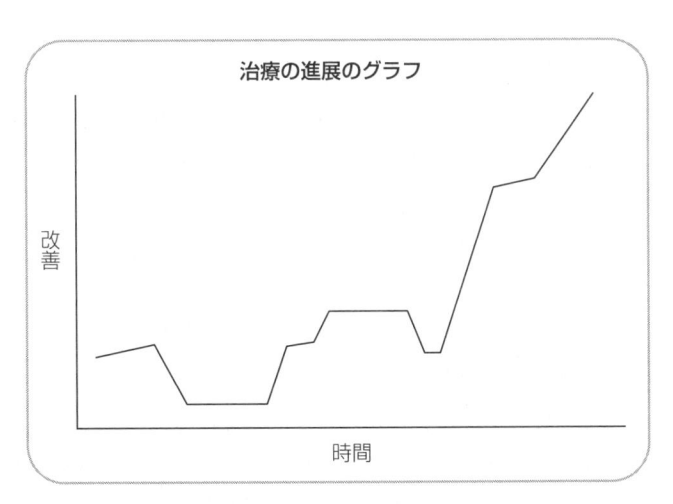

（縦軸：改善／横軸：時間）

図21.1　治療の進展。上手に描くと，アメリカの南側の国境と海岸線に似せられる。「テキサス州」と「フロリダ州」の部分が，後退である。この絵はユーモアがあって，それでいて，クライアントにゆり返しは正常，と記憶してもらうことができる。

セラピスト：調子がよくなってきてよかったです。ただ，今後もよくなったり悪くなったりの波があることは，知っておいていただきたいと思います。グラフを描いてみてもよいでしょうか？

エイブ　　：はい。

セラピスト：（描く）あなたもきっと体験すると思いますが，ほとんどのクライアントは，このように少しずつよくなって，でもあるとき進歩が止まったり，場合によってはゆり返したりします。それがしばらく続くかもしれません。そしてその後も，また少しずつよくなったり，進歩が止まったり，ゆり返したりするのです。それらが前回よりも短い期間で起きるかもしれません。そういうときにセラピーで身につけたスキルを使い続けると，再び前に進み始められるようになります。そうしてうつ病を乗り越えるのです。（グラフを指す）このグラフが，アメリカの南側の国境と海岸線にちょっと似ているのがわかりますか？　後戻りをしたら，雄大なテキサス州を観光しているということですね。じきに，ルイジアナ州へ，ミシシッピ州へ，アラバマ州へと，旅を続けます。それからフロリダ州へ行きます。南端の海岸リゾートのマイアミ地方に立ち寄ってみるかもしれませんね。でも，また回復して，よくなり，メイン州まで上がって来ます。（間を置く）もし，テキサス州に立ち寄るのが**通常のことだと知らなかった**ら，どのように考えると思いますか？

エイブ　　：振り出しに戻ってしまったと考えると思います。自分はちっとも回復していない，と。

セラピスト：そうでしょうね。だからこそ，よくなったり悪くなったりの波があるのが**正常**だということを，いつも覚えておく必要があります。何回かゆり返しがあるはずだと予測しているこの図を覚えておいてください。

エイブ　　：（グラフを手に取る）わかりました。

セラピスト：こういった多少の上がり下がりは，セラピーが終わった後もし

ばらくは続きます。皆さん，同じようにそうなります。もちろんその頃までには，自分を助ける方法をいくつも習得しているはずです。あるいは再びここに来ていただいて，1回か2回，セッションを実施することもできます。この件については，治療が終わりに近づいたらもう一度話し合いましょう。

2. 治療の全期間を通じて行うこと

　治療の全期間を通じて用いる技法のなかには，再発を予防する効果があるものもある。

進歩をクライアントに帰属させる
　すべてのセッションにおいて，クライアントの進歩を強化するチャンスを見逃さずに捉えるようにする。クライアントの気分が改善したときは，その理由をクライアント自身がどのように考えているのかを探る。気分が改善したのは，自らの思考や行動を変化させたクライアントの力によるものであることを，あらゆる機会をとらえて強調する。ポジティブな変化がクライアント自身について何を意味するかをセラピストが指摘したり，クライアントに考えてもらったりする。そうすることでクライアントの自己効力感を育むことができる。

セラピスト：今週は抑うつ症状がだいぶよくなっているようですね？　何がよかったのだと思いますか？
エイブ　　：よくわかりません。
セラピスト：今週は，何かこれまでと違ったことをしましたか？　たとえば計画した活動を実際にしてみたとか，ネガティブな思考に対応してみたとか？
エイブ　　：しました。アパートの部屋をいくらか片付けました。それからほとんど毎日外出しました。治療メモも読みました。

セラピスト：そういう活動をしたから今週は気分がよい，と考えられますか？
エイブ　　：そうですね。そう思います。
セラピスト：では，なぜ改善したのかをあなた自身の言葉で言ってみてください。
エイブ　　：「自分で自分を助けるように行動すると，**実際に気分がよくなります**」
セラピスト：いいですね。あなたは今もうつ状態にあるかもしれませんが，一方で以前よりコントロールできるようになっていることが示されているのではないでしょうか。
エイブ　　：そうだと思います。
セラピスト：［まとめの作業をする］つまり，気分が多少でもよくなったのは，あなたが物事をコントロールしているからですね。とても重要なことです！　このことも書き出しておきませんか？

　改善したことのすべてを，状況の変化（例：「娘が電話をくれたから気分がよくなったんです」）や薬の効果に帰属させてしまうクライアントもいる。セラピストはそういう外的な要因も認めつつ，改善に結びついた（または改善を維持できた）可能性のある**クライアント自身**の思考や行動の変化について尋ねていく。それでもなお，クライアントが自分自身は何ら改善に寄与していないと信じ続けるのであれば，その背景にある信念を探ることを検討するとよいだろう（「改善があなた自身によるものと私が考えることは，あなたにとってどのような意味を持ちますか？」）。

スキルを教える

　技法やスキルを教えるときは，それらが一生使えるものであり，現在だけでなく将来にわたってずっとクライアントを助けてくれるツールであることを強調する。研究からは，再発を繰り返すうつ病を有するクライアントにおいて，認知行動療法のスキルが，ストレスフルな人生の出来事に直面したと

きでさえアウトカムを改善することが示されている（Vittengl et al., 2019）。セラピストはクライアントに対し，治療メモを読んで整理し，将来にも簡単に参照できるようにしておくことを勧める。活動計画に記入する項目は，治療においてクライアントが学んだ重要なポイントやスキルを要約した内容になっているとよい。セラピーにおいて，そして終結後によく使われる技法やスキルは以下の通りである。

- 希望（アスピレーション）や価値に沿った目標を設定する
- 目標達成に向けて，進捗の度合いを評定する
- 認知行動療法の技法を使って，妨げとなることを乗り越える
- ポジティブな体験を観察して，そのような体験からクライアントについて何が言えるのかという結論を引き出す
- 生産的な活動，楽しい活動，セルフケアに関連する活動，社交的な活動のバランスを取る
- 自分を褒める
- ポジティブな記憶を掘り起こす
- 大きな目標や問題や課題を，扱える程度まで細分化する
- 問題に対する解決策について，ブレインストーミングを行う
- 物事の利益と不利益を同定する（意思決定する際の具体的な思考，信念，行動，選択肢について）
- ワークシートやソクラテス式質問法のリストを使って，思考や信念を検討する
- 避けている課題や状況を階層表にして，それに取り組む

セラピストは，これらのスキルをセラピーおよび終結後にどのように活用するかを，クライアントが理解できるよう手助けする。これらのスキルは，自分が状況に見合わないほど強い反応を示していると気づいたときに，いつでも使うことができる。たとえば，必要以上に怒りや悲しみ，恥ずかしさなどを感じていることに気がつくことがあるかもしれない。または，役に立た

ない行動パターンがあることに気づき，そのパターンを変えてみたいと思うことがあるかもしれない。

レジリエンスとウェルビーイングを高める

　クライアントがよりレジリエントになるように，ウェルビーイングの感覚を高められるように支援する方法がいくつもある。アメリカ心理学会がそのためのよい指針を提供してくれている（www.apa.org/helpcenter/road-resilience）。指針では，本書で紹介している多くの介入が強調されている。それはたとえば，他者とつながる，破局的思考を修正する，将来に対する楽観主義を維持する，変えることのできない状況や条件を受容する，目標に向かって取り組む，困難が発生したときに回避することを減らす，逆境に直面したときは人間として成長する方法を見つける，ポジティブな中核信念を強める，ストレスフルな状況において視野を広げる，良好なセルフケアを行う，瞑想やスピリチュアルな実践を行う，といったことである。

　うつ病になったクライアントは自信を失いがちである。そのようなクライアントにとって何よりも重要なのは，レジリエンスを高めて自信を高めることである。それができれば，将来において再び困難に見舞われたときに，うつ病の再発を防ぐことができるだろう。ポジティブ心理学における多くの技法は，Martin Seligman 博士が一般向けの書籍に書いているように，そしてその他の著者らが専門家向けに書いているように（Bannink, 2012; Chaves et al., 2019; Jeste & Palmer, 2015 など），よりよいウェルビーイングの感覚を促進する。

3. 終結が近づいたら行うこと

セッションを減らしていく

　セッションの回数が予め決まっているクライアントの場合，終結の何週間か前から，セッションの頻度を減らしていくことについて話し合う。回数制限がない場合は，そのような話し合いは，クライアントの気分が少なくとも

ある程度改善して，クライアントが認知行動療法の諸スキルを継続して効果的に使える状態になってから始めるとよい。セラピストが目指すのは，クライアントの問題をセラピスト自身がすべて解決することでもないし，クライアントがすべての目標を達成するのを手助けすることでもない。そうしたことに責任があるとセラピストが考えるのであれば，むしろクライアントの依存を生み出したり強化したりするリスクが生じるし，クライアントが自らのスキルを検証したり強めたりする機会を奪いかねない。

　セッションの間隔を開けていくことについては，「実験」という設定で，クライアントと協働して決めるとよい。はじめは，毎週のセッションを隔週にしてみる。その状態で少なくとも数セッションがうまくいったら，次のセッションは3週間とか4週間先にすることを提案してみてもよいだろう。月に1度のセッションを何か月か続けた後で，完全に終結となるかもしれない。あるいは，終結後も，さらに間隔をあけたブースターセッションを何回か行うこともできる。

セッションを減らすことについての不安に対処する

　セッションを減らすことにすぐに同意するクライアントもいれば，不安を感じるクライアントもいる。後者の場合は，セッションの間隔を試しにあけてみることについての利益と不利益について話してもらうとよい（書き出して記録するとさらによいだろう）（図21.2を参照）。セッションを減らす利点をクライアントが見つけられない場合は，まず，セッションを減らすことで不利益となる点について話し合い，次に，誘導による発見を通じて減らす利点についても気づいてもらい，不利益についてリフレームできるよう手助けする。マリアのようなクライアントの場合，セッションを減らすことに対して強く反応し，セッションのなかでそれに対応する必要が生じるかもしれない。

セラピスト：前回，セッションとセッションの間を実験的にあけてみることについて話し合いましたね。毎週のセッションを隔週にしてみ

> **セッションを減らすことの利益**
> - お金を節約できる
> - 時間を他のことに使えるようになる
> - 自分の問題を自分で解決すると，誇らしく感じられる
> - 自信がつく
> - セラピストのオフィスまで通わなくてもすむようになる
>
> **不利益とそれに対するリフレーミング**
> - 再発するかもしれない。でも，再発しても，セラピー期間中の方が，対処法がわかってよいだろう。
> - 自分一人では問題を解決できないかもしれない。でも，セラピストがいなければやれないという考えを試すいい機会だ。長い目で見れば，自分一人で問題を解決する方法を身につけるほうがいい。ずっとセラピーを受けるわけではないのだから。必要になれば，いつでも早めに次のセッションを入れられる。
> - セラピストと会えないことを淋しく思う。そうかもしれない。でも，自分は持ちこたえられるし，自分をサポートしてくれるネットワークを作るきっかけになる。

図 21.2 クライアントが作成した，セッションを減らすことに関する利益・不利益のリスト

　　　　　　　　ることについて，考えてみましたか？
マリア　　　：考えてみましたが，とても不安になりました。
セラピスト：どのようなことが頭に浮かびましたか？
マリア　　　：「自分一人では対処できないことが起こったらどうしよう？ 抑うつ症状がまたひどくなったらどうしよう？ そんなの私には耐えられない」という考えです。
セラピスト：そうした思考に反論してみましたか？
マリア　　　：ええ。治療メモを読み返したら，こう書いてありました。「セラピーを完全に終わりにしなければならない，ということではない。必要であれば電話をして予約を早めてもよいと先生は言っ

ていた」。
セラピスト：その通りですね。自分一人では対処できないような何か具体的な状況が起こることを想像しましたか？
マリア　　：いいえ，具体的には特にありません。
セラピスト：せっかくなので，ここでそういった状況について具体的に想像してみてもいいかもしれませんね。
マリア　　：そうですね。

　マリアは，親友と再び喧嘩をする状況をイメージした。次に自動思考を同定したうえで，それに対応し，さらにその後何をするかについて具体的な計画を立てた。

セラピスト：では，セッションの間隔をあけることについて生じた2つ目の自動思考について話し合いましょう。「抑うつ症状がまたひどくなったらどうしよう？　そんなの私には耐えられない」というものでしたね。
マリア　　：本当はそうはならないのかもしれません。気分が悪くなっても耐えられるような気もします。でも，できれば抑うつ症状がひどくならないで欲しいのです。
セラピスト：わかりました。では，仮に今，抑うつ症状が**実際**にひどくなって，でもまだ次のセッションまで1週間半あるとしましょう。あなたにできることは何ですか？
マリア　　：そうですね，1か月前に，先生が休暇中だったときにしたことができると思います。治療メモを読み返して，活動的でいるようにして……メモのどこかに「やることリスト」があったはずです。
セラピスト：そのリストを今週中に見つけられたら助けになりそうですか？
マリア　　：ええ。
セラピスト：いいですね。そのリストを見つけることを活動計画にするのは

いかがでしょうか。それから「自分一人では対処できないことが起こったらどうしよう？」と「抑うつ症状がまたひどくなったらどうしよう？　そんなの私には耐えられない」の2つの思考について，ワークシートに記入してみるというのはいかがでしょう？

マリア　　：やってみます。

セラピスト：セッションの間隔をあけることについて，他にも考えが浮かびますか？

マリア　　：先生と毎週話せなくなるのは淋しい，という考えが浮かびます。

セラピスト：(心を込めて) 私も淋しいですよ。(間を置く) 私以外にも，誰か，話ができる人がいませんか？

マリア　　：そうですね，レベッカとなら話ができます。弟にも電話ができるかも。

セラピスト：いいアイディアですね。それも書いておきましょうか？

マリア　　：わかりました。

セラピスト：それから最後に，セッションの頻度を隔週にするのは**実験**だ，と話していたことを覚えていますか？　もしうまくいかないようであれば，電話をください。予約を早めることを一緒に検討しましょう。

4．自己治療セッション

　フォーマルな形式での自己治療セッションを行うクライアントはさほど多くないが，自己治療セッションの計画（図21.3を参照）を一緒に立て，クライアントに実行を促すことは有用である。セッションの頻度を落としながら，同時に自己治療セッションをしてもらうようにすると，治療終結後もクライアントが自己治療を続ける見込みがかなり高くなる。またそうすることで，クライアントは，起こりうる問題（時間の不足，課題に対する誤解，妨げになる思考（例：「これは大変すぎる」「それをする必要性がわからない」

「自分一人ではできない」））についてセラピストに相談することができる。セラピストは，このような認知にクライアントが対応できるよう手助けするだけでなく，自己治療セッションの利点を引き出すとよいだろう。例を挙げる。

- 自己治療セッションを続けることで，自分の都合のよいときに取り組めて，費用はかからず，身につけた技法をずっと新鮮なまま維持できる。
- 困ったことが起きたときに，大きな問題になる前に解決できる。
- 再発の可能性を減らすことができる。
- 身につけたスキルを使って，様々な場面で生活を豊かにできる。

　セラピストはクライアントと共に図21.3を吟味し，クライアントのニーズに合わせて変更するとよいだろう。最終セッションの前に，自己治療セッションを続けるようクライアントを励ます。最初は月に少なくとも1回はセッションを設け，その後は季節が変わるたびに1回，最後は年に1回，というふうにしていく。クライアントが忘れずにセッションを行えるよう，リマインダーを一緒に考えるとよい。

5. 終結後の再燃に備える

　定期的に予約を入れて行う治療が終盤に近付いたら，症状の再燃が起きたときにどのような自動思考が生じそうかをクライアントに尋ねる。たとえば以下のような自動思考が予測されるだろう。

「こんな［落ち込んだ］気持ちになるべきではない」
「これはよくなっていないことを意味する」
「絶望的だ」
「自分は絶対に回復しないし，したとしても長くは続かない」
「セラピストはこのぶり返しにがっかりするだろう」

この1週間（または最近数週間）を振り返ってみよう

どんなポジティブなことがあっただろう？ そうした体験は，私にとってどんな意味があっただろう？ また，そのことから，私について何が言えるだろう？ 私の何をほめられるだろう？

どんな問題が起きただろう？ 問題が今も解消されていないのなら，何をする必要があるだろう？

活動計画を完了できただろうか？ 次の1週間で活動計画を実行しようとするときに妨げになりそうなことはなんだろう？

先を見よう

来週のこの時間には，どのような気持ちになっていたいだろう？ それを実現するためには，何をする必要があるだろう？

今週はどんな目標があるだろう？ 目標に向けて，どんなステップを踏むとよいだろう？

どのような妨げがありそうだろう？ 以下をしてみるとよいだろうか？
- ワークシートを記入する
- 活動スケジュールを入れる（楽しい活動，達成感の持てる活動，セルフケア活動，社交的な活動を予定する）
- 治療メモを読む
- マインドフルネスなどのスキルの練習をする
- 「いいね」リストまたはポジティブな体験のリストをつける

図 21.3　自己治療セッションのガイド

あるいは以下のような自動思考もあるだろう。

「私のセラピストはよい仕事ができなかった」
「認知行動療法は私には効かなかった」
「自分は一生うつ病が治らない運命なんだ」
「以前に気持ちが楽になったのは，まぐれでしかなかった」

イメージを報告するクライアントもいる。たとえば未来のどこかで，脅かされた，そして寂しく悲しい気持ちでベッドでうずくまっている自分の姿が，イメージとして見えるのかもしれない。そのような苦痛なイメージに対しては，ソクラテス式質問法やイメージ技法を使って手助けするとよい。

再燃や再発の兆しに気づく

治療の終盤では，クライアントが今後体験するかもしれない「早期警告サイン」について話し合っておくと役に立つ。早期警告サインとは，うつ病の症状が再燃しかけていることを示す兆候のことである。症状のゆり返しの兆しについては，必ず治療メモに記録する。また，覚えておくべき重要な点と，症状が再燃したときにどうするべきかという指示を必ず記入する（図21.4 を参照）。

終結に対するクライアントの反応

終結が近づいたら，治療を終えることに関するクライアントの自動思考を引き出す。わくわくして希望を抱くクライアントもいれば，逆に怯えたり怒ったりするクライアントもいるだろう。ほとんどのクライアントが複雑な心境を抱くものである。自らの進歩を嬉しく思いながらも，再発の心配をしていたりする。セラピストとの関係が終わってしまうことを残念に思うクライアントも多い。セラピストはクライアントのそれらの気持ちを認めつつ，偏った認知や役に立たない認知があればそれに対応できるようにクライアン

> **早期警告サイン**——悲しい気分，不安，反すう，ソファの上で過ごす時間が長すぎる，社交的な場面を避けたいと願う，アパートの部屋が散らかるままにする，先延ばしする（請求書の支払いをしない，など），うまく眠れない，自己批判。
>
> **覚えておくこと**——私には選択肢がある。一つは，後退したことを破局的に考えて，物事が絶望的だと考えること。そうすると，気持ちはたぶんひどくなるだろう。もう一つは，治療メモを見返して，ゆり返しは回復のプロセスの正常な一部だったことを思い出し，そこから何を学べるかを理解することができると考えること。そのようにしていると，たぶん，落ち込みが軽くなって，ゆり返しがそれほどひどくならないようにできるだろう。
>
> **何をするか**——早期警告サインがいくつか起きたら，自己治療セッションをする。新しい目標を設定し，自動思考を検討し，活動スケジュールを入れ，反すうしているならマインドフルネスをして，どの問題を解決しなければならないのかを見たうえで，子どもたちとチャーリーに支援を求める。それでも十分ではなかったら，セラピストに連絡をして，治療を再開するかどうか（するとしてもごく短期間だろう）を一緒に判断する。

図 21.4　ゆり返しが起きたときのための治療メモ（エイブ）

トを手助けする。

　セラピスト自身の率直な気持ちを話すことが望ましい場合も多い。それはたとえば，クライアントとの関係が終わるのは残念だが，治療を通じてクライアントが達成してきたことを誇らしく思っているとか，治療で身につけたことをこれからはクライアントが一人でできることを信じている，といったことである。なかには「先生と友だちになれたらいいのに」と話すクライアントもいる。セラピストも同じように思う場合は，「友だちになれたら素敵ですね。でも，友だちになってしまうと，将来，あなたが私を必要とするときに，あなたのセラピストではいられなくなってしまいます。私にとって重要なのは，ここにいて，あなたの助けになることなんです」と伝えるとよいだろう。

6. ブースターセッション

　セラピストは，治療が終結した後にブースターセッションの予約を入れるようクライアントを促す。時期としては，3か月後，6か月後，そして12か月後が適当である。その際，「ブースターセッションのためのガイド」（図21.5）をクライアントに渡すとよい。また「ブースターセッションのためのガイド」を使うことで，ブースターセッション自体を構造化することができる。自己治療セッションの進捗についてブースターセッションで聞かれることをクライアントが予め知っていることで，活動計画を実行してスキルを練習する動機づけが増すかもしれない。また，治療終結後にいつブースターセッションがあるのかをクライアントが知っていれば，自分が前進し続けられるかどうかについての不安もやわらぐだろう。

7. まとめ

　まとめると，セラピストは治療の全過程を通じて再発予防に取り組んでいるということになる。そのうちにセッションの頻度を減らし，最終的には治療を終えることについて，クライアントの準備を整えることが重要である。終結の時期には，特定の介入が必要となる。たとえば，自己治療セッションを行うように促す，再燃や再発の徴候かもしれない早期警告サインを同定する，症状が悪化したときの計画を立てる，といったことである。セッションを減らすことや終結に伴う問題は，他の問題と同様に扱う。すなわち，問題解決をしながら，非機能的な思考や信念に対応していく。治療を終えることに対してクライアントが懸念や後悔を感じている場合は，慎重に配慮しながら対応していく必要がある。

1. 前もって日時を決めましょう：可能なら具体的な日時を決めて早くから予約を入れておき，日程が近くなったら電話で確認しましょう。
2. 予防のためのセッションと考えましょう：たとえ進歩が続いていても。
3. セッション前に準備をすること：何について話し合うと有意義かを考えておきましょう。たとえば：
    a. うまくいっていることは何でしょう？ そうした体験から，自分についてどんなことが言えるでしょう？ 周りの人があなたをどのように見るかについては何がいえるでしょう？ 未来については？
    b. 新しい中核信念を（理屈のレベルでも感情のレベルでも）どれほど信じているでしょう？ その信念を強め続けるにはどうしたらよいでしょう？
    c. どれほどご自分の価値に沿って生きているといえるでしょうか？ 今は，どのような目標がありますか？ どのような妨げが考えられますか？ それが起きたときに，どのように対処しますか？
    d. 認知行動療法の技法のなかから，どれを使ってきましたか？自己治療セッションを実施しましたか？ 将来，それはあなたに役に立つでしょうか？

図 21.5　ブースターセッションのためのガイド

振り返りのための問い
- 治療の終結にあたってクライアントが感じる苦痛を緩和するには，どのようなことができるでしょうか？
- 終結後にクライアント自身が認知行動療法のスキルを使い続ける可能性を高めるために，何ができるでしょうか？

実践エクササイズ

あなた自身が，治療が終わりに近づいたクライアントだと想像しましょう。心に感じる不安をやわらげるような治療メモを書いてみましょう。

第22章　セラピーで起きる問題

　治療を進めるうえで何かしらの問題が起こることは珍しくない。熟練したセラピストでも，治療同盟の確立，クライアントの困難の概念化，共通の目標に対する一貫した協力関係の維持，などで苦心することがある。そもそも，すべてのクライアントを改善させることは難しい（少なくとも十分に改善させることは難しい）。**筆者**も，キャリアを通じて，クライアント全員を助けることはできなかった。治療で発生する問題をすべて回避できると期待するほうが**合理的ではない**のである。むしろ，セラピストとしてのスキルを磨くことによって，問題を発見・特定し，それを概念化し，対応計画を立てられるようになることこそが**合理的である**。

　セラピーで起きる問題や障壁は，セラピストが行った概念化を改良するよいチャンスと考えるべきである。そうした問題は，クライアントの気持ちを改めて考える機会にもなる。一人のクライアントで生じた問題は，他のクライアントに対する理解も深め，セラピストの柔軟さと創造性を高め，セラピストが認知行動療法にさらに習熟するうえで役に立つ。なぜなら，治療上の問題は，クライアント側の理由だけからではなく，セラピストの弱点からも生じるからである。この章では，治療上の困難にどう気づき，行き詰まりをどう概念化して解決するかを解説する。

　本章では以下を解説する。

- 治療上の問題に気づく方法
- 問題を概念化する方法
- 問題の種類

- 行き詰まったときの対応法
- 問題の解決法

1. 問題の存在を明らかにする

問題の存在を明らかにする方法は複数ある。

- セッションの途中や終わりにおける，クライアントからのフィードバックに耳を澄ましたり，そうしたタイミングでクライアントに直接フィードバックを求めたりする。クライアントとの自然な対話の中でなされるフィードバックにも注意する。
- 話し合った内容をクライアントに定期的に要約してもらい，クライアントの理解と合意の程度を確かめる。
- 客観的な検査やクライアントの主観的報告に基づいて，治療の進展を振り返り，目標に向けた進捗度を測る。
- セッションのビデオや録音を見直す。一人で行っても，同僚やスーパーバイザーと行ってもよい。それを認知療法尺度（巻末参照）で評価する。

クライアントの許可を得てセッションを録音し，同僚，先輩，スーパーバイザー等と振り返りをすることが望ましい。録音がクライアント自身のためにもなることを伝えれば，録音の文書同意を得ることはさして難しくない。

「お嫌なら率直におっしゃっていただきたいのですが，治療の改善に役立てるために，セッションを録音させていただくことがあります。録音は，［スーパーバイザー］にも聞いてもらって，助言をもらえる利点もあります。お名前は伏せたままにします。また，聞き終わったら録音はすぐに消去します。
（間を置く）セッションを録音させていただいても構いませんか？　数分してやはり嫌と思われたらいつでも中止しますし，セッションの終わりに

録音を消去してもかまいません」

2. 問題を概念化する

　問題の存在が明らかになったら，クライアントの内的現実を出来るだけ理解するよう努める。クライアントには，自分や他者や世界がどのように見えているだろうか？　クライアントは自身の体験をどう処理しているだろうか？　自分の困難を機能的な視点から眺める妨げになっているのは何だろうか？

　セラピストは，自分自身の中にクライアントを責める自動思考が湧いていないかにも注意する必要がある。たとえば「このクライアントは言うことを聞かない」「操作的なクライアントだ」「やる気がない」などである。クライアントに対してこういったラベル付けをすると，困難を解消し問題解決に取り組もうという責任感が損なわれやすい。セラピストは次のように自問するとよい。

> 「クライアントの，セッション中やセッション間の発言（または発言しなかったこと）や行動（または行動しなかったこと）で，問題になることは何だろうか？」

　自分自身にも同じ質問をすると，自分が誤りをおかしていないかを確認できる。そのうえで，スーパーバイザーにセッションの録音を初めから終わりまで聞いてもらって相談することが理想である。問題の原因が，クライアントの非機能的な認知や行動にあるのか，セラピスト自身にあるのか，治療上の要因なのか（ケアのレベル，セラピーの形態，治療の頻度など），治療外の要因なのか（器質性疾患，家庭や職場環境，薬が合っていない，薬の副作用，必要な補助療法が提供されていないなど；J. S. Beck, 2005）を判断するうえで，スーパーバイザーの支援は必要不可欠である。

　セラピスト自身が改めなくてはならない問題が見つかったら，その問題がどのレベルで生じたのかを概念化する。

- 単なる**技術的な問題**か？
    例）具体的な技法の選択や不適切な使用など。
- **セッション全体に関する，より複雑な問題**か？
    例）非機能的な認知を同定したが効果的な介入ができていない，など。
- 複数のセッションにまたがって続いている問題があるか？
    例）セラピストとクライアントが協働できていない，など。

3. 問題の種類

典型的には，問題は次のカテゴリーに分類される。

1. 診断，概念化，治療計画
2. 治療関係
3. 動機づけ
4. セッションの構造やスピード
5. クライアントの認知行動療法への馴染み（socialization）
6. 非機能的な認知への対応
7. 各セッション，及び，セラピー全体の治療目標を持てているか
8. セッションの内容に対するクライアントの理解度

　治療上の問題の特定には以下の質問が役に立つ。問題を特定できれば，注目すべき具体的な目標を選んで定式化し，優先的に扱うことができる。

診断，概念化，治療計画
診断
　「最新版の『精神疾患の診断・統計マニュアル（DSM-5）』や『疾病及び関連保健問題の国際統計分類（ICD）』に基づいて正しく診断ができているか？」

「薬物療法に関する検討が必要ではないか？」

概念化
「クライアントのポジティブな信念，特質，強み，リソースを同定できているか？」
「認知的概念化ダイアグラムを継続的にアップデートし，クライアントの最も中心的な非機能的認知・行動を同定できているか？」
「概念化を適切なタイミングでクライアントと共有してきたか？　概念化は妥当で，クライアントにとって納得のいくものか？」

治療計画
「概念化に基づいた治療ができているか？　必要に応じて，概念化に基づいて治療を修正できているか？」
「クライアントの好みや特徴（ジェンダー，文化，年齢，教育レベルなど）に合うよう，必要に応じて標準的な認知行動療法を修正できたか？」
「セラピーだけで改善が期待できないことが明らかな場合，生活そのものを変える必要があることを伝えたか？（転職，生活環境の刷新など）」
「必要に応じて，スキルトレーニングを用いたか？」
「必要に応じて，家族を治療に関与させたか？」

治療関係
協働
「クライアントとセラピストは本当の意味で協働できているだろうか？
　チームとして機能しているだろうか？
　クライアントと自分の両方が努力しているだろうか？
　進歩についてお互いが責任感を持てているだろうか？」
「クライアントが最も関心のある問題を扱えているだろうか？」
「治療目標は合意できているだろうか？」
「介入とアクション・プランについて，理論的根拠を示し，同意を得ている

か?」
「クライアントのアドヒアランスと管理を適切なレベルに保ててきたか?」

フィードバック

「率直にフィードバックを言ってもらうようクライアントに定期的に勧めてきたか?」
「セッション中のクライアントの気分を観察し,気分が変化したときに自動思考を尋ねてきたか?」
「クライアントからのネガティブなフィードバックに効果的に対応できたか?」

セラピーやセラピストに対するクライアントの見方

「クライアントは,セラピーやセラピストを肯定的に見ているか?」
「クライアントは,セラピーが(少なくともいくらかは)助けになると信じているか?」
「クライアントは,セラピストを有能で,協力的で,配慮に富んでいると考えているか?」

セラピストの反応

「クライアントのことを気にかけているか? それがクライアントに伝わっているか?」
「クライアントを助ける力が自分にはあると思えているか? それがクライアントに伝わっているか?」
「クライアントや,クライアントに対応している自分について,ネガティブな認知を抱いていないか? もし抱いているなら,そうした認知を検討し,対応したか?」
「治療同盟に関して生じた問題に対して,それを責めるのではなく,治療を前進させるチャンスと認識できているか?」
「セラピーの効果を,現実的な範囲で楽観視できているか?」

動機づけ

「クライアントはどれほど動機づけられていそうか？」

「クライアントを動機づけるために，自分は何をしたか？　クライアントの目標と行動を，日ごろから希望（アスピレーション）と価値に関連づけているか？」

「クライアントは，回復しないことで何かの利益があると感じていないか？」

「（当てはまるなら）クライアントの無力感や絶望感に対応したか？」

セラピーセッションの構造と速度
アジェンダ

「具体的で包括的なアジェンダを，セッションが始まってから早い段階で設定できているか？」

「アジェンダに優先順位をつけて，時間の割り振りをしているか？」

「アジェンダのどれから話し合いを始めるか，クライアントと協働して決めているか？」

「アジェンダから離れる時には，協働的に適切に決定できているか？」

速度

「標準的な内容のそれぞれに適切に時間配分できているか？　気分のチェック，アジェンダの設定，前の週の簡単な振り返りとアクション・プランの振り返り，アジェンダの項目についての話し合い，新しい活動計画の設定，定期的なまとめ，フィードバック，など」

「アジェンダへの当初の割り当て時間を超えた場合，その話を続けるか，次に進むかをクライアントと話し合っているか？」

「本筋から外れる話題に対して，穏やかに，しかし，適切に，クライアントをさえぎることができているか？　寄り道的で生産的ではない話題に時間を使いすぎていないか？」

「クライアントがセッションの要点を確実に覚えていられるよう工夫し，活動計画を実行する見込みを高められているか？」

「セッション終了時に，クライアントの気持ちが軽くなっているか？」

クライアントに治療に馴染んでもらう
目標設定
「クライアントは妥当かつ具体的な目標を設定できているか？」
「目標はクライアントの価値と希望（アスピレーション）に基づいているか？」
「クライアントは常にこの目標を念頭に置いているか？」
「目標に向けて努力しているか？」
「目標はクライアント自身がコントロールできるものになっているか？　自分ではなく他人が変わることを期待していないか？」
「目標に向けた進捗をクライアントと一緒に定期的に見直しているか？」
「希望（アスピレーション）を達成し価値に沿って生きるためには，クライアント自身のセラピーへの関与が重要であるということを，クライアントが常に念頭に置いておけるようにしているか？」

期待
「クライアントは，クライアント自身とセラピストに何を期待しているか？」
「クライアントは，どんな問題も簡単にすぐ解決するはずと誤解していないか？　セラピストに問題を解決してもらえるという誤った期待をしていないか？　自分が積極的かつ協働的な役割を果たす必要があることを理解しているか？」
「クライアントは，自身がスキルを身につけて，セッションとセッションの間に用いる必要があることを理解しているか？」

問題解決／目標志向の認知モデル
「クライアントは，取り組む問題や目指す目標を特定できているか？」
「クライアントは，愚痴るだけではなく，セラピストと協働して問題を解決しようとしているか？」

「その問題が解決すると別の問題に対峙しなければならなくなるために，現在の問題を解決することを恐れていないか？（人間関係に向き合わなくてはならなくなる，復職しなければならなくなる，など）」

認知モデル
「クライアントは，
・自動思考が，自分の感情や行動に（ときには身体症状にも）影響すること
・自動思考は，偏っていたり役に立たなかったりするかもしれないこと
・思考を検証して対応すると，気分がよくなり，より機能的に行動できるようになることを理解できているか？」

活動計画（アクション・プラン）
「クライアントにとって鍵となる問題，目標，価値に関連する活動計画を設定できたか？」
「クライアントは，活動計画が，セッション内の取り組みや自分の価値や目標とどう関係しているかを理解しているか？」
「クライアントは，セラピーでの取り組みを1週間を通して考え，その視点で活動計画に取り組めているか？」

非機能的な認知に対応する
鍵となる自動思考を同定・選択する
「苦痛を感じたときの自動思考を，クライアントの頭に浮かんだ通りの言葉やイメージで同定できているか？」
「クライアントの苦痛に関連する様々な自動思考を同定できているか？」
「鍵となる思考（最も苦痛で機能障害につながる思考）を選んで検討しているか？」

自動思考と信念に対処する
「鍵となる思考を同定するだけでなく,検討と対処もしているか？」
「クライアントの自動思考が偏っていると最初から決めつけていないか？」
「誘導による発見を用い,説得や議論はしないようにしているか？」
「ある質問が有効でなかったときに,別の質問を試しているか？」
「自動思考の中に,非機能的な思考プロセスの一部になっているものはないか？ もしそうであるなら,自動思考から離れて,価値に沿った行為に注意を向けることをクライアントに教えたか？」
「問題を定式化した際に,クライアントがそれをどの程度信じているかを確認したか？ 定式化によってクライアントの苦悩はやわらいでいるか？」
「クライアントの苦悩をやわらげるために,必要に応じて他の技法を試したか？」
「苦痛に関連する認知が見られた際に,後で扱えるようチェックしているか？」

認知的変化を最大化する
「クライアントが,新しく,より機能的な理解をできた際に,それを書き留めて,繰り返し読んでくることをアクション・プランにしているか？」

各セッション,および,セラピー全体の治療目標を持つ
セラピー全体の目標と各セッションの目標を同定する
「セラピーの目標は,症状緩和だけでなく,セラピー終了後も好調を維持するためのスキルを身につけることである,という点をクライアントに伝えられているか？」
「各セッションで,そのセッションで話し合うべき重要な問題や目標をクライアントが同定できるよう手助けできているか？」
「問題解決と認知再構成の両方に時間を使っているか？」
「行動上の変化と認知上の変化の両方をアクション・プランに設定できているか？」

一貫して焦点をしぼる

「クライアントの問題に関連するポジティブおよびネガティブな信念を同定するために，誘導による発見を用いているか？」

「クライアントのどの信念が中心的で，どの信念が些末かを説明できるか？」

「［治療の中盤で］新しい問題が生じたときに，それが中核的信念とどう関係しているかを常に検討しているか？　危機介入を行うだけでなく，中核的信念［ポジティブとネガティブの両方］を一貫して扱えているか？」

「幼少時の出来事について話し合う場合，その必要性の理論的根拠は明確か？　幼少期の出来事と現在の困難がどう関連しているか，そこから得られた洞察が現在の生活にどう役立つか，について，クライアントが理解できるよう支援したか？」

「幼少期の体験がクライアントのポジティブな信念を裏づけていることを，クライアントが理解できるように支援したか？」

介入

「介入は，セラピストが設定したセッションの目標と，クライアントが設定したアジェンダの両方に基づいて選択されているか？」

「クライアントの苦悩や，自動思考や，信念の確信度が，介入の前後でどう変化したかをチェックしているか？　それらは介入の有効度の根拠となるものである」

「ある介入がうまくいかなかったときに，視点を変えて別の角度からアプローチしているか？」

セッションの内容を理解する
クライアントの理解度をモニターする

「セッション中に，頻繁にまとめの作業を行ったか（クライアントにもまとめをしてもらったか）？」

「クライアントに自分の言葉で結論を言ってもらったか？」

「クライアントの，言葉に表れない混乱や反発はないか？」

理解に関する問題を概念化する

「セラピストの仮説を,クライアントと一緒に確かめたか?」

「セラピストの言わんとすることがクライアントに理解されにくい場合,それはセラピストのミスによるものではないか? 具体性の足りなさ,言葉遣い,表現の抽象性,一度に呈示する題材の量が多すぎるため,など」

「クライアントが理解できない場合,それはセッション内でのクライアントの情緒的苦痛が強いためか? 集中困難のためか? セッション中に浮かんでいる自動思考のためか?」

学んだことを最大限定着させる

「セラピーの要点をセッション後まで(さらにはセラピー終結後まで)覚えておいてもらうために,何をしてきたか?」

「クライアントが毎日治療メモを読みたいと思うように,クライアントを動機づけてきたか?」

4. 行き詰まったとき

　一回一回のセッションでは気分が改善しても,全体を通じてみると進歩が見られない場合がある。はじめに,前述の質問(診断は正しいか,概念化は正しいか,クライアントの障害に沿った治療計画を立てられているか,適切な技法を用いているか)を自問した後で,以下の点を,セラピスト自身で,またはスーパーバイザーと一緒に,評価するとよい。

「クライアントと強い**治療同盟**を結べているか?」

「クライアントもセラピストも,クライアントが抱いている**価値**とセラピーの**目標**を明確に掴んでいるか?」

「クライアントは,目標を達成しようと強く思っているか?」

「クライアントは,**認知モデル**を心から信じているか?
——思考は気分と行動に影響を与える,思考は不正確だったり役に立たなか

ったりする場合がある．非機能的な認知に対応することで感情と行動をポジティブな方向に変えていける——」

「クライアントは認知行動療法に十分**馴染ん**でいるか？
——アジェンダを自分で設定しようとし，セラピストと協働して問題や妨げを解決しようとし，アクション・プランを実行し，セラピストにフィードバックをしているか？——」

「**身体的な問題**（身体疾患，身体状況，薬剤の副作用など）や，**取り巻く環境の問題**（虐待やＤＶ，過度の仕事，貧困，犯罪など）が治療の障壁になっていないか？」

5．セラピーで起きる問題を解決する

セラピーで起きた問題に対しては，問題の内容に応じて，次の方法を検討するとよい。

1. より詳細な診断・評価を行う
2. 身体的検査・神経心理学的検査を依頼する
3. 概念化を改訂し，クライアントと共にチェックする
4. クライアントの障害の治療に関してもっとよく文献を読む
5. セラピーとセラピストをどう感じているかについて，クライアントに具体的なフィードバックを求める
6. セラピーを進めるうえでのクライアントの希望（アスピレーション），価値，目標を再確立する
   （そうしたものに向けて取り組む利益・不利益を検討するのもよい）
7. 認知モデルを一緒に見直す
   （クライアントの疑問や誤解を明らかにする）
8. 治療計画を一緒に見直す
   （クライアントの心配や疑問を明らかにする）

9. どのように具合が改善していくかについて，クライアントがそのような期待を抱いているかを評価する
（クライアントは，セラピストに何をしてもらいたいと考えているか？クライアント自身は何をする必要があると考えているか？）
10. セッション中に活動計画を設定したり振り返ったりすることと，1週間を通して活動計画を実行することの重要性を強調する
11. 鍵となる自動思考，信念，行動を，各セッションで一貫して扱う
12. セッションの内容に関するクライアントの理解度をチェックし，重要点を書きとめる
13. クライアントのニーズと好みに応じて，セッションの速度や構造，あつかう題材の量や難易度，どの程度まで共感を表現するか，教訓的・説得的に話す程度，妨げを解消することに力を入れる相対的な割合，などを適宜変更する

クライアントの概念化や，セラピーにおける問題の改善に取り組む際は，セラピストは自分自身の思考や気分を観察する必要がある。なぜなら，セラピストの認知が問題解決を阻むこともあるからである。どんなセラピストでも，クライアントや，セラピーや，セラピストとしての自分自身に対して，ネガティブな思考を抱くことがある。セラピーのあり方を変えようとする際に妨げになるセラピストの思い込みには次のようなものがある。

「話をさえぎったら，クライアントは，私がクライアントを支配しようとしていると思うだろう」

「セッションのアジェンダを構造化したら，クライアントにとって大切な話を聞けなくなってしまうだろう」

「セッションを録音すると，自意識過剰になってしまうだろう」

「クライアントが私をうっとうしく思ったら，セラピーに来なくなってしまうだろう」

個人や専門職としての成長モデルが参考になる。セラピストは，自分の発達にたえず内省的な注意を向けていくことが大切である。Bennett-Levy らのワークブックは参考になる（Bennett-Levy et al., 2015）。

最後に，治療で問題が生じたとき，セラピストは分かれ道に立っているといえる。問題を破局的に考えて自分やクライアントを責めるか，あるいは，問題をチャンスと考えて，概念化や治療計画のスキルを磨き，健全な治療関係を確立していくか，である。セラピストにとって，セラピーにおける困難は，セラピストのスキルや専門性をさらに深め，個々のクライアントに合わせてセラピーを変化させる能力を高める好機となる。

6. まとめ

治療には問題がつきものである。そうしたときに自分やクライアントを責めないことが肝心である。セラピストは人間であるがゆえに間違うこともあり，そのために起きる困難もある。クライアントも人間であるがゆえに間違うこともあり，そのために起きる困難もある。いずれにしても，苦労をしたクライアントとの治療からセラピストは最も多くを学ぶものである。

どのセッションでも，問題を明らかにするためには，クライアントの情動体験を観察し，クライアントがセラピーやセラピストに認知を抱いているかを観察することが大切である。クライアントの理解度と，治療の進捗度も観察することが大切である。問題をみつけたらその概念化を行う。セッション中やセッション間のクライアントの言動（行動したこととしなかったこと，言ったことと言わなかったことの両方を含む）に何か問題がないだろうか？ セラピスト自身の言動（行動したこととしなかったこと，言ったことと言わなかったことの両方を含む）に問題はないだろうか？ 限定的な問題か全般的な問題か？ 本章で紹介した質問を通じて何が起きているのかを診断し，治療の改善計画を作るとよい。

> **振り返りのための問い**
> ・本章で紹介したどの種類の問題でいちばん苦労すると思いますか？
> ・それはなぜですか？
> ・それに対して何ができますか？

実践エクササイズ

担当しているクライアントが，最近の4回のセッションで全く治療の進捗がないと仮定して，その状況を改善するための計画を立ててみましょう。

付録A
認知行動療法のリソース

CBT の原則，ワークシート，ビデオ，概念化ダイアグラム，症例サマリー，認知療法尺度（Cognitive Therapy Rating Scale）とマニュアルは，beckinstitute.org/CBTresources を参照。

研修プログラム
（The Beck Institute for Cognitive Behavior Therapy）米国・フィラデルフィアのベック研究所では，世界中の個人や団体に，現地，出張，オンラインで研修，スーパービジョン，コンサルテーションを提供している。

ベック研究所からのその他のリソース
・認定制度
・月例のニュースレター
・ブログ，SNS
・ワークシート・パック，クライアント用資材，書籍，DVD

評価尺度

下記の尺度とマニュアル（英語版）は，Pearson（www.pearsonassessments.com）社から入手可能。

- Beck Youth Inventories of Emotional and Social Impairment® (BYI®)–Second Edition (for children and adolescents ages 7-18)
- Beck Anxiety Inventory® (BAI®)
- Beck Depression Inventory® (BDI®)
- Beck Scale for Suicide Ideation® (BSS®)
- Beck Hopelessness Scale® (BHS®)
- Clark–Beck Obsessive–Compulsive Inventory® (CBOCI®)
- BDI®–Fast Screen for Medical Patients

下記については，www.beckinstitute.org から入手可能。

- Personality Belief Questionnaire
- Personality Belief Questionnaire–Short Form
- Dysfunctional Attitude Scale

付録B
ベック研究所ケース報告書
―― 要約と概念化 ――

第1部　インテークセッション時の情報

インテークセッション時の個人情報
名前：エイブ
年齢：56歳
性自認と性的指向：男性，異性愛
文化的系統：ヨーロッパ系アメリカ人
宗教的またはスピリチュアルな志向：ユニテリアン教会に所属。インテークセッション時には教会に通っていない
生活環境：大都市の集合住宅で，一人暮らし
雇用状態：失業中
社会経済的状況：中産階級

主訴，主な症状，メンタルな状態，診断
主訴：重度の抑うつ症状と中等度の不安のために治療を求めた。
主な症状
　感情面：抑うつ，不安，悲観の気持ちのほかに，自責もいくらかある。喜びと興味を感じられない。
　認知面：決断が困難，なかなか集中できない。
　行動面：回避（自宅を掃除しない，仕事探しをしない，用事を済ませる

ことができない），社会的孤立（教会に通わなくなった，家族と過ごす時間が減った，友人に会わなくなった）

身体面：身体が重い，強い疲労，性欲低下，なかなかリラックスできない，食欲不振

メンタルな状態：かなり抑うつに見える。いくらか皺がよった服装で，座っていても立っていても背筋が伸びていない。ほとんどアイコンタクトをせず，インテークセッションを通じて笑顔が見られなかった。動きはいくらか緩慢。話し方は普通。抑うつ以外の感情はほとんど見せない。思考プロセスは正常。感覚，認知，洞察，判断はいずれも正常範囲。治療に完全に参加することができた。

診断（『精神疾患の診断・統計マニュアル』または『疾病及び関連保健問題の国際統計分類』より）：大うつ病性障害，単一エピソード，重度，不安性の苦痛を伴う。パーソナリティ障害はみられないものの，軽度の強迫性パーソナリティ障害の特徴を伴う。

現在服用している精神科の薬，アドヒアランス，副作用，および並行して行われる治療

精神科の薬は服用していない。また，うつ病のための治療を受けていない。

現在の重要な人間関係

　いくらか家族から引きこもっているが，成人した2人の子どもと，学齢期の4人の孫との関係は良好。ときどき訪問したり，孫たちのスポーツイベントに出席。元妻とはかなり対立していて，男性友人2人からは完全に引きこもっている。いとこの1人と比較的親しく，兄弟の1人とはいくらか親しい。もう1人の兄弟と母親とは，会ったり話したりすることはあまりなく，親しみを感じていない。

第2部　生活史からの情報

いちばん調子がよかった頃の機能（強み，資質，リソースを含む）

エイブの調子がいちばんよかったのは，高校を卒業し，仕事に就き，友人と2人でアパート暮らしをはじめた時期だった。6年ほど続いたこの時期には，仕事をうまくこなし，上司とも同僚とも関係がよく，よい友人たちと頻繁に交流した。運動して身体を引き締め，将来に向けて預金も始めた。問題解決が得意で，利用できるリソースをたくさん持ち，レジリエントだった。周りの人を尊重し，周囲からも好かれ，頼まれないでもよく自分から家族や友人を助けた。職場でも自宅でも懸命に取り組んだ。この時期には，自分のことを，能力があり，物事をコントロールできて，頼りになる人で，責任を引き受けられる人間だとみていた。他者や世界については基本的に無害なものと認識していた。未来は明るく感じられた。この時期の後にもエイブは引き続き高い機能を維持したが，結婚して子どもが生まれてからは生活上のストレスが増えた。

現病歴

2年半前から抑うつと不安の症状が見られるようになった。症状は徐々に悪化し，6か月ほどして抑うつエピソードになった。それ以来，この2年は抑うつと不安の症状が高まったまま持続し，寛解していた時期はない。

精神医学的，心理的，物質使用にかかわる問題の履歴，および，それが生活上の機能へ及ぼす影響

2年半ほど前に上司の指示で担当業務が変わり，十分なトレーニングを提供してもらえなかったときに，エイブの不安がかなり強くなりはじめた。自分は仕事をこなせていないと認識するようになり，抑うつになりはじめた。その6か月後に解雇され，エイブの抑うつは有意に強くなった。担当業務変更から解雇されるまでの期間に，エイブは，自分のなかに引きこもるように

なり，家の雑用，庭仕事や用事，友人に会うなどといった多くの活動をしなくなった。妻は非常に批判的になり，エイブの抑うつはますます重くなった。アルコールやその他の物質の問題があったことはない。

精神医学的，心理的，物質乱用の治療歴，種類，ケアの程度，および反応

エイブと妻とは，2年ほど前にソーシャルワーカーによる夫婦カウンセリングを，外来で，同席しながら3回受けた。エイブによると，役に立たなかったという。それ以外には，以前に治療を受けたことはない。

成育歴（学習面，感情面，身体面に関連する発達上の問題）

身体面でも感情面でも，関連する発達上の困難はなく，学校の成績も問題なかった。

個人的，社会的，学業上，職業上の履歴

3人兄弟のいちばん上として生まれる。エイブが11歳のときに父親が家族を見捨てて出ていき，それ以来，エイブは父親に会ったことがない。残された母親は，エイブに対して非現実的な高い期待を抱くようになった。そして，弟たちがいつも宿題をきちんとするように管理できていない，母親自身が仕事で出かけている間に自宅を片付けていない，などと言ってエイブをひどく批判するようになった。弟たちはエイブが「威張っている」と言って喜ばず，そんな弟たちとエイブはいくらか対立することがあった。学校と近所に，よい友人が常に何人かいた。父親が去ってからは，母方の叔父と，さらに後になってからは何人かのコーチと，親しい人間関係を築いた。学校では平均的な生徒で，運動は非常によくできた。最終学歴は高卒である。エイブは高校在学中から建設業界で働きはじめた。卒業から抑うつになるまでの期間に，業界内でいくつかの仕事の経験があった。カスタマーサービス部門で部下を持つ立場まで昇進した。上司，監督者，同僚たちとの関係は良好で，最後の上司のもとで働くようになるまでは，常に非常によい評価を受けてきた。

医療にかかわる既往歴と生活上の制限

中学高校時代にスポーツに関連して何回か怪我をしているが，大きなことはなかった。健康は比較的良好で，40代後半になってから中等度の高血圧がみられるぐらいである。生活をするうえで身体的な制限はない。

精神科以外で現在服用中の薬，治療，アドヒアランス，副作用

血圧降下薬のバソテック10 mgを日に2回服用している。アドヒアランスは完全で，有意な副作用はない。その他の治療は受けていない。

第3部　認知的概念化ダイアグラム（CCD）

p.66～80参照。

第4部　ケースの概念化の要約

現病歴，先行要因，生活上のストレス要因

精神症状が初めて表れたのは2年半前で，軽度の抑うつと不安の症状を示しはじめた。職場での困難が先行要因だった。新しい上司の采配で担当業務が大きく変わり，仕事を有能にこなそうとしても非常に難しいと感じるようになった。次第に，妻も含めて周囲の人から引きこもるようになり，自宅にいるほとんどの時間をソファに座って過ごすようになった。抑うつと不安の症状は悪化をたどり，2年ほど前に解雇されるのとほぼ同時期に妻からも離婚されたときに一気にかなり強くなった。日常生活の機能は，それ以来落ちたままである。インテークセッションの時点で，ほとんどの時間をソファに座ってテレビを見ているか，インターネットサーフィンしている状態だった。

維持要因

　体験を非常にネガティブに解釈する，注意バイアスがある（こなしていない，またはうまくこなせていないことにばかり注意が向く），日課が構造化されていない，失業状態が続いている，回避して不活発，社会的に引きこもっている，自宅にこもったまま外出しない傾向，自己批判が高まっている，問題解決スキルが落ちている，ネガティブな記憶，現在と過去に失敗したと認識することを反すうする，将来について心配する。

価値と希望（アスピレーション）

　家族，自律性，生産性を大切に感じている。人生を立て直したい，ものごとを成し遂げられる有能さと能力の感じを捉え直したい，再就職したい，経済的に安定したい，すっかり離れてしまっている活動に再び従事しはじめたい，周りの人たちにお返しをしたい。

生活史の情報，先行要因，維持要因，認知的概念化ダイアグラムの情報をすべて取り込んだナラティブな要約

　人生のほとんどを通じて，エイブは多くの強み，ポジティブな性質，内的リソースを示してきた。何年にもわたり，仕事の実績と結婚生活と家族をうまく維持してきた。善良な人間でありたい，またそうした人間として有能で，頼られ，周りの人を助けられる人でいたい，と常に願ってきた。懸命さと，責任を果たすことに価値を感じていた。そうした強い価値があり，それが適応的な行動パターンへとつながっていたために，エイブは，高いけれども現実的な期待を自分に対して抱いて，努力し，独りで問題解決をし，責任を引き受けてきた。そうした履歴に対応して，エイブには，「期待を高く抱き，それに向けて努力をしていれば大丈夫だ。問題が起きたら自分だけで解決しなければならない。責任を引き受けなければならない」という媒介信念がある。自己についての中核信念として，自分はそこそこ影響力と能力があり，周りから好かれていて，価値がある存在だと考えている。他者や世界については，基本的に中立または無害だとみている。自動思考は，ほとんどが現実的で適

応的である。

　小児期逆境体験がいくつかあった。特定の体験にエイブが付与した意味が，人生の後の方になって，ネガティブな信念が活性化されやすくなる要因になった。11歳のときに，父親が家族を捨て，二度と戻らなかった。そこから，この世界は多かれ少なかれ予測できないものだと信じるようになった。母親は，エイブに対して理不尽に高い期待を抱き，それを満たさないと言ってエイブを批判した。母親の基準のほうが不合理なのだと認識することなく，エイブは，自分には十分な能力がないとみなすようになりはじめた。とはいえ，この2つの信念は岩のように硬かったわけではない。いくらか予測できない部分があるとはいえ，世界の大部分は比較的予測可能だし，自分も他の点で，とくに運動では有能だと信じていた。

　大人になり，仕事で苦労しはじめたときに，不安を感じた。責任を引き受けることができ，有能で，生産的でありたい，という心の奥で大切に抱いている価値のとおりに生きられないのではないかと恐れた。不安は心配につながり，集中したり問題解決したりすることが困難になり，仕事に差し障るまでになった。自分自身と，そうした体験とをかなりネガティブな仕方で解釈しはじめ，抑うつ症状を示しはじめた。中核信念のなかでも能力のなさ／ダメさに関連するものが活性化され，自分のことを，無力で，コントロールできていない，とみなし始めた。「難しいことをしようとすると，失敗する」「助けを求めると，いかに私に能力がないかが周りの人にわかってしまう」といったネガティブな思い込みが表面化した。そのため，非機能的なコーピング戦略で，主に回避を使いはじめた。こうしたコーピング戦略によって，今度は抑うつが維持されやすくなった。

　こうあるべきと思うほど生産的になれず，周囲に助けや支援を求めることも回避しているところへ，妻からは家のことをこなさないと言って辛辣に批判されるようになり，それもエイブのうつ病発症に関与していた。エイブは，そうしたうつ病の症状（回避する，注意を集中して意思決定することが困難，疲労など）を，それもまた自分に能力がないことを示す証拠だと解釈した。ひとたびうつ病になると，能力のなさまたは自分はダメだという中

核信念のレンズを通して体験の多くを解釈した。そうした状況のなかから3つを，認知的概念化ダイアグラムの下のほうに記している。

　うつ病になると，周りの人たちを眺めるときの視点が変わりはじめた。批判を恐れて，社会的に引きこもるようになった。それまで，世界はときには予測不可能なこともあるかもしれない，というくらいの見方をしていたが，失業し，思ってもいなかった離婚を妻から切り出されてからは，周囲の世界を，以前ほど（とくに経済的に）安全ではなく，より不安定で，予測できないと眺めるようになった。

第5部　治療計画

全体の治療計画

　抑うつと不安をやわらげ，日常生活の機能と社会的相互作用を改善し，ポジティブな感情を増やす。

問題リスト／クライアントの目標とエビデンスに基づく介入

失業／仕事に就く——以前と似た仕事を探すか，または，はじめは別の（より雇われやすく，こなしやすい）仕事に就くか，それぞれのメリットとデメリットを検証する。絶望的な自動思考（「絶対に仕事に就けないだろう。就けたとしても，また解雇されるだろう」）を評価し，それに対応する。職務経歴書を最新のものにする方法と仕事を探す方法を問題解決的に習得し，就職面接の場面をロールプレイで練習する。

回避／回避している活動に再び従事する——家まわりの仕事とそれをする時間とをそれぞれ具体的に決めてスケジュールを立てる。「これをするためのエネルギーがないだろう」「こなしたといえるレベルまでうまくできないだろう」などの自動思考が正しいかどうかを調べる行動実験をする。さらに，「こんなことをしても焼け石に水だ」というたぐいの自動思考を評価してそれに対応する。社会的な活動や喜びを生み

出してくれる活動をするスケジュールを立てる。少しでも大変だと感じることをこなしたときに自分で自分を褒めて，実績リストに書き留めることを教える。

社会的孤立／周囲の人たちとのつながりを取り戻す——友人や家族と集まるスケジュールを立てる。友人のなかの誰にいちばん連絡を取りやすいかを考え，「連絡したら迷惑に思われるだろう」「仕事に就いていないと批判されるだろう」などの自動思考を評価する。また，音信不通だった後に何を話すとよいかを話し合い，妨げになる思考を調べるための行動実験をする。

元妻との対立が続いている／コミュニケーション・スキルを改善することにより離婚に対して感じている責任がやわらいだり減ったりするかどうかを調べる——上手に主張する方法などのコミュニケーション・スキルを教え，「そんなことをしても何も変わらない」「このままずっと責められ続ける／怒られ続ける」などの思考を検証するための行動実験を行った。責任を振り分ける円グラフを作る。

抑うつ的な反すうと自己批判／抑うつ的な反すうを減らす——うつ病の症状と影響についての心理教育を行う。批判されて当然という信念を評価し，反すうと心配についてのポジティブとネガティブな信念を評価する。行動実験をして，呼吸のマインドフルネスの効果を調べてから，マインドフルネス・エクササイズを毎朝，および日中も必要に応じてするように指示する。

第6部　治療経過とアウトカム

治療関係

治療の開始時に，エイブはセラピストに批判されるのではないかと心配

し，自分の問題を独りで克服できるべきだと考えていた。セラピストは，専門的視点から考えることを，以下のように伝えた。エイブはうつ病という病気に罹患している。それはほとんどの人が治療を必要とする疾患である。エイブが感じている困難は，うつ病からきているもので，人としてのエイブについてネガティブなことは何も伝えていない。治療を求めて，それで効果があるかどうかを見ようとしていることは，エイブ自身の強さの証である。セラピストからそれを聞いて，エイブは安心したようだった。治療の当初から，エイブはセラピストに対して一定の信頼を示した。抱えている困難について心を開いて語るので，セラピスト側も協力して取り組みやすかった。はじめの頃は，活動計画のなかから達成できたことをエイブが報告したときに，そうした体験はエイブのポジティブな特質を示しているのではないかとセラピストが提案しても，エイブは半信半疑の様子だった。それでも，もし同じ状況にいる他の人がそうした活動に従事したら，エイブ自身もその人の活動をポジティブな視点で眺めるだろうということを認識できた。セッションの終わりには，だいたいいつもポジティブなフィードバックを提供できた。エイブが話した何かをセラピストが理解し損ねたときにも，彼はセラピストに対してそのことを適切に伝えられた。総じて，エイブはセラピストと良好な治療関係を構築し維持することができた。

治療セッションの回数と頻度，治療の期間

　はじめは週に1度の頻度で12週行い，その後は隔週で4週，さらに月に1度で4か月面会し，合計で8か月の間に18回のセッションが行われた。それは標準的な50分の認知行動療法セッションだった。

治療経過の要約

　セラピストが提案をし，エイブが合意する形で，次の3点から取り組むことにした。(1)なるべく日に一度は自宅から出かけるようにする，(2)家族と過ごす時間を増やす，(3)自宅の部屋を片付ける。こうした活動を実際にすると，つながり合っている感じと，コントロールして能力がある感じとがエ

イブのなかで高まってきた（また，能力がなく，コントロールを失っている，という信念も弱くなった）（後には，より多くの時間を友人と過ごしたりボランティアをしたりして過ごすように取り組んだ）。社会的な活動が増えると，周囲からの支援が改善されるとともに，親しい人間関係を持ち，周りの人に対して助けになって責任を引き受けられる人でいる，というエイブの大切な価値も満たされた。また，抑うつ的な反すうを減らすことにも取り組んだ。いくらかよく機能できるようになった時点で，就職先を一緒に探しはじめた。友人のビジネスで建設の仕事をすることから始めた。元妻との関係を改善できるかどうかが最終目標だったが，それはできなかった。

進捗の測定

インテークの時点で，「こころとからだの質問票」（PHQ-9）のスコアは18点で，「全般性不安尺度」（GAD-7）は8点だった。「幸福感」を0から10までの尺度で測ると，1だった。セラピストは，セッションのたびにこの3つの評価尺度を使って進歩を観察し続けた。治療終結の時点で，PHQ-9が3点，GAD-7が2点，幸福感は7だった。困難を感じる日はまだあったものの，気持ちが以前よりもずっとよい日のほうが多くなっていた。

治療のアウトカム

週に1度行ってきた治療の頻度を減らしはじめる前あたりで，うつ病はほぼ寛解していた。やがてエイブは，うまくこなすことができ，好きだと感じられるフルタイムの仕事に就いた。友人や家族とのかかわりも増えて，気分がかなり改善された。最後のブースターセッションに訪れたときには，うつ病は完全寛解していて，幸福感は8まで上がっていた。

付録C
AWARE（気づき）の技法のステップ

1. **不安を受容する（Accept）**。不安を感じるのは自然かつ正常で，生存のためには必要なことです。不安を感じることに不安になると，不安はさらに強まります。不安を感じるからといって，何か問題があることを意味するわけではありません。私たちの脳は，実際の危険を察知したときにも，危険を想像したときにも，同じように反応します。不安とは，危険な状況や困難な状況に対処するために与えられたエネルギーであると考えることができます。不安を避けたり，抑えたり，コントロールしようとしないでください。そうしてしまうと，不安はもっと強くなり，長引くことになります。

2. **距離を置いて不安を観察する（Watch）**。よいとか悪いとか判断せずに不安を見つめましょう。0から10の尺度で不安を評定し，数値が上下するのを観察します。距離を置きます。あなた自身は，あなたの感じる不安そのものではないことを思い出しましょう。体験から距離を取れるほど，そのまま観察できるようになります。親切で，それでいて心配しすぎない人がそばで見つめているような感じで，ご自分の思考や気持ちや行動を眺めましょう。

3. **不安に対して建設的に行動する（Act）**。あたかも不安を感じていないかのように振る舞ってみましょう。不安がないときにできる活動は，不安があるときにもできます。会話，雑用，散歩，ドライブ，運動，ダンス，歌，祈り，書くこともできます。ゆっくりと，普段と変わらない呼

吸をします。不安から逃げたり，不安を引き起こす状況を回避したりしません。そのようにすると，不安は悪いことだ，あるいは不安は危険だというメッセージを自分自身に送ってしまうことになります。

4. **上記のステップを繰り返す**（Repeat）。引き続き不安を受容し，観察し，不安に対して建設的に行動します。

5. **ベストを期待する**（Expect）。ほとんどの場合，最も恐れていることは起きないものです。上記のステップを使う機会をたくさん設けて，不安は必ずやわらぐということを確信できるようにしましょう。不安と闘ったり，不安を避けたり，不安をコントロールしようとしたりするのを止めると，不安に関連する困難や問題も減ります。

注）Beck and Emery(1985)より許諾を得て改訂掲載。

付録 D
体験的技法を用いて
幼少期の記憶の意味を再構成する

　幼少期の体験の意味を再構成する技法については，付録に含めることにした。というのも，本書で紹介する他の技法よりも高度で，さほど多くのクライアントに適用することがないかもしれないからである。これはゲシュタルト療法の技法の一つで，認知モデルの下で，特に非機能的な信念を変えるために使われている。急性期にあるクライアントより，パーソナリティ障害をもつクライアントに使われることが多いが，必須の技法ではない。このような技法は，治療の中盤から終盤において，クライアントがすでに非機能的な信念を修正し始めているタイミングで使う。自分自身，世界，他者についての適応的な信念を強めるため，ポジティブな記憶を想起し，そこからポジティブな意味を引き出すことを重点的に行ったほうがよいクライアントもいることに留意されたい。ここでは，記憶の意味を再構成するための方法を2つ紹介する。

技法1　再エナクトメント（再上演），およびセラピストとクライアントによるロールプレイを通じて，幼少期の体験の意味を再構成する。以下の対話で，セラピストは，エイブに苦痛な状況についてまず尋ね，ネガティブな感情に伴う身体感覚に注意を向けるよう促し，中核信念とそれに伴う苦痛をより強く活性化しようとしている。そうすることで，同じテーマが含まれる初期の記憶に，エイブがよりアクセスしやすくなるからである。

セラピスト：エイブ，今日はとても落ち込んでいるようですね。
エイブ　　：はい。元妻が電話をしてきました。実は今日の午前中は私が孫たちの世話をするはずでした。でも，診察の予約があることを思い出して，土壇場でキャンセルすることになったのです。
セラピスト：元の奥さんは，何と言ったのですか？
エイブ　　：「あなたはひどい祖父だ」って。
セラピスト：そう言われたときに，どんなことが頭に浮かびましたか？
エイブ　　：「彼女は正しい。**確かに私はひどい祖父なんだ**」って。
セラピスト：そして，どのような気持ちになりましたか？
エイブ　　：［感情を表現する］悲しいです。本当に悲しいです。［中核信念を表現する］私はなんてダメなんだろう。
セラピスト：それは祖父として，ということですか？　それとも人間として？
エイブ　　：人間として，のように感じます。
セラピスト：［エイブの感情に焦点を当て，記憶を呼び戻そうとする］その悲しさと，ダメな人間だという感じは，身体のどこで感じますか？
エイブ　　：（胸を指す）ここです。胸のなかです。とても重たい感じがします。

　次に，セラピストとエイブは協働して，エイブの現在の状況にはひとまず注目せず，代わりに，エイブのネガティブな気分状態を活用して，彼の幼少期の体験において，同じような中核信念が活性化されたときのことを同定することにした。セラピストはエイブに当時の場面をイメージしてもらった。次に，その記憶について知的なレベルで話し合い，母親が怒りを爆発させてエイブを責めて批判したことについて，別の説明を見出せるようエイブを手助けした。

セラピスト：子どもの頃で，初めてこんなふうに感じたことを覚えているのはいつですか？

エイブ　　　：(間を置く) たぶん，11歳か12歳のときだったと思います。母はバスに乗り遅れて，仕事から帰るのがとても遅かったんです。弟たちがキッチンで色付き粘土で遊んでいて，食卓にも床にも粘土がべとべとに付いていました。それを見た母親が，私に対してものすごく不機嫌になりました。
セラピスト：その場面を頭のなかに思い描けるでしょうか？　あなたと，弟さんたちと，お母さんがキッチンにいたのですか？
エイブ　　　：そうです。
セラピスト：お母さんの顔はどのように見えますか？　彼女は何と言ったのですか？
エイブ　　　：そうですね，とても怒っているように見えました。彼女は大声で怒鳴りました。確か，「エイブ，あなたは全くどうしようもない子ね！　周りを見てごらんなさい！」と言いました。
セラピスト：あなたは何と言ったのですか？
エイブ　　　：何も言わなかったと思います。母親は怒鳴り続けていました。母は，「私がどれだけ一生懸命働いているのか，わからないの？　大層なことをあなたに頼んでいるわけではないでしょう？　どうして弟たちが粘土をあちこちに付けるままにさせていたの？　見張っているべきだったのよ。それがそんなに難しいことなの？」と言っていました。
セラピスト：[共感を示す] それはかなりつらかったでしょうね。
エイブ　　　：ええ。
セラピスト：お母さんの言動は理にかなっていたと思いますか？
エイブ　　　：(考える) わかりません。……母も結構疲れていて，ストレスが限界でした。
セラピスト：あなた自身が，自分のお子さんたちに対して，こんなふうに言うことが頻繁にありましたか？
エイブ　　　：いいえ。私は子どもたちにこんなことは言ったことがありません。子どもたち同士で互いに面倒を見るようなことを期待した

　　　　　　ことがありませんので。
セラピスト：あなたの息子さんが11歳のときのことを思い出せますか？
　　　　　　そのとき娘さんは，確か8歳ぐらいでしょうか？
エイブ　　：そうです。
セラピスト：ある日あなたが仕事から遅い時間に帰宅して，とても疲れており，ストレスが限界に達していて，見ると，食卓と床に粘土がいっぱい付いている。そんなとき，子どもたちに何と言ったと思いますか？
エイブ　　：うーん，……たぶんこんなふうに言ったでしょうね。「おや，食卓と床が粘土だらけだね。いったん遊ぶのを止めて，食卓と床をきれいにしなさい。次からは，こんなに汚くならないようにするんだよ」。
セラピスト：とてもよいですね。お母さんが，**あなたに**粘土をきれいにするようにと言うだけではなかったのは，どうしてなのでしょうか？　その理由が思いつきますか？
エイブ　　：よくわかりません。
セラピスト：あなたがこれまでに話してくれたことを考慮すると，お母さんはシングルマザーとしての生活に圧倒されてしまっていた，ということが考えられるのではないでしょうか？　粘土で汚れたキッチンを見たときに，お母さん自身がコントロールを失ってしまった，ということなのではないかと思いますが。
エイブ　　：たぶんそうだと思います。母にとって大変だったのです。

　次に，セラピストは注目点を変えて，エイブがロールプレイを通じて体験的な学習ができるようにした。エイブには最初に母親の役を演じてもらい，次に役割を交替して自分自身を演じてもらった。

セラピスト：では，ここで，ロールプレイをしてみませんか？　私が，11歳のあなたを演じます。あなたはお母さんの役を演じてください。

できるだけお母さんの視点から物事を眺めるようにしてみてください。あなたから，始めます。あなたはたった今，仕事から帰宅したところです。見ると，食卓も床も粘土だらけです。そこであなたは言います……

エイブ　　：[母親役を演じる] エイブ，なんて汚いの！　あなたは弟たちを止めるべきだった。

セラピスト：[エイブ役を演じる] お母さん，ごめんなさい。**確かに汚いよね**。すぐに片付けるよ。

エイブ　　：私がどれだけ一生懸命働いているのか，わからないの？　弟たちの面倒を見るというのは，そんなに大変なことなの？

セラピスト：僕は弟たちのことを**見ていたよ**。それに片付けるようにも言った。でも彼らが言うことをきかなかったんだ。

エイブ　　：あなたは言うことをきかせないといけないの。

セラピスト：どうしたらそれができるか，僕にはわからないよ。僕はまだ11歳だよ。お母さんは僕に多くを期待しすぎているよ。今から粘土を片付けるよ。でもどうしてこんなふうに怒られるのか，わからないよ。そんなふうに言われると，自分がダメな人間だと感じてしまう。お母さんは，僕のことをダメな人間だと考えているの？

エイブ　　：いいえ，そんな風に考えて欲しいわけではないの。そうじゃない。ただ，あなたにもっとうまくやって欲しいだけなの。

セラピストは次に，エイブがこの体験について別の結論を引き出せるよう手助けした。

セラピスト：オーケーです。役割から出ますよ。ロールプレイをやってみてどう思いましたか？

エイブ　　：私が本当にダメだったわけではない，と思いました。私はだいたいのことはちゃんとやれていました。母親がひどいストレス

を感じていただけだったのでしょう。
セラピスト：どれぐらいそのように信じられますか？
エイブ　　：かなり信じられていると思います。
セラピスト：もう一度ロールプレイをしてみませんか。今度はあなたが11歳の自分になって，お母さんに向かってどれほど上手に反論できるかをみてみましょう。

　2度目のロールプレイの後で，セラピストは，学んだことをエイブにまとめてもらった。そして，その結論を，現在において元妻がエイブをダメな人だと言った状況に対して，どのように適用できるかについて話し合った。

技法2　再エナクトメント（再上演）および「年齢の高いクライアントと年齢の低いクライアント」のロールプレイを通して，幼少期の体験の意味を再構成する。この技法でも，技法1と同様のやり方で始め，以下のステップをたどる。

1. クライアントが現在かなり苦痛を感じており，かつ重要な非機能的な信念と関連している特定の状況を同定する。クライアントの感情に焦点を当てるために，自動思考，感情，身体感覚に注意を向けてもらう。

2. 関連する子ども時代の体験を同定しやすくなるように，次のような質問をする。「成長の過程で，このように感じたのはいつだと記憶していますか？」「一番早い時期で，自分についてこのように信じるようになったのはいつの頃だと記憶していますか？」（または「このような信念がぐっと強まったのはいつの頃でしょうか？」）。特定の状況と，その状況に対してクライアントが付与した意味について，クライアントに語ってもらう。ソクラテス式質問法を使って手助けしながら，活性化された非機能的な信念をリフレーミングする。

3. その状況について，あたかもクライアントがその当時の子ども（「子どもの自分」）であるかのように，そしてあたかもそれが今そこで起きているかのように，クライアントに再体験してもらう。この技法を使っているときに，「子どもの自分」に話しかけるときは，その子の発達レベルに合った言葉と概念を用いるようにする。そのような状態でクライアントが自らの体験について語っている間に，「子どもの自分」の自動思考，感情，信念を引き出していく。また，そのような信念をどれぐらい信じているかを，「子どもの自分」に評定してもらう。（たいていは，複数の選択肢を提示する必要がある。たとえば「どれぐらい信じていますか？　少し？　中ぐらい？　それともたくさん？」というように。このときにパーセントで尋ねてしまうと，「子どもの自分」の心が年齢の高い［現在の］自分へと引き戻されてしまう）。クライアントに，イメージを想起し続けてもらい，それを「子どもの自分」として現在形で語ってもらう。それを，トラウマを乗り越えて，より安全な場所に到達するまで続けてもらう。

4. 「子どもの自分」に対して，「大人の自分」がその場面（より安全な場所）に入ってきて，何が起きたのかを理解できるよう助けてくれるとしたら助けてもらいたいか，ということを尋ねる。「子どもの自分」（感情の心）と「大人の自分」（理性の心）との対話を促し，非機能的な信念をリフレーミングする。「子どもの自分」が混乱していたり，「大人の自分」の言うことを信じられなかったりする場合は，セラピストが，どのようなことを（「子どもの自分」の発達レベルに合った言葉と概念を使って）話しかけるとよいかを，「大人の自分」に提案する。

5. 「子どもの自分」に，非機能的な信念を，今どれぐらい信じているかを，改めて評価してもらう。信じる度合いが減っていたら，さらに尋ねたいことや言いたいことが他にあるかを「大人の自分」に尋ねる。最後に，お別れの言葉を言うよう双方を促す。

6. クライアントに,「今実施したこの技法から, 何が言えるでしょうか？」と尋ねる。典型的な結論としては,「非機能的な信念は本当のことではなかった」「非機能的な信念は, 少なくとも完全には正しくなかった」「『子どもの自分』は傷つきやすく, 保護されたりよい治療を受けさせてもらったりする必要があった」というものである。クライアントが, 自分自身に対してもっと思いやりのあるやり方で（「大人の自分」が「子どもの自分」に話しかけるようなやり方で）話すことにクライアントが同意のうえで, 活動計画の一環とすることもある。

文　献

Abbott, R. A., Whear, R., Rodgers, L. R., Bethel, A., Coon, J. T., Kuyken, W., . . . Dickens, C. (2014). Effectiveness of mindfulness-based stress reduction and mindfulness based cognitive therapy in vascular disease: A systematic review and meta-analysis of randomised controlled trials. *Journal of Psychosomatic Research, 76*(5), 341–351.

Alford, B. A., & Beck, A. T. (1997). *The integrative power of cognitive therapy.* New York: Guilford Press.

American Psychiatric Association. (2013). *Diagnostic and statistical manual of mental disorders* (5th ed.). Arlington, VA: Author.

Antony, M. M., & Barlow, D. H. (Eds.). (2010). *Handbook of assessment and treatment planning for psychological disorders* (2nd ed.). New York: Guilford Press.

Arnkoff, D. B., & Glass, C. R. (1992). Cognitive therapy and psychotherapy integration. In D. K. Freedheim (Ed.), *History of psychotherapy: A century of change* (pp. 657–694). Washington, DC: American Psychological Association.

Bannink, F. (2012). *Practicing positive CBT: From reducing distress to building success.* Hoboken, NJ: Wiley.

Barlow, D. H. (2002). *Anxiety and its disorders: The nature and treatment of anxiety and panic* (2nd ed.). New York: Guilford Press.

Beck, A. (2016). *Transcultural cognitive behavior therapy for anxiety and depression.* New York: Routledge.

Beck, A. T. (1964). Thinking and depression: II. Theory and therapy. *Archives of General Psychiatry, 10,* 561–571.

Beck, A. T. (1967). *Depression: Causes and treatment.* Philadelphia: University of Pennsylvania Press.

Beck, A. T. (1976). *Cognitive therapy and the emotional disorders.* New York: International Universities Press.

Beck, A. T. (1987). Cognitive approaches to panic disorder: Theory and therapy. In S. Rachman & J. Maser (Eds.), *Panic: Psychological perspectives* (pp. 91–109). Hillsdale, NJ: Erlbaum.

Beck, A. T. (1999). Cognitive aspects of personality disorders and their relation to syndromal disorders: A psychoevolutionary approach. In C. R. Cloninger (Ed.), *Personality and psychopathology* (pp. 411–429). Washington, DC: American Psychiatric Press.

Beck, A. T. (2005). The current state of cognitive therapy: A 40-year retrospective. *Archives of General Psychiatry, 62,* 953–959.

Beck, A. T. (2019). A 60-year evolution of cognitive theory and therapy. *Perspectives on Psychological Science, 14*(1), 16–20.

Beck, A. T., & Beck, J. S. (1991). *The personality belief questionnaire.* Philadelphia: Beck Institute for Cognitive Behavior Therapy.

Beck, A. T., Davis, D. D., & Freeman, A. (Eds.). (2015). *Cognitive therapy of personality disorders* (3rd ed.). New York: Guilford Press.

Beck, A. T., & Emery, G. (with Greenberg, R. L.). (1985). *Anxiety disorders and phobias: A cognitive perspective.* New York: Basic Books.

Beck, A. T., Finkel, M. R., & Beck, J. S. (2020). The theory of modes: Applications to schizophrenia and other psychological conditions. *Cognitive Therapy and Research.*

Beck, A. T., Perivoliotis, D., Brinen, A. P., Inverso, E., & Grant, P. M. (in press). *Recovery-oriented cognitive therapy for schizophrenia and serious mental health conditions.* New York: Guilford Press.

Beck, A. T., Rush, A. J., Shaw, B. F., & Emery, G. (1979). *Cognitive therapy of depression.* New York: Guilford Press.

Beck, A. T., & Steer, R. A. (1993a). *Beck Anxiety Inventory.* San Antonio, TX: Psychological Corporation.

Beck, A. T., & Steer, R. A. (1993b). *Beck Hopelessness Scale.* San Antonio, TX: Psychological Corporation.

Beck, A. T., Steer, R. A., & Brown, G. K. (1996). *Beck Depression Inventory–II.* San Antonio, TX: Psychological Corporation.

Beck, A. T., Wright, F. D., Newman, C. F., & Liese, B. S. (1993). *Cognitive therapy of substance abuse.* New York: Guilford Press.

Beck, J. S. (2001). A cognitive therapy approach to medication compliance. In J. Kay (Ed.), *Integrated treatment of psychiatric disorders* (pp. 113–141). Washington, DC: American Psychiatric Publishing.

Beck, J. S. (2005). *Cognitive therapy for challenging problems: What to do when the basics don't work.* New York: Guilford Press.

Beck, J. S. (2007). *The Beck diet solution: Train your brain to think like a thin person.* Birmingham, AL: Oxmoor House.

Beck, J. S. (2018). *CBT worksheet packet.* Philadelphia: Beck Institute for Cognitive Behavior Therapy.

Beck, J. S. (2020). *Coping with depression.* Philadelphia: Beck Institute for Cognitive Behavior Therapy.

Bennett-Levy, J., Butler, G., Fennell, M., Hackman, A., Mueller, M., & Westbrook, D. (Eds.). (2004). *Oxford guide to behavioral experiments in cognitive therapy.* Oxford, UK: Oxford University Press.

Bennett-Levy, J., & Thwaites, R. (2007). Self and self-reflection in the therapeutic relationship. In P. Gilbert & R. L. Leahy (Eds.), *The therapeutic relationship in the cognitive behavioral psychotherapies* (pp. 255–281). New York: Routledge/Taylor & Francis.

Bennett-Levy, J., Thwaites, R., Haarhoff, B., & Perry, H. (2015). *Experiencing CBT from the inside out: A self-practice/self-reflection workbook for therapists*. New York: Guilford Press.
Benson, H. (1975). *The relaxation response*. New York: Avon.
Bishop, S. R., Lau, M., Shapiro, S., Carlson, L., Anderson, N. D., Carmody, J., . . . Devins, G. (2004). Mindfulness: A proposed operational definition. *Clinical Psychology: Science and Practice, 11*(3), 230–241.
Boisvert, C. M., & Ahmed, M. (2018). *Using diagrams in psychotherapy: A guide to visually enhanced therapy*. New York: Routledge.
Boswell, J. F., Kraus, D. R., Miller, S. D., & Lambert, M. J. (2015). Implementing routine outcome monitoring in clinical practice: Benefits, challenges, and solutions. *Psychotherapy Research: Building Collaboration and Communication between Researchers and Clinicians, 25*(1), 6–19.
Braun, J. D., Strunk, D. R., Sasso, K. E., & Cooper, A. A. (2015). Therapist use of Socratic questioning predicts session-to-session symptom change in cognitive therapy for depression. *Behaviour Research and Therapy, 70*, 32–37.
Burns, D. D. (1980). *Feeling good: The new mood therapy*. New York: Signet.
Butler, A. C., Chapman, J. E., Forman, E. M., & Beck, A. T. (2006). The empirical status of cognitive-behavioral therapy: A review of meta-analyses. *Clinical Psychology Review, 26*, 17–31.
Callan, J. A., Kazantzis, N., Park, S. Y., Moore, C., Thase, M. E., Emeremni, C. A., . . . Siegle, G. J. (2019). Effects of cognitive behavior therapy homework adherence on outcomes: Propensity score analysis. *Behavior Therapy, 50*(2), 285–299.
Carpenter, J. K., Andrews, L. A., Witcraft, S. M., Powers, M. B., Smits, J. A., & Hofmann, S. G. (2018). Cognitive behavioral therapy for anxiety and related disorders: A meta-analysis of randomized placebo-controlled trials. *Depression and Anxiety, 35*(6), 502–514.
Chambless, D., & Ollendick, T. H. (2001). Empirically supported psychological interventions. *Annual Review of Psychology, 52*, 685–716.
Chaves, C., Lopez-Gomez, I., Hervas, G., & Vazquez, C. (2019). The integrative positive psychological intervention for depression (IPPI-D). *Journal of Contemporary Psychotherapy, 49*(3), 177–185.
Chiesa, A., & Serretti, A. (2011). Mindfulness based cognitive therapy for psychiatric disorders: A systematic review and meta-analysis. *Psychiatry Research, 187*(3), 441–453.
Clark, D. A., Beck, A. T., & Alford, B. A. (1999). *Scientific foundations of cognitive theory and therapy of depression*. Hoboken, NJ: Wiley.
Clark, D. M. (1989). Anxiety states: Panic and generalized anxiety. In K. Hawton, P. M. Salkovskis, J. Kirk, & D. M. Clark (Eds.), *Cognitive-behavior therapy for psychiatric problems: A practical guide* (pp. 52–96). New York: Oxford University Press.
Constantino, M. J., Ametrano, R. M., & Greenberg, R. P. (2012). Clinician interventions and participant characteristics that foster adaptive patient expectations for psychotherapy and psychotherapeutic change. *Psychotherapy, 49*(4), 557–569.
Craske, M. G., Treanor, M., Conway, C. C., Zbozinek, T., & Vervliet, B. (2014). Maximizing exposure therapy: An inhibitory learning approach. *Behaviour Research and Therapy, 58*, 10–23.

Cuijpers, P., van Straten, A., & Warmerdam, L. (2007). Behavioral activation treatments of depression: A meta-analysis. *Clinical Psychology Review, 27,* 318–326.

D'Zurilla, T. J., & Nezu, A. M. (2006). *Problem-solving therapy: A positive approach to clinical intervention* (3rd ed.). New York: Springer.

David, D., Cristea, I., & Hofmann, S. G. (2018). Why cognitive behavioral therapy is the current gold standard of psychotherapy. *Frontiers in Psychiatry, 9,* 4.

Davis, M., Eshelman, E. R., & McKay, M. (2008). *The relaxation and stress reduction workbook* (6th ed.). Oakland, CA: New Harbinger.

de Jonge, M., Bockting, C. L., Kikkert, M. J., van Dijk, M. K., van Schaik, D. J., Peen, J., . . . Dekker, J. J. (2019). Preventive cognitive therapy versus care as usual in cognitive behavioral therapy responders: A randomized controlled trial. *Journal of Consulting and Clinical Psychology, 87*(6), 521.

De Oliveira, I. R. (2018). Trial-based cognitive therapy. In S. Borgo, I. Marks, & L. Sibilia (Eds.), *Common language for psychotherapy procedures: The first 101* (pp. 202–204). Rome: Centro per la Ricerca in Psicoterapia.

De Shazer, S. (1988). *Clues: Investigating solutions in brief therapy.* New York: Norton.

DeRubeis, R. J., & Feeley, M. (1990). Determinants of change in cognitive therapy for depression. *Cognitive Therapy and Research, 14,* 469–482.

Dobson, D., & Dobson, K. S. (2018). *Evidence-based practice of cognitive-behavioral therapy.* New York: Guilford Press.

Dobson, K. S., & Dozois, D. J. A. (2009). Historical and philosophical bases of the cognitive-behavioral therapies. In K. S. Dobson (Ed.), *Handbook of cognitive-behavioral therapies* (3rd ed., pp. 3–37). New York: Guilford Press.

Dobson, K. S., Hollon, S. D., Dimidjian, S., Schmaling, K. B., Kohlenberg, R. J., Gallop, R. J., . . . Jacobson, N. S. (2008). Randomized trial of behavioral activation, cognitive therapy, and antidepressant medication in the prevention of relapse and recurrence in major depression. *Journal of Consulting and Clinical Psychology, 76*(3), 468–477.

Dunn, B. D. (2012). Helping depressed clients reconnect to positive emotion experience: Current insights and future directions. *Clinical Psychology and Psychotherapy, 19*(4), 326–340.

Dutra, L., Stathopoulou, G., Basden, S. L., Leyro, T. M., Powers, M. B., & Otto, M. W. (2008). A meta-analytic review of psychosocial interventions for substance use disorders. *American Journal of Psychiatry, 165*(2), 179–187.

Elliott, R., Bohart, A. C., Watson, J. C., & Greenberg, L. S. (2011). Empathy. *Psychotherapy, 48*(1), 43–49.

Ellis, A. (1962). *Reason and emotion in psychotherapy.* New York: Lyle Stuart.

Ezzamel, S., Spada, M. M., & Nikčević, A. V. (2015). Cognitive-behavioural case formulation in the treatment of a complex case of social anxiety disorder and substance misuse. In M. Bruch (Ed.), *Beyond diagnosis: Case formulation in cognitive-behavioural psychotherapy* (pp. 194–219). London: Wiley.

Fairburn, C. G., Bailey-Straebler, S., Basden, S., Doll, H. A., Jones, R., Murphy, R., . . . Cooper, Z. (2015). A transdiagnostic comparison of enhanced cognitive behaviour therapy (CBT-E) and interpersonal psychotherapy in the treatment of eating disorders. *Behaviour Research and Therapy, 70,* 64–71.

Foa, E. B., & Rothbaum, B. O. (1998). *Treating the trauma of rape: Cognitive-behavioral therapy for PTSD*. New York: Guilford Press.
Fredrickson, B. L. (2001). The role of positive emotions in positive psychology: The broaden-and-build theory of positive emotions. *American Psychologist*, *56*, 218–226.
Frisch, M. B. (2005). *Quality of life therapy*. New York: Wiley.
Goldstein, A. (1962). *Therapist-patient expectancies in psychotherapy*. New York: Pergamon Press.
Goldstein, A., & Stainback, B. (1987). *Overcoming agoraphobia: Conquering fear of the outside world*. New York: Viking Penguin.
Gottman, J., & Gottman, J. S. (2014). *Level 2 clinical training: Gottman method couples therapy* [DVD]. Seattle, WA: Gottman Institute.
Gould, R. L., Coulson, M. C., & Howard, R. J. (2012). Efficacy of cognitive behavioral therapy for anxiety disorders in older people: A meta-analysis and meta-regression of randomized controlled trials. *Journal of the American Geriatrics Society*, *60*(2), 218–229.
Grant, P. M., Bredemeier, K., & Beck, A. T. (2017). Six-month follow-up of recovery-oriented cognitive therapy for low-functioning individuals with schizophrenia. *Psychiatric Services*, *68*(10), 997–1002.
Grant, P. M., Huh, G. A., Perivoliotis, D., Stolar, N. M., & Beck, A. T. (2012). Randomized trial to evaluate the efficacy of cognitive therapy for low-functioning patients with schizophrenia. *Archives of General Psychiatry*, *69*(2), 121–127.
Greenberg L. S. (2002). *Emotion focused therapy: Coaching clients to work through their feelings*. Washington, DC: American Psychological Association.
Hackmann, A., Bennett-Levy, J., & Holmes, E. A. (2011). *Oxford guide to imagery in cognitive therapy*. Oxford, UK: Oxford University Press.
Hall, J., Kellett, S., Berrios, R., Bains, M. K., & Scott, S. (2016). Efficacy of cognitive behavioral therapy for generalized anxiety disorder in older adults: Systematic review, meta-analysis, and meta-regression. *American Journal of Geriatric Psychiatry*, *24*(11), 1063–1073.
Hanrahan, F., Field, A. P., Jones, F. W., & Davey, G. C. L. (2013). A meta-analysis of cognitive therapy for worry in generalized anxiety disorder. *Clinical Psychology Review*, *33*, 120–132.
Hayes, S. C., Follette, V. M., & Linehan, M. M. (Eds.). (2004). *Mindfulness and acceptance: Expanding the cognitive-behavioral tradition*. New York: Guilford Press.
Hayes, S. C., Strosahl, K. D., & Wilson, K. G. (1999). *Acceptance and commitment therapy: An experiential approach to behavior change*. New York: Guilford Press.
Hays, P. A. (2009). Integrating evidence-based practice, cognitive-behavior therapy, and multicultural therapy: Ten steps for culturally competent practice. *Professional Psychology: Research and Practice*, *40*(4), 354–360.
Heiniger, L. E., Clark, G. I., & Egan, S. J. (2018). Perceptions of Socratic and non-Socratic presentation of information in cognitive behavior therapy. *Journal of Behavior Therapy and Experimental Psychiatry*, *58*, 106–113.
Hofmann, S. G. (2016). *Emotion in therapy: From science to practice*. New York: Guilford Press.

Hofmann, S. G., Asnaani, A., Vonk, I. J., Sawyer, A. T., & Fang, A. (2012). The efficacy of cognitive behavioral therapy: A review of meta-analyses. *Cognitive Therapy and Research, 36*(5), 427–440.

Hofmann, S. G., Sawyer, A. T., Witt, A. A., & Oh, D. (2010). The effect of mindfulness-based therapy on anxiety and depression: A meta-analytic review. *Journal of Consulting and Clinical Psychology, 78*(2), 169–183.

Hollon, S. D., DeRubeis, R. J., Fawcett, J., Amsterdam, J. D., Shelton, R. C., Zajecka, J., . . . Gallop, R. (2014). Effect of cognitive therapy with antidepressant medications vs antidepressants alone on the rate of recovery in major depressive disorder: A randomized clinical trial. *JAMA Psychiatry, 71*(10), 1157–1164.

Ingram, R. E., & Hollon, S. D. (1986). Cognitive therapy for depression from an information processing perspective. In R. E. Ingram (Ed.), *Personality, psychopathology, and psychotherapy series: Information processing approaches to clinical psychology* (pp. 259–281). New York: Academic Press.

Iwamasa, G. Y., & Hays, P. A. (Eds.). (2019). *Culturally responsive cognitive behavior therapy: Practice and supervision* (2nd ed.). Washington, DC: American Psychological Association.

Jacobson, E. (1974). *Progressive relaxation*. Chicago: University of Chicago Press, Midway Reprint.

Jeste, D. V., & Palmer, B. W. (2015). *Positive psychiatry: A clinical handbook*. Arlington, VA: American Psychiatric Publishing.

Johnstone, L., Whomsley, S., Cole, S., & Oliver, N. (2011). *Good practice guidelines on the use of psychological formulation*. Leicester, UK: British Psychological Society.

Kabat-Zinn, J. (1990). *Full catastrophe living*. New York: Delta.

Kallapiran, K., Koo, S., Kirubakaran, R., & Hancock, K. (2015). Effectiveness of mindfulness in improving mental health symptoms of children and adolescents: A meta-analysis. *Child and Adolescent Mental Health, 20*(4), 182–194.

Kazantzis, N., Luong, H. K., Usatoff, A. S., Impala, T., Yew, R. Y., & Hofmann, S. G. (2018). The processes of cognitive behavioral therapy: A review of meta-analyses. *Cognitive Therapy and Research, 42*(4), 349–357.

Kazantzis, N., Whittington, C., Zelencich, L., Kyrios, M., Norton, P. J., & Hofmann, S. G. (2016). Quantity and quality of homework compliance: A meta-analysis of relations with outcome in cognitive behavior therapy. *Behavior Therapy, 47*(5), 755–772.

King, B. R., & Boswell, J. F. (2019). Therapeutic strategies and techniques in early cognitive-behavioral therapy. *Psychotherapy, 56*(1), 35–40.

Knapp, P., Kieling, C., & Beck, A. T. (2015). What do psychotherapists do?: A systematic review and meta-regression of surveys. *Psychotherapy and Psychosomatics, 84*(6), 377–378.

Kuyken, W., Padesky, C. A., & Dudley, R. (2009). *Collaborative case conceptualization: Working effectively with clients in cognitive behavioral therapy*. New York: Guilford Press.

Lambert, M. J., Whipple, J. L., Smart, D. W., Vermeersch, D. A., Nielsen, S. L., & Hawkins, E. J. (2001). The effects of providing therapists with feedback on patient progress during psychotherapy: Are outcomes enhanced? *Psychotherapy Research, 11*(1), 49–68.

Lambert, M. J., Whipple, J. L., Vermeersch, D. A., Smart, D. W., Hawkins, E. J., Nielsen, S. L., & Goates, M. (2002). Enhancing psychotherapy outcomes via providing feedback on client progress: A replication. *Clinical Psychology and Psychotherapy, 9*(2), 91–103.

Lazarus, A. A., & Lazarus, C. N. (1991). *Multimodal life history inventory.* Champaign, IL: Research Press.

Leahy, R. L. (2002). A model of emotional schemas. *Cognitive and Behavioral Practice, 9*(3), 177–190.

Leahy, R. L. (Ed.). (2018). *Science and practice in cognitive therapy: Foundations, mechanisms, and applications.* New York: Guilford Press.

Ledley, D. R., Marx, B. P., & Heimberg R. G. (2005). *Making cognitive-behavioral therapy work: Clinical process for new practitioners.* New York: Guilford Press.

Lee, J. Y., Dong, L., Gumport, N. B., & Harvey, A. G. (2020). Establishing the dose of memory support to improve patient memory for treatment and treatment outcome. *Journal of Behavior Therapy and Experimental Psychiatry, 68,* 101526.

Lewinsohn, P. M., Sullivan, J. M., & Grosscup, S. J. (1980). Changing reinforcing events: An approach to the treatment of depression. *Psychotherapy: Theory, Research, Practice, and Training, 17*(3), 322–334.

Linardon, J., Wade, T. D., de la Piedad Garcia, X., & Brennan, L. (2017). The efficacy of cognitive-behavioral therapy for eating disorders: A systematic review and meta-analysis. *Journal of Consulting and Clinical Psychology, 85*(11), 1080–1094.

Linehan, M. M. (1993). *Cognitive-behavioral treatment of borderline personality disorder.* New York: Guilford Press.

Linehan, M. M. (2015). *DBT skills training manual* (2nd ed.). New York: Guilford Press.

Magill, M., & Ray, L. A. (2009). Cognitive-behavioral treatment with adult alcohol and illicit drug users: A meta-analysis of randomized controlled trials. *Journal of Studies on Alcohol and Drugs, 70*(4), 516–527.

Martell, C., Addis, M., & Jacobson, N. (2001). *Depression in context: Strategies for guided action.* New York: Norton.

Matusiewicz, A. K., Banducci, A. N., & Lejuez, C. W. (2010). The effectiveness of cognitive behavioral therapy for personality disorders. *Psychiatric Clinics of North America, 33*(3), 657–685.

Mayo-Wilson, E., Dias, S., Mavranezouli, I., Kew, K., Clark, D. M., Ades, A. E., & Pilling, S. (2014). Psychological and pharmacological interventions for social anxiety disorder in adults: A systematic review and network meta-analysis. *Lancet Psychiatry, 1*(5), 368–376.

McCown, D., Reibel, D., & Micozzi, M. S. (2010). *Teaching mindfulness: A practical guide for clinicians and educators.* New York: Springer.

McCullough, J. P., Jr. (1999). *Treatment for chronic depression: Cognitive behavioral analysis system of psychotherapy.* New York: Guilford Press.

McEvoy, P. M., Saulsman, L. M., & Rapee, R. M. (2018). *Imagery-enhanced CBT for social anxiety disorder.* New York: Guilford Press.

Meichenbaum, D. (1977). *Cognitive-behavior modification: An integrative approach.* New York: Plenum Press.

Miller, S. D., Hubble, M. A., Chow, D., & Seidel, J. (2015). Beyond measures and

monitoring: Realizing the potential of feedback-informed treatment. *Psychotherapy, 52*(4), 449-457.
Needleman, L. D. (1999). *Cognitive case conceptualization: A guidebook for practitioners.* Mahwah, NJ: Erlbaum.
Norcross, J. C., & Lambert, M. J. (2018). Psychotherapy relationships that work: III. *Psychotherapy, 55*(4), 303-315.
Norcross, J. C., & Wampold, B. E. (2011). Evidence-based therapy relationships: Research conclusions and clinical practices. *Psychotherapy, 48*(1), 98-102.
Öst, L. G., Havnen, A., Hansen, B., & Kvale, G. (2015). Cognitive behavioral treatments of obsessive–compulsive disorder: A systematic review and meta-analysis of studies published 1993–2014. *Clinical Psychology Review, 40,* 156-169.
Overholser, J. C. (2018). *The Socratic method of psychotherapy.* New York: Columbia University Press.
Padesky, C. A. (1994). Schema change processes in cognitive therapy. *Clinical Psychology and Psychotherapy, 1*(5), 267-278.
Padesky, C. A., & Mooney, K. A. (2005). *Cognitive therapy for personality disorders: Constructing a new personality.* Paper presented at the 5th International Congress of Cognitive Psychotherapy, Gotenburg, Sweden.
Persons, J. B. (2008). *The case formulation approach to cognitive-behavior therapy.* New York: Guilford Press.
Pugh, M. (2019). *Cognitive behavioural chairwork: Distinctive features.* Oxon, UK: Routledge.
Raue, P. J., & Goldfried, M. R. (1994). The therapeutic alliance in cognitive-behavioral therapy. In A. O. Horvath & L. S. Greenberg (Eds.), *The working alliance: Theory, research, and practice* (pp. 131-152). New York: Wiley.
Resick, P. A., & Schnicke, M. K. (1993). *Cognitive processing therapy for rape victims: A treatment manual.* Newbury Park, CA: SAGE.
Ritschel, L. A., & Sheppard, C. S. (2018). Hope and depression. In M. W. Gallagher & S. J. Lopez (Eds.), *The Oxford handbook of hope* (pp. 209-219). New York: Oxford University Press.
Rosen, H. (1988). The constructivist-development paradigm. In R. A. Dorfman (Ed.), *Paradigms of clinical social work* (pp. 317-355). New York: Brunner/Mazel.
Rush, A. J., Beck, A. T., Kovacs, M., & Hollon, S. D. (1977). Comparative efficacy of cognitive therapy and pharmacotherapy in the treatment of depressed outclients. *Cognitive Therapy and Research, 1*(1), 17-37.
Safran, J., & Segal, Z. V. (1996). *Interpersonal process in cognitive therapy.* Lanham, MD: Jason Aronson.
Salkovskis, P. M. (1996). The cognitive approach to anxiety: Threat beliefs, safety-seeking behavior, and the special case of health anxiety obsessions. In P. M. Salkovskis (Ed.), *Frontiers of cognitive therapy: The state of the art and beyond* (pp. 48-74). New York: Guilford Press.
Segal, Z., Williams, M., & Teasdale, J. (2018). *Mindfulness-based cognitive therapy for depression* (2nd ed.). New York: Guilford Press.
Smith, T. B., Rodriguez, M. D., & Bernal, G. (2011). Culture. In J. C. Norcross (Ed.), *Psychotherapy relationships that work* (2nd ed.). New York: Oxford University Press.

Snyder, C. R., Michael, S. T., & Cheavens, J. (1999). Hope as a psychotherapeutic foundation of common factors, placebos, and expectancies. In M. A. Hubble, B. Duncan, & S. Miller (Eds.), *The heart and soul of change* (pp. 179–200). Washington, DC: American Psychological Association.

Stott, R., Mansell, W., Salkovskis, P., Lavender, A., & Cartwright-Hatton, S. (2010). *Oxford guide to metaphors in CBT: Building cognitive bridges*. Oxford, UK: Oxford University Press.

Sudak, D. M. (2011). *Combining CBT and medication: An evidence-based approach*. Hoboken, NJ: Wiley.

Sue, S., Zane, N., Nagayama Hall, G. D., & Berger, L. K. (2009). The case for cultural competency in psychotherapeutic interventions. *Annual Review of Psychology, 60*, 525–548.

Swift, J. K., Greenberg, R. P., Whipple, J. L., & Kominiak, N. (2012). Practice recommendations for reducing premature termination in therapy. *Professional Psychology: Research and Practice, 43*, 379–387.

Tarrier, N. (Ed.). (2006). *Case formulation in cognitive behavior therapy: The treatment of challenging and complex cases*. New York: Routledge.

Thoma, N., Pilecki, B., & McKay, D. (2015). Contemporary cognitive behavior therapy: A review of theory, history, and evidence. *Psychodynamic Psychiatry, 43*(3), 423–461.

Tolin, D. F. (2016). *Doing CBT: A comprehensive guide to working with behaviors, thoughts, and emotions*. New York: Guilford Press.

Tompkins, M. A. (2004). *Using homework in psychotherapy: Strategies, guidelines, and forms*. New York: Guilford Press.

Tugade, M. M., Frederickson, B. L., & Barrett, L. F. (2004). Psychological resilience and positive emotional granularity: Examining the benefits of positive emotions on coping and health. *Journal of Personality, 72*(6), 1161–1190.

Vittengl, J. R., Stutzman, S., Atluru, A., & Jarrett, R. B. (in press). Do cognitive therapy skills neutralize lifetime stress to improve treatment outcomes in recurrent depression? *Behavior Therapy*.

von Brachel, R., Hirschfeld, G., Berner, A., Willutzki, U., Teismann, T., Cwik, J. C., . . . Margraf, J. (2019). Long-term effectiveness of cognitive behavioral therapy in routine outpatient care: A 5- to 20-year follow-up study. *Psychotherapy and Psychosomatics, 88*(4), 225–235.

Weck, F., Kaufmann, Y. M., & Höfling, V. (2017). Competence feedback improves CBT competence in trainee therapists: A randomized controlled pilot study. *Psychotherapy Research, 27*(4), 501–509.

Weissman, A. N., & Beck, A. T. (1978). *Development and validation of the Dysfunctional Attitude Scale: A preliminary investigation*. Paper presented at the annual meeting of the American Educational Research Association, Toronto, Canada.

Wenzel, A., Brown, G. K., & Beck, A. T. (2009). *Cognitive therapy for suicidal patients: Scientific and clinical applications*. Washington, DC: American Psychological Association.

Wuthrich, V. M., & Rapee, R. M. (2013). Randomised controlled trial of group cognitive behavioural therapy for comorbid anxiety and depression in older adults. *Behaviour Research and Therapy, 51*(12), 779–786.

Young, J. E. (1999). *Cognitive therapy for personality disorders: A schema-focused approach* (3rd ed.). Sarasota, FL: Professional Resource.
Young, J. E., Klosko, J. S., & Weishaar, M. E. (2003). *Schema therapy: A practitioner's guide.* New York: Guilford Press.
Zilcha-Mano, S., Errázuriz, P., Yaffe-Herbst, L., German, R. E., & DeRubeis, R. J. (2019). Are there any robust predictors of "sudden gainers," and how is sustained improvement in treatment outcome achieved following a gain? *Journal of Consulting and Clinical Psychology, 87*(6), 491–500.

Beck Institute; Free Downloadable Resources

https://beckinstitute.org/cbt-resources/resources-for-professionals-and-students/

うつ病のパンフレット
COPING WITH DEPRESSION
Judith S. Beck, PhD / Francine Broder, PsyD

不安のパンフレット
COPING WITH ANXIETY
Judith S. Beck, PhD / Robert Hindman, PhD

認知療法尺度
Cognitive Therapy Rating Scale

うつ病のパンフレット

うつ病の兆候に気づく

「いつも落ち込んでいる。何をしても気が晴れない」
「ほとんど仕事をこなせない。何とかやり過ごしているだけだ」
「以前のように物事を楽しめなくなってしまった」
「何もかもが崩れていくみたいだ。絶望的だ」
「私はどこかがおかしい。私と一緒にいたい人なんて誰もいないだろう」
「この状況は絶対によくならない」

うつ病になると，このように考えがちになります。うつ病は，考え方が変化するのが大きな特徴です。こうした考えは，その人の「自分自身」に対する考え方が変化した様子を反映しています。たとえば，子どもを深く愛している親が，「自分はひどい子育てをしている」と信じるようになるかもしれません。有能な会社員が，「自分はちゃんと仕事ができていない」と見なすようになるかもしれません。

いちばん典型的で明確な兆候は，悲しい気分です。うつ病になると，これという理由が思いつかないときでさえ涙が出てきたり，泣きたい気持ちになったりするかもしれません。あるいは，とても悲しい出来事が起きて悲しい気持ちなのに涙が出ない，ということもあるかもしれません。行動面での兆候としては，睡眠がうまくとれなかったり，食欲に変化が起きたりするかもしれません。いつも疲れていると話す人が多く，それを「身体が重くてたまらない」と表現する人もいます。物事に集中できない，決断が難しく何を食べるかという簡単なことすら決められない，という声もよく聞きます。う

つ病の重症度が中度から重度になると，命を絶ってしまうことについての思考が浮かんでくるかもしれません。

うつ病になると，自分をネガティブに捉えるようになり，「自分は無力だ」「自分は愛されない」「自分に価値がない」と信じるようになるかもしれません。自分自身や，世界や，未来に対して悲観的になります。そして周囲で起きていることに対する関心を失います。以前には楽しめていたことも楽しめなくなったという声も聞きます。

うつ病には悲しい気持ちや落ち込んだ気持ちが伴うことが多いのですが，なかにはそういう体験をしない人もいます。その代わりに，楽しいと感じられなかったり，身体に不快感があったりするかもしれません。むちゃなお酒の飲み方をしたり，薬物を使ったりすることもあるでしょう。子どもの場合，学校での勉強や活動の様子に明確な変化があり，その変化が続く場合は，それがうつ病の兆候かもしれません。

自動思考を見つける

うつ病になってしまったら，自分で何ができるでしょうか？ うつ病をやわらげるための第一歩は，自分の考えていることに気づいて表現するやり方を身につけることです。認知行動療法では，気分がネガティブな方向に変化したり強まったりしたときに，その変化に自分で気がつくようになることから始めます。気分以外も，ネガティブな考えと関連して，行動の面で何かを避けたり，役に立たない振る舞いをしたりしていることに自分で気づくかもしれません（例：過眠，過食）。気分がネガティブな方向に変わったり，役に立たない行動をしたりしていることに気づいたら，認知行動療法で基本中の基本と言える，次の質問を自分に投げかけてみましょう。

「たった今，どんなことが頭に浮かんだだろうか？」

これは，自動的に頭に浮かぶ役に立たない思考（自動思考）を見つけやす

くする重要な方法です。認知行動療法では，人生で一番大切なことを達成するために一歩進もうとするときに邪魔になるような思考には特に気をつけます。この小冊子の最初のページに，うつ病になると心に浮かびがちな思考の例をいくつか挙げました。うつ病でない人の心にも似たような思考が浮かぶかもしれませんが，その場合は，そういった思考が単なる思考に過ぎず，真実ではないと理解することができ，あまり気にしないでやり過ごすことができます。ところがうつ病になってしまった人にネガティブな思考が浮かぶと，疑問を抱くことなく，それが真実であると受け取られやすくなります。

思考の誤り

うつ病になると，思考の誤りが一貫して見られるようになります。よくある思考の誤りのなかから，自分がしてしまっている誤りを見つけてラベルをつけられるようになると，距離をとって状況や思考を眺められるようになります。たとえば，あなたが家族の一員として役立つことに大きな価値を置いていると想定してみましょう。実際，孫の手助けをするためにできるだけのことをしています。それでも，どうしても都合のつかない場合がたまにはあります。そのようなときに，「自分は祖母（祖父）として全くダメだ」という思考が浮かぶかもしれません。よく見られる思考の誤りを以下に紹介します。

全か無か思考：状況を連続的に変化するものとしてではなく，2つの極端なカテゴリーでとらえること。例：「完全な成功でなければ，それは失敗だ」

破局視：現実的にありそうな可能性を考慮せず，未来をネガティブに予言する。例：「あまりに動揺しているので，全く楽しめないに違いない」

ポジティブな側面の否定や割り引き：ポジティブな体験，功績，長所などを不合理に無視するか，割り引いて考える。例：「プロジェクトは成功したが，それは自分が有能だからではない。単に運が良かっただけだ」

感情的理由づけ：自分がそう〈感じる〉から，それが事実に違いないと思い込む。例：「仕事はおおむねうまくいっているが，それでもどうしても自分は無能だと感じてしまう」

レッテル貼り：根拠を考慮せず，自分や他人に対して固定的で包括的なレッテルを貼る。例：「私は完全なる負け犬だ」

拡大視／縮小視：自分自身，他者，状況を検討する際，ネガティブな側面を不合理に重視し，ポジティブな側面を不合理に軽視する。例：「〈普通〉と評価されたということは，自分が愚か者だということだ」

心のフィルター：全体像を見る代わりに，一部のネガティブな要素だけに過度に着目する。例：「評価の低いコメントがあったということは［評価の高いコメントもたくさんあったにもかかわらず］，自分がいい加減な仕事をしているということだ」

読心術：他の現実的な可能性を考慮せず，他人の考えが自分にわかると信じ込む。例：「彼らは，私が自分のしていることをわかっていないと考えている」

過度の一般化：現状をはるかに超えた，一括するようなネガティブな結論を出す。例：「ミーティングのときに居心地が悪かったということは，私はここで働くために必要なものを持っていないということだ」

個人化：他者のネガティブな振る舞いを，合理的に考慮せずに，自分が原因だと思い込む。例：「近所の人が私に挨拶をしなかったのは，私が何か気に障ることをしたからだろう」

「ねばならない」「べき」思考：自分や他人の振る舞い方に，厳密で固定的

な理想を要求する。例：「少しのミスもするべきではない」

トンネル視：状況においてネガティブな側面しか見ない。例：「全くひどい一日だった」※着替えられたこと，キッチンを片付けたこと，散歩に出かけたこと，電話で友人と話をしたこと，それらによって気分が良くなったことを考慮していない。

自動思考に対応する

ほとんどのうつ病の人が，人生や生活で起きている状況が原因で自分が悲しんでいるのだと信じています。確かに人生には試練や困難となる状況がたくさんあります。しかし実は私たちの気持ちは，状況そのものよりも，状況に直面したときに考えることや状況の解釈によって生じます。

「苦悩を生むのは，人生の状況ではない。むしろ，状況に対する私たちの解釈のほうだ」　　　　　　　　　　　　　　　アーロン・T・ベック，M.D.

出来事によって気持ちが動揺したときは，次の点について考えてみましょう。

・どんな状況か
・どんな考えが生じていたか
・どんな感情が生じていたか

このように提案するのは，ほとんどの人が，状況においてどのように感じているのか，ということだけしか気づいていないためです。たとえば，数時間前に親しい友人に携帯電話からテキストメッセージを送ったところ，返信がなかったとしましょう。あなたの頭には，「もう私と一緒の時間を過ごしたいとは思ってもらえないんだ」という自動思考が生じるかもしれません。この思考から，悲しいとかがっかりといった気持ちになるかもしれません。

では，それとは異なる自動思考，たとえば「返事が返ってこないなんて，何かが変だ」という自動思考が生じたと想像しましょう。その思考からは，不安な気持ちになるかもしれません。このように，どんな考えが生じているかがひとたび理解できると，なぜそのときそのような気持ちになったのか，ということも理解できるようになります。

ソクラテス式質問法

ソクラテス式質問法を使うと，「たった今，どのようなことが頭に浮かんだだろうか？」という自問のスキルをさらに広げることができます。悲しい気持ちや苦痛な気持ちになったり，役に立たない行動をしていたりすることに自分で気づいたら，追加でソクラテス式の質問をしてみましょう。それらの質問によって，ネガティブな自動思考をもっと合理的でバランスの取れたやり方で検討しやすくなり，役立つ方法で対応できるようになります。はじめに自問します。

「たった今，どのようなことが頭に浮かんだだろうか？」

次に，以下の質問を問いかけます。

1. この思考が真実だと考える理由は？　この思考が真実ではない，または完全には真実ではないと考える根拠は？
2. この状況に対して別の見方ができないか？
3. 考えられる最悪のシナリオが起きたら，それに対して何ができるだろうか？　考えられるベストなシナリオは？　最も起きそうなシナリオは？
4. この思考を真実だと信じるとどうなるか？　考えを変えるとどうなるか？
5. 友人［具体的な人を想定しましょう］がこの状況においてこのように

考えているとしたら，どんなふうに声をかけるだろうか？
6．今はどのように行動するとよいだろうか？

これらの質問に，より合理的でバランスの取れた回答で対応すると，人生をより現実的に体験できるようになり，気持ちも少し楽になり始めるかもしれません。

ふたたび進みはじめる

うつ病の人にとって最初に取るべき重要なステップは，活動スケジュールを取り入れることです。うつ病の人の多くが，以前には楽しめたり，達成感を得られたり，気分を軽くしてくれたりする活動の少なくともいくつかを止めてしまっていることが見出されています。また，たとえば，睡眠が多すぎたり少なすぎたり，あるいは運動の頻度が（多少はしていたとしても）下がったりすると，抑うつ気分が持続してしまうことも見出されています。

うつ病の人が，以前には楽しめていた活動について，もはや楽しめなくなってしまったと信じるようになることが多くあります。自分らしくない姿を他の人に気づかれてしまうことへの不安もあるようです。回避や不活発になると（楽しみ，達成感，つながりといった感覚を得る機会が減り），「自分は怠け者だ」「自分は人に好かれない」「悪い人生を送っている」といった批判的な思考が増え，それがうつ状態を維持してしまいます。ネガティブな思考と不活発でいることとが，悪循環を生むのです。活動的になれるよう自分を助け，そのように努める自分を褒めると，自己効力感が高まり，気分の改善につながります。

活動スケジュールを取り入れましょう。そうしながら，自分自身の願いや価値や目標をいつでも忘れずにいることで，楽しんだり意味のある活動を実践したりすることができるようになります。

ご自分の価値や目標や願いを明確に見つけられたら，それらを促す活動を選ぶことで，前に進むための動機づけが高まります。たとえば，家族との良

好な関係に価値を感じるのであれば，家族との交流を増やすための行動に動機づけが高まるでしょう。また，周囲の人たちの役に立ちたいと願うのであれば，何かをするための気力がほとんどないと感じていても，近所の高齢者を手助けすることができるかもしれません。

　自分がどのような活動をし過ぎているのか，一方で足りなかったり完全に避けたりしている活動は何か，といったことについても考えてみるとよいでしょう。日課を作り，活動の度合いを毎日少しずつ増やしていく工夫をすると，ポジティブな感情を体験できるようになり，最終的には抑うつ症状が軽減するでしょう。

　少しでも困難を感じたり気が乗らなかったりした活動をそれでもやってみることができたら，そういう自分を必ず褒めましょう。簡単なリストを毎日つけることにして（頭の中だけでもいいですし，書き出してみてもいいです），その日に実施したポジティブで褒められるべきことは全て記録します。

　ジュディス・S・ベック，PhD
　ベック認知行動療法研究所所長
　ペンシルベニア大学 心理学精神医学臨床教授

　フランシン・ブロダー，PsyD（心理学博士）
　臨床心理学者，ベック認知行動療法研究所

不安のパンフレット

不安のサインとは？

　不安症／不安障害の人の心の中では，次のような考えがめぐっていることが多いものです。

> 「就職面接で固まってしまって，おかしな姿を見せてしまうかもしれない」
>
> 「家族から連絡がない。何か悪いことが起きていたらどうしよう？　事故でもあったのだろうか？　もし……だったら？　もし……だったら？」
>
> 「この場を離れないと不安はどんどん大きくなるだろう。パニック発作が起きて死んでしまうかもしれない！」
>
> 「起きそうな問題はあらかじめすべて考えておかなければならない」
>
> 「〇〇*について考えると，心が折れてしまうだろう」（* 恐れている出来事など）
>
> 「〇〇*をしないと，悪いことが起きてしまう。そうなったらすべて私のせいだ」（*強迫的な行為など）

　不安は，私たちが何かを「危険」と察知した時に感じる恐怖の反応です。この恐怖感には身体の症状を伴うこともしばしばあります。たとえば，息苦しさ，動悸，めまい，吐き気，汗，口の乾き，のどの締めつけ，筋肉の緊張，などです。そうした身体の症状自体が苦しいためにさらに不安が高まります。

不安の性質

　私たちの感情は，私たちに何か情報を伝えて，私たちに行動を起こさせる

役割を持っています。不安もその一つです。不安は，自分が困難な状況に面していることを知らせて，その困難と向き合うために必要なエネルギーを与えてくれます。ですから，ある程度の不安は誰でも感じるものであり，決して異常ではありません。実際に不安が役に立つ場面もあります。不安のおかげで努力をしたり，慎重な行動をしたりするかもしれません。

　例えば，人前でプレゼンテーションをする前に感じる不安は，プレゼンテーションを丁寧に準備しようというエネルギーを私たちに与えてくれ，実際，それによって，プレゼンテーションはより良いものになるでしょう。

　このように不安には利点がありますが，それが状況に不釣り合いなほど強くなると問題です。状況に見合わないほどの強い不安に苦しむ人（例：不安障害／不安症の人）には，共通した特徴がみられます。状況や体験を正確に判断できなくなり，実際以上に危険に感じて，ネガティブな結果や脅威を想像の中で膨らませてしまうのです。確率が非常に低いことに対してもそういった心配をしてしまいます。また，その状況や体験を避けようとすることが多いです。さらに，不安を感じていること自体に対して不安になることも少なくありません。不安な状況や体験を避けると短期的には不安を感じないでいられますが，長い目ではその不安が長引く結果になります。「今回は不安な場面を避けられたから良かったけれども，もし避けられなかったらひどいことになっていたにちがいない」と考えて，不安の対象に不安をいだき続けるのです。

　不安な時に困難に直面すると（例えば，試験や就職面接などの際に），その困難を過剰に大きく考えたり，好ましくない結果をくり返し想像したり，自分の能力を過小に見積もったりしがちです。つまり，恐ろしい状況や体験が起きる見込みと，その深刻さや強さを過大に見積もるようになります。また，自分の対処能力や活用できる資源や周囲からの支援を過小に見積もってしまいます。さらにやっかいなことに，強い不安があると，不快な身体症状と感情にますます注意がひきつけられて，そうしたものを過度に敏感に感じるようになります。そして，不安のきっかけとなった事柄そのものよりも，不安の症状の方をより恐れてしまうことにもなるのです。つまり，不安をお

それるとますます不安が強くなって気持ちも体がさらに苦しくなる，という悪循環におちいってしまいます．

認知行動療法のしくみ

　認知行動療法がどのように不安の改善に役立つか，例を一つ紹介します．不安に関連する「考え方」がマイナスの影響をおよぼす様子がわかると思います．

　友人がいなくて寂しい気持ちの高校生がクラスメートに話しかけたいと思っています．しかし，話しかけようとするたびに不安な考えが浮かびます．「話しかけると，自分が緊張して不安がっていることが相手にわかってしまう．変なやつと思われてしまうかもしれない」．こうした考えがわくと，のどが締めつけられる感じがして，口が渇き，とても話しかけられそうにないと考えます．その高校生は，結局誰にも話しかけず，クラスに一人で座り続け「自分はいくじがない」などと考えます．これから先も，誰にも話しかけないまま過ごしてしまいそうです．

　認知行動療法では，私たちが何か行動しようとした時に浮かぶ考えについて，その考えに誤りがないかを検討します．それによって，価値のある行動をする勇気を与えてくれます．セラピーでの練習によって，論理的に考えるスキルと観察力を，不安に関連する状況に適用できるようになります．自分の考えを科学者のように検証し，それがどれほど現実的かを判断できるようになります．考えのゆがみや不正確な部分を減らすことで不安が減り，こわさを感じる状況により役立つ対応ができるようになります．

認知行動療法で学ぶこと

　認知行動療法では，不安な気持ちになったり，不安に関連する身体のサインに気づいたりした時に，頭に浮かんだ考えに気づくことを学びます．そうした考えは，ほとんど瞬間的・自動的に浮かぶので，日ごろはあまり気づい

ていないこともあります．困難が目の前に近づいた時，たとえば，スピーチ，病院受診，職場での新しい責任，誰かとのいさかい，などがきっかけにそういった考えが浮かぶかもしれません．あるいは，もう少し遠い将来の出来事，たとえば，結婚，離婚，病気，事故，仕事での失敗，などに関連した考えが浮かぶかもしれません．このような考えを，認知行動療法では自動思考と呼びます．

不安になり始めたり，不安が強くなってきたりしたことに気づいた時は，次のような質問を自分にしてみると良いでしょう．

「今，どのような考えが頭に浮かんだだろうか？」

そして，自分の頭の中にある考えやイメージ（映像）に注意を向けてみましょう．その際には，次のことも思い出しましょう．

頭に浮かんだ考えやイメージは正しくないこともある．不安のせいで，危険を過大に見積ったり，自分の対処力や周囲からの助けを過小に見積もったりしている可能性がある．

自動思考を見つけられるようになったら，次はそれを検討します．

- 自動思考を裏付ける証拠，それを否定する証拠を探す
- 最も現実的なシナリオを考える
- 不安を延々と考え続けても役に立たないことを思い出し，行動を切り替える
- 家族や友人が同じ心配をしていたらするであろうアドバイスを，自分にもしてみる
- 今，何をするべきか，問題解決に取り組む

また，どのような不安も永遠に続くわけではないということや，スキルを身につけることによって，そのような不安に耐えやすくなり，それほど恐ろしくなくなり，自信がつくことなども学びます．また，生活の中で起きているいくつかの問題に着目して問題解決のスキルを高めていきます．そうすることで，あなたのかなえたいと思っている願いや，価値を感じる生き方をしやすくなります．

先ほどの高校生は，セラピストと話し合いながら，同級生と会話を切り出すアイデアをいくつか考え出しました。それをロールプレイで練習し，実際にクラスメートに話しかける前には，「コーピング・カード」（困難に対応するためのアイデアを書いたカード）を読んで心を落ち着けるようにしました。

　認知行動療法では，不安に対する非機能的な考え（役に立たない考え）も検討します。不安障害の人によくある考えの例として，
「実際の心配は起きないように，前もって心配しておこう」
「起きそうな可能性をすべて考えて対策を考えておくのが良い。そうすれば，仮に何か悪いことが起きても自分の責任ではなくなる」
「不安になったら，自分は支離滅裂になってしまう」
「動悸が始まったら，最後は心臓発作で死んでしまう」
　などがあります。

　セラピーでは，こうした考えを検証して上手に反応する方法を学びます。また，マインドフルネスの練習をして，不安とうまくつきあえるようにすることもあります。マインドフルネスを身に着けると，「今，この瞬間」の体験に対して，より落ち着いた姿勢で臨めるようになります。不安に圧倒されにくくなり，また，不安を無理にコントロールしない方が，かえって苦痛が軽くなることに気づけるようになります。

典型的な思考の誤り

　不安を生む考えを書きとめてみると，頭に浮かぶ考えには，以下のどれかにあてはまるような誤りを含んでいることに気づくかもしれません。

過大視：
　不安な時は，脅威や危険に関する認識が拡大されやすくなります。それほど心配しなくてよいという客観的な証拠があっても，目に入らなくなります。

例えば，ある母親は，自分が家を空けている間に自分の子が死んでしまうのでは，という不安を抱いていました。その母親は不安に駆られて，子どもの死亡事故のニュースをインターネットで次から次へと検索し，世の中で複数の子どもが亡くなっていることを知ってさらに不安を強めました。しかし，その母親の頭から抜けていたことがあります。それは，世の中の子どもの全体数と，その中で実際に事故に遭う確率（の小ささ）でした。また，その母親は，自分の子がおかれている状況とニュースの状況の違いも目に入っていませんでした。たとえば，自分の子がいかにしっかりしているか，あるいは，自分の子をサポートしてくれる周囲の状況を過小に見積もっていました。その母親の頭の中では，マイナスのことだけが拡大視されていたのです。

破局視：
　不安な時には，ある出来事の結末を破局的に（とんでもなくひどいことになってしまうと）考えてしまう傾向があります。
　ある患者さんは，手術を受けることになった時，それが安全な軽い手術であるにもかかわらず，手術が失敗して死んでしまうことや，後遺症が残ることばかり考えてしまいました。

過度の一般化：
　マイナスの経験を一つすると，すべてのことが同じようになると考えてしまうことを「過度の一般化」と呼びます。不安な時には，このような考えに陥りがちです。例えばある会社員は，一度，昇級試験に合格できなかった時に「もう二度と出世できない。自分は一生このままだ」と考えて悲観的になりました。

ポジティブな側面を見ない：
　不安な時は，ポジティブな側面（プラスの良い側面）が目に入らなくなったり，過度に割り引いて考えたりするようになります。自分の対処能力や過

去のポジティブな体験や成功を忘れてしまい、将来について困難と苦悩しか想像できなくなります。

たとえば不安障害のミュージシャンは、自分がこれまでに上手く演奏してきたり、さまざまな実績を積んできたりしたことがすっかり頭から抜けてしまい、演奏で失敗することばかり考えるようになりました。また、良い演奏はバンドメンバーと一緒に創り上げていくものであって、一人で全部の責任を負う必要はないのだ、ということを考えられなくなっていました。

アクション・プランの大切さ

アクション・プラン（活動計画）とは、セッションで学んだことを、セッションとセッションの間でも実践することをいいます。アクション・プランはセラピーにとってとても大切です。アクション・プランによって、セッションからセッションまでの間にも、良い変化を生み出していきます。認知行動療法で学ぶコーピング（不安などへの対処法）は、日々の生活の中で、また、人生を通じて、使い続けていくものです。日々の生活の中でアクション・プランを実施し、コーピングの力を高めたり、セッション中に話し合ったことを実生活場面で確かめたりしていきます。アクション・プランでスキルの練習をする際に、念頭に置くと良いことをいくつかあげてみましょう。

1. 不安な場面に臨む際は、あなた自身の強みと、あなたが活用できる資源（強み、支援、リソース、仲間など）について考えましょう。あなたが頼りにできる物や事柄や人には何があるでしょうか？
2. 不安な時には、最悪のシナリオしか頭に浮かばないことがあります。
「そのようなシナリオになる確率はどのくらいだろう？」
「万一そのようなことになったら、どう対応できるだろうか？」
などと自分に問いかけてみましょう。

　次に、最高のシナリオ（ベストなシナリオ）を考えてみましょう。そして最後に、中間のシナリオを考えてみましょう。さて今の状況で最も現実的なシナリオはどれに近いでしょうか？

3．不安や恐怖を感じる状況を避けないことはとても大切です。なぜならば，避ければ避けるほど，そういった状況に対する恐怖感や苦手意識は強くなってしまうからです。あなたの人生や生活にとって，そのような状況に踏み出したり踏みとどまったりすることがどれほど大切かを思い出しましょう。気持ちが圧倒されてしまうならば，一歩ずつ段階的に取り組みましょう。たとえば，エレベーターなどの閉所が苦手な場合，友人やセラピストと一緒に「練習」したり，一度に短い階数だけ取り組んだりすると良いでしょう。

4．ある場面で不安を感じ始めた時は「不安は不快だけれど危険ではない」ことを思い出しましょう。不安の感覚は「危険」を感じた時の感覚と共通していますが，不安を感じたからといって，必ずしも本当に危険があるわけではありません。特にあなたの人生に有意義であるはずの「新しい場面」には，多かれ少なかれ不安を伴うものであり，その不安は体験する価値がある不安といえるでしょう。不安に耐えたり共存したりする練習をしましょう。そのような練習をした自分を褒めてあげましょう。

セラピーを最大限に活用する

目標を決めることがそれに近づく第一歩です。

もし不安がなくなったらどのような人生や生活を送りたいか，できるだけ具体的に思い描きましょう。そうすると何に向かって取り組めば良いかはっきりします。あなたの考えをセラピストに伝えましょう。そうすると，セラピストはあなたが目標を達成するのを手助けしやすくなります。

力をかけた分だけ結果は返って来ます。

大きな変化を引き出すには努力が必要です。あなたの不安を長引かせている考えパターンを見分けそれに対応する力を，時間と労力をかけて育みましょう。

手を差し伸べてくれる人がいることを思い出しましょう。

もしかしたら日ごろは忘れてしまっているかもしれない人も含めて，あなたの周りにいる，あなたに手助けしてくれる人のことを思い出しましょう。両親，子ども，兄弟，親戚，友人，同僚，医療者などをはじめ，あなたの体調や生活に関心を向けてくれる人たちは，すべて，あなたが前に進む取り組みに協力してくれる可能性があります。そうした人たちに連絡をして理解と支援を求めましょう。

セラピーで学んだスキルを使い続けましょう。

セラピーの時間は限られていますが，そこで学んだスキル（手法）は生涯に渡って使い続けることができます。不安などのつらい気持ちは，誰にとっても人生につきものです。でも，セラピーのスキルを使えば，不安に振り回されることはなくなります。

新しい挑戦を楽しみましょう。最後に，人生の困難と向き合うための新しい方法をさまざまに試していくときのわくわくした喜びを，存分に感じましょう。

不安という困難に向き合おうと行動し始めたことこそが，あなたの中の希望と期待というエネルギーの表れです。セラピーが進むにつれて不安はやわらぎ，あなたの中の小さな希望は，日々に大きく燃えていくことでしょう。

ジュディス・S・ベック，PhD
ベック認知行動療法研究所所長
ペンシルヴァニア大学 心理学精神医学臨床教授

ロバート・ハインドマン，PhD
臨床心理学者，ベック認知行動療法研究所

認知行動療法のリソース

ベック研究所

　非営利のベック認知行動療法研究所は，1994年にアーロン・T・ベック博士とジュディス・S・ベック博士により設立され，認知行動療法による最先端の心理療法と専門的なトレーニングを提供する場となってきました。四半世紀あまりの歴史のなかで，対面でもオンラインでも認知行動療法の優れたトレーニングを構築し，世界中の何千という専門家に実際にトレーニングを行い，認知行動療法の実践家による世界規模のコミュニティを育んできました。

心理療法

　認知行動療法のセラピストに助けてもらいながら，自己や周りの人に対するネガティブな結論へとつながる役に立たない考えや行動を見つけ，検討し，修正していくことができます。また，日々直面する問題をより効果的に管理する方法も見つけられます。認知行動療法のセラピストたちのガイドに沿って努力をしてスキルを身につけることで，抑うつ症状を軽減し，気分を良くし，良くなった気分を維持しやすくなります。ベック研究所で提供する臨床上のサービスの詳細は，+1-610-664-3020 までお電話をいただくか，intake@beckinstitute.org 宛てにお問い合わせください。

　National Suicide Prevention Lifeline（US）：1-800-273-TALK（8255）
　Crisis Text Line: 741742

オンラインのリソース

- ウェビナー，動画，マルチメディアのリソースは，beckinstitute.org へアクセスしてください。
- ベック研究所のブログもあります（beckinstitute.org/blog）。
- 認知行動療法ストア（beckinstitute.org/store）には書籍や DVD をはじめとして，他にもたくさんあります。{★書籍が直接購入できる感じではないようです}
- ベック研究所からのニュースレターを受信しましょう（bit.ly/beckinstitute）。
- ソーシャルメディアを通してベック研究所とかかわりましょう。

   facebook.com/beckinstitute

   twitter.com/beckinstitute

   linkedin.com/company/beck-institute-for-cognitive-behavior-therapy/

   youtube.com/beckinstitute

ベック研究所へのご寄付を

ベック研究所はアメリカの 501（c）3 資格を持つ非営利組織で，認知行動療法のトレーニング・実践・研究の研鑽と改革を通じて，世界中の人々の人生をよりよくしようという使命のもとに活動しています。ベック研究所の取り組みに賛同していただけるばあいは，ぜひご寄付を！

ご寄付先：beckinstitute.org/give-now

認知療法尺度
(Cognitive Therapy Rating Scale)

　以下の尺度は認知療法アカデミー（Academy of Cognitive Therapy）の研究の一環として，セラピストのスキルを評価するために開発されたものである。尺度と使用マニュアルについては以下のウェブサイトを参照されたい。www.acadmyofct.

治療者名：＿＿＿＿　　患者名：＿＿＿＿　　セッション日：＿＿＿＿
テープ番号：＿＿＿＿　　評価者：＿＿＿＿　　評価日：＿＿＿＿
セッション数：＿＿＿＿
（　）ビデオテープ　（　）オーディオテープ　（　）セッションへの陪席

*実施方法：パフォーマンスを0〜6の尺度で評価し，項目番号横の線上に評点を記録する。定義説明は尺度の偶数ポイントについて提供されている。評定が2つの説明文の中間にあたると考えられる場合は，その中間の奇数（1, 3, 5）を選択する。

ある項目の説明文が評価対象のセッションには該当しないと考えられる場合は，説明文を無視し，以下の一般的尺度を使用して構わない。

0	1	2	3	4	5	6
劣悪	不十分	並み	妥当	よい	非常によい	素晴らしい

*「実施方法」より「11. ホームワーク」まで，Wright, J. H., Thase, M. E., Basco, M. R.（大野裕訳）(2007) 認知行動療法トレーニングブック．医学書院，p.307-311 より転載。
[Young, J. E. & Beck, A.T (1980)]

パートⅠ．基本的な治療スキル

___ 1. アジェンダ

0 治療者はアジェンダを設定しなかった。

2 治療者はアジェンダを設定したが，そのアジェンダは不明確または不完全であった。

4 治療者は患者とともに，標的となる具体的な問題（例：職場での不安，結婚生活への不満）を含む，双方にとって満足のいくアジェンダを設定した。

6 治療者は患者とともに，標的となる問題に関し，使用可能な時間に合った適切なアジェンダを設定した。その後優先順位を決定し，アジェンダに沿って進行した。

___ 2. フィードバック

0 治療者は，セッションに対する患者の理解度や反応を判断するためのフィードバックを求めなかった。

2 治療者は患者から若干のフィードバックを引き出したものの，セッションにおける治療者の議論の筋道を患者が理解していることを確認する，または患者がセッションに満足しているかを確かめるのに十分な質問を行わなかった。

4 治療者はセッション中終始，患者が治療者の議論の筋道を理解していることを確認し，患者のセッションに対する反応を判断するのに十分な質問を行った。治療者はフィードバックに基づき，必要に応じて自分の行動を修正した。

6 治療者はセッション中終始，言語的および非言語的フィードバックを引き出すことにきわめて長けていた（例：セッションに対する反応を聞き出した，定期的に患者の理解度をチェックした，セッションの終わりに主要点をまとめる手助けをした）。

_____ 3. 理解力

0 治療者は，患者がはっきりと口に出して言ったことを理解できないことが度々あり，そのため常に要点をはずしていた。患者に共感するスキルが不十分である。

2 治療者は，たいてい患者がはっきりと口に出して言ったことを繰り返したり言い換えたりすることができたが，より微妙な意思表示には対応できないことが度々あった。聴く能力や共感する能力が限定的である。

4 治療者は，患者がはっきりと口に出して言ったことや，より微妙なとらえにくい表現に反映された患者の「内的現実」を概ねとらえていたと考えられる。聴く能力や共感する能力が十分にある。

6 治療者は患者の「内的現実」を完全に理解できていたと考えられ，またこの知識を適切な言語的および非言語的反応によって患者へ伝達することに長けていた（例：治療者の返答の調子は，患者の「メッセージ」に対する同情的理解を伝えるものであった）。聴く能力や共感する能力がきわめて優れている。

_____ 4. 対人能力

0 治療者は対人スキルに乏しく，反友好的，侮辱的など患者にとって有害な態度がみられた。

2 治療者は有害ではないが，対人能力に重大な問題があった。ときに，治療者は不必要に性急，冷淡，不誠実にみえることがあり，または信頼感やコンピテンシーを十分に示すことができていなかった。

4 治療者は十分なレベルの思いやり，気遣い，信頼感，誠実さおよびプロフェッショナリズムを示した。対人能力に特に問題はない。

6 治療者は，この特定の患者に対するこのセッションに最適なレベルの思いやり，気遣い，信頼感，誠実さおよびプロフェッショナリズムを示した。

____ 5. 共同作業

    0 治療者は患者と関係を築く努力を行わなかった。

    2 治療者は患者との共同作業を試みたが，患者が重要と考えている問題の特定や信頼関係の構築が十分にできなかった。

    4 治療者は，患者と共同作業を行い，患者・治療者の双方が重要と考える問題に焦点を当て，信頼関係を築くことができた。

    6 素晴らしい共同作業ができたと考えられる：治療者は，治療者と患者がひとつのチームとして機能できるよう，セッション中患者が積極的な役割を担うことをできるだけ促した（例：選択肢の提示）。

____ 6. ペース調整および時間の有効使用

    0 治療者は治療時間の構成・調整を全く試みなかった。セッションは目的のない漠然としたものに感じられた。

    2 セッションにある程度の方向性はあったが，セッションの構成や時間配分に重大な問題があった（例：構成が不十分，時間配分に柔軟性がない，ペースが遅すぎる，または速すぎる）。

    4 治療者はそれなりに時間を有効に使用することができた。治療者は話の流れや速さに対して適度な統制力を維持していた。

    6 治療者は，核心からはずれた非生産的な話をうまく制限し，セッションの進行を患者に適した速さに調整することによって，時間を有効に使用した。

パートⅡ．概念化，方略および技術

____ 7. 導かれた発見

    0 治療者は主に議論や説得，または「講義」を行っていた。治療者は患者を尋問している，患者を防衛的にする，または自分の視点を患者に押し付けようとしているように見受けられた。

    2 治療者は誘導による発見ではなく説得や議論に頼りすぎていた。しかし，治療者の姿勢は十分に支援的であり，患者は攻撃されたと感

じたり防衛的になる必要を感じたりはしなかったと考えられる。

4　治療者は，全体的に議論ではなく導かれた発見（例：根拠の検証，別の解釈の検討，長所と短所の比較評価）を通して，患者が新しい観点を見出す手助けを行った。質問法を適切に活用した。

6　治療者はセッション中，導かれた発見の手法を用いて問題を追求し，患者が自分自身で結論を出す手助けをすることにきわめて長けていた。巧みな質問とそのほかの介入法とのバランスが非常によくとれていた。

_____ 8. 中心となる認知または行動に焦点をあてる

0　治療者は，具体的な思考，思い込み，イメージ，意味，または行動を聞き出す努力を行わなかった。

2　治療者は認知または行動を聞き出すために適切な技法を用いた。しかし，焦点を見つけることに支障があった。あるいは患者の主要問題とは関連のない見当違いの認知や行動に焦点を当てていた。

4　治療者は，標的となる問題に関連した具体的な認知または行動に焦点を当てた。しかし，より前進につながる可能性の高い中心的な認知や行動に焦点を当てることも可能だった。

6　治療者は，問題領域に最も関連が深く，前進につながる可能性がきわめて高い，重要な思考，思い込み，行動などへ巧みに焦点を当てていた。

_____ 9. 変化へ向けた方略の選択

（注：この項目については，方略がいかに効果的に実施されたか，または変化が実現できたか否かではなく，治療者の変化に向けた方略の質に焦点を当てて評価すること。）

0　治療者は認知行動的技法を選択しなかった。

2　治療者は認知行動的技法を選択したが，変化を成し遂げるための全体的な戦略は漠然としていた，または患者を手助けする方法としてあまり見込みがなさそうであった。

  4 治療者には，全体的に変化に向けた首尾一貫した方略があると見受けられ，その方略にはある程度の見込みがあり，認知行動療法的技法が取り入れられていた。
  6 治療者は，変化に向けて非常に見込みがあると考えられる首尾一貫した方略にしたがって治療を進行し，最も適した認知行動的技法を取り入れていた。

____ 10. 認知行動的技法の実施
（注：この項目については，標的となる問題に対して技法がいかに適切か，または変化が実現できたか否かではなく，技法の実施する技術に焦点を当てて評価すること。）
  0 治療者は認知行動的技法をひとつも使用しなかった。
  2 治療者は認知行動的技法を使用したが，その適用方法に重大な不備があった。
  4 治療者は，認知行動的技法をある程度のスキルをもって使用した。
  6 治療者は，巧みかつ機知に富んだやり方で認知行動的技法を使用した。

____ 11. ホームワーク
  0 治療者は認知療法に関連したホームワークを治療に組み入れようとしなかった。
  2 治療者にはホームワークの組み入れに重大な問題があった（例：前回のホームワークの見直しを行わなかった，ホームワークについて詳細を十分に説明しなかった，不適切なホームワークを課した）。
  4 治療者は前回のホームワークを見直し，基本的にセッションで取り扱った事項に関連した「標準的な」認知療法のホームワークを出した。またホームワークについて十分に詳細を説明した。
  6 治療者は前回のホームワークを見直し，次の一週間用に認知療法を用いたホームワークを慎重に課した。その課題は，患者が新しい観点を受け入れ，仮説を検証し，セッション中に話し合った新しい行

動を試すことなどの手助けとなるよう，患者に合わせて設定したものと考えられる。

パートⅢ

12. ＿＿＿a. セッション中に特別な問題が何か起こったか？（例：ホームワークの不履行，治療関係の問題，治療を続けることへの絶望感，症状の再発）

　　　　　　　　　　はい　　　　　　　いいえ

　　＿＿＿b. 「はい」の場合

　　　　0　治療者はその問題を適切に扱うことをしなかった。
　　　　2　治療者はその問題を扱いはしたが，その扱いが認知療法の戦略や概念化と一致していなかった。
　　　　4　治療者はその問題を認知療法の枠組みで扱い，認知療法の技法をそこそこに用いて，問題解決を図った。
　　　　6　治療者はその問題を認知療法の枠組みで扱い，認知療法の技法を上手に用いて，問題解決を実施した。

13. セラピストはセッションにおいて，本尺度で評価するような標準的なアプローチから明らかに外れた，認知療法とは別のアプローチを何か用いていたか？

　　　　　　　　はい（詳しく述べよ）　　　　いいえ

パートIV　全体評価とコメント

14. セッション全体を見渡して，認知療法家としてこの治療者をどのように評価するか？

0	1	2	3	4	5	6
劣悪	不十分	並み	妥当	よい	非常によい	素晴らしい

15. 認知療法の効果研究を行う際，この治療者を研究グループに加えたいか？
（このセッションがこの治療者の典型的セッションだと想定して）

0	1	2	3	4
全くそう思わない	あまりそう思わない	わからない（境界線上）	そう思う	強くそう思う

16. 本セッションの患者にとって，認知療法はどれほど難しいか？

0	1	2	3	4	5	6
全く難しくない　非常によく認知療法を理解できる			中程度に難しい			非常に難しい

17. 治療者に対するコメントと改善点

18. 全体評価

0	1	2	3	4	5	6
劣悪	不十分	並み	妥当	よい	非常によい	素晴らしい

本セッションを通じての治療者の全体的なスキルを改めて評価する。

訳者あとがき

　本書は，ジュディス・S・ベック博士（Judith S. Beck, Ph.D.）が著した"Cognitive Behavior Therapy：Basics and Beyond：Third Edition"（the Guilford Press, 2021）の全訳です。タイトルに"Third Edition"とある通り，本書は，1995年に初第1版が，そして2011年に第2版が出版された"Cognitive Therapy：Basics and Beyond"の第3版になります。第1版も第2版も認知療法・認知行動療法の決定的な教科書として，世界中で出版・翻訳され，大勢の臨床家や研究者，そしてメンタルヘルスについて学ぶ学生に読まれることになりました。

　ところで私が認知療法を学び始めたのは1990年です。当時は今と違って日本語で書かれた認知療法や認知行動療法のテキストはほんのわずかしかありませんでした。私は，臨床心理の道と認知療法の存在を私に教えてくれた学部時代の恩師（小谷津孝明先生：現在，慶應義塾大学名誉教授）と共に，認知療法の教科書や論文を購読することから学習を始めました。そのとき主に読んだのが，本書の著者ジュディス・ベックの父親であり，認知療法の創始者であるアーロン・ベック博士の本や論文でした。学部生のときに小谷津先生のゼミで認知心理学を学んでいた私は，ベックの認知モデルはすんなり頭に入ってきました。自らの認知に気づき，工夫をすることで感情が変化していく，行動を工夫することで認知と感情のあり様が変化していく，という認知療法のモデルは，自らの体験に照らし合わせても「ぴったり」とくるものでした。今でも，慶應義塾大学三田キャンパスの地下にあった小谷津先生の研究室で，先生と一緒に，ときにビールを飲みながらベックの教科書や論文を読みこんでいた頃のことをありありと思い出せます。

　私にとって非常に運がよかったのは，大学院修士課程に在学中，米国に留学しアーロン・ベックのもとで認知療法を学ばれた大野裕先生が帰国し，慶應義塾大学医学部に戻られたことでした。「これはチャンス！」とばかりに私

たちは小谷津先生と大野先生を指導者として，研究会を立ち上げ（Psychotherapy & Cognitive Psychology 研究会：PTCP 研究会），1〜2か月に1度ほど，土曜日の夜に，三田キャンパスに集っては認知療法や認知心理学を中心とした心理学や心理療法について学び合う，ということを始めました。その研究会にちょくちょく顔を出してくださったのが，本書の共訳者である藤澤大介先生であったり，日本の対人関係療法の第一人者である水島広子先生であったり，うつ病の心理学研究のパイオニアである坂本真士先生であったりしたわけで，今思うとかなりの豪華メンバーが集う研究会で，私たちは様々なことを学んだり議論したりしていたのでした。

　私自身は博士課程在籍中から精神科のクリニックに心理士として勤務し，臨床現場で認知療法を提供するということを始めました。その約10年後，某民間企業に転職し，職場のメンタルヘルス向上のために認知療法や認知行動療法を活用するといったプロジェクトを任されることになり，そこでも小谷津先生と大野先生からスーパービジョンを受けていました。そしてプロジェクト内で，認知療法や認知行動療法を提供できる心理士を養成する必要が生じた際，先生方に勧めていただき参加したのが，フィラデルフィアのベック認知行動療法研究所（Beck Institute for Cognitive Behavior Therapy）の専門家向けの短期研修でした。そこで私は本書の著者であるジュディス・ベック博士に出会いました。彼女は研究所のディレクターを務めており，毎日，ハードなカリキュラムをこなす私たちに対し，様々なアドバイスをくれたり，時に真剣な議論に付き合ってくれたりしました。

　たった8名の受講者が朝から晩まで膝を突き合わせて1週間集中的に認知行動療法の研修を受ける，という体験は，非常に刺激的で実りの多いものでした。私自身のセラピーを振り返るよい機会になりましたし，認知行動療法の実践にあたって自分に何が足りていないのか，ということもよくわかりました。また，認知行動療法を学びたい，認知行動療法家としてさらに成長したいという切実なニーズを持ったセラピストが集まり，臨床実践や臨床研究を行いつつ，セラピスト同士で切磋琢磨しあうという研究所の有り方自体にも大いに刺激を受けました。そして，このとき初めて，ジュディ（私たちは

彼女をそう呼んでいました）の"Cognitive Therapy：Basics and Beyond"が，認知行動療法の創始者であるお父さんベックお墨付きの，認知行動療法の正統派教科書として世界中（特に英語圏）で読まれていることを知りました（言い訳ですが，当時は今ほどインターネットが整備されていなかったのです。情報にタイムラグがありました）。

　帰国して，この研修について大野先生に報告する機会があったのですが，その際，ジュディの本が話題にのぼり，先生に「翻訳したらどうか」とのアドバイスをいただきました。私はそれまで下訳や分担翻訳の経験はありましたが，自分自身が翻訳者として専門書を出版したことはなかったので，そう言われて一瞬躊躇してしまいました。しかし原書をざっと眺めただけでも，フィラデルフィアでの実りある研修で学んだことが，この本にぎゅーっと凝縮されていることは明らかです。ここまで具体的で詳細な認知行動療法の教科書を，これまで私は読んだことはありません。これは日本語にして，認知行動療法をこれから学ぼうとする日本の若い人たち（そういう人が徐々に増えつつあるのは知っていました）に，ぜひ読んでもらいたい，臨床に活かしてもらいたい，というより臨床の核にしてもらいたい，と考えました。そして藤澤大介先生と神村栄一先生にお声かけして翻訳チームを結成し，星和書店さんに翻訳出版にまつわるあれこれの一切をお願いして，翻訳作業にとりかかったのです。

　この第 1 版の翻訳書は，2004 年 7 月に無事出版されました。私たちはどうしてもこの時期に間に合わせたかったのです。というのも，2004 年 7 月に，認知療法，認知行動療法に関する大規模な国際会議「世界認知療法行動療法会議（WCCBT ※現 WCCBT）」が，神戸で開催されることになっていたからです。事実，この世界会議は，認知行動療法が日本で普及する大きなきっかけとなりました。それに合わせて我々の翻訳書も多くの人に読んでいただくようになりました。私自身，第 1 版を自分なりにじっくりと咀嚼し，自らの臨床にどんどん活かしていきました。2004 年というのは，私自身にとっても大きな年となりました。その春に，認知行動療法を専門とする民間カウンセリングオフィスを開業したのです。Beck 研究所を見習い，私は開

業当初から，認知療法を学びたい，認知療法家になりたい，という複数の臨床心理士に来てもらっていました。そしてもちろん彼ら／彼女らにもジュディの教科書を読んでもらい，私たちは，そこに書かれていることについて，「これはこうだよね」「あれはああだよね」と何度も議論を重ね，さらに自分たちの臨床に活かそうと努力や工夫を重ねていきました。

その後，満を持して第2版が2011年に出版されました。ジュディが第1版を出版して1995年から実に16年が経っていました。私たちは即座に第2版を再度翻訳することに決め，日本では翻訳書を2015年に出版することができました。第2版は第1版のエッセンスをそのまま引き継いだうえで，新たに加えられた章が3章ありました。それは「Overview Treatment」，「The Evaluation Session」，「Behavioral Activation」というタイトルの章です。すなわち治療全体を概観し，認知行動療法を導入するにあたってインテークセッションをしっかりと行い，特にうつ病の治療法としてエビデンスが確立されつつある行動活性化についての章が新たに追加されたのです。またこの第2版には，付録にも追加がありました。第2版には新たに，CTRS (Cognitive Therapy Rating Scale：認知療法尺度) というセッションでのセラピストのパフォーマンスを評価する尺度が付け加えられました。これを用いればセラピスト自身が，あるいはスーパービジョン等で，セッションの質を系統的に評価することができます。

私自身が第2版で翻訳を担当した章で，特に印象に残ったのは，セラピーを開始するにあたって良好な治療関係を形成する必要性があることを，ジュディがさらに強調するようになっていることと，その際には，傾聴，受容，共感といったロジャーズ式のヒューマニスティックアプローチが重要であることが，さらに明確に書かれていたことです（第1版では，さらりと触れられているだけでした）。これには私自身思い当たることが大いにあります。認知行動療法の研修を専門家向けに行い，そこでロールプレイを行ってもらうと，そもそもクライアント役の話を「まともに聴けない」受講者をときどき見かけるからです。このような方には，認知行動療法を本格的に学ぶ前に，ロジャーズ式のカウンセリングのスキルを学ぶようアドバイスさせても

らっています。一緒にするのはおこがましいですが，ジュディもそのような現象を数多く体験したり見聞きしたりしているからこそ，ヒューマニスティックアプローチをこのように強調するようになったのではないかと想像しました。

　そのような第2版が出版された今度は10年後の2021年，再び満を持して出版されたのが本書，すなわち第3版です。できたてほやほやの第3版を出版社に送ってもらって目を通した私はびっくりしました。第2版と大幅に内容が異なっていたからです。正確に言えば，この第3版は，これまでの版と「異なる」というよりは，第1版，第2版のエッセンスを引き継ぎつつ，新たに「リカバリー志向の認知行動療法」というテーマが紹介され，これまでとは異なる新たな技法について具体的に解説されていました。リカバリー志向とは，2020年に100歳で亡くなったアーロン・ベックが最晩年に情熱を燃やした認知行動療法の新たなアプローチです。「リカバリー」という語からもわかるとおり，クライアントの希望や価値に沿って回復を構築していくことに主眼を置いています。従来の認知行動療法が症状や問題に焦点を当て，それらの解消や解決を目指すアプローチだとすると，リカバリー志向はポジティブ心理学を取り入れ，クライアントの持つポジティブな側面に光を当て，そこを伸ばしていこうとするアプローチです。本書を読めばおわかりいただけるかと思いますが，従来のアプローチを決して否定するのではなく，従来のアプローチにリカバリー志向をプラスして，認知行動療法の幅をぐんと広げて深めた形になっています。セラピストは両者のアプローチに習熟し，クライアントによって，あるいはセラピーの進行に合わせて，それらのアプローチを選択したり，統合したりできるとよいのではないかと思います。また，第1版，第2版では「サリー」という一人の女性クライアントのケースを紹介していましたが，この第3版では「エイブ」という男性クライアントと「マリア」という女性クライアントの2名のケースを紹介し，認知行動療法の実際の進め方について解説しています。本書を通じて，より充実した内容となったベックの認知行動療法のエッセンスと具体的な理論やモデルや技法について，多くの方々に学んでいただければ幸いです。

最後に，第1版，第2版と同様に，この第3版の翻訳出版に向けて，多大なサポートを賜りました星和書店の石澤雄司社長，近藤達哉さんに厚く御礼を申し上げます。今回も本当にありがとうございました。そして私を臨床心理学と認知行動療法の道に導いてくださった小谷津孝明先生に心から感謝申し上げます。先生には感謝しても感謝しきれないほどの深くて大きな恩があります。本当にありがとうございました。

2023年10月吉日
伊藤絵美

Basic and beyond：概念化とリカバリー

　2023年6月に Judith S. Beck が来日し，その際に聴いた2つの話題が強く印象に残りました。
　一つ目の話題は，認知行動療法とは何か，についてです。Judith は，認知行動療法を「認知的概念化の下に行うセラピー」と定義しました。すなわち，認知的概念化に基づいていれば，そこで用いられる様々な技法はすべて認知行動療法の範疇に含まれることになります。
　昨今，マインドフルネスやポジティブ心理学などの新しい技法が私達の診療に溶け込んできていますが，マインドフルネスやアクセプタンス＆コミットメント・セラピーなどが「新世代認知行動療法」と評される中，私達が「標準」と考えてきた認知行動療法はもはや「旧世代」か，というモヤモヤ感を抱いていました。また，新世代認知行動療法と従来型認知行動療法とが対比的に語られることに違和感を覚えていました。
　そうしたなか，Judith による上記の認知行動療法の定義は，旧世代・新世代という垣根を取り払い，認知行動療法の視野を，連続性を持って限りなく広げてくれるものです。実際，本書の第16章では，マインドフルネスを認知行動療法のセッションで用いる方法を解説しており，"新世代"の技法も含めた認知行動療法の柔軟性と可能性を具体的に具現しています。
　もう一つ印象に残った話題は，リカバリー志向への抜本的な転換です。Judith は，自身のセラピーが5年前のそれより上達していると語りました。悩みを抱えたクライアントを前にしたとき，「5年前の自分であれば，クライアントがつらい気持ちになった瞬間に焦点を当てたが，今の自分はそうはしない。はじめにクライアントが現在（も）出来ていることに焦点を当てて気分を改善させ，そのうえでクライアントが将来どうなりたいか（価値・アスピレーション）を尋ね，そしてその実現を阻むものに対する解決策を話し合う」とのことでした。

このように，クライアントのネガティブな側面ではなく，ポジティブな側面を軸にセラピーを進めるアプローチ（strength-based なアプローチ）は，クライアントとセラピストの「今ここで」のやり取りを装置として，クライアントの気分を目の前で改善するという点で強力かつ即効性が高いものであり，クライアントにとってもより友好的で受け入れられやすいものと考えられます。

なお，リカバリー志向認知行動療法は，単独でのエビデンスがまだ十分ではないため，現在においては，まずはこれまでの"標準的な"認知行動療法を身に着け，そのうえでリカバリー志向のアプローチを習得することを，Judith は勧めています。本書は，従来のアプローチとリカバリー志向アプローチの両方を併記しており，認知行動療法の現在進行形の発展に沿って解説がなされた貴重なテキストと言えるでしょう。実践者個人の技量の basic から beyond にとどまらず，認知行動療法の概念そのものの basic（標準像）と beyond（未来像）を示す手引書であり，本書の翻訳の機会をいただいたことで，それをいち早く実感できた幸運とご縁に感謝いたします。

藤澤大介

索　引

AWARE（気づき）の技法　395
CBT　3
CT-R　10

【あ行】

アーロン・ベック　3
愛されない　48, 403
愛される　46
アクション・プラン　2, 34, 123, 195
アジェンダ　136
アスピレーション　1, 30, 155
アセスメント　112
「あたかも……であるか」のように振る舞う　435
安全行動　469
意思決定　463
今，ここ　30
意味　43
イメージ・エクスポージャー　471
イメージ技法　434, 483
イメージを修正する　492
インテークセッション　106
ウェルビーイング　506
エクスポージャー　468
円グラフ法　474
思い込み　52

【か行】

解釈　42
階段の比喩　466
カウンセリングスキル　27, 83, 86
カウンセリングのスキル　17
鍵となる自動思考　342
過去　31
価値　1, 30, 153
価値がある　46
価値がない　48, 403
活動計画　2, 35, 123, 195
活動スケジュール　173
活動チャート　176
過度にポジティブな信念　47
構え　52
感情　325
感情調節　456
感情の強さ　330
奇跡　162
気分のチェック　132
希望　1, 155
技法　36
教育　31
協働　90
協働的実証主義　91
距離をとる　353
記録　35
クライアントの視点　41

原則　25
効果研究　7
構造化　33, 250, 275
行動実験　198, 442
コーピングカード　15

【さ行】

再燃　511
再発予防　500
時間　32
時間配分　296
思考記録表　375
思考検討ワークシート　375
思考の誤り　361
自己開示　21, 92
自己比較法　478
自殺念慮　133
下向き矢印法　411
実践エクササイズ　20
自動思考　6, 43, 304
自動思考の影響　352
自動思考を検討するための質問　347
終結　500
宿題　195
証拠探し　349
情報処理ダイアグラム　51
初回治療セッション　130
診断　119, 142
信念　45, 398
信念を修正する　430
スキーマ　50, 399
スキルトレーニング　459
精神分析　8
セッションの構造　254
セッションメモ　253

セラピーで起きる問題　517
セラピスト　14
セラピスト自身のクライアントに対するネ
　　ガティブな反応　102
早期警告サイン　513
ソクラテス式質問法　345, 437

【た行】

たった今，どんなことが頭に浮かんだだろ
　　うか？　23, 44
脱破局視化　351
妥当性　44
たとえ話　14
段階的な課題の割り当て　466
中核信念　7, 45, 52, 399
長所のリスト　71
治療関係　27, 83
治療計画　229, 234
治療準備のためのワークシート　255
治療同盟　27
治療の見通し　125
治療メモ　370
治療目標　230
強みに基づく概念化　66
強みに基づく認知的概念化ダイアグラム
　　66, 70
適応的な信念　45, 430
適応的な信念と行動戦略　11
適応的なモード　402

【な行】

認知行動療法　3
認知行動療法の原則　25

認知的概念化　26, 39
認知的概念化ダイアグラム　66
認知的連続表　444
認知の偏り　359
認知モデル　6, 42, 147
認知療法　3
ネガティブなイメージ　489
ネガティブな感情　328
ネガティブな信念　436

【は行】

媒介信念　6, 52, 414
話をさえぎる　277
「表彰」リスト　198
フィードバック　89
フィードバック用紙　168
ブースターセッション　515
不活発　170
不適応的な信念　436
文化　28
別の説明　350
ホームワーク　34, 195
ポジティブ　29
ポジティブなイメージ　483
ポジティブな感情　326
ポジティブな信念　430
ホットな思考　305

【ま行】

マイノリティ　28
マインドフルネス　192, 386
無力である　48, 403
メタファー　14, 421

モード　402
目標　30, 120, 158
問題解決　353, 460
問題に基づく概念化　66
問題に基づく認知的概念化ダイアグラム　67

【や行】

薬物療法　135
誘導による発見　34
有能である　46
夢　8
抑うつモード　403

【ら行】

来談者中心療法　27
利益と不利益　463
リカバリー志向　10
リフレーミング　439
理屈対感情のロールプレイ　450
リラクセーション法　458
理論的根拠　201
ルール　52
レジリエンス　506
ロールプレイ　473
録音　374
ロジャーズ派　27

【わ行】

ワークシート　375

《訳者紹介》

伊藤絵美（いとう えみ）　　※担当　序文，第 1, 3, 5, 7, 9, 11, 13, 15, 17, 19, 21 章，
　　　　　　　　　　　　　　　　　　　付録，パンフレット

博士（社会学），公認心理師，臨床心理士，精神保健福祉士
慶應義塾大学大学院社会学研究科博士課程満期退学
現　洗足ストレスコーピング・サポートオフィス所長，千葉大学子どものこころの発達教育研究センター客員教授
主な著書：『認知療法・認知行動療法カウンセリング初級ワークショップ』（単著，星和書店），『事例で学ぶ認知行動療法』（単著，誠信書房），『認知行動療法，べてる式。』（共著，医学書院），『スキーマ療法入門』（共著，星和書店），『自分でできるスキーマ療法ワークブック Book 1, 2』（単著，星和書店）.

藤澤大介（ふじさわ だいすけ）　　※担当　第 2, 4, 6, 8, 10, 12, 14, 16, 18, 20, 22 章，
　　　　　　　　　　　　　　　　　　　　　不安のパンフレット

医師，医学博士，公認心理師，国際認知療法協会認定セラピスト・認定評価者
慶應義塾大学医学部卒業
現　慶應義塾大学医学部准教授
日本認知療法・認知行動療法学会理事長
主な著訳書：『がん患者心理療法ハンドブック』（共訳，医学書院），『自傷行為救出ガイドブック：弁証法的行動療法に基づく援助』（共訳，星和書店），『短期精神療法の理論と実際』（共訳，星和書店），『もう一歩上を目指す人のための集団認知行動療法マニュアル』（共著，金剛出版），『マインドフルネスを医学的にゼロから解説する本』（共著，日本医事新報社）

《著者紹介》
ジュディス・S・ベック，PhD

非営利組織であるベック認知行動療法研究所（Beck Institute for Cognitive Behavior Therapy and Research）（www.beckinstitute.org）の所長。同研究所は，認知行動療法（CBT）の領域において世界をリードするリソースとして，個人および組織に対するCBTの最先端のトレーニングと資格認定を行い，CBTの様々なトピックについてオンラインの研修を提供し，研究活動も行っている。ベック博士はまた，ペンシルベニア大学の心理学および精神医学の臨床教授を務めており，これまでに，専門家および一般向けに100本以上の論文や記事を執筆している。主な著書に，『Cognitive Therapy for Challenging Problems : What to Do When the Basics Don't Work』〔邦訳『認知療法実践ガイド：困難事例編』（星和書店，2007）〕などがある。国内外でCBTのワークショップを数百回にわたって担当している。「子どもと若者のためのベック尺度（Beck Youth Inventory）」および「パーソナリティと信念の質問紙（Personality Belief Questionnaire）」の共同開発者でもあり，この分野の貢献者として幾度も表彰されている。ベック博士はまた，フィラデルフィア郊外にあるベック研究所に所属するクリニックにて，自らのクライアントに対する治療を継続している。

認知行動療法実践ガイド：基礎から応用まで　第3版
2023年11月26日　初版第1刷発行

著　　者　ジュディス・S・ベック
訳　　者　伊藤絵美，藤澤大介
発　行　者　石澤雄司
発　行　所　㈱星 和 書 店
　　　　　〒168-0074　東京都杉並区上高井戸1-2-5
　　　　　電話　03（3329）0031（営業部）／03（3329）0033（編集部）
　　　　　FAX　03（5374）7186（営業部）／03（5374）7185（編集部）
　　　　　http://www.seiwa-pb.co.jp
印刷・製本　中央精版印刷株式会社

Printed in Japan　　　　　　　　　　　　　　　ISBN978-4-7911-1123-7

・本書に掲載する著作物の複製権・翻訳権・上映権・譲渡権・公衆送信権（送信可能化権を含む）は㈱星和書店が管理する権利です。
・JCOPY〈（社）出版者著作権管理機構 委託出版物〉
本書の無断複製は著作権法上での例外を除き禁じられています。複製される場合は，そのつど事前に（社）出版者著作権管理機構（電話 03-5244-5088，FAX 03-5244-5089，e-mail：info@jcopy.or.jp）の許諾を得てください。

弁証法的行動療法
実践トレーニングブック
自分の感情とよりうまくつきあってゆくために

[著] マシュー・マッケイ, 他
[訳] 遊佐安一郎, 荒井まゆみ
A5判　436頁　定価：本体3,300円+税

弁証法的行動療法（DBT）は、自分の激しい感情に苦悩する人々のために開発された、特に境界性パーソナリティ障害に有効な治療法である。本書はDBTスキルを自ら段階的に習得できる実践ワークブック。

認知行動療法家のための
ACT（アクセプタンス＆コミットメント・セラピー）ガイドブック

[著] ジョセフ・V・チャロッキ, アン・ベイリー
[訳・監訳] 武藤 崇, 嶋田洋徳
[訳] 黒澤麻美, 佐藤美奈子
A5判　300頁　定価：本体3,200円+税

本書を学ぶことにより、認知行動療法家がすでに身につけてきた技法を、ACTという新しい〈臨床のOS〉上で実際に「動かす」ことができる。本書は、新世代のCBTのための完全利用ガイドである。

発行：星和書店　http://www.seiwa-pb.co.jp

成人アスペルガー症候群の認知行動療法

［著］ヴァレリー・L・ガウス
［監訳］伊藤絵美　［訳］吉村由未，荒井まゆみ
A5判　456頁　定価：本体3,800円+税

アスペルガー症候群が知られる以前に成長し成人となり、アスペルガー症候群やそれによる二次障害で苦しんでいる当事者に、認知行動療法を中心とする援助を提供するための包括的なガイド。

スキーマ療法入門
理論と事例で学ぶスキーマ療法の基礎と応用

［編著］伊藤絵美
［著］津髙京子，大泉久子，森本雅理
A5判　400頁　定価：本体2,800円+税

スキーマ療法は、スキーマ（認知構造）に焦点を当て、心理療法を組み合わせて構築された認知行動療法の発展型である。日本でスキーマ療法を習得し、治療や援助に使いたい方々の心強いテキスト。

発行：星和書店　http://www.seiwa-pb.co.jp

認知療法・認知行動療法 カウンセリング 初級ワークショップ

[著] 伊藤絵美　A5判　212頁　定価：本体2,400円+税

大好評の認知行動療法ワークショップを完全テキスト化。基本モデルの説明、実際のセッションの進め方、実践的ロールプレイなど、これから認知行動療法を学ぶ人たちに最適。

DVD 認知療法・認知行動療法カウンセリング初級ワークショップ

伊藤絵美　A5函入　DVD2枚組（収録時間5時間37分）
定価：本体12,000円+税　※書籍+DVDのセット販売はしておりません。

認知行動療法カウンセリング 実践ワークショップ

CBTの効果的な始め方とケースフォーミュレーションの実際

[著] 伊藤絵美　A5判　196頁　定価：本体2,400円+税

初級編に続き、CBTの要である「導入」「アセスメント」「ケースフォーミュレーション」をテーマに、セラピストがCBTを安全に開始し、効果的に進めていくために必要な考え方や実践方法を学べる。

DVD 認知行動療法カウンセリング実践ワークショップ
CBTの効果的な始め方とケースフォーミュレーションの実際

伊藤絵美　A5函入　DVD2枚組（収録時間5時間23分）
定価：本体8,000円+税　※書籍+DVDのセット販売はしておりません。

発行：星和書店　http://www.seiwa-pb.co.jp

認知療法・認知行動療法
事例検討ワークショップ(1)

[編著] 伊藤絵美, 丹野義彦
[分担執筆者] 大泉久子, 腰みさき, 初野直子, 山本真規子
A5判　284頁　定価：本体2,800円+税

認知療法・認知行動療法の具体的な進め方、ケースマネジメントのあり方を、事例を通して検討する。臨床の現場を詳細に説明・解説する。クライアントの変化の経緯を詳細に知ることができる。

認知療法・認知行動療法
事例検討ワークショップ(2)

[著] 伊藤絵美, 初野直子, 腰みさき
A5判　292頁　定価：本体2,800円+税

『認知療法・認知行動療法事例検討ワークショップ(1)』の待望の続編。認知行動療法の技法をひととおり学んだが、現場でどのように実践したらよいか悩んでいる人に最適の一冊である。

発行：星和書店　http://www.seiwa-pb.co.jp

自分でできる
スキーマ療法ワークブック

Book 1
B5判　240頁　定価：本体2,600円+税

Book 2
B5判　272頁　定価：本体2,800円+税

生きづらさを理解し、こころの回復力を取り戻そう

［著］伊藤絵美

スキーマ療法とは、認知行動療法では効果の出ない深いレベルの苦しみを解消するために米国の心理学者ヤングが考案した心理療法である。認知行動療法では、頭に浮かぶ考えやイメージのことを認知と呼ぶ。浅いレベルの認知を自動思考と呼び、深いレベルの認知をスキーマと呼ぶ。スキーマ療法は、心の深い部分の傷つきやずっと抱えてきた生きづらさなど深いレベルの認知に働きかけ、認知行動療法の限界を超えて、大きな効果をもたらす。

本書は、治療者やセラピストがいなくても、自分ひとりでスキーマ療法に取り組めるように作成されたワークブックである。本書でスキーマ療法に取り組むことにより、自らの生きづらさを理解し、こころの回復力を取り戻すことが出来る。

発行：星和書店　http://www.seiwa-pb.co.jp